A FOME VERMELHA

ANNE APPLEBAUM

A FOME VERMELHA

A GUERRA DE STALIN NA UCRÂNIA

Tradução de
JOUBERT DE OLIVEIRA BRÍZIDA

3ª edição

EDITORA RECORD

RIO DE JANEIRO • SÃO PAULO

2022

CIP-BRASIL. CATALOGAÇÃO NA PUBLICAÇÃO
SINDICATO NACIONAL DOS EDITORES DE LIVROS, RJ

A658f
3ª ed.

Applebaum, Anne
A fome vermelha: a guerra de Stalin na Ucrânia / Anne Applebaum; tradução Joubert de Oliveira Brízida. – 3ª ed. – Rio de Janeiro: Record, 2022.

Tradução de: The red famine: Stalin's war on Ukraine
Inclui bibliografia e índice
Inclui mapas
ISBN 978-85-01-11693-2

1. Genocídio – Ucrânia – História – Séc. XX. 2. Ucrânia – Fome – História, 1932-1933. 3. Comunismo. 4. União Soviética. I. Brízida, Joubert de Oliveira. II. Título.

19-57100

CDD: 947.70842
CDU: 94(477)"1932-1933"

Meri Gleice Rodrigues de Souza – Bibliotecária – CRB-7/6439

Copyright © Anne Applebaum, 2017

Título original em inglês: The red famine: Stalin's war on Ukraine

Todos os direitos reservados. Proibida a reprodução, armazenamento ou transmissão de partes deste livro, através de quaisquer meios, sem prévia autorização por escrito.

Texto revisado segundo o novo Acordo Ortográfico da Língua Portuguesa.

Direitos exclusivos de publicação em língua portuguesa para o Brasil adquiridos pela
EDITORA RECORD LTDA.
Rua Argentina, 171 – 20921-380 – Rio de Janeiro, RJ – Tel.: (21) 2585-2000, que se reserva a propriedade literária desta tradução.

Impresso no Brasil

ISBN 978-85-01-11693-2

Seja um leitor preferencial Record.
Cadastre-se em www.record.com.br
e receba informações sobre nossos
lançamentos e nossas promoções.

EDITORA AFILIADA

Atendimento e venda direta ao leitor:
sac@record.com.br

Жретвам
Às vítimas

SUMÁRIO

Lista de mapas — 9

Agradecimentos — 17

Nota sobre a transliteração — 19

Prefácio — 21

Introdução: A questão ucraniana — 29

1. A Revolução Ucraniana, 1917 — 41

2. Rebelião, 1919 — 75

3. Fome e trégua: os anos 1920 — 93

4. A crise dupla: 1927-29 — 121

5. Coletivização: revolução no campo, 1930 — 155

6. Rebelião, 1930 — 185

7. A coletivização fracassa, 1931-32 — 209

8. Decisões para a fome, 1932: requisições, listas negras e fronteiras — 239

9. Decisões para a fome, 1932: fim da ucranização — 261

10. Decisões para a fome, 1932: as revistas e os ativistas — 279

11. Fome: primavera e verão, 1933 — 301

12. Sobrevivência: primavera e verão, 1933 — 325

13. Rescaldo — 343

14. Dissimulação — 363

15. A *Holodomor* na história e na memória — 391

Epílogo: A questão ucraniana revista — 421

Notas — 437

Bibliografia selecionada — 511

Créditos das imagens — 529

Índice — 531

LISTA DE MAPAS

1. União Soviética e Europa Oriental, 1922   10
2. Ucrânia, 1922   12
3. A fome, 1932-34   14
4. Geografia física da Ucrânia, 1932   15

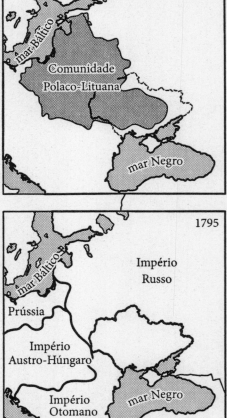

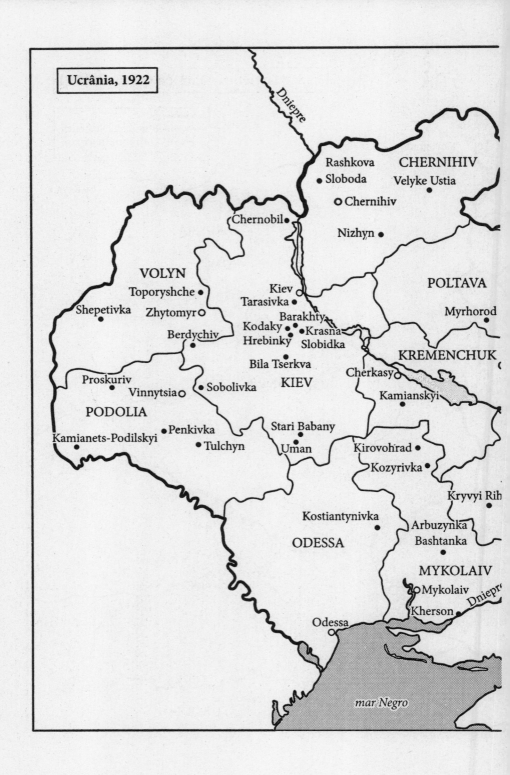

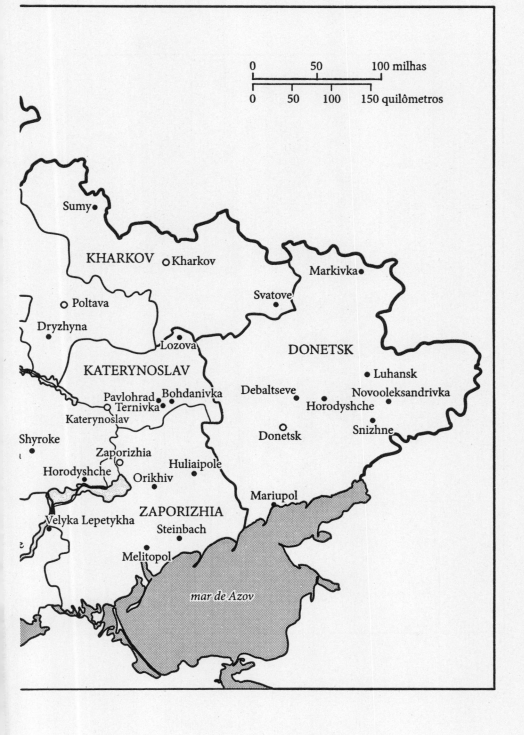

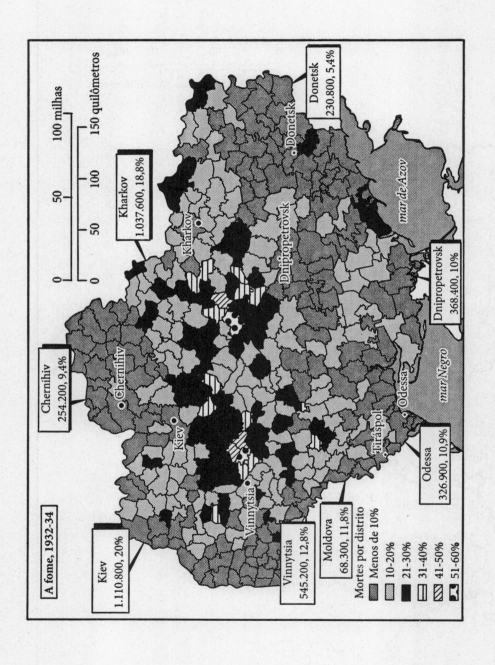

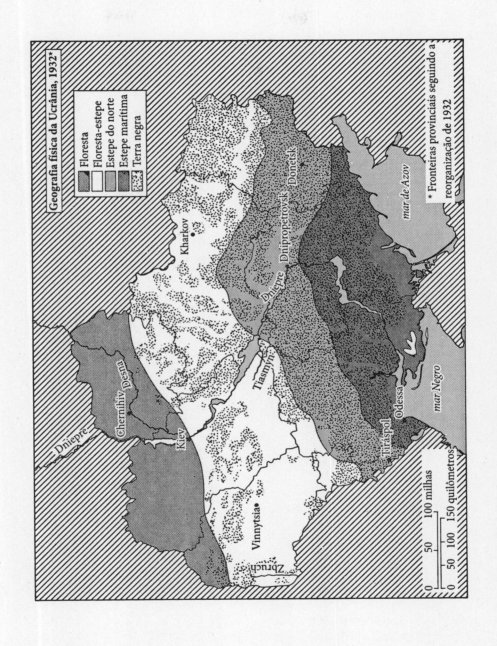

AGRADECIMENTOS

Sem o encorajamento, os conselhos e a ajuda do professor Serhii Plokhii e de seus colegas do Instituto de Pesquisa Ucraniana de Harvard (HURI), este livro não teria sido escrito. Os acadêmicos do HURI compreenderam há uma década que as revelações dos atuais arquivos abertos mereciam nova abordagem da história da *Holodomor* — e estavam certos. Diversos membros da equipe do instituto ajudaram em diferentes momentos, mas devo agradecimentos especiais a Oleh Wolowyna e Kostyantyn Bondarenko, do projeto MAPA de Harvard, que fizeram um trabalho extraordinário sobre estatísticas, aspectos demográficos, quantidades e mapas.

Tenho também enorme dívida com Marta Baziuk, do Centro de Educação e Pesquisa da Holodomor, em Toronto, e com sua correspondente baseada em Kiev, Lyudmyla Hrynevych, do Centro de Pesquisa Ucraniano da Holodomor, por terem ambas compartilhado seu profundo conhecimento sobre o assunto com muita generosidade. Agradeço ao produtor de documentários cinematográficos Andrew Tkach e Vladyslav Berkovsky, do arquivo fotográfico TsDKFFA, pelo auxílio com as fotos. O professor Andrea Graziosi, da Universidade de Nápoles, ajudou a traçar o esboço original e agiu como caixa de ressonância durante todo o projeto. Duas jovens e extraordinárias historiadoras, Daria Mattingly e Tetiana Boriak, proporcionaram assistência nas pesquisas a partir de Kiev e de outras cidades na Ucrânia. Ian Crookston e o professor Oksana Mykhed, dois ex-alunos de Harvard igualmente brilhantes, leram o texto atentamente em busca da exatidão das fontes e das transliterações. Diversos outros historiadores ucranianos ofereceram sugestões e deram-me acesso aos seus livros e artigos não publicados. Todos estão listados no prefácio, mas eu gostaria de destacar aqui agradecimentos especiais a Iurii Shapoval e Hennadii Boriak. Sou grata aos colegas que leram as primeiras versões do manuscrito, inclusive Geoffrey Hosking, Bogdan Klid, Lubomyr Luciuk e Frank Sysyn. Agradeço a Nigel Colley e Russ Chelak pela ajuda com a história de Gareth Jones. Tenho enorme dívida com Roman Procyk, do Fundo de Estudos Ucranianos, e com seus curadores, em particular Luba Kladko, dra. Maria Fischer Slysh, Arkadi Mulak-Yatzkivsky e Ivan e Helena Panczak, bem como com o Fundo Semenenko do Instituto de Pesquisa W. K. Lypynsky do Leste Europeu.

Como no passado, Stuart Proffitt da Penguin, em Londres, e Kris Puopolo, em Nova York, formaram uma notável equipe transatlântica de edição, e George Borchardt foi um agente soberbo. Este é o terceiro livro que fui capaz de escrever com a assistência do excelente trio de sempre. Serei eternamente grata a eles. Richard Duguid gerenciou a produção deste trabalho, a partir de Londres, com a eficiência costumeira, ao passo que Richard Mason foi excepcional e meticuloso copidesque.

Meus agradecimentos finais vão para Radek, Tadziu e Alexander — com amor.

NOTA SOBRE A TRANSLITERAÇÃO

A transliteração de nomes ucranianos e de nomes de locais neste livro segue o padrão estabelecido pelo Instituto Ucraniano de Harvard. As regras de transliteração da Biblioteca do Congresso para nomes ucranianos e nomes de locais são estritamente seguidas nas notas do final do volume; no texto, nomes de pessoas e de locais são grafados em suas formas básicas, que parecem mais familiares aos leitores da língua portuguesa. Os nomes de locais russos e bielorrussos são transliterados de acordo com as regras dos respectivos idiomas. Alguns nomes e nomes de locais bem conhecidos, inclusive Moscou e Odessa, foram deixados da maneira usual que os leitores em português entendem.

PREFÁCIO

Os sinais de alerta foram inúmeros. No início da primavera de 1932, os camponeses da Ucrânia começavam a passar fome. Relatórios da polícia secreta e cartas dos distritos produtores de grãos em toda a União Soviética — do norte do Cáucaso, da região do Volga e até da Sibéria Ocidental — descreviam crianças com estômagos inchados por falta de alimentação; famílias comendo grama, capim e sementes de carvalho; camponeses abandonando suas casas à procura de alimentos. Em março, uma comissão de saúde pública encontrou cadáveres estirados na rua de um vilarejo próximo a Odessa. Nenhum dos habitantes tinha força suficiente para cavar-lhes uma sepultura condigna. Em outro vilarejo, as autoridades locais tentavam esconder dos observadores externos os altos índices de mortalidade. Eles simplesmente negavam o que acontecia, mesmo que os fatos se desenrolassem bem à vista dos visitantes.[1]

Algumas pessoas escreviam diretamente ao Kremlin, solicitando uma explicação:

Honrado Camarada Stalin, existe alguma lei estatal soviética que determine que os habitantes de vilarejos devam passar fome? Porque nós, trabalhadores de fazendas coletivas, não conseguimos uma simples fatia de pão em nossa fazenda desde 1º de janeiro... Como poderemos construir uma economia popular socialista quando estamos condenados à morte por inanição, e a safra ainda está quatro meses distante? Pelo que morremos nas frentes de batalha? Para passar fome, para ver nossos filhos morrerem na penúria da escassez?[2]

A FOME VERMELHA

Outros julgavam impossível que o Estado soviético pudesse ser responsável:

> Todos os dias, de dez a vinte famílias morrem de fome nos vilarejos, crianças fogem de casa, e as estações ferroviárias vivem apinhadas de gente do campo que tenta escapar da fome. Não há cavalos ou gado bovino no interior do país. (...) A burguesia criou verdadeira fome por aqui como parte do plano capitalista para incitar todo o campesinato contra o governo soviético.[3]

Mas a burguesia não havia criado a fome. A decisão desastrosa da União Soviética de forçar os camponeses a abrir mão de suas terras e se juntar às fazendas coletivas; a expulsão dos *kulaks*, fazendeiros prósperos, de suas casas; o caos que se seguiu; tais políticas, todas em última análise de responsabilidade de Josef Stalin, secretário-geral do Partido Comunista da União Soviética (PCUS), levaram o país à beira da fome. Ao longo da primavera e do verão de 1932, muitos colegas de Stalin enviaram-lhe mensagens urgentes, de todos os rincões da URSS, descrevendo a crise. Líderes do Partido Comunista da Ucrânia estavam particularmente desesperados, e vários escreveram-lhe longas cartas implorando ajuda.

> Muitos deles acreditavam, no fim do verão de 1932, que uma tragédia maior ainda poderia ser evitada. O regime poderia ter pedido assistência internacional, como o fizera durante a fome de 1921. Poderia ter interrompido a exportação de grãos, ou parado de vez a requisição punitiva de cereais. Poderia ter oferecido ajuda aos camponeses das regiões atingidas pela fome — e, em determinada medida, ele o fez, mas bem longe do suficiente.

Em vez disso, no outono de 1932, o Politburo soviético, a elite da liderança do Partido Comunista da União Soviética, tomou uma série de providências que ampliaram e aprofundaram a crise no campo ucraniano e, ao mesmo tempo, impediram que os camponeses deixassem a república à procura de alimentos. No ápice do problema, equipes organizadas de policiais e militantes do partido, motivados pela fome, pelo medo e por uma década de retórica conspirativa e odiosa, invadiram os lares dos camponeses e roubaram tudo que fosse comestível: batatas, beterrabas, abóboras, favas, ervilhas, tudo que existisse nos fornos e qualquer coisa dos armários, animais de fazenda e de estimação.

PREFÁCIO

O resultado foi catastrófico: pelo menos 5 milhões de pessoas pereceram de fome entre 1931 e 1934 em toda a União Soviética. Entre eles, havia mais de 3,9 milhões de ucranianos. Para bem marcar a escala da crise, a fome de 1932-33 foi descrita nas publicações dos emigrados, tanto na ocasião quanto mais tarde, como a *Holodomor*, palavra que deriva dos termos ucranianos para fome (*holod*) e extermínio (*mor*).[4]

Mas a fome foi apenas metade da história. Enquanto camponeses morriam no interior, a polícia secreta soviética lançava simultaneamente um ataque contra as elites intelectuais e políticas ucranianas. À medida que a fome se alastrava, uma campanha de calúnias e de repressão foi desencadeada contra os intelectuais, professores, curadores de museus, escritores, artistas, clérigos, teólogos, funcionários públicos e burocratas da Ucrânia. Qualquer um que tivesse ligação com a República Popular da Ucrânia — que teve curta vida de poucos meses a partir de junho de 1917 —, que promovesse a língua ou a história ucraniana, que exercesse carreira independente ou artística era passível de ser vilificado publicamente, encarcerado, enviado para campos de trabalhos forçados ou executado. Não podendo suportar o que ocorria, Mykola Skrypnyk, um dos mais conhecidos líderes do Partido Comunista ucraniano, cometeu suicídio em 1933. E não foi o único.

Em conjunto, esses dois desenvolvimentos — a *Holodomor*, no inverno e primavera de 1933, e as perseguições às classes política e intelectual ucranianas nos meses que se seguiram — desaguaram na sovietização da Ucrânia, na destruição da ideia de nacionalidade ucraniana e na neutralização de qualquer desafio ucraniano à unidade soviética. Raphael Lemkin, advogado judeu-polonês que criou a palavra "genocídio", falou sobre a Ucrânia daquele tempo como "exemplo clássico" de seu conceito: "Trata-se de um caso de genocídio, de destruição, não só de indivíduos, mas de uma cultura e de uma nação." Desde quando Lemkin cunhou o termo, "genocídio" passou a ser empregado com acepção mais estreita, de modo mais jurídico. Ele também se tornou marco controverso, um conceito expresso seja por russos seja por ucranianos, bem como por diferentes grupos dentro da Ucrânia, para dar ênfase às suas argumentações políticas. Por isso, uma discussão separada da *Holodomor* como "genocídio" — bem como sobre as conexões e influências ucranianas de Lemkin — faz parte do epílogo deste livro.

24 A FOME VERMELHA

O tema central é mais concreto: o que de fato aconteceu na Ucrânia entre os anos de 1917 e 1934? Em particular, o que ocorreu no outono, no inverno e na primavera de 1932-33? Que cadeia de eventos e que mentalidade levaram à fome? Quem foi o responsável? Como esse episódio terrível se encaixa na história mais ampla da Ucrânia e do movimento nacional ucraniano?

E, tão importante quanto: o que aconteceu depois? A sovietização da Ucrânia não começou com a fome nem terminou com ela. Pelo contrário, prisões de intelectuais e líderes continuaram ao longo de toda a década de 1930. Por mais de meio século depois disso, sucessivos chefes soviéticos continuaram a reprimir veementemente o nacionalismo ucraniano em qualquer forma que ele se apresentasse, fosse como insurgência pós-guerra fosse como dissidência nos anos 1980. Ao longo de todos esses anos, a sovietização frequentemente assumiu o caráter de russificação: a língua ucraniana foi abafada, a história ucraniana deixou de ser ensinada.

Sobretudo, a história da fome de 1932-33 não foi ensinada. Em vez disso, entre 1933 e 1991 a URSS simplesmente se recusou a reconhecer que alguma vez tivesse havido qualquer tipo de fome. O Estado soviético destruiu arquivos locais, certificou-se de que os registros de mortes não se referissem à fome, e chegou a alterar os dados de recenseamentos disponíveis publicamente a fim de esconder o que ocorrera.[5] Enquanto existiu a URSS, não foi possível escrever uma história totalmente documentada da fome e da repressão a ela associada.

Em 1991, no entanto, o pior receio de Stalin se materializou. A Ucrânia declarou independência. A União Soviética desmoronou, em parte como consequência da decisão ucraniana de se separar. Uma Ucrânia soberana se apresentou pela primeira vez na história ao cenário internacional, junto com uma nova geração de historiadores, arquivistas, jornalistas e editores. Graças aos esforços dessa geração, a história da fome de 1932-33 pode agora ser contada na íntegra.

O livro tem início em 1917, com a Revolução Ucraniana e o movimento nacional ucraniano que foi destruído em 1932-33. Termina nos dias atuais, com uma apreciação do debate sobre a política presente em relação à memória da Ucrânia. Tem como foco a fome na Ucrânia, que, apesar de fazer parte da

PREFÁCIO

fome soviética mais espraiada, teve características e causas singulares. O historiador Andrea Graziosi observou que ninguém confunde a história geral das "atrocidades nazistas" com a muito específica perseguição de Hitler aos judeus e aos ciganos. Seguindo a mesma lógica, este livro debate as amplas fomes soviéticas entre os anos de 1930 e 1934 — que também resultaram em taxas de mortalidade muito elevadas, em especial no Cazaquistão e em determinadas províncias da Rússia —, porém se centra diretamente na tragédia específica da Ucrânia.[6]

A obra também reflete o valor de um quarto de século de estudo acadêmico sobre a Ucrânia. No início dos anos 1980, Robert Conquest compilou tudo o que estava publicamente disponível sobre a fome, e o livro que publicou em 1986, *The Harvest of Sorrow* [*A safra de tristeza*] ainda é referência para o que se escreve sobre a União Soviética. No entanto, três décadas passadas desde o fim da URSS e a emergência de uma Ucrânia soberana, assim como as diversas e abrangentes campanhas para coletar lembranças e histórias orais, trouxeram à tona milhares de novos testemunhos originados em todo o país.[7] Durante esse mesmo período, arquivos em Kiev — diferentemente dos de Moscou — tornaram-se acessíveis e fáceis de consultar; a percentagem de material não classificado na Ucrânia é uma das maiores da Europa. O financiamento do governo ucraniano tem encorajado estudiosos a publicar coleções de documentos, que têm tornado a pesquisa ainda mais direta.[8] Acadêmicos especializados na fome e no período stalinista na Ucrânia — entre eles Olga Bertelsen, Hennadii Boriak, Vasyl Danylenko, Lyudmyla Hrynevych, Roman Krutsyk, Stanislav Kulchytsky, Yuri Mytsyk, Vasyl Marochko, Heorhii Papakin, Ruslan Pyrih, Yuri Shapoval, Volodymyr Serhiichuk, Valerii Vasylyev, Oleksandra Veselova e Hennadii Yefimenko — vêm produzindo diversos livros e monografias, inclusive coleções de documentos reimpressos, bem como história oral. Oleh Wolowyna e uma equipe de especialistas em demografia — Oleksander Hladun, Natalia Levchuk, Omelian Rudnytsky — finalmente deram início à difícil tarefa de contabilizar o número de vítimas. O Instituto de Pesquisa Ucraniana de Harvard trabalhou com muitos desses acadêmicos para publicar e difundir seu trabalho.

O Holodomor Research and Education Consortium, em Toronto, liderado por Marta Baziuk, e sua organização parceira na Ucrânia, chefiada por Lyudmyla Hrynevych, continuam financiando novos estudos. Acadêmicos mais jovens vêm também abrindo novas linhas de investigação. A pesquisa de Daria Mattingly sobre os motivos e o histórico das pessoas que confiscaram alimentos de camponeses famintos e o trabalho de Tetiana Boriak na história oral se sobressaíram; elas também contribuíram de maneira importante para este livro. Estudiosos ocidentais também fizeram novas contribuições. A pesquisa em arquivos sobre a coletivização e sobre a subsequente rebelião dos camponeses feita por Lynne Viola alterou as percepções dos anos 1930. Terry Martin foi o primeiro a revelar a cronologia das decisões tomadas por Stalin no outono de 1932 — e Timothy Snyder e Andrea Graziosi estavam entre os primeiros a reconhecer sua significação. Serhii Plokhii e sua equipe de Harvard se empenharam em esforço incomum para mapear a fome, a melhor forma de entender como ela ocorreu. Sou grata a todas essas pessoas pela sabedoria e, em alguns casos, pela amizade, que tanto contribuíram para este projeto.

Se este livro tivesse sido escrito em época diferente, a presente e breve introdução para um assunto tão complexo poderia terminar aqui. Mas como a fome destruiu o movimento nacional ucraniano — o qual ressurgiu em 1991 — e como os chefes da Rússia moderna ainda contestam a legitimidade do Estado ucraniano, devo ressaltar aqui que debati pela primeira vez com meus colegas do Instituto Ucraniano de Harvard sobre a necessidade de uma nova história a respeito da fome em 2010. Viktor Yanukovych havia acabado de ser eleito presidente da Ucrânia com o respaldo e suporte da Rússia. A Ucrânia, naquele tempo, atraía pouca atenção do restante da Europa, e quase não houve cobertura da imprensa. Na ocasião, não havia motivo para que se pensasse que uma nova avaliação de 1932-33 seria interpretada como declaração política de qualquer espécie.

A Revolução de Maidan em 2014, a decisão de Yanukovych de atirar nos manifestantes e, depois, fugir do país, a invasão da Rússia e a anexação da Crimeia, a invasão russa do leste da Ucrânia acompanhada de intensa campanha de propaganda — tudo isso, inesperadamente, colocou a Ucrânia

PREFÁCIO

no centro da política internacional enquanto eu escrevia este livro. Na verdade, minha pesquisa sobre a Ucrânia foi atrasada pelos eventos ocorridos no país, não só porque eu escrevia sobre eles, mas também porque meus colegas ucranianos estavam horrorizados com o que acontecia. Entretanto, apesar de os acontecimentos daquele ano catapultarem a Ucrânia para o centro do palco internacional, o presente trabalho não foi escrito em função deles. Também não tem a intenção de ser argumento a favor ou contra nenhum político ou partido ucraniano, nem mesmo reação ao que ocorre na Ucrânia de hoje. É, em vez disso, uma tentativa de contar a história da fome à luz de novos arquivos, novos depoimentos e novas pesquisas, e de reunir o extraordinário trabalho realizado pelos acadêmicos acima citados.

Isso não significa dizer que a Revolução Ucraniana, que os primeiros anos da Ucrânia soviética, que a repressão em massa da elite ucraniana, bem como a *Holodomor* não têm relação com os eventos em curso. Ao contrário: eles constituem pano de fundo crucial que os fundamenta e explica. A fome e seu legado desempenham papel fundamental nas argumentações da Rússia e da Ucrânia contemporâneas quanto às suas identidades, suas relações e suas experiências soviéticas compartilhadas. Porém, antes de descrever tais argumentos ou sopesar seus méritos, é importante entender primeiro o que realmente ocorreu.

INTRODUÇÃO

A questão ucraniana

Quando eu morrer, enterrem-me	Як умру, то поховайте
Em minha querida Ucrânia,	Мене на могилі
Minha sepultura no alto de colina	Серед степу широкого
Cercada de amplas planuras	На Вкраїні милій,
De modo que campos e ilimitadas estepes,	Щоб лани широкополі,
O leito rebaixado do Dnieper	І Дніпро, і кручі
Meus olhos possam ver e meus ouvidos escutar	Було видно, було чути,
O rugir do poderoso rio.	Як реве ревучий.

Taras Shevchenko, "Zapovit" (Testamento), 1845[1]

Por séculos, a geografia da Ucrânia sempre ditou o destino da região. Os montes Cárpatos delimitaram a fronteira no sudoeste, mas os campos e as florestas permeáveis na parte noroeste do país nunca foram obstáculos para exércitos invasores, como também a estepe aberta do leste. Todas as grandes cidades da Ucrânia — Dnipropetrovsk e Odessa, Donetsk e Kharkov (Carcóvia), Poltava e Cherkasy e, é claro, Kiev, a velha capital — estão localizadas na Planície Europeia Oriental, extensão plana que se espalha pela maior área do país. Nikolai Gogol, um ucraniano que escrevia em russo, certa vez ressaltou que o rio Dnieper corre através do centro da Ucrânia e forma uma bacia. De lá, "todos os rios se ramificam do centro; nenhum deles flui ao longo da fronteira ou serve como obstáculo natural para as nações fronteiriças". Tal fato resultou em consequências políticas: "Caso houvesse uma fronteira natural de montanhas ou mar por um dos lados, as pessoas que ali se estabeleceram teriam conduzido seus destinos políticos e teriam formado uma nação separada."[2]

A ausência de fronteiras naturais ajuda a explicar por que os ucranianos não conseguiram criar, até o fim do século XX, um Estado soberano. Pelo fim da Idade Média, existia uma língua ucraniana, com raízes eslavas, relacionada, porém distinta da polonesa e da russa, bem parecida com a relação da língua italiana com o espanhol ou o francês. Os ucranianos tinham uma culinária própria, costumes e tradições locais, além dos seus próprios vilões, heróis e lendas. Assim como em outras nações europeias, o senso de identidade ucraniano se aguçou durante os séculos XVIII e XIX. Entretanto, na maior parte de sua história, o território que hoje chamamos de Ucrânia foi, como a Irlanda e a Eslováquia, uma colônia que fez parte das terras de outros impérios europeus.

A Ucrânia — palavra que significa "terra da fronteira" tanto em polonês quanto em russo — pertenceu ao Império Russo entre os séculos XVIII e XX. Antes disso, as mesmas terras foram da Polônia, ou melhor, da Comunidade Polaco-Lituana, que a herdou em 1569 do grão-ducado da Lituânia. Mais cedo ainda, as terras ucranianas se situavam no coração da Rus Kievana, Estado medieval do século IX, formado por tribos eslavas e uma nobreza viking — na memória da região, um reino quase mítico que russos, bielorrussos e ucranianos reivindicam ser a terra de seus ancestrais.

Ao longo de muitos séculos, exércitos imperiais guerrearam pela Ucrânia, por vezes com tropas que falavam ucraniano nos dois lados das linhas de frente. Hussardos poloneses combateram janízaros turcos em 1621 pelo controle do que é hoje a cidade ucraniana de Khotyn. As tropas do tsar russo lutaram com as do imperador austro-húngaro em 1914, na Galícia. Os exércitos de Hitler guerrearam os de Stalin em Kiev, Lviv, Odessa e Sebastopol, entre 1941 e 1945.

A batalha pelo controle do território ucraniano teve sempre um componente intelectual também. Desde que os europeus começaram a debater o

INTRODUÇÃO

significado de nações e nacionalismo, historiadores, escritores, jornalistas, poetas e especialistas em etnografia apresentam diversificadas argumentações a respeito da extensão da Ucrânia e da natureza dos ucranianos. Desde os primeiros contatos no início da Idade Média, os poloneses sempre admitiram que os ucranianos eram linguística e culturalmente diferentes deles, até mesmo quando os dois povos fizeram parte do mesmo Estado. Muitos dos ucranianos que aceitaram títulos aristocráticos poloneses nos séculos XVI e XVII permaneceram cristãos ortodoxos, e não católicos-romanos; camponeses ucranianos falavam uma língua que os poloneses chamavam de "ruteno", e eram sempre descritos como tendo costumes diferentes, música distinta e tipo próprio de comida.

Em seu apogeu imperial, os moscovitas, embora mais relutantes em reconhecer o fato, instintivamente também sentiam que a Ucrânia, por eles algumas vezes chamada de "Rússia sulina" ou "pequena Rússia", era também diferente da parte norte do império. Antigo viajante russo, o príncipe Ivan Dolgorukov escreveu em 1810 sobre o momento em que sua comitiva finalmente "adentrou as fronteiras da Ucrânia. Meus pensamentos logo se voltaram para [Bohdan] Khmelnytsky e [Ivan] Mazepa" — antigos heróis nacionais ucranianos — "e as alamedas de árvores desapareceram (...) por todos os lados, sem exceção, choças de barro, e não existiam outras acomodações".[3] O historiador Serhiv Bilenky observou que os russos do século XIX muitas vezes apresentavam o mesmo tipo de atitude paternalista em relação à Ucrânia que os habitantes do norte da Europa, naquele tempo, tinham em relação à Itália. A Ucrânia era uma nação idealizada, alternativa, mais primitiva e ao mesmo tempo mais autêntica, mais emotiva, mais poética do que a Rússia.[4] Os poloneses também permaneceram nostálgicos quanto às "suas" terras ucranianas por bastante tempo depois de tê-las perdido, tornando-as temas para poesia romântica e ficção.

Todavia, mesmo reconhecendo as diferenças, tanto os poloneses quanto os russos procuraram por vezes solapar ou negar a existência de uma nação ucraniana. "A história da Pequena Rússia é como um afluente entrando no rio principal da história russa", escreveu Vissarion Belinsky, teórico de proa do nacionalismo russo do século XIX. "Os Pequenos Russos sempre foram uma tribo, jamais um povo e menos ainda — um Estado."[5] Burocratas e acadêmicos russos tratavam o idioma ucraniano como "um dialeto, ou um meio dialeto, ou um modo de falar da língua de todos os russos, resumindo, um *patois* e, como tal, sem direito à existência independente".[6] Oficiosamente, escritores russos usavam tal língua para caracterizar o linguajar coloquial ou dos caipiras do interior.[7] Escritores poloneses, enquanto isso, tendiam a ressaltar o "vazio" do território ao leste, quase sempre descrevendo as terras ucranianas como uma "fronteira não civilizada para a qual eles levavam cultura e instituições estatais".[8] Os polacos usavam a expressão *dzikie pola*, "campos selvagens", para descrever as terras inexploradas do leste ucraniano, uma região que funcionava, na imaginação deles, de modo quase tão parecido quanto o faroeste o fizera nos Estados Unidos.[9]

Razões econômicas concretas estavam por trás dessas atitudes. O próprio historiador grego Heródoto escreveu a respeito da famosa "terra negra" da Ucrânia, o solo rico que é particularmente fértil na parte mais ao sul da bacia do rio Dnieper: "Não existem safras mais abundantes em outro local que não em suas margens e, onde o grão não é semeado, o capim é o mais luxuriante do mundo."[10] O distrito da Terra Negra abarca quase dois terços da Ucrânia moderna — espraiando-se de lá para dentro da Rússia e do Cazaquistão — e, contando com clima relativamente ameno, possibilita que a Ucrânia colha duas safras anuais. O "trigo do inverno" é plantado no outono e colhido em julho e agosto. Os cereais da primavera são plantados em abril e maio e colhidos em outubro e novembro. As safras fornecidas pela terra excepcionalmente fértil da Ucrânia despertam há muito tempo ambições de mercadores. Desde o fim da Idade Média, negociantes poloneses transportam o grão ucraniano para o Norte na direção das rotas comerciais do mar Báltico. Príncipes e nobres poloneses estabeleceram o que na linguagem atual pode ser chamado de zonas empresariais primitivas, oferecendo isenções de taxas e de serviço militar aos camponeses desejosos de cultivar e desenvolver a terra ucraniana.[11] A vontade de se apossar de tratos de terra tão valiosos sempre esteve sob o manto das argumentações colonialistas: poloneses e russos jamais se mostraram dispostos a permitir que suas respectivas cestas de pão tivessem identidade independente.

INTRODUÇÃO

No entanto, muito distante daquilo que os vizinhos pensavam, uma independente e distinta identidade ucraniana tomava forma no território que constitui a Ucrânia atual. Desde o fim da Idade Média, as pessoas dessa região partilhavam um sentimento comum sobre quem elas eram, com frequência, mas nem sempre, definindo-se em oposição aos estrangeiros que lá viviam, fossem poloneses ou russos. Assim como os russos e bielorrussos, eles traçavam as origens de sua história a partir dos reis e das rainhas da Rus Kievana, e muitos se consideravam descendentes de uma grande civilização Eslava Oriental. Outros se identificavam como rebeldes e desprotegidos, admirando em especial as grandes revoltas dos cossacos zaporozhian, lideradas por Bohdan Khmelnytsky contra o mando polonês, no século XVII, e por Ivan Mazepa contra o mando russo, no começo do século XVIII. Os cossacos ucranianos — comunidades autogovernadas, semimilitares com suas próprias leis internas — foram os primeiros a transformar tal sentimento de identidade e descontentamento em projetos políticos concretos, conseguindo privilégios incomuns e certo grau de autonomia dos tsares. De maneira memorável (e, por certo, gerações posteriores de líderes russos e soviéticos jamais se esqueceram do fato), cossacos ucranianos se juntaram ao exército polonês em sua marcha sobre Moscou em 1610 e, de novo, em 1618, tomando parte no cerco da cidade e ajudando a garantir que o conflito russo-polonês daquela época terminasse, ao menos por pouco tempo, em favor da Polônia. Mais tarde, os tsares concederam a ambos, aos cossacos ucranianos e aos de língua russa, os cossacos do Don, status especial para mantê-los leais ao Império Russo, com o qual lhes foi permitido preservar uma identidade particular. Seus privilégios foram a segurança para que não se revoltassem. Mas Khmelnytsky e Mazepa deixaram marcas nas memórias russa e polonesa, assim como na literatura e história europeias. "L'Ukraine a toujours aspiré à être libre", escreveu Voltaire depois que as notícias sobre a rebelião de Mazepa chegaram à França: "A Ucrânia sempre aspirou à liberdade."[12]

Durante os séculos de governo colonial, diferentes regiões da Ucrânia de fato adquiriram características distintas. Os habitantes do leste da região, que ficaram mais tempo sob o mando russo, passaram a falar uma versão do ucraniano levemente mais próxima do russo; também tinham maior inclinação a ser cristãos ortodoxos russos, seguindo os ritos originados em Bizâncio, sob hierarquia liderada por Moscou. Os habitantes da Galícia, assim como os de Volhynia e Podólia, passaram mais tempo sob controle polonês e, depois das partições experimentadas pela Polônia no fim do século XVIII, sob o mando da Áustria-Hungria. Eles falavam uma versão mais "polaca" da língua e, em termos de religião, tendiam a ser católicos romanos ou católicos gregos, uma fé cujos rituais são similares aos da Igreja Ortodoxa, mas respeita a autoridade do papa romano.

Não obstante, em virtude das constantes alterações nas fronteiras entre as potências regionais, membros das duas fés viviam, e ainda vivem, nos dois lados da linha divisória entre territórios outrora russos e outrora poloneses. Por volta do século XIX, quando italianos, alemães e outros europeus começaram a se identificar também como povos de nações modernas, os intelectuais que debatiam a "ucranidade" na Ucrânia eram tanto católicos quanto ortodoxos, e viviam quer na Ucrânia "oriental" quer na "ocidental". Apesar das diferenças na gramática e na ortografia, a língua também unificou os ucranianos de toda a região. O uso do alfabeto cirílico fez a distinção entre o ucraniano e o polonês, que é escrito com o alfabeto latino. (A certa altura, os Habsburgos tentaram impor a escrita latina, mas a medida não vingou.) A versão cirílica do ucraniano é igualmente distinta da do russo, retendo suficientes diferenças, inclusive letras extras, para evitar que as duas línguas se assemelhem demais.

Na maior parte da história da Ucrânia, o ucraniano foi falado principalmente no interior. Como foi colônia polonesa, e depois russa e austro-húngara, as principais cidades da região — como Trotski certa vez observou — tornaram-se centros de controle colonial, ilhas de cultura russa, polonesa ou judaica num mar de campesinato ucraniano. Já com o século XX bem avançado, as cidades e o interior eram assim separados pela língua: a maioria dos ucranianos urbanos falava russo, polonês ou iídiche, ao passo que os ucranianos do interior falavam a língua nativa. Os judeus, quando não falavam iídiche, preferiam o russo, a língua do Estado e do comércio. Os camponeses associavam as cidades com riqueza, capitalismo e influência "estrangeira" — principalmente, russa. A Ucrânia urbana, em contraste, julgava o interior atrasado e primitivo.

INTRODUÇÃO

Essas divisões também significaram que a promoção da "ucranidade" criou conflito com os mandantes coloniais da Ucrânia, bem como com os habitantes dos povoados judeus, que fixaram suas residências em território da antiga Comunidade Polaco-Lituana desde a Idade Média. A sublevação de Khmelnytsky resultou também num *pogrom* massivo, durante o qual milhares — talvez dezenas de milhares — de judeus foram assassinados. No início do século XIX, os ucranianos raramente identificavam os judeus como seus principais rivais — poetas e intelectuais ucranianos reservavam a maior parte de seu rancor para russos e poloneses —, contudo, o muito espraiado antissemitismo do Império Russo inevitavelmente afetou também as relações judaico-ucranianas.

O vínculo entre a língua e o campo igualmente significou que o movimento nacional ucraniano sempre teve marcante viés "camponês". Como ocorreu em outras partes da Europa, os intelectuais que lideraram o despertar nacional ucraniano muitas vezes começaram pela redescoberta da língua e dos costumes do interior. Estudiosos do folclore e linguistas registraram a arte, a poesia e o linguajar coloquial do campesinato ucraniano. Embora não ensinado nas escolas estatais, o ucraniano tornou-se a língua eleita por certo tipo de escritores e artistas rebeldes e contrários ao *establishment* na região. Escolas dominicais particulares e patrióticas começaram também a ministrá-la. Ela jamais era empregada nas transações oficiais, mas era usada na correspondência particular e na poesia. Em 1840, Taras Shevchenko, nascido servo órfão em 1814, publicou *Kobzar* — a palavra significa "menestrel" —, a primeira coleção verdadeiramente excepcional de verso ucraniano. A poesia de Shevchenko combinou nacionalismo romântico com a imagem idealizada de um interior cheio de ira e de injustiça social, dando assim o tom para diversas argumentações que se seguiriam. Em um de seus mais famosos poemas, "Zapovit" ("Testamento"), ele pediu para ser enterrado às margens do rio Dnieper:

Oh, enterrem-me, depois rebelem-se	Поховайте та вставайте,
E quebrem seus grilhões	Кайдани порвіте
E lavem com o sangue dos tiranos	І вражою злою кров'ю
A liberdade recém-conquistada...	Волю окропіте...[13]

A importância do campesinato também significou que, desde o início, o despertar nacional ucraniano foi sinônimo de movimento popular e do que mais tarde seria chamado "ala esquerda" da oposição aos mercadores falantes de russo e polonês, aos latifundiários e à aristocracia. Por esse motivo, rapidamente ganhou força, seguindo-se à emancipação dos servos na Rússia Imperial sob o tsar Alexandre II, em 1861. A liberdade para os camponeses foi, na realidade, liberdade para os ucranianos, e um golpe desferido contra seus senhores russos e poloneses. A pressão por uma identidade ucraniana mais poderosa foi, mesmo então, pressão também por política e economia mais igualitárias, como a classe imperial mandante entendeu muito bem.

Como jamais foi relacionado a instituições estatais, o despertar nacional ucraniano, desde seus primeiros dias, expressou, através de ampla gama de organizações autônomas, voluntárias e beneficentes, exemplos precoces do que agora denominamos "sociedade civil". Por uns poucos anos após a emancipação dos servos, "ucranófilos" inspiraram jovens ucranianos a formar grupos de estudos e de autoajuda, a organizar a publicação de revistas e jornais, a fundar escolas e estabelecimentos dominicais de ensino e a disseminar a alfabetização entre os camponeses. Aspirações nacionais manifestaram-se por meio de pleitos pela liberdade intelectual, educação de massa e mobilidade social ascendente para o campesinato. Nesse sentido, o movimento nacional ucraniano foi, a partir de seus passos iniciais, influenciado por iniciativas similares no Ocidente, contemplando aspectos do socialismo ocidental, bem como de seu liberalismo e conservadorismo.

O breve momento não durou. Tão logo começou a ganhar impulsão, o movimento nacional ucraniano, a exemplo de outros, foi percebido por Moscou como ameaça potencial à unidade da Rússia Imperial. Como os georgianos, os chechenos e outros grupos que buscaram autonomia dentro do império, os ucranianos desafiaram a supremacia da língua russa e uma interpretação russa da história que descrevia a Ucrânia como "Rússia do Sudoeste", mera província sem identidade nacional alguma. Os nacionalistas ameaçavam também dar mais poder aos camponeses numa ocasião em

INTRODUÇÃO

que eles já estavam conquistando influência econômica. Um campesinato ucraniano mais rico, mais alfabetizado e mais bem organizado poderia também demandar mais direitos políticos.

O idioma ucraniano foi o primeiro alvo. Durante a grande reforma educacional no Império Russo, em 1804, o tsar Alexandre I permitiu que algumas línguas não russas fossem usadas em novas escolas estatais, mas não o ucraniano, pretextando que ele não era um "idioma" e sim um "dialeto".[14] Na verdade, os funcionários russos tinham perfeita consciência, como os soviéticos também viriam a ter, da justificativa política para o banimento — que perdurou até 1917 — e a ameaça que a língua ucraniana constituía para o governo central. O governador-geral de Kiev, Podólia e Volyn declarou em 1881 que o uso da língua ucraniana nas escolas e seu emprego em livros didáticos fundamentais poderia levá-la ao ensino de níveis superiores e, no fim, à legislação, aos tribunais e à administração pública, criando assim "complicações numerosas e alterações perigosas ao Estado russo unificado".[15]

As restrições ao uso do ucraniano limitaram o impacto do movimento nacional. Causaram também analfabetismo generalizado. Muitos camponeses, educados em um idioma que não conheciam, quase não progrediam. Um professor de Poltava dos primórdios do século XX queixou-se que estudantes "se esqueciam rapidamente do que lhes era ensinado", caso forçados a aprender em russo. Outros reportaram que estudantes ucranianos nas escolas de língua russa eram "desmoralizados", aborreciam-se com a escola e se tornavam "baderneiros".[16] A discriminação também levou à russificação: para quem vivesse na Ucrânia — judeus, germânicos e outras minorias nacionais, bem como os ucranianos —, o caminho para a escalada social só podia ser palmilhado pelos que falavam russo. Até a Revolução de 1917, postos no governo, trabalhos profissionais e transações comerciais requeriam educação em russo, não em ucraniano. Na prática, isso significava que os ucranianos política e economicamente ambiciosos precisavam se comunicar em russo.

Para evitar que o movimento nacional ucraniano crescesse, o Estado russo também baniu organizações ucranianas "tanto da sociedade civil quanto do corpo político (...) como garantia contra a instabilidade política".[17] Em

1876, o tsar Alexandre II exarou decreto especificando como ilegais livros e periódicos em ucraniano e proibindo o uso do idioma em teatros e até em libretos musicais. Ele também desencorajou ou baniu as novas organizações de voluntários, mas beneficiou com subsídios os jornais e as organizações pró-russos. A acentuada hostilidade contra a mídia e a sociedade civil ucranianas, mais tarde esposada pelo regime soviético — e, mais tarde ainda, também pelo regime pós-soviético — teve assim claríssima evidência na segunda metade do século XIX.[18]

A industrialização, da mesma forma, aprofundou a pressão pela russificação, uma vez que a construção das fábricas trouxe estrangeiros vindos de todas as partes do Império Russo para as cidades ucranianas. Por volta de 1917, apenas um quinto dos habitantes de Kiev falavam ucraniano.[19] A descoberta do carvão e o rápido desenvolvimento da indústria pesada tiveram particular impacto dramático em Donbas, região mineira e manufatureira na extremidade leste da Ucrânia. Os industriais mais importantes na região eram na maior parte russos, com alguns notáveis empreendedores do exterior envolvidos: John Hughes, um galês, fundou a cidade hoje chamada Donetsk, originalmente conhecida como "Yuzivka" em sua homenagem. O russo tornou-se a língua de trabalho nas fábricas de Donetsk. Conflitos espocaram com frequência entre operários russos e ucranianos, algumas vezes assumindo "as formas mais selvagens de brigas com armas brancas" e chegando mesmo a combates programados e com hora marcada.[20]

Na fronteira imperial da Galícia, província mista ucraniano-polonesa do Império Austro-Húngaro, o movimento nacionalista lutou muito menos. O Estado austríaco concedeu aos ucranianos do império bem mais liberdade e autonomia do que a Rússia ou, mais tarde, a URSS, que mais não fosse porque considerava os ucranianos (do seu ponto de vista) competição útil para os poloneses. Em 1868, os ucranianos patriotas de Lviv formaram a Prosvita, uma sociedade cultural que, no fim, contava com dezenas de afiliados em todo o país. A partir de 1899, o Partido Nacional Democrático Ucraniano operava também livremente na Galícia, enviando representantes eleitos para o Parlamento de Viena. Até hoje, o antigo quartel-general de

INTRODUÇÃO

uma sociedade ucraniana de autoajuda é um dos mais imponentes prédios do século XIX de Lviv. Peça de fusão arquitetônica espetacular, o prédio incorpora decorações folclóricas ucranianas em fachada no estilo *Jugendstil*, criando um híbrido perfeito de Viena e Galícia.

No entanto, mesmo dentro do Império Russo, os anos imediatamente anteriores à Revolução de 1917 foram, em muitos aspectos, positivos para a Ucrânia. O campesinato ucraniano participou com entusiasmo da modernização ocorrida no início do século XX na Rússia Imperial. Às vésperas da Primeira Guerra Mundial, seus membros adquiriam rapidamente conscientização política e se tornavam céticos a respeito do Estado imperial. Uma onda de revoltas camponesas ricocheteou tanto na Rússia quanto na Ucrânia em 1902; camponeses desempenharam papel crucial também no levante de 1905. As sublevações deram início a uma reação em cadeia de inquietações, desestabilizaram o tsar Nicolau II e resultaram na introdução de alguns direitos políticos e civis na Ucrânia, inclusive o direito de usar o idioma ucraniano em público.[21]

Quando os dois impérios — o russo e o austro-húngaro — entraram em imprevisto colapso, respectivamente em 1917 e 1918, muitos ucranianos julgaram que, por fim, estariam capacitados a estabelecer um Estado. Essa esperança se desvaneceu de súbito no território que fora governado pelos Habsburgos. Depois de curto, porém sangrento conflito militar polaco--ucraniano que custou a vida de 15 mil ucranianos e 10 mil poloneses, o território multiétnico da Ucrânia Ocidental, incluindo a Galícia e Lviv, sua cidade mais importante, foi anexado à Polônia moderna. E lá ficou de 1919 a 1939.

O rescaldo da Revolução de 1917 em São Petersburgo foi mais complicado. A dissolução do Império Russo colocou o poder, por breve período, nas mãos do movimento nacional ucraniano em Kiev — em um momento, entretanto, em que nem os líderes civis nem os militares do país estavam prontos para assumir total responsabilidade por ele. Quando os políticos se reuniram em Versalhes, em 1919, para traçar as fronteiras dos novos Estados — entre eles as modernas Polônia, Áustria, Tchecoslováquia e Iugoslávia —, a Ucrânia não fazia parte do pacote. Mesmo assim, a ocasião não foi totalmente perdida. Como Richard Pipes escreveu, a declaração de independência ucraniana em 26 de janeiro de 1918 "assinalou não o *dénouement* do processo criador de nação na Ucrânia, mas, ao contrário, seu sério começo".[22] Os poucos e tumultuados meses de independência e o vigoroso debate então deflagrado sobre a identidade nacional mudariam o país para sempre.

CAPÍTULO 1

A Revolução Ucraniana, 1917

Povo ucraniano! O futuro está em nossas mãos. Nesta hora de sofrimento, de total desordem e de colapso, provem com unanimidade e estadismo que vocês, habitantes de uma nação de produtores de grãos, são capazes de, orgulhosa e dignamente, assumir posturas como em qualquer nação poderosa e organizada.

Primeira Universal da Rada Central, 1917[1]

Não adentraremos o reino do socialismo com luvas de pelica e caminhando sobre piso encerado.

Leon Trotski, 1917[2]

Nos anos posteriores existiriam na Ucrânia manifestações maiores, oradores mais eloquentes, lemas mais profissionais. Mas a marcha que teve lugar em Kiev na manhã de domingo, 1º de abril de 1917, foi extraordinária por ter sido a primeira do tipo. Nunca antes o movimento nacional ucraniano mostrara-se com tal força no território do que tinha sido Império Russo. Contudo, apenas semanas após a revolução que derrubara Nicolau II, tudo parecia possível.

Bandeiras eram conduzidas, azul e amarelas pela Ucrânia, bem como vermelhas pela causa socialista. A multidão, composta por crianças, sol-

A FOME VERMELHA

dados, operários de fábricas, bandas marciais e funcionários, empunhava cartazes — "Uma Ucrânia livre em uma Rússia livre!" ou usavam o mote militar ucraniano, "Ucrânia Independente com seu próprio *hetman*!"; diversos portavam retratos do poeta nacional, Taras Shevchenko. Um atrás do outro, oradores concitavam os manifestantes a apoiarem a nova Rada Central — o "conselho central" —, instituída poucos dias antes e que então pleiteava autoridade para governar a Ucrânia.

Por fim, o recém-eleito *chairman* da Rada Central subiu ao pódio. Mykhailo Hrushevsky, barbado e de óculos, era um dos intelectuais mais respeitados, que colocara a Ucrânia no centro de sua própria história. Autor de *History of Ukraine-Rus'* [*História da Ucrânia-Rus*], em dez volumes, bem como de muitos outros livros, Hrushevsky tornara-se militante político no fim do século XIX, quando, em dezembro de 1899, ainda no exílio, ajudara a fundar o Partido Nacional Democrático Ucraniano, na Galícia dos Habsburgos. Voltou a trabalhar no Império Russo em 1905, porém, em 1914, foi preso e retornou ao exílio. Na esteira da revolução, retornou de maneira triunfal a Kiev. As multidões o aclamavam com brados de *Slava batkovi Hrushevskomu*, ou "Glória ao Pai Hrushevsky!"[3] E ele respondia à altura: "Vamos jurar, neste momento glorioso e em uma só voz, que assumiremos a causa com unanimidade e com apenas um compromisso: o de não descansarmos ou pararmos até construirmos uma Ucrânia livre!" E as multidões respondiam uníssonas: "Juramos!"[4]

Da perspectiva dos dias atuais, a imagem de um historiador como líder de movimento nacional parece estranha. Naquela ocasião, entretanto, ela nada tinha de inusitada. A partir do século XIX, os historiadores ucranianos, a exemplo de seus correspondentes em muitas pequenas nações da Europa, haviam deliberadamente se posicionado para resgatar e articular uma história nacional por muito tempo subordinada àquela dos impérios mais amplos. De tal postura, foi um passo curto o ingresso no ativismo político. Assim como Shevchenko vinculou a "ucranidade" à luta dos camponeses contra a opressão, os livros de Hrushevsky também realçaram o papel do "povo" na história política da Ucrânia, e enfatizaram a centralidade de sua resistência às diversas formas de tirania. Foi perfeitamente lógico que ele também quisesse inspirar o mesmo povo a agir na política contemporânea, tanto em termos de palavras

A REVOLUÇÃO UCRANIANA, 1917

quanto de ações. Ele se mostrou particularmente interessado em galvanizar os camponeses, e escrevera um livro sobre a história ucraniana, *About Old Times in Ukraine* [*A respeito dos velhos tempos na Ucrânia*], especialmente para o campesinato. Em 1917, ele teve três reimpressões.[5]

Hrushevsky não foi de forma alguma o único intelectual cuja produção literária e cultural promoveu a soberania da Ucrânia. Heorhii Narbut, um artista gráfico, também retornou a Kiev em 1917. Ele ajudou a fundar a Academia Ucraniana de Belas-Artes e projetou um brasão de armas, notas bancárias e selos ucranianos.[6] Volodymyr Vynnychenko, outro membro da Rada Central, foi não só romancista e poeta como também figura política de destaque. Sem soberania — e sem um Estado genuíno que pudesse dar suporte a políticos e burocratas —, os sentimentos nacionais só podiam ser canalizados pela literatura e pela arte. Isso aconteceu em toda a Europa: antes de se chegar ao estadismo, poetas, artistas e escritores desempenharam papéis importantes no estabelecimento das identidades nacionais polonesa, italiana e alemã. Dentro do Império Russo, tanto os Estados Bálticos, que se tornaram independentes em 1918, quanto Geórgia e Armênia, que não concretizaram o intento, experimentaram renascimentos nacionais similares. A ação decisiva da intelectualidade em todos esses projetos nacionais foi totalmente entendida naquela ocasião não apenas por seus proponentes, como também por seus opositores. Isso explica o banimento, da Rússia Imperial aos livros, escolas e cultura ucranianos, e por que sua repressão seria mais tarde preocupação crucial de Lenin e Stalin.

Embora eles tenham sido, inicialmente, porta-vozes autonomeados da causa nacional, os intelectuais da Rada Central buscaram a legitimidade democrática. Operando em um prédio neoclássico grande e branco no centro de Kiev — apropriadamente outrora utilizado para reuniões do Clube Ucraniano, grupo de escritores nacionalistas e ativistas cívicos —, a Rada Central promoveu um Congresso Nacional de Todos os Ucranianos em 19 de abril de 1917.[7] Mais de 1.500 pessoas, todas eleitas de uma forma ou de outra por conselhos e fábricas locais, convergiram para o Hall de Concertos da Filarmônica Nacional, em Kiev, com o objetivo de dar apoio ao novo governo ucraniano. Outros congressos de veteranos, camponeses e operários tiveram lugar em Kiev naquele verão.

A Rada Central procurou também formar coalizões com ampla gama de grupos políticos, inclusive judeus e outras organizações minoritárias. Até mesmo a esquerda radical do Partido Socialista Revolucionário da Ucrânia — grande partido camponês populista conhecido como *Borotbysty*, baseado em seu jornal *Borotba* ("Luta") — emprestou seu apoio à Rada Central. Alguns camponeses igualmente o fizeram. Entre 1914 e 1918, o exército do tsar russo era constituído por mais de 3 milhões de conscritos ucranianos, e o exército austro-húngaro incluía outros 250 mil em suas fileiras. Muitos desses soldados-camponeses atiraram uns contra os outros nas trincheiras enlameadas da Galícia.[8] Terminada a guerra, porém, cerca de 300 mil homens que haviam servido nos batalhões "ucranizados", compostos por camponeses ucranianos, declarou sua lealdade ao novo Estado. Eles foram motivados pelo desejo do retorno à pátria mãe, mas também pelas promessas feitas pelo governo ucraniano de mudanças revolucionárias e de renascimento nacional.[9]

Nos meses subsequentes, a Rada Central desfrutou de certo sucesso popular, em grande parte devido à retórica radical. Refletindo os ideais esquerdistas daquele tempo, ela propôs uma reforma agrária compulsória, com a redistribuição das propriedades dos grandes latifundiários, fossem mosteiros ou proprietários particulares, aos camponeses. "Ninguém sabe melhor do que precisamos e quais leis são melhores para nós", declarou a Rada Central em junho de 1917, no primeiro de uma série de "Universais", manifestos endereçados a públicos expressivos:

> Ninguém conhece melhor do que nossos camponeses como administrar nossa própria terra. Por conseguinte, desejamos que, sobretudo, as terras em toda a Rússia, pertencentes à nobreza, ao Estado, aos mosteiros e ao tsar, sejam confiscadas e se tornem propriedades do povo, e que, depois de uma lei inerente a isso, promulgada por assembleia constituinte de todos os russos, o direito de administrar as terras ucranianas pertença a nós, à nossa assembleia ucraniana. (...) Eles nos elegeram, a Rada Central ucraniana, dentre o nosso meio, e nos orientaram (. .) a criar uma nova ordem na livre e autônoma Ucrânia.[10]

A REVOLUÇÃO UCRANIANA, 1917

Essa mesma Universal conclamava por "autonomia". Em novembro, a terceira e última Universal declararia a independência da República Nacional Ucraniana e convocaria eleições para uma assembleia constituinte.[11]

Apesar de algumas pessoas, previsivelmente, se oporem à medida, a revitalização da língua ucraniana também se tornou popular, em particular entre o campesinato. Como ocorrera no passado, o ucraniano passou de novo a ser sinônimo de liberdade política e econômica: a partir do momento em que funcionários e burocratas passaram a falar ucraniano, os camponeses tiveram acesso aos tribunais e às repartições governamentais. O uso público do idioma nativo igualmente se tornou fonte de orgulho, servindo como "base profunda de apoio emocional" para o movimento nacional.[12] Uma profusão de dicionários e livros de ortografia se seguiu. Entre 1917 e 1919, editores ucranianos publicaram 59 livros devotados à língua ucraniana, gritante vantagem sobre os onze de todo o século precedente. Entre eles estavam três dicionários ucraniano-russo e quinze russo-ucraniano. Uma demanda pesada pelos últimos veio da grande quantidade de pessoas que falavam russo e, de repente, tiveram que lidar com o ucraniano, perspectiva não muito agradável para muitas delas.[13]

Durante sua breve existência, o governo ucraniano também obteve alguns sucessos diplomáticos, muitos dos quais subsequentemente esvaneceram-se da memória. Na esteira da declaração de independência em 26 de janeiro de 1918, o ministro das Relações Exteriores da República Ucraniana, Oleksandr Shulhyn (de 28 anos e também historiador), obteve reconhecimento para seu Estado das principais potências europeias, inclusive da França, Grã-Bretanha, Áustria-Hungria, Alemanha, Bulgária, Turquia e até da União Soviética. Em dezembro, os Estados Unidos enviaram um diplomata para abrir consulado em Kiev.[14] Em fevereiro de 1918, uma delegação de funcionários ucranianos em Brest-Litovsk concluiu um tratado de paz com as Potências Centrais, um acordo distinto do mais conhecido e assinado pelos novos líderes da União Soviética poucas semanas depois. A jovem delegação ucraniana causou muito boa impressão em todos. Um de seus interlocutores alemães lembrou-se de que "eles se comportaram corajosamente e, com sua obstinação, forçaram [o negociador germânico] a concordar com tudo que era importante para seu ponto de vista nacional"[15]

Mas isso foi insuficiente: o espraiamento da conscientização nacional, o reconhecimento internacional e até o tratado de Brest-Litovsk não bastaram para a construção do Estado ucraniano. As reformas propostas pela Rada Central — em especial os planos para requisitar as terras do Estado sem indenizações — desencadearam confusão e caos no campo. As manifestações públicas, os estandartes e as bandeiras da liberdade que Hrushevsky e seus seguidores aclamaram com tanto otimismo na primavera de 1917 não levaram à criação de uma burocracia que funcionasse, de uma administração pública que fizesse valer as reformas ou, acima de tudo, de um exército suficientemente eficaz para repelir invasões e proteger suas fronteiras. No fim de 1917, todas as potências militares da região, inclusive o novíssimo Exército Vermelho, o Exército Branco do antigo regime e tropas da Alemanha e da Áustria faziam planos para ocupar a Ucrânia. Com diferentes gradações, cada um deles atacaria os nacionalistas ucranianos, o nacionalismo ucraniano e até mesmo a língua e a terra ucranianas.

Lenin autorizou o primeiro assalto contra a Ucrânia em janeiro de 1918 e, por breve momento, estabeleceu um regime antiucraniano em Kiev, em fevereiro, sobre o qual nos deteremos adiante. Essa primeira tentativa de conquistar a Ucrânia terminou em poucas semanas quando exércitos alemães e austríacos chegaram e declararam estar lá para garantir a "vigência" do tratado de Brest-Litovsk. Porém, em vez de apoiarem os legisladores liberais da Rada Central, eles deram suporte a Pavlo Skoropadsky, um general ucraniano que costumava envergar uniformes impressionantes e dramáticos, arrematados por espadas e quepes cossacos.

Por alguns meses, Skoropadsky ofereceu um laivo de esperança aos adeptos do antigo regime, enquanto mantinha algumas características da autonomia ucraniana. Fundou a primeira Academia Ucraniana de Ciências e a primeira biblioteca nacional, fazendo também uso da língua ucraniana nos negócios de Estado. O general se identificava como ucraniano e se autodenominava *hetman*. Todavia, ao mesmo tempo, Skoropadsky trouxe de volta leis e funcionários tsaristas, e advogou a reintegração com o futuro Estado russo. Sob o mando de Skoropadsky, Kiev até se tornou, por curto período, paraíso para os refugiados de Moscou e São Petersburgo. Em seu

A REVOLUÇÃO UCRANIANA, 1917

romance satírico *A guarda branca* (1926), Mikhail Bulgakov, que viveu em Kiev durante essa época, relembrou:

> Banqueiros grisalhos e suas esposas haviam fugido, como também intermediários escorregadios que deixaram fiéis assistentes em Moscou. (...) Jornalistas fugiram, de Moscou e São Petersburgo, venais e covardes gananciosos. Mulheres de reputação duvidosa. Damas virtuosas de famílias aristocráticas. Suas refinadas filhas. Pálidos corruptos de Petersburgo com os lábios pintados de vivo carmim. Secretários de departamentos fugiram, poetas e agiotas, milicianos e atrizes dos teatros imperiais.[16]

Skoropadsky também reforçou as antigas leis da propriedade privada e esqueceu as propostas de reforma agrária. Não surpreendeu que suas decisões desagradassem o campesinato, que "odiou aquele mesmo *Hetman* como se fosse um cachorro louco" e não queria ouvir falar sobre reformas dos "lordes bastardos".[17] A oposição àquilo que logo foi percebido como governo marionete em mãos alemãs começou a se formar em militâncias distintas: "Ex-coronéis, generais autointitulados, *otamany* e *batky* (guerreiros locais) cossacos desabrocharam como rosas silvestres no verão revolucionário."[18]

Em meados de 1918, o movimento nacional havia se reagrupado sob a liderança de Symon Petliura, um social-democrata com talento para a organização paramilitar. Seus contemporâneos alimentavam opiniões radicalmente contrárias a seu respeito. Alguns viam nele um futuro ditador; outros, um profeta à frente de seu tempo. Bulgakov, que não simpatizava com a ideia de nacionalismo ucraniano, descartou Petliura como "uma lenda, um milagre (...) uma palavra que combina fúria insatisfeita e sede de vingança do campesinato".[19] Quando jovem, Petliura impressionara Serhii Yefremov, um ativista contemporâneo, por sua "arrogância, doutrinação e irreverência". Mais tarde, Yefremov reformulou suas impressões e declarou que Petliura se transformara "na única pessoa inquestionavelmente honesta" produzida pela Revolução Ucraniana. Enquanto outros haviam desistido ou se engajado em rixas insignificantes, "apenas Petliura permanecera com a mesma atitude e não vacilara".[20] O próprio Petliura escreveu mais tarde que desejava ver revelada toda a verdade sobre seus atos: "Os aspectos negativos

A FOME VERMELHA

de minha personalidade, de minhas ações, têm que ser iluminados, e não encobertos. (...) Para mim, começou o julgamento da história. Não tenho medo dele."[21]

O julgamento da história de Petliura permaneceu ambivalente. Por certo, ele foi corajoso o suficiente para se aproveitar da oportunidade, entendendo que o fim da Primeira Guerra Mundial proporcionava nova chance para o movimento nacional. À medida que as tropas alemãs se retiravam do país, ele ia reunindo os "ex-coronéis, generais autointitulados e *otamany* e *batky* cossacos" em uma força pró-ucraniana chamada Diretório, e cercava a capital. Embora a mídia de língua russa execrasse o Diretório como "bando de ladrões" e denominasse o golpe deles como "escândalo", as forças de Skoropadsky se desintegravam com escandalosa velocidade, quase sem combater.[22] Em 14 de dezembro de 1918, as forças de Petliura avançaram sobre despreparadas e surpresas Kiev, Odessa e Mykolaiv, e o poder trocou de mão mais uma vez.

O mando do Diretório seria breve e violento, sobretudo porque Petliura jamais conseguiu obter completa legitimidade e não foi capaz de fazer valer a força da lei. Em termos econômicos, o Diretório, como a Rada Central antes dele, postou-se por demais à esquerda. Refletindo as crescentes opiniões radicais de seus apoiadores, a liderança não convocou um parlamento, e sim um "Congresso dos Trabalhadores" com representantes do campesinato, da classe trabalhadora e da *intelligentsia*. Mas o exército de camponeses de Petliura era a verdadeira força de sua autoridade e, nas palavras de um de seus oponentes, Petliura não constituíra "nem um bom governo, tampouco um bom exército".[23] Muitos de seus integrantes eram "aventureiros" que usavam grande diversidade de uniformes e trajes cossacos, além de serem perfeitamente capazes de sacarem seus revólveres para assaltar quem quer que aparentasse ser rico. Os habitantes da burguesa Kiev faziam rodízios como sentinelas de seus blocos de apartamentos, porém em vão.[24]

Dentro da cidade, uma das poucas providências que o Diretório "não só impôs como materializou", nas sarcásticas palavras de um memorialista, foi a remoção das placas em língua russa de Kiev e sua substituição por outras em idioma ucraniano: "O russo não podia nem ficar ao lado do ucraniano." Supostamente, essa mudança extensa foi ordenada porque muitos

A REVOLUÇÃO UCRANIANA, 1917

dos soldados do Diretório vinham da Galícia, entendiam pouco da língua e ficaram horrorizados por se verem à deriva em uma cidade com falantes de russo. O resultado foi que "por alguns dias alegres, toda a cidade virou um grande estúdio de artistas", e a profunda conexão entre língua e poder foi direcionada, mais uma vez, para os residentes de Kiev.[25]

Fora da capital, Petliura controlava muito pouco do território ucraniano. Bulgakov descreveu a Kiev daquela época como uma cidade que tinha.

> Polícia, um ministério, até um exército, e jornais com várias denominações, mas o que ocorria no entorno de seus habitantes, na Ucrânia verdadeira, que era maior que a França e possuía população de dezenas de milhões de pessoas — ninguém sabia de nada.[26]

Richard Pipes escreve que em Kiev "editais eram publicados, crises no Gabinete eram resolvidas, conversações diplomáticas tinham lugar — mas o restante do país levava sua própria vida, onde a única lei que vigorava era a da arma".[27]

Perto do fim de 1919, o movimento nacional, lançado com tanta energia e esperança, estava desorientado. Hrushevsky, forçado para fora de Kiev em função do combate, em breve estaria no exterior.[28] Os próprios ucranianos se encontravam profundamente divididos por diversas ideias: entre os que apoiavam e os que não apoiavam a antiga ordem; os que preferiam o vínculo com a Rússia e os que desejavam a independência; os que apoiavam a reforma agrária e os que não. A competição entre as línguas se intensificou e se tornou irrevogavelmente amarga. Os refugiados de Moscou e São Petersburgo começaram a se mudar para a Crimeia, Odessa ou para o exílio.[29] Mas a divisão política mais profunda — e aquela que moldaria o curso das décadas seguintes — foi a que separou os que eram a favor do movimento nacional ucraniano e os apoiadores dos bolcheviques, um grupo revolucionário com ideologia muito diferente.

No início de 1917, os bolcheviques eram um pequeno partido minoritário na Rússia, facção radical do que tinha sido o Partido Operário Social-Democrata Russo. Mas seus membros passaram o ano agitando as ruas russas com lemas simples como "Terra, Pão e Paz", com o objetivo de atrair o mais amplo grupo possível de soldados, operários e camponeses. Seu *coup d'état* de outubro (7 de novembro segundo o "novo calendário" que mais tarde adotaram) os levou ao poder em meio ao caos total. Liderados por Lenin, homem violento, paranoico, conspirador e fundamentalmente não democrático, os bolcheviques acreditavam estar na "vanguarda do proletariado", e denominariam seu regime de "ditadura do proletariado". Eles buscavam o poder absoluto e, no fim, aboliram todos os outros partidos e oponentes por meio do terror, da violência e das campanhas cruéis de propaganda.

Quando 1917 começou, os bolcheviques tinham ainda menos adeptos na Ucrânia: o partido contava com cerca de 22 mil afiliados, a maioria nas grandes cidades e nos centros industriais de Donetsk e Kryvyi Rih. Poucos deles falavam ucraniano. Mais da metade dos bolcheviques ucranianos se consideravam russos. Aproximadamente um sexto deles era de judeus. Uma quantidade insignificante, inclusive uns poucos que mais tarde desempenhariam papéis de destaque no governo soviético ucraniano, acreditava na possibilidade de uma Ucrânia bolchevique autônoma. Mas Heorhii Piatakov — que nasceu na Ucrânia, mas não se considerava ucraniano — falou pela maioria quando disse em um comício bolchevique em Kiev, em junho de 1917, poucas semanas após o discurso de Hrushevsky, que "não devemos apoiar os ucranianos". A Ucrânia, explicou ele, não era "uma região econômica distinta". Indo diretamente ao ponto, a Rússia contava com o açúcar, o carvão e os grãos da Ucrânia, e a Rússia era a prioridade de Piatakov.[30]

O sentimento não era novo: o desdém pela própria ideia de um Estado ucraniano fazia parte integral do pensamento bolchevique mesmo antes da revolução. Em grande parte, isso se devia ao fato de os líderes bolcheviques, entre eles Lenin, Stalin, Trotski, Piatakov, Zinoviev, Kamenev e Bukharin, serem homens que cresceram e foram educados no Império Russo, que não reconhecia nada de "Ucrânia" na província conhecida como "Rússia do Sudoeste". A cidade de Kiev era, para eles, a capital da Rus Kievana, reino que eles lembravam como ancestral da Rússia. Na escola, na imprensa e na vida cotidiana, eles haviam absorvido os preconceitos da Rússia contra uma língua descrita amplamente como dialeto russo, e contra o povo da Ucrânia, visto quase sempre como um bando de ex-servos primitivos.

A REVOLUÇÃO UCRANIANA, 1917

Todos os partidos políticos russos daquela ocasião, dos bolcheviques aos centristas e até os de extrema direita, compartilhavam de tais noções. Muitos chegavam até a refutar por completo o uso da palavra "Ucrânia".[31] Mesmo os russos liberais se recusavam a reconhecer a legitimidade do movimento nacional ucraniano. Esse ponto cego — e a consequente negação de qualquer grupo russo em criar coalizão antibolchevique com os ucranianos — foi, em última instância, uma das razões do fracasso dos Exércitos Brancos durante a Guerra Civil.[32]

Além de seu preconceito nacional, os bolcheviques tinham motivos políticos específicos para desgostar da ideia de independência ucraniana. A Ucrânia ainda era essencialmente uma nação agrícola e, de acordo com a teoria marxista, que a liderança bolchevique constantemente lia e debatia, os camponeses eram, no máximo, um ativo vacilante. Em famoso ensaio de 1852, Marx explicou que eles não constituíam uma "classe" e, portanto, não tinham consciência de classe: "Eles, por consequência, são incapazes de fazer valer seus interesses por esforço próprio, seja através de parlamento, seja de convenção. Não sabem se representar; têm que ser representados."[33]

Apesar de Marx não acreditar que os camponeses tivessem papel importante na revolução vindoura, Lenin, mais pragmático, modificou em certa dose tal opinião. Ele achava que os camponeses eram, de fato, potencialmente revolucionários — aprovava o desejo deles de reforma agrária radical —, mas acreditava também que precisavam ser guiados pela classe operária mais progressista. "Nem todos os camponeses que batalham por terra e liberdade estão plenamente conscientes das implicações de sua luta", escreveu Lenin em 1905. Os trabalhadores com consciência de classe precisam ensinar-lhes que a autêntica revolução requer não só reforma agrária, mas também "luta contra o império do capital". De maneira preocupante, Lenin também suspeitava que muitos pequenos fazendeiros, por terem terras, pensassem como os menores proprietários capitalistas. Isso explica por que "nem todos os pequenos fazendeiros se juntaram às fileiras dos que lutaram pelo socialismo".[34] Essa ideia — de que os donos de minifúndios, mais tarde chamados *kulaks*, eram uma força fundamentalmente contrarrevolucionária e capitalista — teria grandes consequências alguns anos mais tarde.

Essa ambiguidade bolchevique a respeito do nacionalismo também os conduziu a suspeitas quanto à impulsão ucraniana pela independência. Tanto Marx quanto Lenin tinham perspectivas intrincadas e que evoluíam com frequência quanto ao nacionalismo, por vezes visto como força revolucionária e, em outras, como uma distração para o objetivo genuíno do socialismo universal. Marx entendeu que as revoluções democráticas de 1848 foram inspiradas em parte por sentimentos nacionais, mas acreditava que esses sentimentos de "nacionalismo burguês" eram fenômenos temporários, meros estágios na rota para o internacionalismo comunista. À medida que o Estado desfalecesse, o mesmo aconteceria com as nações e os sentimentos nacionalistas. "A supremacia do proletariado fará com que eles desapareçam ainda com maior rapidez."[35]

Lenin também pleiteava autonomia cultural e autodeterminação nacional, salvo quando elas não se ajustavam aos seus propósitos. Mesmo antes da revolução, ele desaprovava as escolas em língua não russa, fossem em iídiche ou em ucraniano, argumentando que elas criariam divisões inúteis dentro da classe trabalhadora.[36] Apesar de, teoricamente, ser a favor da garantia ao direito de secessão para as regiões não russas do Império Russo, que abarcavam a Geórgia, a Armênia e os Estados da Ásia Central, Lenin parecia não acreditar seriamente que elas um dia ocorreriam. Ademais, o reconhecimento ao "direito" de secessão não significava que ele o apoiasse. No caso da Ucrânia, Lenin deu suporte ao nacionalismo ucraniano quando este se opôs ao tsar ou ao Governo Provisório em 1917, e o combateu quando achou que tal autonomia ameaçava a unidade dos proletariados russo e ucraniano.[37]

A esse complicado quebra-cabeça, Stalin adicionaria as próprias ideias. Ele era o especialista em nacionalidades do partido e, inicialmente, foi bem menos flexível do que Lenin. Seu ensaio, "O marxismo e a questão nacional", ponderou em 1913 que o nacionalismo era um alheamento para a causa do socialismo e que os camaradas "tinham que trabalhar, sólida e infatigavelmente, contra a névoa do nacionalismo, sem dar importância ao rincão do qual proviesse".[38] Por volta de 1925, seus pensamentos evoluíram ainda mais para a argumentação de que o nacionalismo era essencialmente uma força camponesa. Os movimentos nacionais, declarou ele, precisavam

A REVOLUÇÃO UCRANIANA, 1917

de camponeses para existir: "A questão camponesa é a base, a quintessência, da questão nacional. Isso explica o fato de que o campesinato constituiu o exército principal do movimento nacional, que não existe movimento nacional poderoso sem o exército camponês..."[39]

Tal raciocínio, que claramente refletiu sua observação dos eventos na Ucrânia, viria a se tornar ainda mais importante tempos depois. Isso porque, se não pode haver movimento nacional poderoso sem um exército de camponeses, então alguém que desejasse destruir um movimento nacional deveria começar por destruir o campesinato.

No fim, a ideologia importaria menos para os bolcheviques do que suas experiências pessoais na Ucrânia, em especial na Guerra Civil lá travada. Para todos do Partido Comunista, a era da Guerra Civil foi verdadeiro divisor de águas, tanto pessoal quanto politicamente. No começo de 1917, poucos deles tinham algo relevante a demonstrar em suas vidas. Eles eram ideólogos obscuros, fracassados quando avaliados sob quaisquer padrões. Se ganhavam algum dinheiro, era por meio de matérias escritas para jornais ilegais; haviam passado grande parte de suas vidas entrando e saindo de prisões, tinham levado vidas complicadas, não contavam com experiência de governo ou de administração.

De forma inesperada, a Revolução Russa os conduziu para o centro dos eventos internacionais. Ela também lhes proporcionou fama e poder pela primeira vez. Resgatou-os do segundo plano e convalidou sua ideologia. O sucesso da revolução provou, aos líderes bolcheviques e a muitos outros, que Marx e Lenin estavam certos.

Mas a revolução rapidamente também os forçou a defender seu poder, apresentando-os não apenas como contrarrevolucionários ideológicos, mas como organizadores de real e muito sangrenta contrarrevolução, uma que precisava ser imediatamente derrotada. A Guerra Civil subsequente obrigou-os a criar um exército, uma força policial política e uma máquina propagandista. Sobretudo, a Guerra Civil ensinou aos bolcheviques lições sobre nacionalismo, política econômica, distribuição de alimentos e violência, lições das quais eles mais tarde se valeram. As experiências bolcheviques na Ucrânia foram igualmente muito diferentes de suas experiências na Rússia,

A FOME VERMELHA

incluindo uma derrota espetacular que quase destruiu seu Estado nascente. Muitas atitudes bolcheviques posteriores com relação à Ucrânia, inclusive sua falta de fé na lealdade do campesinato, sua suspeita dos intelectuais ucranianos e seu desconforto com o Partido Comunista Ucraniano, tiveram origem nesse período.

De fato, a experiência da Guerra Civil, em especial na Ucrânia, ajudou a formar as opiniões do próprio Stalin. Às vésperas da Revolução Russa, Stalin estava próximo dos 40 anos, com pouco na vida para se gabar. Ele não tinha "dinheiro, residência permanente e outra profissão que não fosse especialidade revolucionária", como escreveu recente biógrafo.[40] Nascido na Geórgia, educado em seminário, sua reputação no mundo subterrâneo vinha de seu talento para roubar bancos. Havia sido preso inúmeras vezes. Ao tempo da revolução de fevereiro de 1917, Stalin estava no exílio em vilarejo ao norte do Círculo Ártico. Quando o tsar Nicolau II foi deposto, ele retornou a Petrogrado (o nome de São Petersburgo, a capital russa, foi russificado em 1914 e mudaria para Leningrado em 1924).

O *coup d'état* bolchevique de outubro de 1917 depôs o Governo Provisório e proporcionou a Stalin seu primeiro e glorioso gosto do poder político autêntico.[41] Como Comissário do Povo para as Nacionalidades, ele foi membro do primeiro governo bolchevique. No desempenho dessa atribuição, ficou diretamente responsável pela negociação com todas as nações e povos não russos que pertenceram ao Império Russo — e, mais importante, por convencê-los ou forçá-los a se submeter ao mando soviético. Em suas tratativas com a Ucrânia, ele tinha duas claras e imediatas prioridades, ambas ditadas pelo perigo da situação. A primeira era solapar o movimento nacional, claramente o mais importante rival dos bolcheviques na Ucrânia. A segunda era se apossar dos grãos ucranianos. Stalin pôs-se de imediato a trabalhar nas duas tarefas apenas dias depois de os bolcheviques assumirem o poder.

Já em dezembro de 1917, nas páginas do *Pravda*, Stalin denunciava a Terceira Universal da Rada Central, o manifesto que proclamara a independência da República Popular da Ucrânia e traçara as fronteiras do Estado. Quem, questionou ele retoricamente, daria apoio a uma Ucrânia independente:

A REVOLUÇÃO UCRANIANA, 1917

> Os grandes latifundiários da Ucrânia, depois Aleksei Kaledin [um general Branco] e seu "governo militar" no Don, ou seja, os latifundiários cossacos (...) por trás dos quais espreita a grande burguesia russa, que sempre foi furiosa inimiga de todas as demandas do povo ucraniano, mas que agora dá apoio à Rada Central...

Ao contrário, "todos os trabalhadores ucranianos e as parcelas mais pobres do campesinato" se opunham à Rada Central, asseverou Stalin, o que dificilmente era verdade também.[42]

Stalin, na sequência de suas denúncias públicas contra a Rada Central, produziu o que depois seria chamado de "medidas ativas" para desestabilizar o governo ucraniano. Bolcheviques locais tentaram criar as supostas "repúblicas soviéticas" independentes em Donetsk-Kryvyi Rih, Odessa, Tavriia e na província do Don — minúsculos mini-Estados apoiados por Moscou, que, é claro, não tinham nada de independentes.[43] Os bolcheviques tentaram também dar um golpe em Kiev; depois do fracasso, eles criaram um "alternativo" Comitê Executivo Central da Ucrânia e, então, um "governo soviético" em Kharkov, cidade mais confiável que falava predominantemente russo. Mais tarde, eles fariam de Kharkov a capital da Ucrânia, ainda que, em 1918, um bom punhado de líderes bolcheviques de Kharkov falasse ucraniano.[44]

À medida que os bolcheviques consolidavam seu mando na Rússia, o Exército Vermelho aumentava a pressão na direção Sul. Finalmente, em 9 de fevereiro de 1918, mesmo enquanto os líderes da Rada Central ainda negociavam em Brest-Litovsk, Kiev caiu pela primeira vez em mãos revolucionárias soviéticas. Essa primeira e curta ocupação bolchevique trouxe com ela não só a ideologia comunista, mas também uma clara agenda russa. O general Mykhail Muraviev, comandante-geral, declarou que trazia de volta o governo russo, vindo do "norte longínquo", e ordenou a execução imediata de todos os suspeitos nacionalistas. Seus soldados fuzilavam quem quer que fosse encontrado falando ucraniano em público e destruíam todas as provas do mando da Ucrânia, inclusive as placas em ucraniano das ruas, que haviam substituído aquelas em russo poucas semanas antes.[45] O bombardeio bolchevique da capital ucraniana teve como alvos deliberados a residência de Hrushevsky, bibliotecas e coleções de documentos antigos.[46]

A FOME VERMELHA

Embora os bolcheviques tenham controlado Kiev por apenas poucas semanas, essa primeira ocupação também deu a Lenin o sabor daquilo que a Ucrânia poderia valer para o projeto comunista. Desesperado para alimentar os trabalhadores revolucionários que o levaram ao poder, ele enviou de pronto o Exército Vermelho para a Ucrânia acompanhado de "destacamentos de requisição", equipes instruídas a confiscar os grãos dos camponeses. Nomeou Sergo Ordzhonikidze, líder bolchevique georgiano, como "comissário extraordinário plenipotenciário", encarregado da requisição dos cereais ucranianos.[47] O conselho editorial do *Pravda* trombeteou esses sucessos militares e assegurou aos seus leitores russos urbanos que a liderança soviética já havia começado a tomar "providências extraordinárias" a fim de adquirir grãos para os camponeses.[48]

Dos bastidores, os telegramas de Lenin para o front ucraniano não poderiam ser mais explícitos. "Pelo amor de Deus", escreveu ele em janeiro de 1918.

> empreguem toda a energia e todas as medidas revolucionárias para enviar grãos, grãos e mais grãos!! Caso contrário, Petrogrado poderá morrer de fome. Usem trens especiais e destacamentos especiais. Coletem e armazenem. Escoltem as composições ferroviárias. Nos informem diariamente. Pelo amor de Deus!"[49]

A rápida perda da Ucrânia para os exércitos alemão e austríaco no início de março enraivecera Moscou. Um furioso Stalin denunciara não só o movimento nacional e seus recalcitrantes seguidores camponeses, mas também os bolcheviques ucranianos, que haviam fugido de Kharkov e criado outro confuso "governo soviético ucraniano no exílio", logo ultrapassada a fronteira russa em Rostov. Instintivamente, Stalin não simpatizou com a noção de "bolcheviques ucranianos", e sentiu que precisariam abandonar seus esforços para criar um partido separado. A partir de Moscou, ele atacou o grupo de Rostov: "Basta de brincadeiras com um governo e uma república. É hora de acabar com esse jogo; chega disso!"[50]

Em resposta, um dos poucos porta-vozes ucranianos em Rostov enviou nota de protesto ao Conselho dos Comissários do Povo, em Moscou. A

A REVOLUÇÃO UCRANIANA, 1917

declaração de Stalin, escreveu Mykola Skrypnyk, ajudou a "desacreditar o poder soviético na Ucrânia". Skrypnyk acreditava na possibilidade do "bolchevismo ucraniano" e fora precoce defensor do que mais tarde seria conhecido como "comunismo nacional", a crença de que o comunismo poderia ter diferentes formas em países distintos e não era incompatível com o sentimento nacional na Ucrânia. Argumentou que o curto governo da Rada Central criara real desejo de soberania ucraniana, e sugeriu que os bolcheviques igualmente reconhecessem e incorporassem tal desejo. O governo soviético, ponderou ele, não deveria "embasar suas decisões nas opiniões de alguns comissários do povo da federação russa, e sim ouvir as massas, o povo trabalhador da Ucrânia".[51]

No curto prazo, Skrypnyk venceu aquela disputa, mas não porque os bolcheviques decidiram ouvir as massas ou o povo trabalhador. No rescaldo da primeira derrota na Ucrânia, Lenin decidira simplesmente adotar tática diferente. Usando métodos daquilo que seria (muito mais tarde, porém em contexto semelhante) chamado de "guerra híbrida", ele ordenou que suas forças reentrassem disfarçadas na Ucrânia. Elas deveriam esconder o fato de que eram força russa lutando por uma Rússia bolchevique unificada. Em vez disso, se autodenominariam "movimento soviético de libertação ucraniana", precisamente para confundir os nacionalistas. A ideia era usar a retórica nacionalista de maneira cínica para convencer o povo a aceitar o poder soviético. Em telegrama para o comandante do Exército Vermelho no terreno, Lenin explicou:

> Com o avanço de nossas tropas para o Oeste e para dentro da Ucrânia, governos soviéticos regionais provisórios são criados com o intento de robustecer os sovietes locais. Essa circunstância tem a vantagem de tirar dos chauvinistas da Ucrânia, Lituânia, Letônia e Estônia a possibilidade de considerarem a entrada de nossos destacamentos como ocupação, e cria uma atmosfera favorável para posteriores avanços de nossas tropas.[52]

Os comandantes militares, em outras palavras, eram responsáveis por ajudar a criar governos "nacionais" pró-soviéticos, que lhes dariam as boas-vindas. A ideia, como explicou Lenin, era garantir que a população da Ucrânia os tratasse como "libertadores", e não como ocupantes estrangeiros.

58 A FOME VERMELHA

Em momento nenhum de 1918, ou mais tarde, Lenin, Stalin ou qualquer outro membro da liderança soviética acreditou que algum Estado ucraniano--soviético viesse a gozar de legítima soberania. O conselho revolucionário ucraniano formado em 17 de novembro incluía Piatakov e Volodymyr Zatonskyi, ambos funcionários "ucranianos" pró-Moscou — assim como Volodymyr Antonov-Ovsienko, comandante militar do Exército Vermelho na Ucrânia, e o próprio Stalin. O "Governo Revolucionário Provisório da Ucrânia", organizado em 28 de novembro, era liderado por Christian Rakovsky, de origem búlgara. Entre outros atos e declarações, Rakovsky asseverou que todas as demandas para fazer do ucraniano a língua oficial do país eram "nocivas para a Revolução Ucraniana".[53]

A desordem generalizada tornava fácil conduzir essa guerra híbrida. O Exército Vermelho deu início à sua investida contra a república exatamente ao mesmo tempo que os bolcheviques começaram a negociar um acordo com Petliura. Os funcionários do Diretório denunciaram veementemente aquela política de duas caras: Georgii Chicherin, o comissário bolchevique do povo para as Relações Exteriores, replicou suavemente que Moscou não tinha nada a ver com o movimento de tropas em território ucraniano. Jogou a culpa pela ação militar naquele território sobre "o exército do governo soviético ucraniano, que era completamente independente".[54]

O Diretório protestou assegurando que aquilo era uma mentira deslavada. Ele podia ver com clareza que o "exército do governo soviético ucraniano" era, de fato, o Exército Vermelho. Mas o Diretório continuou se queixando em vão até janeiro de 1919, quando o Exército Vermelho expulsou como um todo o governo ucraniano de Kiev.[55]

A segunda ocupação bolchevique da Ucrânia teve início em janeiro e duraria seis meses. Durante esse período, Moscou nunca controlou por completo o território daquela que seria mais tarde a República da Ucrânia. Mesmo nos distritos em que os bolcheviques exerciam autoridade sobre cidades grandes e pequenas, os vilarejos sempre permaneceram sob a influência dos líderes *partisans* locais ou *atamans*, alguns leais a Petliura, outros não. Em muitos locais, a autoridade bolchevique mal se estendia para além das estações ferroviárias. Não obstante, mesmo esse breve período de mando parcial concedeu aos líderes bolcheviques da República Soviética da Ucrânia

A REVOLUÇÃO UCRANIANA, 1917

a oportunidade de mostrar a que realmente vieram. Qualquer que fosse a independência teórica que os líderes comunistas ucranianos tivessem no papel, na prática não contavam com nenhuma.

Além do mais, seja lá quais fossem suas noções sobre o desenvolvimento econômico da Ucrânia, elas eram rapidamente sobrepujadas por outra prioridade. Nenhuma consideração sobre a teoria marxista, nenhum argumento sobre nacionalismo ou soberania importou tanto aos bolcheviques naquele ano quanto a necessidade de alimentar os trabalhadores de Moscou e Petrogrado. Por volta de 1919, o telegrama de Lenin — "Pelo amor de Deus, empreguem toda a energia e todas as medidas revolucionárias para enviar grãos, grãos e mais grãos!!" — se transformou na única e mais importante descrição das atitudes e práticas bolcheviques na Ucrânia.

A obsessão dos bolcheviques por alimentos não era de admirar: o Império Russo passava por dificuldades de abastecimento desde a eclosão da Primeira Guerra Mundial. No início do conflito armado com a Alemanha, a Rússia Imperial centralizara e nacionalizara seu sistema de distribuição de alimentos, criando caos administrativo e escassez. Um Conselho Especial para Debater e Coordenar Medidas para o Abastecimento de Alimentos, organização estatal para a distribuição de alimentos e claro precedente para as organizações soviéticas que se seguiram, foi colocada sob controle. Em vez de melhorar a situação, o esforço do Conselho Especial para "eliminar a intermediação" e para criar uma suposta forma não capitalista e mais eficiente para a distribuição de cereais acabou por exacerbar a crise no suprimento.[56]

A falta de alimentos resultante deflagrou a Revolução de Fevereiro de 1917 e catapultou os bolcheviques para o poder alguns meses depois. Morgan Philips Price, jornalista britânico, descreveu o clima daquele ano:

> Involuntariamente, a conversa parecia sempre se desviar para um único assunto, que evidentemente despertava a atenção de todos: pão e paz (...) Todos sabiam que as ferrovias não eram mais o gargalo dos transportes, que os grãos outrora exportados para a Europa Ocidental eram então mais do que absorvidos pelo exército, que a área cultivada despencara dez por cento no ano anterior, e que certamente diminuiria mais naquela

60 A FOME VERMELHA

primavera, que os trabalhadores de diversas grandes cidades estavam havia algumas semanas sem pão, enquanto os grão-duques e especuladores possuíam vastos estoques em suas residências.[57]

Price viu filas de mulheres por rações: "Seus rostos pálidos e olhos ansiosos traíam o medo de alguma calamidade que se aproximava."[58] Visitou o quartel de um dos regimentos de Moscou, onde constatou que "as rações alimentares eram motivo de debates e que alguém, com voz alta e mais iniciativa que os demais, propôs uma delegação de três ao comandante para exigir o aumento imediato daquelas rações". Do problema dos alimentos, o grupo partiu para o debate da guerra e depois para a propriedade da terra: "Aquele embrionário 'Soviete de Soldados' havia, de uma forma ou de outra, se tornado centro de uma troca de opiniões sobre temas que até ontem eram proibidos a todos que não pertencessem ao círculo encantado da casta governante. Fora alcançado o estágio seguinte da Revolução."

Mais tarde, Price observou que a fome, pelo menos nos períodos iniciais, tornou as pessoas "mais predadoras". A falta de comida levou o povo a questionar o sistema, a demandar mudanças, até mesmo a conclamar pela violência.[59]

A ligação entre fome e poder era algo que os bolcheviques também entendiam muito bem. Tanto antes como durante e depois da revolução, todos os lados igualmente perceberam que a constante escassez tornava o abastecimento de alimentos uma arma política de significado gigantesco. Quem tivesse alimentos teria também seguidores, soldados e amigos leais. Quem não pudesse alimentar seus adeptos perderia rapidamente o apoio. Em 1921, quando uma missão americana de assistência negociava sua entrada na União Soviética, um de seus representantes disse ao negociador soviético (e mais tarde ministro do Exterior), Maksim Litvinov, que "não viemos combater a Rússia, viemos alimentá-la". Segundo um jornalista americano, Litvinov respondeu muito sucintamente, em inglês: "Sim, mas alimento é *uma armamenta...*"[60]

Lenin também pensava assim. Mas o líder revolucionário, entretanto, não concluiu que o sistema nacionalizado de distribuição de alimentos do Conselho Especial estava errado. Pelo contrário, decidiu que seus métodos eram insuficientemente ríspidos, em particular na Ucrânia. Em 1919, Rakovsky,

A REVOLUÇÃO UCRANIANA, 1917

o líder bolchevique encarregado da Ucrânia, fez eco para tal sentimento em comentário franco para um congresso do partido. "Entramos na Ucrânia em um momento em que a Rússia soviética experimentava séria crise na produção", explicou ele. "Nosso objetivo era explorá-la ao máximo para aliviar a crise."[61] Desde o início de seu regime, os bolcheviques admitiram que a exploração da Ucrânia era o preço a ser pago para a manutenção do controle da Rússia. Como um deles escreveu anos depois, "o destino da revolução dependeu de nossa capacidade de suprir, com confiabilidade, o proletariado e o exército de pão".[62]

A necessidade urgente de grãos deu início a um conjunto de políticas extremas conhecido então e mais tarde como "Comunismo de Guerra". Lançado na Rússia em 1918 e levado para a Ucrânia depois da segunda invasão bolchevique, no começo de 1919, o Comunismo de Guerra significou a militarização de todas as relações econômicas. No interior, o sistema foi muito simples: assumir o controle dos cereais pela força das armas e depois distribuí-los entre soldados, operários de fábricas, membros do partido e outros considerados "essenciais" pelo Estado.

Em 1918, esse sistema deve ter parecido bastante familiar para muitas pessoas. O governo imperial russo, atormentado pela escassez de alimentos nos tempos de guerra, começou a confiscar grãos pela força — política conhecida como *prodrazvyorstka* — já em 1916. Em março de 1917, o Governo Provisório também decretou que os camponeses deveriam vender todos os seus cereais ao Estado a preços por ele ditado, com exceção daquilo que necessitassem para sua própria sobrevivência (semeadura e consumo).[63] Os bolcheviques deram continuidade à política. Em maio de 1918, o Conselho dos Comissários do Povo seguiu a política tsarista e estabeleceu uma "ditadura do suprimento de alimentos". O Comissariado do Abastecimento de Alimentos criou um "exército de suprimento", que se expandiria para um "front de abastecimento".[64]

A despeito do linguajar militar, na prática, o Comunismo de Guerra significou que mais pessoas começaram a passar fome. Para conseguir alimentos, entre os anos de 1916 e 1918, a maioria dos russos e ucranianos recorreu ao mercado negro, e não às inexistentes companhias estatais.[65] No livro *Doutor Jivago*, de Boris Pasternak, a esposa do médico procura alimentos e combustível, na Moscou pós-revolucionária, "vagando pelas ruas secundárias próximas, onde *muzhiks* [camponeses] por vezes apareciam de suas aldeias suburbanas com vegetais e batatas. Era preciso achá-los logo; camponeses com sacos eram presos". Ela conseguiu encontrar um homem vendendo galhos verdes de bétulas, e os trocou por "um pequeno espelho de penteadeira". O camponês aceitou a troca como um presente para a esposa. E os dois começaram a fazer "negócios futuros sobre batatas".[66] Era essa a interação entre o campo e a cidade nos anos do Comunismo de Guerra.

O escambo cidade-campo prosseguiu e perdurou como parte do sistema econômico por muitos anos. Mesmo em 1921, quando a Guerra Civil estava tecnicamente terminada, uma delegação beneficente norte-americana que visitava Moscou descobriu um negócio muito parecido. Na Kuznetskii Most, outrora uma importante rua comercial, senhoras idosas e crianças vendiam frutas em cestas no lado de fora de lojas fechadas e vazias. Vegetais e carne estavam indisponíveis, exceto nas feiras ao ar livre. De noite, os americanos descobriram a fonte daqueles artigos. Retornando ao vagão ferroviário, onde deveriam passar a noite, eles perceberam uma "multidão" de homens, mulheres e crianças se empurrando e se acotovelando para entrar em um trem que seguia para fora da cidade. O que eles qualificaram como "visão muito fantástica em meio ao lusco-fusco" era, na realidade, a rede russa de distribuição de alimentos, milhares de negociantes individuais indo e vindo do campo para a cidade.[67]

Ao longo daqueles anos, os mercados ilegais deram acesso aos alimentos a muitas pessoas, em particular aos indivíduos que não constavam nas listas especiais do governo. Contudo, os bolcheviques não apenas se recusavam a aceitar os bazares de ruas, como os culpavam pela continuada crise. Ano após ano, a liderança bolchevique se surpreendia com a fome e a escassez que seu sistema de "confiscar e redistribuir" havia provocado. Como o sistema de intervenção estatal presumivelmente deveria tornar as pessoas mais ricas, não mais pobres, e como os bolcheviques jamais debitaram fracasso algum às próprias políticas, muito menos à sua rígida ideologia, eles transformaram em alvos os pequenos negociantes e os operadores do mercado negro — os "especuladores" — que faziam suas vidas carregando fisicamente alimentos das fazendas para as cidades. Em janeiro de 1919, Lenin chegou a acusá-los de inimigos ideológicos:

A REVOLUÇÃO UCRANIANA, 1917

Todas as conversas sobre esse tema [comércio privado], todas as tentativas de encorajá-lo são um grande perigo, um retrocesso, um passo atrás na construção socialista que o Comissariado da Alimentação vem conduzindo com inacreditáveis dificuldades em uma luta contra os milhões de especuladores a nós legados pelo capitalismo.

A partir desse ponto, ele precisava dar apenas um pequeno salto lógico para denunciar os camponeses que vendiam seus cereais aos "especuladores". Lenin, já suspeitando de que o campesinato era uma classe insuficientemente revolucionária, foi bastante claro sobre o perigo do comércio campo-cidade:

O camponês tem de escolher: o livre-comércio dos grãos — o que significa especulação com os cereais; liberdade para os ricos se tornarem ainda mais ricos, e os pobres, mais pobres e ainda mais famintos; o retorno do absolutismo dos latifundiários e dos capitalistas; e a ruptura da união entre camponeses e operários — ou a entrega de seus excedentes de grãos ao Estado a preços fixos.[68]

Todavia, palavras não foram suficientes. Enfrentando fome generalizada, os bolcheviques tomaram medidas mais extremas. Normalmente, os historiadores atribuem a virada de Lenin para a violência em 1918 — uma gama de políticas chamada Terror Vermelho — à sua luta contra os oponentes políticos.[69] Porém, mesmo antes de o Terror Vermelho ser formalmente declarado em setembro, e mesmo antes que ele ordenasse mais prisões e execuções, Lenin já violava a lei e o precedente em reação ao desastre econômico: os operários de Moscou e Petrogrado estavam restritos a cerca de trinta gramas de pão por dia. Morgan Philips Price observou que as autoridades soviéticas mal conseguiram alimentar os delegados durante o Congresso dos Sovietes no inverno de 1918: "Apenas alguns vagões de farinha chegaram ao longo daquela semana nas estações ferroviárias de Petrogrado."[70] Pior ainda, "as queixas procedentes de todos os distritos de trabalhadores de Moscou se tornaram mais estridentes. O regime bolchevique tinha que conseguir comida ou largar o poder, costumava-se ouvir".[71]

64 A FOME VERMELHA

Na primavera de 1918, essas condições inspiraram a primeira *chrezvychaishchina* de Lenin — termo traduzido por um acadêmico como "condição especial na vida pública quando é perdido qualquer sentimento de legalidade e prevalece a arbitrariedade no poder".[72] Medidas extraordinárias, ou *chrezvychainye mery*, foram necessárias para combater os camponeses que Lenin acusava de estocar grãos para seus próprios interesses. A fim de forçar esses camponeses a abrir mão dos cereais e fustigar a contrarrevolução, Lenin também acabou criando a *chrezvychainaia komissiia* — "comissão extraordinária" conhecida como Che-Ka, ou Cheka. Esse foi o primeiro nome dado à polícia secreta soviética, mais tarde conhecida como GPU, OGPU, NKVD e, finalmente, KGB.

A emergência justificava tudo. Lenin ordenou que quem não estivesse diretamente envolvido no conflito militar na primavera e no verão de 1918 trouxesse alimentos para a capital. Stalin foi encarregado das "questões de provisão no sul da Rússia", missão que, de repente, tornou-se ainda mais importante do que suas atribuições como comissário das Nacionalidades. Ele partiu então para Tsaritsyn, cidade às margens do Volga, acompanhado de dois trens blindados e 450 soldados do Exército Vermelho. Sua tarefa: coletar grão para Moscou. Seu primeiro telegrama para Lenin, enviado em 7 de julho, reportou que ele encontrara uma "bacanal de especuladores". Stalin explicitou sua estratégia: "Não seremos complacentes com ninguém, nem conosco, tampouco com os outros — mas levaremos pão para você."[73]

Nos anos subsequentes, a aventura de Stalin em Tsaritsyn foi particularmente lembrada pelo fato de que ela inspirou a primeira discussão pública com o homem que viria a se tornar seu grande rival, Leon Trotski. Mas no contexto da política posterior de Stalin na Ucrânia, a intervenção teve outro tipo de significado: a tática brutal empregada para conseguir cereais em Tsaritsyn pressagiou a que Stalin usaria na Ucrânia com o mesmo objetivo, uma década depois. Mal chegado em Tsaritsyn, Stalin criou um conselho militar revolucionário, estabeleceu a repartição da Cheka e começou a "limpar" os contrarrevolucionários da cidade. Acusando os generais locais de "especialistas burgueses" e de "ineptos burocratas, totalmente despreparados para a Guerra Civil", ele os conduziu, com outros presos, para dentro de uma balsa e os largou à deriva no meio do Volga.[74] Em conjunto com diversos

A REVOLUÇÃO UCRANIANA, 1917

outros destacamentos de tropas bolcheviques de Donetsk, e com a ajuda de Klement Voroshilov e Sergo Ordzhonikidze, dois homens que se tornariam auxiliares muito próximos, Stalin autorizou detenções e espancamentos em larga escala, seguidos de execuções em massa. Brutamontes do Exército Vermelho roubavam grãos dos mercadores locais e dos camponeses; a Cheka, então, fabricava casos criminais contra eles — outro prenúncio do que estava por vir — e prendia também ao acaso pessoas nas frequentes varreduras.[75]

Mas os cereais foram carregados nos vagões a caminho do Norte — o que significou que, do ponto de vista de Stalin, aquele particularmente brutal "Comunismo de Guerra" foi um sucesso. A população de Tsaritsyn pagou alto preço e, pelo menos da perspectiva de Trotski, o exército também.[76] Depois que Trotski protestou contra o comportamento de Stalin em Tsaritsyn, Lenin afastou-o da cidade. Contudo, sua passagem por lá foi muito importante para Stalin, tanto é que, em 1925, Tsaritsyn foi por ele renomeada "Stalingrado".

Durante a segunda ocupação da Ucrânia em 1919, os bolcheviques jamais conseguiram o mesmo grau de controle que Stalin teve em Tsaritsyn. Ao longo dos seis meses que eles estiveram, ao menos nominalmente, no comando da república, foram tão longe quanto puderam. Todas as suas obstinações — o ódio pelo comércio particular, pela propriedade privada, pelo nacionalismo e pelo campesinato — ficaram às claras na Ucrânia. Mas a fixação específica com os alimentos e com o confisco dos grãos da Ucrânia ofuscou todas as demais decisões que tomaram.

Quando chagaram a Kiev pela segunda vez, os bolcheviques se movimentaram com rapidez. Imediatamente tiraram a máscara de que eram uma força para a "libertação da Ucrânia". Em vez disso, seguiram mais uma vez o precedente estabelecido pelos tsares: baniram os jornais ucranianos, interromperam o uso do ucraniano nas escolas e fecharam teatros ucranianos. A Cheka promoveu prisões imediatas de intelectuais da terra, que foram acusados de "separatismo". Rakovsky, líder do partido ucraniano, recusou-se a usar e até mesmo a reconhecer o idioma ucraniano. Pavlo Khrystiuk, socialista revolucionário ucraniano, mais tarde se lembrou de que "tropas russas", muitos de seus integrantes convocados das fileiras da antiga polícia

A FOME VERMELHA

imperial, mais uma vez "atiravam em quem falasse ucraniano em público e se considerasse cidadão da terra". A odiosa retórica antiucraniana tornou-se padrão na linguagem bolchevique em Kiev:

> Os desempregados, os famintos, as massas laborais simplesmente se juntavam ao exército e recebiam soldos e "rações" para suas famílias. Não era difícil elevar o "moral" de um exército assim. Bastava dizer que nossos irmãos passavam fome por causa dos ucranianos-*khokhly* [termo depreciativo para os da terra]. Foi dessa forma que nossos "camaradas" atiçaram o fogo do ódio contra os ucranianos.[77]

Como na Rússia, eles também confiscaram as grandes propriedades e usaram parte de suas terras para criar fazendas coletivas e outras empresas agrícolas estatais, mais uma antevisão de política futura. Contudo, apesar de os bolcheviques de Moscou se mostrarem inclinados a testar essas experiências, os comunistas ucranianos não estavam. E, principalmente, os camponeses ucranianos também não. A Rússia tinha uma tradição de agricultura comunitária, e a maior parte dos camponeses russos partilhava terra em comunas rurais (conhecidas como *obschina*, ou *mir*). Porém, só um quarto dos camponeses ucranianos seguiam o mesmo costume. Muitos eram agricultores individuais, fossem donos da terra ou seus empregados, que tinham terras próprias, casas e gado.[78]

Quando lhes foi espontaneamente oferecida a oportunidade de se juntar às fazendas coletivas, em 1919, pouquíssimos camponeses ucranianos aceitaram. E embora o novo regime soviético organizasse aproximadamente 550 fazendas estatais coletivas na Ucrânia naquele mesmo ano, elas eram em grande parte impopulares e malsucedidas: quase todas foram dissolvidas pouco depois. Grandes parcelas das terras confiscadas foram, em vez disso, redistribuídas. Camponeses receberam pequenas extensões de terra nas regiões central e ocidental da Ucrânia, e terrenos maiores nas regiões de estepes do leste e do sul. Pequenos proprietários que controlavam áreas entre 120 e 150 acres mantiveram suas propriedades. Mesmo que ninguém dissesse, isso foi tácita admissão de que os proprietários privados da Ucrânia produziam mais grãos e com maior eficiência.[79]

A REVOLUÇÃO UCRANIANA, 1917

O fato é que os cereais em 1919 eram ainda maior prioridade para Lenin do que a conversão dos ucranianos aos benefícios das fazendas coletivas. Sempre que a república era debatida, esta era a preocupação principal: "A cada menção da Ucrânia, Lenin perguntava quantos [quilos de grãos] lá existiam, quantos poderiam ser retirados ou quantos já haviam sido retirados."[80] Nessa particular obsessão, ele era encorajado por Alexander Shlikhter, um bolchevique com credenciais revolucionárias que fora nomeado comissário do povo da Requisição de Alimentos na Ucrânia no fim de 1918. Pelo começo de 1919, Shlikhter já havia colocado todas as pessoas, instituições e agências associadas à produção de alimentos na Ucrânia sob seu controle pessoal.[81] Nascido em Poltava, no centro-leste ucraniano, Shlikhter achava que o potencial para a produção de alimentos de sua terra natal era imensa, embora não imaginasse que os beneficiários de tal potencial fossem ucranianos: "Temos uma meta, adquirir 100 milhões de *poods* [1,6 milhão de quilos] através de requisições (...) 100 milhões para a Rússia faminta, para a Rússia que está agora sob ameaça de intervenção internacional do Oriente. Trata-se de quantidade colossal, mas a rica Ucrânia ajudará, a Ucrânia produtora de pão auxiliará..."[82]

Essa quantidade surgiu meramente ao acaso; mais tarde, a Shlikhter seriam pedidos 50 milhões de *poods*, mas a redução não tinha a menor importância, porque ele não tinha condições de adquirir nada que se aproximasse do número solicitado.[83] Por certo, ele julgava impossível comprar cereais. Como um observador relembrou, os camponeses se recusavam a ceder sua produção a preguiçosos moradores da cidade em troca de "dinheiro de Kerensky" [a moeda criada em fevereiro de 1917] ou por *karbovantsi* ucraniano: "Não existia residência em que não fossem vistos cestos de papel-moeda sem valor algum."[84] Embora os camponeses estivessem prontos para trocar, com satisfação, grãos por roupas ou ferramentas, a Rússia quase não produzia bens de consumo, e Shlikhter não tinha coisa alguma para oferecer-lhes.

A força foi, de novo, a única solução. Porém, em vez de empregar a violência crua que Stalin usara em Tsaritsyn, Shlikhter optou por forma mais sofisticada. Criou um novo sistema de classes nos vilarejos, primeiro nomeando e qualificando novas categorias de camponeses, e depois fomentando o antagonismo entre elas. Anteriormente, distinções de classes nos

A FOME VERMELHA

vilarejos ucranianos não eram bem definidas nem significativas; o próprio Trotski dissera certa vez que o campesinato "constitui aquele protoplasma do qual novas classes tinham sido diferenciadas no passado".[85] Como já mencionado, só uma minoria de vilarejos ucranianos seguia a prática, mais comum na Rússia, da propriedade comunitária da terra. Na maioria deles, havia uma divisão difusa entre os que possuíam terras e eram considerados trabalhadores incansáveis e os que não eram donos de terras ou por qualquer razão — má sorte, bebida — eram qualificados como trabalhadores pobres. Mas a distinção não era nítida. Membros da mesma família podiam pertencer a diferentes grupos, e camponeses podiam subir ou descer essa escada de poucos degraus muito rapidamente.[86]

Os bolcheviques, com seu rigoroso treinamento marxista e modo hierárquico de encarar o mundo, insistiam em indicadores mais formais. No fim, eles se decidiriam por três categorias de camponeses: *kulaks*, os ricos; *seredniaks*, os medianos; e *bedniaks*, os pobres. No entanto, àquela altura, eles procuraram principalmente definir quais seriam as vítimas da revolução e quais seriam os beneficiários.

Em parte, Shlikhter criou uma divisão de classes por meio do lançamento de uma luta ideológica contra os *kulaks*, ou *kurkuls* (literalmente "punhos", em ucraniano). A palavra era raramente usada nos vilarejos ucranianos antes da revolução; quando empregada, simplesmente implicava pessoa que se saía bem, ou alguém que tinha condições de contratar outros para trabalhar, mas não necessariamente pessoa rica.[87] Apesar de os bolcheviques argumentarem bastante sobre como identificar *kulaks* — no fim, o termo se tornaria simplesmente político —, eles não tinham problema algum para vilificá-los como principais obstáculos para a coleta de grãos, ou para atacá-los como exploradores dos camponeses mais pobres e como criadores de dificuldades para o poder soviético. Muito rapidamente, os *kulaks* se transformaram no principal bode expiatório dos bolcheviques, o grupo mais vezes acusado pelo fracasso da agricultura bolchevique e da distribuição de alimentos.

Enquanto atacava os *kulaks*, Shlikhter simultaneamente criava uma nova classe de aliados através da instituição dos "comitês de camponeses pobres" — *komitety nezamozhnykh selian*, normalmente conhecido como *komnezamy* (*kombedy* em russo). Os *komnezamy* desempenhariam papel na

A REVOLUÇÃO UCRANIANA, 1917

fome ucraniana mais tarde, mas suas origens estão nesse imediato momento pós-revolucionário, na primeira campanha de Shlikhter para recolher grãos. Sob sua orientação, soldados do Exército Vermelho e agitadores russos movimentaram-se de vilarejo em vilarejo, recrutando os camponeses menos bem-sucedidos, menos produtivos e mais oportunistas, e oferecendo-lhes poder, privilégios e terras confiscadas dos vizinhos. Em troca, esses colaboradores cuidadosamente selecionados deveriam descobrir e recolher os "excedentes de cereais" dos vizinhos. Tal coleta de grãos mandatória— ou *prodrazvyorstka* — provocou iras e ressentimentos avassaladores, que, na verdade, jamais se extinguiram por completo.[88]

Esses dois grupos de vilarejo recém-formados se definiram como mútuos inimigos mortais. Os *kulaks* entenderam perfeitamente bem que os *komnezamy* haviam sido criados para os aniquilar; os *komnezamy* perceberam igualmente bem que seu status futuro dependia da capacidade de destruir *kulaks*; estavam dispostos a aplicar punições duras aos vizinhos para a consecução de suas missões. Iosyp Nyzhnyk, membro leal do comitê de camponeses pobres do vilarejo de Velyke Ustia, província de Chernihiv, juntou-se a um *komnezam* em janeiro de 1918, quando voltou para casa depois da guerra. Como se lembrou depois, existiam cinquenta membros no comitê local. Encarregados de confiscar terras dos vizinhos mais prósperos, como esperado, enfrentaram forte resistência. Em resposta, um punhado de membros do *komnezam* organizou um "comitê revolucionário" armado, que, recordou-se Nyzhnyk, impôs medidas imediatas e drásticas: "*Kulaks* e grupos religiosos foram proibidos de promover reuniões sem a permissão do comitê revolucionário, armas foram confiscadas dos *kulaks*, guardas foram postados no entorno do vilarejo e também foi estabelecido um sistema secreto de vigilância sobre os *kulaks*."[89]

Nem todas essas providências vieram de cima ou foram de lá sancionadas. Ao dizerem aos comitês de camponeses pobres que seu bem-estar dependia do roubo dos *kulaks*, Shlikhter sabia que instigava amarga luta de classes. Os *komnezamy*, ele escreveu depois, deveriam "levar a revolução socialista ao campo", assegurando a "destruição do mando político e econômico dos *kulaks*".[90] Outro bolchevique declarou às claras em reunião do partido em 1918: "Vocês, camaradas camponeses, precisam saber, aqui e agora, que na

A FOME VERMELHA

Ucrânia existem muitos *kulaks* ricos, muitos mesmo, que eles são bem organizados, e que quando começarmos a fundar nossas comunas no campo (...) eles farão enorme oposição."[91]

Num dos momentos mais desfavoráveis da Guerra Civil, em março de 1918, Trotski disse em reunião dos sovietes e sindicatos que alimentos tinham que ser "requisitados pelo Exército Vermelho a qualquer custo". Ademais, ele pareceu ter até entusiasmo pelas consequências: "Se as requisições implicarem Guerra Civil entre os *kulaks* e os indivíduos mais pobres dos vilarejos, saudemos então a Guerra Civil!"[92] Uma década mais tarde, Stalin usaria a mesma retórica. Porém, até mesmo em 1919, os bolcheviques se esforçavam ao máximo para aprofundar as divisões dentro dos vilarejos e para usar a ira e a mágoa no avanço de suas políticas.

Shlikhter não inventou essa forma de revolução pelas raízes: Lenin a tentara antes na Rússia, em 1918, mas fracassara. Os comitês de camponeses pobres na Rússia não tinham sido apenas impopulares — os camponeses russos eram menos propensos do que os ucranianos ao uso de estritas divisões de classes, preferindo considerar os vizinhos como "colegas de vilarejo" —, mas também corruptos. Os comitês foram ágeis em empregar os grãos que conseguiram confiscar em seu próprio benefício, e em muitos distritos russos acabaram se deteriorando em "uma rede de corrupção e desmandos".[93] Shlikhter sabia dos riscos políticos de repetir tal política na Ucrânia, onde os camponeses eram menos simpáticos ao bolchevismo. Ainda assim, com o slogan "Pão para os Combatentes, para a Salvação da Revolução!", Shlikhter fez enorme pressão sobre os *komnezamy* para coletar cereais com quaisquer meios que pudessem.

E essa não foi sua única tática: Shlikhter também ofereceu comissões a grupos particulares ou guerreiros. De acordo com os registros oficiais, 87 equipes separadas de coletores de grãos chegaram à Ucrânia vindas da Rússia, na primeira metade de 1919, incluindo cerca de 2.500 participantes. O número total, se contabilizarmos soldados e outros membros oficiosos, pode ter sido bem maior.[94] Ainda outros chegaram do interior da própria Ucrânia, tanto das cidades como de redes criminosas. Da mesma forma que as brigadas de coletivização seriam enviadas ao campo a partir das cidades em 1929, muitos integrantes desses grupos eram adeptos urbanos

A REVOLUÇÃO UCRANIANA, 1917

dos bolcheviques, se não russos, pessoas que falavam russo. Qualquer que fosse a origem étnica, os camponeses enxergaram tais equipes militarizadas de coleta como "estrangeiros", gente de fora que não merecia mais consideração do que os soldados alemães e austríacos que tentaram a mesma tática um ano antes. De forma nada surpreendente, os camponeses reagiram, como Shlikhter também admitiu: "Figurativamente falando, pode-se dizer que cada *pood* de grão requisitado foi manchado pelas gotas de sangue dos trabalhadores."[95]

Os camponeses não foram os únicos instigadores da violência entre classes, nem suas únicas vítimas. A Cheka igualmente deslanchou cruel e rígida campanha na Ucrânia contra os inimigos políticos. A polícia secreta prendeu não só ucranianos nacionalistas, como também negociantes, banqueiros, capitalistas e burgueses, tanto *haute* quanto *petite*; ex-oficiais imperiais, ex-funcionários civis da época dos tsares, ex-líderes políticos; aristocratas e suas famílias; anarquistas, socialistas e membros de quaisquer outros partidos de esquerda que deixaram de seguir a linha bolchevique. Na Ucrânia, esses últimos foram especialmente importantes. A *Borotbysty*, ala radical de esquerda do Partido Socialista Revolucionário da Ucrânia, contava com forte respaldo do campo ucraniano. Entretanto, apesar da proximidade ideológica entre os bolcheviques e a *Borotbysty* — ela era também favorável à reforma agrária radical, por exemplo —, seus membros foram excluídos do governo e tratados com suspeita porque haviam cooperado com a Rada Central.

A lista de inimigos dos bolcheviques abrangia também a vizinhança dos Cossacos do Don e da região de Kuban, cujo território atravessava Rússia e Ucrânia, e que, como os Cossacos de Zaporozhian, área ao sul da Ucrânia, sempre desfrutaram de largo grau de autonomia. Muitas *stanitsas* cossacas — nome dado às suas comunidades autogovernadas — apoiaram os Exércitos Imperiais de Russos Brancos durante a revolução, e algumas reagiram de modo ainda mais radical. A Rada de Kuban, organização governante da maioria dos Cossacos de Kuban, que falava ucraniano, declarou-se órgão mandante soberano em abril de 1917, lutou então contra os bolcheviques a partir de outubro e chegou a proclamar a independência da República Popular de Kuban em janeiro de 1918. No ápice da Guerra Civil em 1918,

A FOME VERMELHA

os Cossacos do Don, que falavam russo, também declararam independência e fundaram a República do Don, gesto romântico que não conseguiu simpatizantes em Moscou. Os bolcheviques repetidamente os descreviam como "contrarrevolucionários instintivos" e "lacaios do regime imperial".

Em janeiro de 1919, depois que o Exército Vermelho entrou na província do Don, a liderança bolchevique exarou uma diretriz destinada a acabar com o problema cossaco de uma vez por todas. Soldados receberam ordens para

> conduzir terror de massa contra os cossacos ricos, exterminando-os totalmente; realizar implacável terror de massa contra todos os cossacos que participassem, direta ou indiretamente, da luta contra o poder soviético (...) Confiscar cereais e compelir o armazenamento de todos os excedentes em pontos designados.[96]

Josef Reingold, o chekista encarregado, referiu-se de forma eufemística a esse programa como "descossaquização". Na realidade, foi um massacre: aproximadamente 12 mil pessoas foram assassinadas depois de "sentenciadas" por tribunais revolucionários constituídos por *troikas* de servidores — um comissário político do Exército Vermelho e dois membros do partido — que lavraram com impressionante rapidez sentenças de morte. Um tipo de limpeza étnica seguiu-se à matança: operários e camponeses "confiáveis" foram importados com o propósito de diluir ainda mais a identidade cossaca do Don.[97] Esse foi o primeiro dos usos soviéticos da violência em massa e do deslocamento maciço de pessoas com o objetivo de executar engenharia social. Tratou-se de precedente importante para políticas soviéticas futuras, em particular na Ucrânia. O termo "descossaquização" talvez tenha inspirado a "deskulakização", que seria tão central para a política soviética na década seguinte.

Mas o tiro político saiu pela culatra. Em meados de março, os cossacos da *stanitsa* de Veshenskaia, muitos dos quais tinham inicialmente cooperado com o Exército Vermelho, estavam em plena sublevação.[98] Em toda a Ucrânia, comandantes do Exército Vermelho mostravam-se extremamente preocupados. Antonov-Ovsienko, o líder do exército na região, escreveu por duas vezes a Lenin e ao Comitê Central solicitando relaxamento da política

A REVOLUÇÃO UCRANIANA, 1917

soviética, em particular mais cooperação com os grupos locais e com os líderes nacionais ucranianos. Sugeriu que a expansão do governo soviético ucraniano contemplasse social-democratas e *Borotbystys*, que tinham mais apoio que os bolcheviques entre os camponeses. Pleiteou o fim da requisição de grãos e concessões aos camponeses ucranianos que desertavam do Exército Vermelho em massa.

Ninguém em Moscou lhe deu ouvidos. A retórica ácida teve continuidade. A política de confisco de cereais permaneceu em prática. E foi malsucedida: Shlikhter só conseguiu despachar cerca de 8,5 milhões de *poods* de grãos — 139 mil toneladas métricas — para a Rússia, parcela ínfima daquilo que Lenin demandara.[99]

Os bolcheviques foram expulsos de Kiev pela segunda vez em agosto de 1919. Na esteira desse fato, o maior e mais violento levante de camponeses registrado pela história moderna europeia estourou no interior ucraniano.

CAPÍTULO 2

Rebelião, 1919

Povo ucraniano, assuma o poder com suas próprias mãos!
Que não existam mais ditaduras, nem pessoais nem partidárias!
Longa vida para a ditadura dos trabalhadores!
Longa vida para as mãos calosas dos camponeses e dos operários!
Abaixo os especuladores políticos! Abaixo a violência da Direita!
Abaixo a violência da Esquerda!

Ataman Hryhoriev, 1919[1]

Grande foi o ano, e terrível o ano de Nosso Senhor de 1918,
porém mais terrível ainda foi 1919.

Mikhail Bulgakov, 1926[2]

Quando Nestor Makhno foi batizado, disseram que as vestes do sacerdote pegaram fogo. Isso, julgaram os camponeses, foi um sinal: ele estava fadado a ser grande bandido. Quando nasceu o primeiro filho de Makhno, sua boca estava cheia de dentes. Isso, disseram os camponeses, também era um sinal: significava que ele era o anticristo.[3] O filho de Makhno faleceu, e a história sobre o batizado do próprio Makhno caiu no esquecimento. Contudo, os rumores extremamente contraditórios que giravam em torno de Makhno — o mais poderoso, e talvez mais carismático dos líderes camponeses

76　　　　　　　　**A FOME VERMELHA**

ucranianos que emergiram depois do caos de 1919 — perduraram por bom tempo depois de sua morte. Trotski fez famosa descrição dos seguidores de Makhno como "saqueadores *kulaks*", que "enganam os camponeses mais despreparados e ignorantes".[4] Piotr Arshinov, anarquista russo e admirador de Makhno, o pintou como o homem que trouxe unidade para o "movimento insurrecional revolucionário dos camponeses e operários ucranianos". Quando, "através das imensas extensões da Ucrânia, as massas ferveram e passaram à revolta e à luta", Makhno "formulou o plano de batalha e cunhou lemas para a rebelião".[5]

Destrinchar os mitos e dissipar as névoas que cercaram a revolta dos camponeses ucranianos de 1918-20 não é tarefa fácil, e uma das razões foi que grande quantidade dos líderes protagonistas, Makhno entre eles, desempenhou diversos papéis e mudou de lado muitas vezes. Originalmente, Makhno foi ativista revolucionário da Zaporizhia, no sudeste da Ucrânia. Encarcerado diversas vezes pela polícia tsarista, ele passou os anos de 1908 a 1917 em uma prisão de Moscou. Lá, fez amizade com Arshinov e outros, e foi doutrinado pela ideologia do anarquismo. Tal filosofia, apesar de radical e oposta ao *status quo* em medidas iguais, jamais se alinhou exatamente, seja com os bolcheviques seja com os nacionalistas ucranianos: Makhno desejava destruir o Estado, e não empoderá-lo. Libertado em 1917 depois da Revolução de Fevereiro, ele voltou a Zaporizhia e começou a organizar o Sindicato dos Camponeses. A organização cresceu rapidamente e se transformou em um exército de camponeses conflituoso que controlava aquilo que Trotski qualificou com desgosto como "pequeno Estado conhecido" de Huliaipole, o território no entorno do vilarejo natal de Makhno, que se recusou a reconhecer a autoridade de Kiev.

Por vezes chamados de Exército Negro — eles lutavam sob a bandeira negra do anarquismo — e, noutras, referidos como Makhnovistas (*Makhnovshchyna*), os homens de Makhno inicialmente pegaram em armas contra Pavlo Skoropadsky e seus aliados alemães e austríacos, bem como contra Symon Petliura e suas forças nacionalistas ucranianas. Parte de sua raiva tinha origem puramente local: entre outras coisas, eles identificavam os latifundiários menonitas [cristãos protestantes] do leste da Ucrânia como

REBELIÃO, 1919

"alemães" exploradores que precisavam ser despojados de suas propriedades. No entanto, também tinham objetivos mais amplos. Uma vez que não simpatizavam nem com os "Brancos" nem com a Rada Central ucraniana, os anarquistas de Makhno se alinharam com os bolcheviques. As forças de Makhno ajudaram a formar o primeiro e curto governo ucraniano bolchevique no início de 1918.

Como era de se esperar, essa relação se desfez. O anarquismo de Makhno dificilmente se coadunava com o instinto controlador bolchevique. O líder anarquista também não simpatizou com os métodos autoritários de seu breve aliado. Por volta de 1920, Makhno já conclamava os soldados do Exército Vermelho a desertar:

> Nós expulsamos os tiranos austro-germânicos, esmagamos os carrascos denikinistas [Rússia Imperial], lutamos contra Petliura; agora combatemos o domínio da autoridade dos comissários, a ditadura do Partido Comunista-Bolchevique: que agarrou com mão de ferro toda a vida das pessoas trabalhadoras; os camponeses e operários da Ucrânia sofrem sob seu jugo. (...) Mas consideramos vocês, camaradas do Exército Vermelho, nossos irmãos de sangue, junto com os quais gostaríamos de levar a cabo a luta pela genuína liberdade, pelo verdadeiro sistema soviético, sem pressões de partidos ou de autoridades.[6]

A despeito do desdém de Trotski, aqueles sentimentos provaram ser populares bem além de Huliaipole. A ideia de que os ucranianos se postavam pelo "verdadeiro sistema soviético, sem pressões de partidos ou de autoridades" — socialismo sem bolchevismo — era ampla e profundamente atraente, afetando muitas pessoas que nada sabiam sobre Makhno. Assim como os marinheiros de Kronstadt e os camponeses de Tambov, que também organizaram rebeliões em 1920 e 1921, dezenas de milhares de ucranianos do interior ansiavam pela revolução socialista, mas não pelo poder centralizado e a repressão que emanava de Moscou. Um panfleto que circulou pela Ucrânia central, endereçado aos "Soldados Camaradas do Exército Vermelho", sintetizava:

Vocês foram guiados para dentro da Ucrânia por comissários comunistas russos e judeus, que lhes dizem combater pelo poder soviético na Ucrânia, mas vocês estão, de fato, é conquistando a Ucrânia. Eles lhes afirmam que os lideram contra os camponeses ucranianos ricos, mas, na verdade, lutam contra camponeses e operários ucranianos pobres...

Os camponeses e operários ucranianos não podem tolerar a conquista e a pilhagem da Ucrânia por exércitos russos; não podem tolerar a opressão da língua e da cultura ucranianas como ocorreu sob o regime tsarista...

Irmãos, não voltem suas armas contra os camponeses e operários da Ucrânia, e sim contra seus comissários comunistas, que torturam também seu desafortunado povo.[7]

Um observador que visitou a Ucrânia em missão da Cruz Vermelha na ocasião parafraseou o pensamento ucraniano da seguinte maneira:

Uma fraseologia particular dos camponeses foi criada: "Nós somos bolcheviques", diziam os camponeses da região, "mas não comunistas. Os bolcheviques nos deram terra, ao passo que os comunistas nos tiram os grãos sem nada em troca. Não permitiremos que o Exército Vermelho nos pendure em cordas pelo pescoço. Abaixo a comuna! Vida longa para os bolcheviques!"[8]

Tão confusa era a terminologia do tempo que essas frases podiam ser facilmente escritas ao contrário: "Abaixo os bolcheviques! Vida longa para a comuna!" O objetivo era claro, no entanto: os camponeses ucranianos queriam uma forma de revolução, mas ganharam outra coisa no fim.

Da mesma maneira, a linguagem da ala esquerda, igualmente revolucionária e antibolchevique, também atraiu os seguidores de Matvii Hryhoriev, outro líder carismático que viera à tona com o caos de 1919. Na superfície, Hryhoriev não poderia ser mais diferente de Makhno. Cossaco e ex-membro do exército imperial russo, ele inicialmente apoiara o regime de Skoropadsky, o que lhe valeu o posto de coronel. A desilusão tomou conta dele na mesma medida em que sua ambição cresceu. Hryhoriev aglutinou em volta de si grupos de leais adeptos — 117 bandos separados de *partisans*, segundo relatos, contemplando de 6 mil a 8 mil soldados —, aliou-se com um grupo de comandantes camponeses similarmente idiossincrático, e transferiu seu apoio do regime fantoche dos alemães para Petliura.[9]

O Diretório, a força nacional chefiada por Petliura, concedeu a Hryhoriev o título de "Otaman da Zaporizhia, Oleksandriia, Kherson e Tavryda". Fanfarrão e boquirroto, Hryhoriev, assim como Makhno, utilizava a linguagem da esquerda radical. Colocava no mesmo saco os alemães e austríacos ocupadores com os odiados "burgueses" que entraram em conluio para manter pobre a Ucrânia. Em ultimato, emitido no outono de 1918, declarou:

> Eu, Otaman Hryhoriev, em nome dos *partisans* que comando, levantando-me contra o jugo da burguesia e, em total consciência, declaro a vocês, que apareceram aqui na Ucrânia como instrumentos cegos nas mãos de sua burguesia, que não são democratas, e sim traidores de todos os democratas europeus.[10]

Quando ficou evidente que o Diretório sucumbiria ao Exército Vermelho, Hryhoriev rapidamente mudou mais uma vez de lado e juntou forças com os bolcheviques. Essa aliança foi ainda mais instável que o pacto entre Makhno e o Exército Vermelho. Um correspondente de guerra soviético, que viajava com os homens de Hryhoriev, observou apreensivo a organização irregular das tropas, sua vocação para o saque e o antissemitismo "incrustado na consciência" dos soldados. Ele citou alguns dos comandantes fazendo piadas sobre o dia em que pegariam novamente em armas contra os "comunistas judeus".[11] Tal tipo de pilhéria, temeu ele, não caía bem para uma aliança de longo prazo com os bolcheviques.

Nem em curto prazo funcionou. As comunicações entre Hryhoriev e o Exército Vermelho foram frequentemente interrompidas, em especial quando ele assim queria. A cooperação, no fim, cessou por completo e, em maio de 1919, Hryhoriev acabou instando seus seguidores a se revoltarem contra o regime soviético, que ainda batalhava para alcançar o poder em Kiev. Sua declaração grandiloquente foi um total desarranjo de ideias — nacionalistas, anarquistas, socialistas, comunistas — que, provavelmente, refletiu com exatidão os sentimentos dos camponeses ucranianos que já haviam testemunhado diversos exércitos vagueando por suas terras:

80 A FOME VERMELHA

Que não haja nenhum ditador, nem em pessoa nem em forma de partido! Vida longa para a ditadura do povo trabalhador! Vida longa para os calejados trabalhadores e operários! Abaixo os especuladores políticos! Abaixo a violência da Direita! Abaixo a violência da Esquerda![12]

Os bolcheviques reagiram com sua retórica específica. Denunciaram o "levante dos *kulaks*", os "bandidos *kulaks*" e os "traidores *kulaks*". Evidentemente, a palavra *kulak* adquirira significado mais abrangente, muito além de "camponeses prósperos". Já em 1919, quem tivesse estoques extras de cereais — e quem se opusesse ao poder soviético — podia ser vilipendiado com o termo. Uma década mais tarde, Stalin não precisaria inventar nova palavra para o mesmo tipo de inimigo.[13]

Mas disparar insultos a torto e a direito não ajudou a causa soviética em 1919. Pelo começo do verão, tanto Hryhoriev quanto Makhno haviam rompido com os bolcheviques de uma vez por todas, como também o fizeram diversos outros grupos de *partisans*, *atamans* e líderes locais, todos eles concordando acerca de um ponto: suas aspirações revolucionárias por terra e autogoverno haviam sido esmagadas pelos nacionalistas ucranianos, pelos alemães e, sobretudo, pelos bolcheviques. Seduzidos com o slogan "Pelo Poder Soviético, sem Comunistas!", soldados camponeses desertaram do Exército Vermelho em grandes quantidades e juntaram-se a outros grupos. Oleksandr Shlikhter contabilizou 93 "ataques contrarrevolucionários" só no mês de abril.[14] Por outra avaliação, houve 328 revoltas separadas em junho, incidentes de ataques de camponeses contra servidores soviéticos ou o Exército Vermelho. No mês de julho, Christian Rakovsky contou mais de duzentas rebeliões antibolchevique no período de vinte dias.[15]

A palavra "caos" é insuficiente para explicar ou abarcar o que ocorreu a seguir. Makhno e Hryhoriev combateram o Exército Vermelho, o Exército Branco, o Diretório — e, por fim, atacaram-se mutuamente. Uma reunião de forças rebeldes acabou se transformando em tiroteio em julho, quando o subcomandante de Makhno sacou seu revólver e matou Hryhoriev, além de diversos outros adeptos. Anton Denikin, o general Branco, começou nova campanha, primeiro conquistando a querida Tsaritsyn de Stalin e, depois, avançando Ucrânia adentro para capturar Kharkov e Katerynoslav

(Dnipropetrovsk), em junho. Um mês mais tarde, ele tomou também Poltava. Nesse ínterim, as forças de Petliura avançavam do Oeste e reconquistavam Kiev, para perdê-la logo a seguir.

No cômputo final, Kiev trocou de mãos mais de uma dezena de vezes só em 1919. Richard Pipes descreveu de maneira memorável aquele ano na Ucrânia como "um período de completa anarquia":

> Todo o território desmoronou-se em inúmeras regiões isoladas umas das outras e do resto do mundo, dominadas por bandos armados de camponeses ou flibusteiros que saqueavam e matavam com absoluta impunidade. (...) Nenhuma das autoridades que reivindicaram a Ucrânia no ano seguinte à deposição de Skoropadsky jamais exercitou soberania genuína. Os comunistas, que acompanharam ansiosamente todo o desenrolar dos acontecimentos e fizeram tudo que estava ao seu alcance para tomar o controle para si, não se saíram melhor do que seus competidores nacionalistas ucranianos e russos Brancos.[16]

Para as pessoas comuns, a ausência de leis significou que elas foram constantemente caçadas. Heinrich Epp, membro da minoria menonita ucraniana, lembrou-se de que sua comunidade ficou à mercê de quem quer que passasse por ela:

> Na maior parte do tempo, ficamos sem governo algum para todos os fins práticos. Não existiam lei nem polícia. (...) Durante o dia eram principalmente os nacionais russos da região e os jovens que nos visitavam repetidamente. A cada vez, levavam qualquer coisa que lhes interessasse como se fossem propriedades suas. (...) Porém, muito mais temidas eram as noites, quando chegavam os chamados bandoleiros, pois suas visitas raramente passavam sem que uma vida fosse tomada como sacrifício.[17]

Cada mudança no poder era acompanhada por alteração na política. Sempre que o Exército Branco de Denikin ocupava uma região, as propriedades confiscadas eram devolvidas aos donos. Seguindo a tradição tsarista, ele também fechava bibliotecas ucranianas, centros culturais, jornais e escolas. Com desdém, os homens de Denikin não se referiam à Ucrânia, e sim à

82 A FOME VERMELHA

"Pequena Rússia" e, dessa forma, iam sucessivamente alienando quaisquer forças ucranianas que poderiam ter se juntado a eles.[18]

Sempre que o Exército Vermelho prevalecia, comissários bolcheviques organizavam matança da "aristocracia" e da "burguesia" — o que podia simplesmente significar quem quer que se opusesse a eles — e empoderavam novamente os comitês de camponeses pobres, ajudando-os a roubar os vizinhos prósperos. Em Odessa, os líderes bolcheviques armaram cerca de 2.400 criminosos e os colocaram sob a liderança do mais famoso chefe de quadrilha do lugar, Misha, o Jap — personagem das histórias de Isaac Babel —, e deixaram que eles saqueassem a cidade.[19] Em Kiev, histórias foram contadas sobre uma torturadora chamada Rosa:

> Ela ordenava que soldados capturados fossem pregados às paredes e, depois, sentava-se a poucos metros de frente para eles empunhando um revólver. Começava então a arengar sobre o proletariado, interrompendo a fala a cada dez minutos para disparar e estraçalhar as principais articulações deles, uma atrás da outra.[20]

No meio-tempo, os cerca de 10 mil cavalarianos e 40 mil infantes de Makhno, tracionando suas peças de artilharia em carroças, derrubavam quem estivesse no poder. Ao todo, seu Exército Negro matou mais de 18 mil soldados de Denikin, enfraquecendo severamente suas forças e, talvez, impedindo-o de alcançar uma vitória contra os bolcheviques.[21] Nas regiões que ocuparam, inclusive assentamentos germânicos de menonitas no sul da Ucrânia, alguns dos homens de Makhno também atacaram civis com uma sanha que pareceu enlouquecida. Em suas memórias — evocativamente intituladas "O dia em que o mundo acabou: 7 de dezembro de 1919, Steinbach, Rússia" — Epp lembrou-se de quando foi de casa em casa no vilarejo de Steinbach, e descobriu que todos os seus moradores haviam sido assassinados. Em cada uma das casas, abria a porta e encontrava cadáveres:

> A próxima residência foi a dos Hildebrandts — a de minha prima Maria. (...) Lá, testemunhei uma cena de indescritível horror, da qual não me esquecerei enquanto viver. A sra. Hildebrandt jazia no pequeno quarto logo ao lado

REBELIÃO, 1919

da entrada, completamente nua. Um de seus braços havia sido decepado e fora jogado no centro do quarto. Seu bebê recém-nascido estava morto no berço, com o pescoço esmagado. A mulher tinha sido uma das que foram estupradas, antes ou depois de assassinada.

Enquanto Epp se encontrava na casa, pesaroso com a morte dos amigos e parentes, camponeses começaram a se agrupar no vilarejo.

> E então começou o roubo: todos os bens, móveis e imóveis, mortos ou vivos, passaram às suas mãos. Em uma das casas, presenciei uma mulher virar um corpo morto de costas no chão e cortar o casaco da vítima. Ela lidou com aquele corpo humano como se fosse gado abatido.[22]

Atrocidades cometidas por um lado incitaram a ira em outros. Quando o Exército Branco conquistou Kharkov, em agosto de 1919, ele exumou os corpos de oficiais recém-enterrados em sepulturas rasas em um parque público. Encontraram evidências de que alguns homens "ainda estavam vivos quando seus distintivos de postos foram pregados na carne de seus ombros. Em alguns casos, carvão em brasa havia-lhes sido enterrado goela abaixo, e diversos pareciam ter sido escalpelados". É claro que essas revelações provocaram ainda mais iras nos que desejavam vingança.[23]

Conflitos existiram não apenas entre exércitos e grupos étnicos, mas também dentro de vilarejos. Em Velyke Ustia, província de Chernihiv, a violência entre o comitê de camponeses pobres e os *kulaks* eclodiu durante as eleições para o conselho local:

> Os membros do *komnezam* se preparavam, eles iam decidir quem deveria nomear quem, quais candidatos deveriam ser nomeados para o presidium, como os votos deveriam ser apurados e outros detalhes (...) mas os *kulaks* também tomavam suas providências e começaram a nomear agentes *kulaks*. Ao perceberem que os camponeses pobres e medianos se uniam e venceriam, os *kulaks* deram início a uma briga a socos na sala, para interromper a reunião; mas os militantes *komnezam* não se intimidaram, continuaram lutando e expulsaram os baderneiros pelas janelas. A reunião teve prosseguimento como deveria, em ambiente completamente democrático.[24]

84 A FOME VERMELHA

Logo depois, os mesmos membros do *komnezam* estavam atacando os *kulaks* e tomando à força seu pão, "de modo a distribuí-lo pelos órgãos do poder soviético". Eles também participaram da "batalha contra o banditismo", lutando contra os que classificaram como "bandos *kulaks*" de vários tipos e, em determinada altura, convocaram a milícia para ajudá-los. Juntos, relembrou um deles, "a milícia e os ativistas *komnezam* enfrentaram os bandidos próximo ao cemitério. Durante o tiroteio, os bandidos se esconderam e depois fugiram, para nunca mais aparecerem no vilarejo e, em breve, estariam completamente liquidados."[25]

Massacres seguiram-se a massacres em repetitivos ciclos. A resistência dos camponeses enfureceu os bolcheviques, em especial porque ela confundia o determinismo histórico deles: os pobres deveriam apoiá-los, não lutar contra eles. Conscientes de que eram minoria combatendo maioria, os bolcheviques aumentaram a brutalidade, por vezes demandando a execução de centenas de camponeses em troca de um comunista morto, ou exigindo que todos os homens adultos do vilarejo fossem eliminados.[26]

As tragédias daqueles anos terríveis permaneceriam na memória local por décadas posteriores, alimentando o desejo de vingança em todos os lados. Mas parte da violência mais cruel foi infligida sobre um grupo que procurou ficar o mais distante possível do conflito.

No outono de 1914, um jovem soldado russo chamado Maksim escreveu alegre carta do front austríaco para a família. Começou-a com reverente respeito ao pai e a todos os parentes, além de um desejo de que "o Senhor Deus concedesse a eles boa saúde e muitas felicidades". Continuou-a com apreensão. Sua unidade sofrera uma derrota, por ele debitada aos espiões judeus, os quais, acreditava ele, tinham lançado uma linha telefônica subterrânea para dar informações ao inimigo. Desde então, ele e seus camaradas vinham "roubando e espancando judeus como mereciam, pois eles só queriam nos enganar".[27]

É evidente que Maksim não foi o primeiro a surgir com a ideia de que os judeus eram traidores: o antissemitismo já estava maduro em todo o exército imperial em 1914, a exemplo do que acontecia na sociedade russa, até mesmo nos níveis mais elevados. O tsar Nicolau II era particularmente um entusiasta do antissemitismo, para quem os judeus significavam tudo o que havia de odioso no mundo moderno. O imperador, certa vez, definiu um jornal como "lugar em que alguns semitas ou outros (...) faziam suas vidas instigando paixões de umas pessoas contra as outras".[28] Durante seu reinado, a *okhrana*, polícia secreta imperial, produzira os "Protocolos dos Sábios de Sião", notória falsificação que descrevia a trama dos judeus para dominarem o mundo. O Estado também ajudara a inspirar uma onda de *pogroms* em toda a Rússia, em 1905. Em função da atmosfera generalizada, não foi de admirar que a liderança do exército, em 1914, suspeitasse de que os judeus "tinham entrado em conluio com o inimigo através do emprego de linhas telefônicas clandestinas e de aeronaves", e suprido as tropas alemãs com ouro contrabandeado pela linha de fronteira nos estômagos do gado e nos ovos de gansos.[29] Redemoinhos de teorias conspiratórias sobre a traição dos judeus forneciam explicações para fatos intragáveis: a derrota de uma unidade, a perda de uma divisão, o fraco desempenho de todo o exército.

Essa mesma crença na traição dos judeus, bastante comum antes da Revolução de Fevereiro, foi o pano de fundo para uma série de *pogroms* horrendos nos anos que se seguiram. Entre 1918 e 1920, combatentes de todos os lados — Brancos, Diretório, poloneses e bolcheviques — assassinaram pelo menos 50 mil judeus em mais de 1.300 *pogroms* em toda a Ucrânia, segundo os estudos mais aceitos, embora alguns admitam uma taxa de mortos bem mais alta, de cerca de 200 mil. Dezenas de milhares foram feridos, como também mulheres foram estupradas. Muitas *shtetls* foram reduzidas a cinzas. Diversas comunidades judaicas se viram chantageadas quanto aos seus bens pessoais por soldados que ameaçavam exterminá-las se não fossem pagos. Na cidade de Proskuriv (hoje, Khmelnytskyi), um levante iniciado por bolcheviques levou à morte de aproximadamente 1.600 pessoas no decurso de dois dias. Milhares de judeus fugiram da violência para morrer de inanição e doenças em Kiev. Quando as tropas de Denikin deixaram a cidade, em dezembro de 1919, cerca de 2.500 cadáveres de judeus foram encontrados em refúgios improvisados.[30]

Uma explicação completa sobre essa onda infame de violência antissemita foge ao escopo deste livro, ainda mais quando tantas provas foram colhidas por autores que buscaram provar um argumento contra ou a fa-

A FOME VERMELHA

vor dos bolcheviques, do Exército Branco ou do Diretório. De uma ampla variedade de fontes fica claro que houve perpetradores de todos os lados. Hryhoriev pouco fez para esconder seu virulento antissemitismo; Denikin e seus generais promoveram com entusiasmo *pogroms* em represália à cheka "judia" ou aos bolcheviques "judeus". Um jornalista inglês que viajou por algum tempo com Denikin registrou que os oficiais-generais Brancos e seus subordinados, alinhados com sua formação tsarista, "despejaram pratica-mente toda a culpa pelos problemas do país nos hebreus":

> Asseveravam que todo o cataclismo fora arquitetado por alguma grande e misteriosa sociedade secreta de judeus internacionais que, pagos e sob as ordens dos alemães, aproveitou-se do momento psicológico e tomou as rédeas do governo. (...) Entre os oficiais de Denikin essa fixação era de tão terrível amargor e insistência que os levava a fazer declarações destempe-radas e selvagemente fantasiosas.[31]

Em contraste, Petliura não é conhecido por ter feito uso de linguagem antissemita. Ele foi membro da Rada Central, que deliberadamente incluía judeus entre seus líderes, e mais de uma vez desencorajou o antissemitismo em suas fileiras: "Porque Cristo assim nos ensina, sempre incitamos todos a ajudarem os judeus sofredores", declarou ele. Ao longo de seu curto man-dato, o governo garantiu status autônomo aos judeus da Ucrânia, fomentou a criação de partidos políticos judeus e fundou publicações em iídiche.[32]

Entretanto, como seus soldados do Diretório sentiam variados níveis de lealdade por seus comandantes, os resultados na prática eram, com frequência, diferentes. Um comitê da Cruz Vermelha reuniu-se com um dos generais de Petliura, em Berdychiv, em 1921: "De modo sarcástico, ele insultou todos os semitas, acusando-os de apoio aos bolcheviques."[33] O mesmo comitê comunicou a outro general que a liderança do Diretório havia ordenado a cessação dos *pogroms*. Em resposta, ele replicou que "o Diretório era marionete nas mãos dos diplomatas, a maioria dos quais era de judeus", e que ele faria tudo como bem lhe aprouvesse.[34]

A liderança bolchevique também se opunha formalmente aos *pogroms*, apesar de isso não ter impedido o Exército Vermelho de chantagear co-munidades judaicas ou de roubar-lhes seu dinheiro. Lenin foi informado, em outubro de 1920, de que soldados do Exército Vermelho na província de Zhytomyr estavam "destruindo a população judaica em seu caminho, saqueando e assassinando as vítimas". Apesar de seus argumentos ao contrário, os seguidores de Makhno foram também responsáveis por ataques aos judeus, assim como alguns soldados poloneses.[35]

Mas a violência foi maior em áreas em que não havia controle político algum. Os piores danos foram causados por unidades militares que haviam se desintegrado, ou por bandoleiros sem nenhum senso de lealdade.[36] Um testemunho, escrito pelo negociante judeu Symon Leib-Rabynovych, descreve o que ocorreu no vilarejo de Pichky, próximo a Radomysl, quando vinte membros da "gangue Struk" assumiram o poder em 1919. Na primeira noite, os judeus foram tomados como reféns até que concordaram em pagar 1.800 rublos. Poucos dias depois, a maioria deles fugiu temporariamente no rescaldo de um ataque bolchevique ao vilarejo. Quando retornaram, descobriram que suas casas haviam sido saqueadas e suas posses distribuídas entre os vizinhos. Leib-Rabynovych foi a um deles e pediu de volta sua cama com colchão de penas:

> Ele se jogou sobre mim como uma besta selvagem; como eu ousava exigir alguma coisa dele, o chefão do vilarejo? Ele me prenderia e me entregaria aos strukistas como um comunista. Percebi que alguma mudança ocorrera em meu vizinho. Ele era antes pessoa pacífica e extremamente conscienciosa, e fora sempre gentil comigo. Entendi que não poderia mais continuar no vilarejo. Tinha que ir embora para salvar minha vida.[37]

Leib-Rabynovych escapou. No dia seguinte, a gangue Struk arrebanhou toda a população judia e a levou para o campo, tiraram todas as suas roupas, requisitaram dinheiro e assassinaram aqueles que não puderam pagar.

Cenas semelhantes desenrolaram-se em Makariv, vilarejo mais populoso no distrito de Kiev, ao longo de todo o ano de 1919. O primeiro ataque foi organizado por um dos líderes guerreiros locais. Seu grupo, que um dos memorialistas descreveu como "bando de jovens descalços e armados com fuzis", apareceu no vilarejo em junho. Os judeus desapareceram "como ratos em seus buracos"; os jovens, "depois de se divertirem com os disparos",

A FOME VERMELHA

começaram a destruir as barracas do bazar. O líder do grupo, Matviienko, encorajou os camponeses a se juntarem a eles. No fim, os judeus concordaram em negociar:

"50 mil", disse Matviienko.
"Vamos providenciar."
"Em duas horas", acrescentou o chefão ameaçadoramente.
Eles cumpriram a demanda.[38]

Poucos dias depois, Matviienko voltou querendo mais, e dessa vez levou também artigos valiosos e roupas. Poucas semanas depois disso, ele demandou seis judeus locais como reféns: queria trocá-los por seu irmão, que fora capturado pelos bolcheviques que combatiam na área. Quando os judeus lhe perguntaram por que tinham que ser eles, Matviienko deu de ombros: "Comunistas são *yids*, e todos os *yids* são comunistas." Seis judeus foram levados; duas semanas depois, Matviienko determinou que a comunidade providenciasse outros 150 mil rublos para comprar os judeus de volta. Logo a seguir, os moradores do vilarejo decidiram jogar o mesmo jogo e começaram também a pedir dinheiro por reféns. Foi então que os bolcheviques chegaram, com novas demandas; então Matviienko voltou. Os judeus enviaram uma delegação para negociar com ele, mas, dessa vez, ele fuzilou-os no ato. Depois disso, seus homens percorreram o vilarejo à procura de judeus e matando os que encontravam: "No total, cerca de cem pessoas foram mortas. É claro que todos os seus bens foram roubados."[39]

A violência contra os judeus deixou sua marca naqueles que a testemunharam, a perpetraram ou a experimentaram. Os *pogroms*, como a própria Guerra Civil, contribuíram para brutalizar a população, que rapidamente aprendeu a se conformar com a vontade dos homens armados. Os métodos empregados nos *pogroms* também encontraram eco na impulsão para coletar grãos em 1921, quando Lenin propôs a feitura de reféns para forçar os camponeses a entregarem seus suprimentos. Eles também aterrorizaram a campanha de coletivização uma década mais tarde, quando os *kulaks* foram ameaçados com os mesmos métodos usados em 1919. A exemplo dos judeus, eles foram arrebanhados, despidos de suas roupas, chantageados em suas posses, satirizados e humilhados, e, algumas vezes, fuzilados.

Os *pogroms* também prenunciaram eventos em outro sentido. Além de, ao seu tempo, usarem a história, o jornalismo e a política para encobrir a fome e deturpar os fatos da história ucraniana, os propagandistas soviéticos também procuraram utilizar os *pogroms* para desacreditar o movimento nacional ucraniano. Por décadas, os historiadores soviéticos caracterizaram Petliura como nada mais do que um antissemita. Negaram o papel bolchevique nos *pogroms*; refutaram que o Diretório ou a Rada Central chegaram algum dia a representar um movimento realmente nacional. Ao contrário, vincularam o nacionalismo ucraniano a saques, mortes e, sobretudo, aos *pogroms*. Grandes esforços foram despendidos para recolher "depoimentos" contra Petliura e contra generais associados a ele, bem como para publicá-los em diversos idiomas.[40] O próprio Petliura foi assassinado em Paris em 1926 por um russo judeu, Sholom Schwartzbard, que alegou estar se vingando pelos *pogroms*. Mesmo que Schwartzbard não fosse um agente soviético direto, como muitos pensaram na ocasião, ele decerto foi inspirado pela propaganda soviética que demonizava Petliura.

A comunidade ucraniana em Paris e em outros locais reagiu. Publicou diversos panfletos do Diretório, bem como proclamações de Petliura de 1919 convocando os soldados ucranianos a defenderem os judeus.[41] Mas é claro que eles não explicaram também que muitos generais de Petliura seguiram política bastante diferente, desafiando o líder. Das muitas coisas que desapareceram na guerra de propaganda entre os nacionalismos da União Soviética e da Ucrânia, nada sumiu com tanta rapidez quanto a nuance.

O levante do campesinato ucraniano devastou o campo e criou divisões que jamais seriam cicatrizadas. Também alterou, profundamente, as percepções bolcheviques sobre a Ucrânia. Se eles, antes, eram inclinados a descartar a Ucrânia como "Rússia do Sudoeste", província que só tinha interesse verdadeiro pela riqueza do solo e pela abundância de alimentos, as experiências de 1919 ensinaram-lhes a encarar aquela região como perigosa e explosiva, e os camponeses e intelectuais ucranianos como ameaças ao poder soviético.

A rebelião também os ensinou a enxergar a Ucrânia como fonte de futuros perigos militares, pois foi graças ao caos naquela área que a última campanha de Denikin quase saiu vitoriosa. Seguindo-se ao verão san-

A FOME VERMELHA

grento de 1919, Denikin conquistou Kiev em agosto. Tomou Kursk em 20 de setembro e Orel em 13 de outubro. Chegou a duzentos quilômetros de Moscou — tão perto que poderia ter conquistado a cidade. Tivesse Denikin formado aliança com as forças nacionais ucranianas, poderia muito bem ter derrubado o regime bolchevique antes que ele de fato se estabilizasse. No entanto, as impopulares políticas agrárias de Denikin, sua oposição às instituições ucranianas e as táticas brutais de seus oficiais fizeram com que *partisans* ucranianos atacassem suas linhas de suprimentos. O controle que ele tinha sobre o território ucraniano enfraqueceu com celeridade, e ele foi obrigado a se retirar.

Mas a ofensiva de Denikin também abriu caminho para mais um ataque ao poder bolchevique. Quando o Exército Branco saiu de cena, Petliura fez uma última tentativa em conjunto com o marechal Józef Piłsudski, líder nacional polonês que havia acabado de ajudar seu país a restabelecer a soberania. Ao contrário de Denikin, Piłsudski não procurou ocupar o centro ou o leste da Ucrânia. Embora tivesse anexado aquilo que é hoje a Ucrânia Ocidental à república polonesa, ele tinha também a esperança de fortalecer o Estado ucraniano para servir de contrapeso à Rússia soviética. O acordo firmado entre os dois líderes começa com "a profunda convicção de que cada nação tinha o direito de determinar seu próprio destino e de decidir sobre as relações com seus vizinhos".[42] Foi Piłsudski quem exarou proclamação aos ucranianos, usando linguagem da qual os bolcheviques se lembrariam por muito tempo:

> Os exércitos da República da Polônia, sob minhas ordens, avançaram profundamente na Ucrânia. Quero que os habitantes desse país saibam que as tropas polonesas removerão de seu território o invasor contra o qual eles empunharam armas para defender seus lares contra a violência, a conquista e a pilhagem. As tropas polonesas permanecerão na Ucrânia até que um governo ucraniano legítimo assuma o poder.[43]

Os poloneses e os ucranianos deram início a uma campanha conjunta na primavera de 1920 e, no começo, enfrentaram pouca resistência. Em 7 de maio, o exército de Piłsudski ocupou Kiev, que estava tão frouxamente de-

REBELIÃO, 1919 91

fendida que os soldados entraram na cidade de bonde. Com muito atraso, outro general Branco, Peter Wrangel, concordou em se juntar a eles a partir de sua base na Crimeia.

Sua ocupação durou pouco. Em 13 de junho, o Exército Vermelho forçou os poloneses a se retirarem. Nos primeiros dias de agosto, os bolcheviques já estavam nas cercanias de Varsóvia. Piłsudski empurrou-os de volta, seguindo-se uma batalha lembrada como "Milagre do Vístula". Tropas polonesas avançaram mais uma vez Ucrânia adentro, porém, no fim, não conseguiram criar um Estado independente ucraniano. Piłsudski assinou um armistício em outubro e concluiu um tratado de fronteiras entre Polônia e União Soviética no ano seguinte.[44]

No entanto, mesmo depois que os poloneses se retiraram e os remanescentes do Exército Branco, encurralados na Crimeia, conseguiram escapar em botes e vagaram pelo mar Negro, o problema da Ucrânia permaneceu na imaginação dos bolcheviques. Trotski, em carta aos camaradas, explicou que a paz seria difícil de conseguir. Isso porque, apesar de o Exército Vermelho ter alcançado vitória militar na Ucrânia, não houvera lá revolução ideológica: "O poder soviético na Ucrânia tem sido mantido até agora (e não muito bem) principalmente em função da autoridade de Moscou, pelos Grande Russos comunistas e pelo Exército Vermelho russo."[45] A implicação era evidente: a força, e não a persuasão, havia finalmente pacificado a Ucrânia. E a força, algum dia, seria necessária de novo.

A ameaça à segurança, em outras palavras, havia minguado, mas a ameaça ideológica persistia. O nacionalismo ucraniano fora militarmente derrotado, contudo, continuava atraente para a classe média que falava ucraniano, para a *intelligentsia* e para considerável parcela do campesinato. Pior ainda, ele ameaçava a unidade do Estado soviético, que ainda lutava para acomodar diferenças nacionais. Mais agourento que tudo, o nacionalismo possuía o poder de atrair aliados estrangeiros, particularmente ao longo da fronteira com a Polônia.

A rebelião ucraniana também significava ameaça mais ampla ao projeto dos bolcheviques. A retórica radical, anárquica e antibolchevique empregada durante o levante dos camponeses refletia algo real. Milhões de camponeses ucranianos tinham desejado a revolução socialista, mas não a bolchevique

92   A FOME VERMELHA

— e certamente não uma dirigida de Moscou. Embora seus líderes representassem larga diversidade de opiniões, dos anarquistas aos monarquistas, os vilarejos por todo o país expressavam um coerente conjunto de ideias. Eles queriam votar em representantes próprios, não em comunistas. Desejavam que os grandes latifundiários fossem despojados de suas terras, mas queriam cultivar a terra eles mesmos. Recusavam o retorno de uma "segunda servidão", representada pelas fazendas coletivas. Buscavam respeito por sua religião, língua e seus costumes. Ansiavam por vender seus cereais aos comerciantes e odiavam a requisição forçada de suas produções.[46]

A crítica — socialista, mas não autoritária, comunismo, porém não bolchevismo — ressoaria fortemente ao longo de toda a década de 1920, encontrando um porta-voz, entre outros, no próprio Trotski. Mas a primeira e mais danosa aparição da "esquerda" antissoviética foi na Ucrânia. "A cruel lição de 1919", como a revolta dos camponeses ucranianos veio a ser conhecida, pairou sobre os bolcheviques por muitos anos posteriores.[47]

CAPÍTULO 3

Fome e trégua: os anos 1920

Temos que ensinar a essa gente as lições agora, para que não ouse pensar em resistência nas décadas vindouras.

Lenin em carta a Vyacheslav Molotov, 1922[1]

Como nossa literatura pode, ao menos, seguir seu caminho do desenvolvimento (...) não devemos, de forma alguma, seguir os russos. (...) A literatura russa vem sendo por décadas uma carga para nós, ela nos treinou a segui-la submissamente.

Mykola Khvylovy, 1925[2]

A trégua com Piłsudski, bem como a derrota de Denikin, do Diretório e de uma vasta gama de rebeldes, finalmente permitiu que os bolcheviques conseguissem paz incerta na Ucrânia no curso de 1920-21. O banho de sangue não parou de imediato: o Exército Negro de Makhno continuou lutando naquele outono, mesmo depois de o próprio Petliura ter fugido. A Cheka matou 444 camponeses rebeldes durante a primeira metade daquele ano, e reconheceu que milhares de "bandoleiros" ainda vagavam pelo interior.[3] Felix Dzerzhinsky, fundador sorumbático da Cheka, levou pessoalmente cerca de 1.400 homens para a Ucrânia a fim de ajudar os aliados locais a exterminá-los de vez.[4]

94 A FOME VERMELHA

Os novos mandantes na Ucrânia, não confiando no estado de espírito de Kiev, mudaram a capital da república para o Leste, em Kharkov, cidade mais distante da fronteira polonesa, mais próxima da Rússia e cujo proletariado, em sua maioria, falava russo. As divisões do Exército Vermelho que permaneceram na Ucrânia mantiveram suas características estrangeiras, com a maior parte de seus soldados vindos de distritos russos mais afastados. Em um discurso de 1921, o comandante em chefe do Exército Vermelho na Ucrânia e Crimeia, Mikhail Frunze, descreveu sua força baseada na Ucrânia como 85% de russos e 9% de ucranianos. (O restante, de "outras nacionalidades", inclusive polacos e bielorrussos.)[5]

A "paz" conturbada também não trouxe prosperidade. Ondas de violência haviam deslocado pessoas e destruído cidades, vilas, vilarejos, estradas e ferrovias. Os políticos e as políticas dos bolcheviques tornaram a economia quase disfuncional. A abolição do comércio, a nacionalização da indústria, a experiência fracassada da coletivização e o uso do trabalho forçado, tudo isso cobrou seu preço. "A indústria estava morta", escreveu um observador:

O comércio só existia com a violação da lei soviética. A agricultura, ainda no processo de comunização, quase chegara ao ponto em que sua produção, ainda que igualitariamente distribuída, estava longe de ser suficiente para manter a população do país. O caos administrativo e a deterioração física dos transportes ferroviário e hidroviário impossibilitavam a distribuição. Fome, inanição e doenças cresciam.[6]

As perspectivas para o futuro eram igualmente desanimadoras. Naquela ocasião, um governo ucraniano, dirigido pelo Partido Comunista da Ucrânia — entidade separada do Partido Comunista da União Soviética e com Politburo e Comitê Central próprios —, estava formalmente no comando. Porém, na prática, a política era formulada em Moscou, e parecia bastante com a do passado. A nível nacional, Trotski pleiteava a militarização da economia, o emprego de brigadas de trabalho forçado e a requisição, as mesmas táticas desenvolvidas nos meses que se seguiram à revolução de 1917.[7] Durante uma visita a Kharkov, Stalin anunciou a criação do "Exército Ucraniano do Trabalho". Em discurso de 1920 para o Partido Comunista da

FOME E TRÉGUA: OS ANOS 1920

Ucrânia, ele argumentou que as táticas militares empregadas para vencer a Guerra Civil podiam ser aplicadas à economia: "Devemos agora promover a graduados e oficiais econômicos homens das fileiras dos trabalhadores para ensinar às pessoas como batalhar contra a desordem econômica e construir nova economia (...) isso requer o treinamento de 'oficiais do trabalho'."[8]

Todavia, o linguajar renovado do "Comunismo de Guerra" não entusiasmou os camponeses soviéticos. E os "oficiais do trabalho" que ofereciam lições sobre a "nova economia" dificilmente poderiam inspirá-los. Na prática, o fim da Guerra Civil trouxe de volta a odiada *prodrazvyorstka* de Shlikhter, o confisco de cereais mandatório, bem como os *komnezamy*, ou comitês de camponeses pobres, para a Ucrânia. O partido não queria correr riscos: desejava outra vez pesar a mão contra os camponeses prósperos e garantir o controle sobre os sovietes dos vilarejos (nome bolchevique para os conselhos dos vilarejos), muitos dos quais continuavam chefiados pelos mesmos anciãos como no passado.

Para os camponeses, os recém-reforçados comitês de requisições pareciam não ter escrúpulos. Seus membros, agora veteranos do brutal levante dos camponeses, trabalhavam claramente para obter privilégios e proteção em um mundo devastado e faminto. Seu comportamento foi descrito de forma muito sucinta por um camponês: "Caso quisessem, tomavam os cereais; caso gostassem, prendiam; o que desejassem, faziam."[9] Outro lembrou-se de que ninguém parecia controlar os comitês: "Os *komnezamy* eram deixados totalmente à vontade, e todas as suas ações eram guiadas por sua autoconsciência 'revolucionária'." Os que estavam em posições mais elevadas na cadeia de comando deliberadamente fomentavam tal senso de impunidade. As autoridades partidárias informaram a um comitê local que qualquer um que demonstrasse algum sinal de "contrarrevolução *kulak*" deveria ser encarcerado por quinze dias. Se isso não funcionasse — então "fuzilem-nos".[10]

A crueldade que eles empregavam não era segredo. Durante reunião confidencial, no verão de 1920, os "comissários soviéticos de aquisições", homens responsáveis pela õrganização da coleta de cereais, refletiram sobre "o impacto das requisições sobre a população". Depois de longo debate, eles tomaram uma decisão: "Não importa quão pesadas as requisições possam ser para os habitantes locais (...) os interesses do Estado têm que vir primeiro."[11]

96 A FOME VERMELHA

Essa posição rígida provocou dura reação. Matvii Havryliuk, camponês que trabalhava como coletor de grãos em 1921, lembrou-se das emoções violentas daquele período, em depoimento que deu uma década mais tarde:

> Em 1921, quando o Estado precisou de alimentos, trabalhei em uma esquadra de requisição de cereais coletando também pão dos *kulaks* em nosso vilarejo e, depois, em cinco vilarejos do distrito de Ruzhyn. Também ajudei os esquadrões do exército, sediados fora do vilarejo, a prender aqueles que espalhavam desordem entre os *kulaks*. A despeito dos tempos difíceis, quando os *kulaks* não desejavam entregar grão nenhum e até ameaçavam matar minha família e a mim, perseverei e permaneci vigilante em nome do poder soviético. Requisitei cereais sob a supervisão do plenipotenciário especial Bredykhin [da Cheka], que elogiou muito meu trabalho. Daquele momento em diante, aprendi bastante como organizar as massas de camponeses pobres e a motivá-los para participar da campanha. Ficar ao lado do poder soviético desde o início também me fez inimigo dos *kulaks* no vilarejo. Sempre os combati (...) pois eles só se preocupam com seus interesses próprios, e não os do Estado.[12]

Graças à "perseverança" e à "vigilância" de homens como Havryliuk, a grande coleta de cereais de 1920 não poupou ninguém. As instruções de Lenin não podiam ser mais explícitas quanto à requisição de cereais, mesmo daqueles necessários ao consumo imediato e ao semeio para a safra do ano seguinte, e muitas foram as pessoas desejosas de cumprir ao pé da letra as diretrizes do líder.[13]

Em consequência, o entusiasmo dos camponeses por semear, cuidar e colher cereais diminuiu dramaticamente. Na verdade, a capacidade para produzir teria sido baixa de qualquer maneira: por toda a Rússia e a Ucrânia, mais de um terço dos homens jovens haviam sido mobilizados para combater na Primeira Guerra Mundial. Mais rapazes ainda haviam se juntado à Guerra Civil, de um lado ou do outro, e centenas de milhares não voltaram. Muitos vilarejos careciam de quantidades suficientes de homens habilitados para trabalhar no campo. No entanto, mesmo os que retornaram e podiam trabalhar não tinham incentivo para produzir grãos em excesso, uma vez que sabiam que seriam confiscados.

FOME E TRÉGUA: OS ANOS 1920

Como resultado, os camponeses semearam bem menos cereais, tanto na Ucrânia quanto na Rússia, na primavera de 1920, do que o fizeram em qualquer época do passado recente.[14] E mesmo aquela terra não foi suficientemente fértil, pois a primavera acabou sendo "quente e quase sem chuva", como escreveu um observador: "A terra, ao tempo da semeadura da primavera, estava endurecida e seca." Pouquíssima chuva caiu no verão e no inverno seguintes.[15] Em consequência, cerca de um quinto a um quarto dos grãos semeados no verão de 1921 transformaram-se em talos secos.[16] A seca, no fim, assolou cerca de metade da terra agricultável do país, da qual aproximadamente um quinto experimentou perda total da safra.[17]

Por si só, o clima desfavorável certamente teria causado dificuldades, como no passado. Porém, quando combinado com as políticas de confisco de alimentos, com a ausência de homens qualificados e com os acres que não foram semeados, o resultado foi catastrófico. As vinte províncias agrícolas mais produtivas da Rússia imperial produziam anualmente 20 milhões de toneladas de grãos antes da revolução. Em 1920, produziram apenas 8,45 milhões de toneladas e, em 1921, a safra caiu para 2,9 milhões.[18] Na província de Stavropol, ao norte do Cáucaso, quase toda a safra foi perdida.[19] No sul da Ucrânia, a queda foi especialmente dramática. Em 1921, a quantidade de grãos colhida na província de Odessa decresceu a 12,9% dos níveis anteriores. Províncias do sudeste como Katerynoslav (Dnipropetrovsk), Zaporizhia e Mykolaiv produziram entre 3,7 e 5,1% de suas safras normais. Em outras palavras, cerca de 95% da safra habitual deixou de se materializar.[20]

Historicamente, tanto os camponeses da Rússia quanto os da Ucrânia já haviam sobrevivido a períodos de mau tempo e a frequentes secas mediante a cuidadosa preservação e ao estoque dos excedentes de grãos. Mas na primavera de 1921 não existia estoque de cereais: ele fora confiscado. Em vez disso, a carência de grãos rapidamente resultou em fome para as províncias russas do Volga — a larga faixa de terra ao longo do médio e baixo rio — nos Urais e para o sul da Ucrânia. Conforme a fome dos camponeses ia crescendo, muitos deles deixaram suas casas à procura de alimentos. Mais de 440 mil refugiados escaparam sozinhos da região do Volga, e alguns por engano chegaram à Ucrânia. Funcionários mal--informados deliberadamente enviaram órfãos da Rússia faminta para

98 A FOME VERMELHA

a Ucrânia, mas, quando lá chegaram, não encontraram nem orfanatos nem comida.[21]

Assim como fariam uma década mais tarde, os camponeses começaram a comer cães, ratos e insetos; cozinhavam capim e folhas; houve casos de canibalismo.[22] Um grupo de refugiados que conseguiu pegar um trem de Saratov para Riga, porto do rio Volga no coração do distrito da fome, descreveu a vida na cidade:

> Velhas carroças de lixo coletavam cadáveres diariamente como o faziam com o lixo (...) vimos muitos casos de peste bubônica nas ruas. Isso nunca foi mencionado pela imprensa soviética; os funcionários tentavam esconder essa epidemia do público em geral...
>
> O governo soviético reporta que camponeses estão abandonando seus filhos. Isso não é verdade. O certo é que alguns pais entregam suas crianças ao Estado, que promete delas cuidar, e não o faz. Outros as arremessam no Volga, preferindo vê-las afogadas do que educadas na fé comunista, que acreditam ser doutrina do anticristo.[23]

Exatamente como fariam dez anos depois, pessoas famintas procuraram escapar do interior estéril e se reunir em acampamentos de refugiados improvisados nas cidades e nas proximidades de estações ferroviárias, vivendo em vagões abandonados e "se espremendo em massas compactas como uma colônia de focas, mães e seus pequenos filhos amontoados".[24] Um jornalista americano, F. A. Mackenzie, descreveu a cena na estação de Samara:

> Lá havia rapazes, secos e altos, magros além da concepção que um ocidental faz da magreza, cobertos de trapos e de sujeira. Lá havia velhas mulheres, algumas sentadas no chão e quase inconscientes, desnorteadas pela fome, pela miséria e pelos infortúnios. (...) Lá havia pálidas mães procurando alimentar seus bebês com seios secos. Se um Dante estivesse entre nós, ele poderia ter escrito um novo *Inferno* depois de uma visita a uma dessas estações.[25]

Contudo, em um sentido extremamente importante, essa primeira fome soviética diferiu da fome que aconteceria uma década mais tarde: em 1921, a fome em massa não era mantida em segredo. E, ainda mais importante,

FOME E TRÉGUA: OS ANOS 1920

o regime tentava ajudar os famintos. O próprio *Pravda* anunciou a existência da fome quando declarou em 21 de junho que 25 milhões de pessoas sofriam com ela na União Soviética. Pouco depois, o governo sancionou a criação do "Comitê da Fome de Todos os Russos", composto por políticos não bolcheviques e figuras culturais. Comitês de autoajuda foram criados para assistir os famintos.[26] Apelos por assistência internacional foram feitos, sendo o mais proeminente vindo do escritor Maxim Gorky, que liderou uma campanha endereçada "A Todas as Pessoas Honestas", em nome de tudo que existia de bom na cultura russa. "Dias sombrios se abateram sobre a terra de Tolstoi, Dostoievski, Mendeleev, Pavlov, Mussorgski, Glinka", escreveu ele, e pediu contribuições. Na lista dos luminares russos de Gorky, deliberadamente não constaram os nomes de Lenin e Trotski.[27] Extraordinário foi que — em função de quão paranoicos eles se tornariam quanto à diáspora nos anos que se seguiram — o Partido Comunista da Ucrânia chegou a debater pedido de ajuda aos ucranianos que haviam emigrado para o Canadá e Estados Unidos.[28]

O apelo púbico e internacional por auxílio, o único do tipo registrado na história soviética, produziu resultados velozes. Diversas organizações de alívio, inclusive a Cruz Vermelha Internacional e o Comitê Conjunto Judeu de Distribuição (conhecido como JDC, ou simplesmente "Joint"), contribuiriam com o esforço de assistência, como o faria também a Missão Nansen, esforço europeu realizado pelo explorador e humanitarista norueguês Fridtjof Nansen. No entanto, a mais importante cooperação partiu da Associação Americana de Assistência (ARA), que já operava na Europa na primavera de 1921. Fundada pelo futuro presidente Herbert Hoover, ela havia sido bem-sucedida na distribuição de 1 bilhão de dólares em alimentos e medicamentos para toda a Europa nos nove meses após o armistício de 1918.[29] Ao tomar conhecimento do apelo de Gorky, Hoover, estudioso astuto da ideologia bolchevique, aproveitou a oportunidade e expandiu sua rede de assistência para a Rússia.

Antes de entrar no país, ele ordenou a soltura de todos os americanos encarcerados em prisões soviéticas, bem como imunidade para todos os americanos que trabalhassem na ARA. Hoover temia que o pessoal da ARA tivesse que controlar o processo, ou a ajuda seria roubada. Também

100 A FOME VERMELHA

se preocupava, e não sem razão, com a ideia de que os funcionários americanos pudessem ser acusados de espionagem (e, de fato, eles colhiam informações e as enviavam pelo malote diplomático).[30] Lenin se enfureceu, chamou Hoover de "impudente e mentiroso" por fazer tais exigências e explodiu contra a "grosseira duplicidade" da "América, de Hoover e do Conselho da Liga das Nações". Declarou que "Hoover tinha que ser punido, *receber publicamente bons tapas na cara* para que *todo o mundo* testemunhasse", declaração surpreendente em vista da assistência que estava prestes a receber. Mas a escala da fome era tal que Lenin, no fim, teve que engolir suas palavras.[31]

Em setembro de 1921, um grupo avançado de trabalhadores humanitários da ARA chegou à cidade de Kazan, no Volga, onde encontrou pobreza nunca vista, mesmo na devastada Europa. Nas ruas, eles presenciaram "figuras dignas de pena, vestidas com farrapos e implorando por um naco de pão em nome de Cristo". Nos orfanatos, encontraram "pequenos esqueletos emaciados, cujos frágeis rostos e membros que mais pareciam palitos (...) comprovavam a verdade dos relatórios dando conta de que faleciam às dezenas todos os dias".[32] Pelo verão de 1922, os americanos alimentavam cerca de 11 milhões de pessoas diariamente e distribuíam pacotes com alimentos para centenas de milhares de indivíduos. Para dar um fim às epidemias, eles forneceram também cerca de 8 milhões de dólares em medicamentos.[33] Uma vez estabelecida a assistência americana, o comitê russo independente de alívio da fome foi quietamente dissolvido: Lenin não desejava que uma organização russa não diretamente controlada pelo Partido Comunista ganhasse credibilidade por participar da distribuição de alimentos. Mas o projeto americano de assistência, amplificado pela cooperação de outras organizações estrangeiras, teve permissão para prosseguir, salvando milhões de vidas.

Ainda assim, mesmo com essa reação ostensivamente generosa, genuína e robusta, houve algumas vozes discordantes. Ao longo de todo o desastre, a liderança soviética — assim como faria dez anos depois — jamais desistiu de seu desejo por moeda corrente. Até mesmo enquanto a fome imperava, os bolcheviques vendiam secretamente para o exterior ouro, obras de arte e joias para adquirir armas, material bélico e maquinaria industrial. No

FOME E TRÉGUA: OS ANOS 1920

outono de 1922, eles começaram também a vender abertamente alimentos nos mercados externos, ao mesmo tempo que a fome permanecia alastrada e o auxílio estrangeiro ainda chegava.[34] Isto não era segredo: Hoover disparou contra o cinismo de um governo que conhecia a fome de seu povo, mas exportava alimentos "a fim de garantir máquinas e materiais para o desenvolvimento econômico dos sobreviventes".[35] Poucos meses depois, a ARA deixou a Rússia exatamente por esse motivo.

A exemplo do que ocorreria dez anos mais tarde, a reação das autoridades à fome diferiu entre a Rússia e a Ucrânia. Como os camaradas russos, os seus correspondentes ucranianos criaram também um comitê da fome. Mas o objetivo do órgão não foi, no começo, ajudar os ucranianos.[36] Em sua resolução de setembro de 1921 "sobre a campanha contra a fome", o Politburo especificou que muitos distritos do norte da Ucrânia podiam ser "totalmente supridos pelos recursos de seus fundos provinciais e dos condados". Ele instruiu, assim, o comitê ucraniano da fome a dirigir qualquer excedente de cereais ucranianos — e existiam alguns nas regiões ao norte da república não afetadas pela crise — para as províncias famintas de Tsaritsyn, Uralsk, Saratov e Simbirsk, e não para as pessoas que passavam fome no sul da Ucrânia.[37] Mais ou menos à mesma época, Lenin escreveu a Rakovsky, ainda líder dos bolcheviques ucranianos, para lembrá-lo de que esperava grãos e gado enviados também de Kiev e Kharkov para a Rússia.[38]

Com o outono de 1921 perto do fim — e com a escassez de alimentos cada vez pior —, a tática de Lenin tornou-se mais enfática. Apesar de ter interrompido a requisição de grãos nas regiões mais afetadas da Rússia, o chefe soviético ordenou ainda mais pressão sobre os camponeses das províncias que se saíam melhor; a Ucrânia, embora fosse grande o desastre em suas províncias do sul e do leste, foi uma delas. Lenin enviou repetidas exigências a Kharkov por mais cereais.[39] Também sugeriu novas táticas: os que se recusassem a entregar seus grãos deveriam sofrer multas e prisões — ou pior.

Em novembro, Lenin determinou especificamente "métodos revolucionários severos", inclusive que se fizessem reféns, a serem empregados contra os camponeses que se recusassem a entregar seus grãos. Essa forma de chantagem, usada com tão poderoso efeito contra os judeus durante a Guerra Civil e os *pogroms*, era agora executada para facilitar a coleta das preciosas *commodities*. A ordem de Lenin foi clara para as equipes coletoras de grãos e para os *komnezamy*: "Em cada vilarejo, façam entre quinze e vinte reféns e, em caso de metas não atingidas, coloquem-nos contra a parede." Se a tática falhasse, os reféns seriam fuzilados "como inimigos do Estado".[40] A pressão de cima era acompanhada por propaganda de baixo. Na província de Mykolaiv, no sul da Ucrânia, onde a fome já começava a se manifestar, pôsteres exortavam: "Trabalhadores de Mykolaiv, ajudem os famintos do Volga."[41]

Os servidores da ARA também notaram o tratamento diferente de Lenin para a Rússia e para a Ucrânia, e o registraram em suas anotações e memórias. Inicialmente, as autoridades de Moscou não deram conhecimento algum aos americanos sobre as carências na Ucrânia. A organização só soube da fome no sul da Ucrânia pela *Joint*, que recebeu relatórios sobre inanição massiva na região e a repassou à ARA e outros.

Mais peculiarmente, as primeiras solicitações da ARA para visitar a Ucrânia foram recusadas com base na afirmação de que o norte da república ainda produzia grãos em abundância e a Ucrânia não precisava de ajuda especial. Quando dois funcionários da ARA finalmente conseguiram viajar para Kharkov em novembro de 1921, foram recebidos friamente. Mykola Skrypnyk, na ocasião chefe ucraniano das Questões Internas, disse-lhes que eles não podiam operar na república porque a Ucrânia, diferentemente da Rússia, não tinha assinado acordo com a ARA. Os dois ficaram "em parte, surpresos e, em parte, irritados", e insistiram que se interessavam em resolver o problema da fome, não em fazer política. Skrypnyk respondeu que a Ucrânia era Estado soberano, e não parte da Rússia: "Você está se imiscuindo em política quando faz diferenças entre duas repúblicas; quando trata de uma, e recusa tratamento para outra; quando considera uma soberana, e a outra, Estado súdito."[42] Considerando que a Ucrânia contribuía à época para a resolução da fome soviética, ficava sujeita às leis soviéticas e à política soviética de confisco agrícola, a insistência de Skrypnyk sobre a soberania ucraniana em relação ao alívio da fome era absurda.

Só quando a fome no sul da Ucrânia se tornou tão extensa que não pôde mais ser ignorada é que os chefões do partido em Moscou e seus colegas ucranianos cederam. Em janeiro de 1922, o Politburo ucraniano por fim

FOME E TRÉGUA: OS ANOS 1920

concordou em trabalhar com a ARA, bem como com outras organizações de assistência europeias e americanas. Faltavam ainda elos de confiança: o Politburo deu poderes aos camaradas Rakovsky e Vasilii Mantsev para negociar com os doadores estrangeiros, mas também para "tomar medidas" contra aquelas organizações que se revelassem disfarces para fazer espionagem.[43] Anos mais tarde, cidadãos soviéticos que trabalharam para a ARA se tornaram objetos de suspeitas: em 1935, uma mulher de Odessa foi condenada como contrarrevolucionária, parcialmente porque trabalhara com os americanos que procuravam aliviar a fome na cidade.[44] A despeito da má vontade generalizada, as cozinhas de sopa da ARA começaram a trabalhar no sul e no leste da Ucrânia, bem como na Crimeia, no inverno e na primavera de 1922.[45] A Cruz Vermelha da Ucrânia contribuiu igualmente para o esforço, como o fez a *Joint*, que forneceu alimentos e outras formas de assistência às vítimas dos *pogroms*.[46]

Inevitavelmente, todas as organizações do exterior operaram sob restrições. A Missão Nansen foi forçada a trabalhar por meio de instituições soviéticas em vez de usar seu próprio pessoal. A *Joint* enviou seus servidores, mas todos tiveram que prometer "refrear-se de expressar opiniões sobre política nacional ou internacional", e "não executar nada que pudesse, da menor forma, ir além de suas atribuições".[47] O antissemitismo complicou o programa de auxílio do comitê; pôsteres, panfletos e outros objetos que expunham seus slogans foram rapidamente removidos ou confiscados pelas autoridades. A ARA foi, por vezes, banida de determinados locais, com proibições sem aviso prévio. A certa altura, seus funcionários foram alertados a ficarem afastados da cidade industrial de Kryvyi Rih, provavelmente porque os *partisans* ainda operavam lá. As autoridades soviéticas receavam a influência americana em territórios que não estavam completamente pacificados.[48]

Por fim, o auxílio chegou à Ucrânia, os alimentos se tornaram mais disponíveis e a taxa de mortalidade decresceu. Nos últimos meses de 1923, a crise parecia estar sob controle. Porém, o retardo nas distribuições dessa assistência provocou dezenas de milhares de mortes desnecessárias. Muitos especularam, na ocasião e mais tarde, a razão de isso ter ocorrido. Os membros da ARA debateram entre si e escreveram sobre o assunto anos depois.

A maioria acreditou que a oposição soviética inicial ao seu programa de auxílio na Ucrânia tenha sido inspirada politicamente. O sul da república, uma das regiões mais atingidas de toda a URSS, fora também um reduto cossaco e de Makhno. Talvez as autoridades estivessem "dispostas a deixar a Ucrânia sofrer, em vez de correr o risco de um novo levante que pudesse se seguir ao contato com os estrangeiros", especularam os americanos.[49] Conscientes de que eram vistos como espiões, os americanos também acharam que o regime pensava que eles operassem como provocadores. Podia ser até que tivessem razão.

Mais recentemente, alguns acadêmicos ucranianos ofereceram uma explicação política ainda mais contundente: talvez as autoridades soviéticas tivessem de fato usado a fome de forma instrumental, como o fizeram em 1932, para pôr um fim na rebelião dos camponeses.[50] Essa tese não pode ser provada: não há evidências de um plano premeditado para esfomear o campesinato ucraniano em 1920-21. Ao mesmo tempo, é verdade que se Moscou tivesse de fato empregado sua política agrícola para sufocar levantes, dificilmente poderia ter feito isso de modo mais eficiente. O sistema de requisição de grãos quebrou comunidades, provocou rupturas em relações e forçou camponeses a deixar seus lares em busca de alimentos. A inanição enfraqueceu e desmoralizou os que permaneceram, forçando-os a abandonar a luta armada.[51] Mesmo na ocasião, muitos perceberam que a situação ficou particularmente grave em Huliaipole, província natal de Makhno. Os territórios onde ele exercia poder no sul estavam entre os mais devastados, primeiro pela safra fracassada e, depois, pela falta de auxílio para aliviar a fome.[52]

Certamente, o regime utilizou a fome — como o faria uma década depois — para atacar fortemente a hierarquia religiosa ucraniana. Em nome da assistência, o Estado forçou as igrejas ucranianas a lhes entregar seus objetos de ouro, ícones e outros bens valiosos. Entretanto, nos bastidores, líderes partidários, inclusive Skrypnyk, que liderou a coleta desses itens, esperavam que pudessem empregar a política para criar tensões entre a recém-criada Igreja Ortodoxa Independente da Ucrânia e sua principal rival, que ainda era leal ao patriarcado de Moscou. Durante muitas semanas, o Politburo ucraniano debateu essas "doações" da Igreja, questionando-as e

FOME E TRÉGUA: OS ANOS 1920

interessando-se por sua venda no exterior.[53] Em 1922, Lenin, que já estava doente, enviou uma carta a Vyacheslav Molotov, que precedeu Stalin na liderança do Secretariado do Partido Comunista. A carta, argumentando que a fome proporcionava oportunidade única para confiscar propriedades da Igreja, seria repassada a membros do partido. O sacrifício dos artigos valiosos da Igreja poderia, escreveu Lenin, ter importante impacto político:

> Agora, e apenas agora, que as pessoas estão sendo devoradas em áreas afetadas pela fome, e centenas, se não milhares, de corpos jazem nas estradas, nós podemos (na verdade, devemos) buscar a remoção da propriedade da Igreja com a maior sofreguidão e impiedosa energia, e não hesitar em acabar com qualquer oposição. Agora, e apenas agora, a vasta maioria dos camponeses ou estará do nosso lado, ou, ao menos, não terá condições de apoiar de modo decisivo esse punhado de clérigos [reacionários] e a pequena burguesia urbana, dispostos a tentar se opor a esse decreto soviético com a política da força.[54]

Essa, explicou Lenin, era a hora de ensinar aos camponeses, ao clero e a outros oponentes políticos uma "lição", de modo que, "para as décadas vindouras, eles não ousem nem pensar em resistência alguma".[55]

Todavia, a extensão da fome assustou os bolcheviques. A escassez de alimentos pode até ter ajudado a terminar com o levante dos camponeses na Ucrânia, porém, em outros locais, ela colocara lenha na fogueira. Na província russa de Tambov, as requisições de grãos desencadearam a rebelião de Antonov, um dos levantes antibolcheviques mais sérios daquela época. A falta de alimentos também ajudou a inspirar a infame rebelião de Kronstadt, durante a qual o Exército Vermelho disparou contra marinheiros que desempenharam papel importante na revolução. No decurso de três anos, cerca de 33,5 milhões de pessoas foram afetadas pela fome ou pela escassez de alimentos — 26 milhões na Rússia, 7,5 milhões na Ucrânia —, embora seja difícil de contabilizar a taxa exata de mortos, uma vez que não havia ninguém controlando os números.[56] Na Ucrânia, as melhores estimativas são de aproximadamente 250 mil a 500 mil mortes no sul da Ucrânia, a região mais afetada.[57] Na URSS como um todo, a ARA estimou que 2 milhões de pessoas tenham morrido; uma publicação soviética, editada logo após a fome terminar, concluiu que 5 milhões haviam morrido.[58]

Essas quantidades abalaram a credibilidade do governo. Os bolcheviques receavam serem apontados como culpados pelo desastre — e, de fato, foram. Um sobrevivente da fome de 1932-33 mais tarde lembrou-se de conhecer um camponês da província de Dnipropetrovsk em 1922 e de ouvir sobre a fome que houve lá. O homem explicou o que ocorrera naquele tempo sem pestanejar: "Os bolcheviques roubaram as pessoas, tomaram os cavalos e bois. Não havia pão. As pessoas morriam de fome."[59]

Em 1922, os bolcheviques reconheciam que eram impopulares no interior, em especial no interior ucraniano. As expropriações de alimentos haviam resultado em escassez, protestos e, finalmente, fome, em toda a nascente URSS. Sua rejeição a tudo que parecesse ou soasse "ucraniano" ajudara a manter viva a ira nacionalista antibolchevique no país.

Em resposta, o regime mudou de rumo e adotou duas políticas dramaticamente novas, todas com a intenção de reconquistar o apoio dos camponeses soviéticos recalcitrantes, principalmente os camponeses ucranianos teimosos, com sentimentos nacionalistas. A "Nova Política Econômica" (NEP, do acrônimo em russo) de Lenin, que pôs um fim à requisição de grãos e, temporariamente, legalizou o livre-comércio, é a mais lembrada das duas. No entanto, em 1923, Moscou também lançou uma nova política de "indigenização" (*korenizatsiia*), formulada para conquistar as minorias não russas do Estado federal soviético. Ela deu status oficial e até prioritário às línguas nacionais, promoveu suas culturas nacionais e ofereceu o que, de fato, foi uma política de ação afirmativa, substituindo quadros de Moscou por nacionais étnicos. Na Ucrânia, a política ficou conhecida como "ucranização", palavra que, na verdade, havia sido cunhada por Hrushevsky, que, já em 1907, instava pela ucranização do aparato do Estado falante de russo.[60] Hrushevsky (que já estava afastado da política havia muito tempo no início dos anos 1920) quisera empregar a língua para solidificar o apoio à independência nacional. O objetivo da política de Lenin de 1923 era precisamente o oposto: ele ansiava fazer o poder soviético parecer menos estrangeiro para os ucranianos, e assim reduzir suas demandas por soberania.

FOME E TRÉGUA: OS ANOS 1920

Para os puristas, as duas estratégias representavam um "retrocesso", um distanciamento do marxismo-leninismo, e muitos recusaram-se a acreditar que elas seriam permanentes. Um bolchevique sênior, Grigorii Zinoviev, qualificou a NEP como "desvio temporário" e como "limpeza da terra para um novo e decisivo ataque do trabalho contra o front do capitalismo internacional".[61] O próprio Lenin, ao esclarecer a NEP para educadores políticos do partido, em outubro de 1921, usou a expressão "retirada estratégica". Quando debatia a política, ele, com frequência, parecia até estar se desculpando. Lenin disse a um grupo de educadores que a política econômica soviética fora até então baseada em uma suposição equivocada, a saber, que "os camponeses nos proporcionariam a quantidade necessária de grãos, os quais poderíamos distribuir nas fábricas e, assim, concretizar a produção e distribuição comunistas".[62] Como o campesinato não havia ainda atingido o nível correto de evolução política, alguma retração se fazia agora necessária. A partir do momento em que eles estivessem preparados, talvez fosse possível tentar novamente políticas econômicas comunistas mais avançadas.

Para aqueles que haviam acreditado em um Estado unificado e homogeneizado dos trabalhadores que falavam russo, a própria noção de "ucranização" foi similarmente desanimadora. Rakovsky, que ainda era líder do Conselho dos Comissários do Povo da Ucrânia em 1921, declarou que o uso espraiado da língua ucraniana significaria um retorno à "regra da *intelligentsia* pequeno-burguesa ucraniana e dos *kulaks* ucranianos". Seu vice, Dmytro Lebed, argumentou ainda mais veementemente que o ensino do ucraniano era reacionário, porque se tratava de idioma inferior do campesinato, ao passo que o russo era a língua superior citadina. Em ensaio sublinhando sua "Teoria das Duas Culturas", Lebed concedeu que havia motivo para ensinar ucraniano aos filhos de camponeses, uma vez que se tratava de sua língua nativa. Mais tarde, entretanto, eles todos deveriam estudar russo para ajudá-los, enfim, a se mesclarem com o proletariado russo.[63]

Por trás do receio da língua "reacionária" e *kulak* dos ucranianos, Rakovsky, Lebed e outros russófilos bolcheviques na Ucrânia tinham um conjunto de razões variadas. Mais uma vez, existia um elemento de chauvinismo russo em todos os seus pensamentos: a Ucrânia fora colônia russa durante toda a vida deles, e era difícil que a imaginassem de outra forma. O ucraniano, para muitos deles, era um "idioma de celeiros". Como o comunista ucraniano Volodymyr Zatonskyi se queixou, "é um velho hábito dos camaradas encarar a Ucrânia como Pequena Rússia, como parte do Império Russo — hábito que tem sido inculcado em vocês ao longo do milênio de existência do imperialismo russo".[64] Outros tinham objeções mais enraizadas e argumentavam que o ucraniano era, na verdade, "idioma contrarrevolucionário". Traumatizados pelo levante dos camponeses, eles tinham pavor bem-fundamentado do nacionalismo ucraniano, que associavam à língua ucraniana. Zatonskyi explicou outra vez: "Precisamente no ano de 1919 (...) havia uma certa suspeita em relação ao idioma ucraniano. Eram sentimentos espraiados, mesmo nos círculos do proletariado e do campesinato revolucionários de inegável origem proletária."[65]

É claro que esse preconceito contra tudo que fosse ucraniano também tinha fonte ideológica: os bolcheviques estavam comprometidos com um Estado pesadamente centralizado e com a destruição das instituições independentes, fossem elas econômicas, políticas ou culturais. Intuitivamente, eles entendiam que a autonomia de qualquer província ou república soviética podia ser obstáculo para o poder total. Solidariedade de classe, não solidariedade nacional, supostamente deveria mostrar o caminho. Como observou outro líder comunista: "Penso que se nos preocuparmos com a cultura de cada nação individualmente, então isso será vestígio nacional pouco salutar."[66]

Ainda assim, ambas as novas políticas tiveram adeptos entusiasmados nos altos escalões. A NEP encontrou forte advogado no intelectual bolchevique Nikolai Bukharin, que passou a acreditar que a URSS atingiria patamares mais elevados de socialismo pelas relações de mercado, além de ter condenado fortemente a requisição de grãos.[67] Parcialmente graças a seu apoio, e ao suporte de Lenin nos meses que antecederam seu falecimento em janeiro de 1924, a NEP evoluiu, por breve período, para uma forma que Lenin chamou de "capitalismo de Estado". No novo sistema, os mercados funcionaram, se bem que sob rígido controle do Estado, que aboliu a aquisição mandatória de cereais e a substituiu por uma taxa. Os camponeses passaram a vender seus grãos pelo método tradicional, isto é, por dinheiro. Pequenos negociantes — "homens da NEP" — também compraram e ven-

FOME E TRÉGUA: OS ANOS 1920

deram cereais e, assim, organizaram sua distribuição, como o faziam havia muitos séculos. Nesse nível bastante elementar, uma economia de mercado foi restaurada, e os alimentos, gradualmente, foram ficando disponíveis.

A ucranização também teve ferrenhos defensores. Depois da experiência do levante dos camponeses, o próprio Lenin disse, em 1919, que seria "profundo e perigoso erro" ignorar o sentimento nacionalista na Ucrânia.[68] Em fevereiro de 1920, enquanto acontecia a terceira e última ocupação bolchevique da Ucrânia, ele enviou telegrama a Stalin, dizendo-lhe que contratasse intérpretes para o Exército Vermelho na Ucrânia e "obrigasse incondicionalmente todos os oficiais a aceitarem requerimentos e outros documentos na língua ucraniana".[69] Lenin não queria perder a Ucrânia novamente, e se isso significasse ceder às emoções nacionais ucranianas, que assim fosse.

Dentro da Ucrânia, era chegada a hora dos "comunistas nacionais". Com muito otimismo, eles argumentaram que os sentimentos nacionais ucranianos robusteceriam a revolução, e que a ucranização e a sovietização não eram apenas compatíveis, e sim fortaleciam-se mutuamente. Skrypnyk — o mesmo servidor ucraniano cuja resistência à assistência americana surpreendera os homens da ARA — foi o mais fervoroso admirador de todos. Desde que serviu como enviado de Lenin para a Ucrânia em dezembro de 1917, ele argumentava que a hostilidade entre os proletários que falavam russo e os camponeses de língua ucraniana era contraproducente.[70] Seus pontos de vista eram ecoados por Zatonskyi, que disse aos seus amigos bolcheviques em 1921 que eles haviam perdido o momento nacionalista: "Quando a temerosa massa de camponeses se ergueu e se tornou consciente de si, quando os camponeses que antes se envergonhavam de seus modos e de seu idioma levantaram o nariz e começaram a pleitear mais — não tiramos proveito daquilo." Por consequência, a revolução nacional foi sequestrada pela burguesia: "Deveríamos declarar isso abertamente: aquele foi nosso grande erro."[71]

Oleksandr Shumskyi e outros integrantes do grupo Borotbyst, da extrema esquerda, que haviam conquistado tanta popularidade em 1917-18, também se juntaram às fileiras dos comunistas nacionais após 1920.[72] Pelos padrões da URSS daquele tempo, a posição de Shumskyi foi inusitada. Embora socialistas, mencheviques, anarquistas e sociais-revolucionários já

110   **A FOME VERMELHA**

estivessem sob investigação ou presos em toda a União Soviética, Moscou fez uma exceção na Ucrânia para alguns do grupo Borotbyst, que ficaram sob as asas soviéticas. Lenin esperava que eles alinhassem seus apoiadores camponeses aos bolcheviques e acrescentassem um toque de autenticidade nativa ao novo regime.

O próprio Shumskyi suspeitou que servia como uma espécie de camuflagem, mas concordou com o arranjo e aceitou trabalhar como comissário da Educação na Ucrânia. Skrypnyk tornou-se comissário da Justiça. No verão de 1923, o Comitê Central do Partido Comunista da Ucrânia — o maior grupo de líderes sob o Politburo — exarou seu primeiro decreto de ucranização. As autoridades de Kharkov reconheceram o ucraniano como língua majoritária na república e exigiram que todos os funcionários do Estado se tornassem bilíngues dentro de um ano.[73]

Com essas mudanças, os comunistas nacionais ucranianos esperavam fazer o comunismo soviético parecer mais nativo, e menos como imposição russa. Desejavam também encorajar a elite intelectual ucraniana a ser mais compreensiva, e até tornar a Ucrânia soviética mais atraente para os ucranianos étnicos que viviam do outro lado das fronteiras com a Polônia e a Tchecoslováquia. A URSS estava sempre em busca de revoluções estrangeiras que pudesse apoiar. Para a maioria das pessoas, a impressão era de que Moscou havia manifestado total apoio a essas políticas e, por alguns breves anos, muitos acreditaram sinceramente que tudo ia funcionar.

Em março de 1924, quase sete anos após seu triunfal discurso para a multidão que portava bandeiras em Kiev, Mykhailo Hrushevsky voltou à Ucrânia. Depois de fugir do país em 1919, ele vivera por algum tempo em Viena. Por um par de anos, cogitou a ideia de mudar-se para Praga ou Lviv, e até mesmo para Oxford ou Princeton. Ele negociou com os bolcheviques e parece ter pleiteado um papel político.

Embora não tivesse conseguido nenhum, Hrushevsky decidiu retornar mesmo assim, como "pessoa comum" e acadêmico. Ninguém duvidou do significado simbólico de sua decisão, inclusive os comunistas ucranianos. Entre janeiro e junho de 1921, o Politburo ucraniano havia debatido não menos do que quatro vezes Hrushevsky e sua possível volta.[74] Muitos dos

FOME E TRÉGUA: OS ANOS 1920

líderes nacionais ucranianos que permaneciam no exílio denunciaram sua decisão como "legitimação" do mando bolchevique; esses últimos também celebraram o retorno pelo mesmo motivo. Era a prova de que a política deles estava dando certo. Mais tarde, eles alegariam que Hrushevsky implorara para voltar, tendo abjurado sua prévia atividade contrarrevolucionária.[75]

Entretanto, o próprio Hrushevsky disse repetidas vezes que não fizera concessões. Retornava, afirmou, porque acreditava que o renascimento político da república precisava primeiramente de um renascimento cultural, e achava que isso podia ser então possível. Restringido à União Soviética, Hrushevsky não podia deixar escapar aquele momento, tão pleno de possibilidades para a Ucrânia. "É preciso pensar em como evitar que a vida cultural retroceda", escreveu a um colega. "Até agora, tanto o governo quanto a sociedade estão se segurando."[76] Nem todos no governo da Ucrânia pensavam da mesma forma; tão logo Hrushevsky retornou ao seu país, a polícia secreta começou cerrada vigilância sobre ele, recrutando dezenas de agentes para reportar seus movimentos e seus pensamentos.[77] O alvo pode não ter sabido os detalhes dessa operação, mas certamente suspeitou de alguma coisa parecida: antes de sua volta, ele solicitara ao Partido Comunista da Ucrânia e ao governo que lhe escrevessem cartas assegurando-lhe imunidade contra perseguição política.[78]

Na superfície, os bolcheviques aceitaram sua presença, e ele, a dos bolcheviques. Hrushevsky recebeu apoio do Estado para criar um instituto de estudos históricos em Kiev, sob a bandeira da Academia de Ciências de Todos os Ucranianos — *Vseukraïnska Akademiia Nauk* —, mais conhecida por seu acrônimo ucraniano, VUAN. Retomou seu trabalho no *História da Ucrânia-Rus*, começou a editar um jornal e incentivou jovens colegas em seu trabalho.[79]

O retorno de Hrushevsky deu o tom para um período de genuíno fermento intelectual e cultural na Ucrânia. Por breves anos, seus companheiros historiadores da VUAN produziram monografias sobre as rebeliões dos camponeses do século XIX e sobre a história do sentimento nacionalista ucraniano.[80] A Igreja Ortodoxa Independente Ucraniana declarou-se totalmente soberana em 1921; rejeitou a autoridade do patriarcado de Moscou, descentralizou a hierarquia, reviveu a liturgia ucraniana e con-

A FOME VERMELHA

sagrou um líder, o metropolitano Vasyl Lypkivskyi. Artistas e arquitetos em Kharkov experimentaram o cubismo, o construtivismo e o futurismo, exatamente como seus correspondentes em Moscou e Paris. Arquitetos ucranianos construíram o primeiro complexo de arranha-céus da Europa, um conjunto de prédios que abrigavam repartições governamentais, uma biblioteca e um hotel. Anos mais tarde, Borys Kosarev, artista, projetista de cenários e uma das estrelas do modernismo em Kharkov, lembrou-se de que naquela cidade, "novos teatros eram inaugurados com regularidade. Performances eram acompanhadas de acirrados debates". Kosarev trabalhou em uma produção para marcar a inauguração de uma fábrica produtora de tratores:

> *O complexo foi construído por soldados exonerados do Exército Vermelho e por camponeses de vilarejos remotos — nossos potenciais espectadores. A tarefa era mostrar-lhes a verdade sobre suas realidades, bem como criar uma performance fascinante. Porém, primeiro, os espectadores tinham que ser atraídos.*[81]

Entrementes, os jovens literatos ucranianos sonhavam em inventar formas totalmente novas de experiência artística. Um grupo literário, Hart ("A Mistura"), procurou "unir os escritores proletários da Ucrânia", para melhor criar "uma cultura internacional comunista". Não que seus líderes, ex-Borotbysts, estivessem seguros do que aquilo funcionaria na realidade:

> Não sabemos se, durante o comunismo, as emoções desaparecerão, se o ser humano se transformará a tal ponto que acabará virando um globo luminoso consistindo só de cabeça e cérebro, ou se emoções novas e transformadas surgirão. Por conseguinte, não sabemos precisamente que forma a arte assumirá sob o comunismo...[82]

Outra organização, Pluh ("O Arado"), procurava cultivar escritores camponeses, na esperança de que eles pudessem despertar a criatividade da Ucrânia rural. Eles criaram círculos de leitores do campo e enviaram propagandistas ao interior. Seu programa literário proclamava que o objetivo do grupo era "criar amplo debate de obras sobre temas universais, que

FOME E TRÉGUA: OS ANOS 1920

tratavam prioritariamente da vida do campesinato revolucionário".[83] Também estabeleceram uma das primeiras colônias de escritores na Ucrânia, um complexo de apartamentos em Kiev no qual jornalistas e escritores poderiam viver em conjunto.[84]

A *intelligentsia* ucraniana igualmente tinha, pela primeira vez, os recursos e status legal de que necessitava para padronizar sua língua. Como o ucraniano jamais havia sido idioma oficial de um Estado moderno, nem todos concordavam acerca de seu uso correto. Ucranianos da região ocidental da república haviam incorporado muitas palavras e hábitos de soletração poloneses, enquanto no Leste haviam feito o mesmo do russo. Pela primeira vez em sua história, a Academia de Ciências da Ucrânia organizou uma seção de ortografia para aplainar as diferenças e começou a trabalhar em um dicionário russo-ucraniano definitivo. Em 1925, o Conselho dos Comissários do Povo da Ucrânia também criou uma comissão ortográfica especial para padronizar a língua, primeiro sob a liderança de Shumskyi e, depois, de Skrypnyk. Depois de muitos meses de debates, o trabalho da comissão culminou em uma conferência sediada em Kharkov, na primavera de 1927, para a qual Skrypnyk convidou os principais acadêmicos de Lviv — que era parte da Polônia. A "ortografia Kharkov" resultante, finalmente publicada em 1929, provou-se palatável para ucranianos ocidentais e orientais. A intenção era transformar a obra em livro didático padrão para aqueles que viviam na República da Ucrânia, bem como para os de fora das fronteiras.[85]

Conforme a confiança crescia, alguns dos líderes ucranianos procuraram expandir sua cultura para além das fronteiras formais da república, em parte com o apoio de Moscou. A liderança stalinista, em especial, apoiou os esforços de Kharkov para exercer influência sobre os ucranianos do outro lado da fronteira com a Polônia. Shumskyi serviu como ligação para o Partido Comunista da Ucrânia Ocidental, ou seja, os territórios que então pertenciam à Polônia. Stalin recebeu pessoalmente uma delegação de ucranianos ocidentais em 1925 e, é evidente, esperava-se que esses comunistas do Oeste ajudassem a desestabilizar o Estado polonês.[86] A situação começou a se complicar quando alguns dos comunistas nacionais demonstraram interesse pelos quase 8 milhões de cidadãos que falavam ucraniano e viviam além da fronteira oriental da república, já na Rússia, em particular pelos

114

A FOME VERMELHA

aproximadamente 915 mil que viviam no vizinho distrito de Kuban, no norte do Cáucaso. A partir de 1925, a liderança ucraniana aumentou o entusiasmo na busca por laços nacionais na Rússia, pleiteando mais escolas em língua ucraniana em território russo e buscando ampliar a fronteira oriental para incluir mais território dos falantes de ucraniano.

Apesar de as alarmadas autoridades do norte do Cáucaso resistirem com sucesso à mínima alteração na fronteira, elas foram forçadas a ceder na questão das escolas, quando uma investigação do Comitê Central sobre o estado de espírito dos cossacos descobriu provas de "trabalho contrarrevolucionário em massa" e insatisfação generalizada. Para aplacá-los, Moscou garantiu a todos os cossacos da Rússia e da Ucrânia o reconhecimento como minoria nacional. Como os cossacos de Kuban falavam ucraniano, a eles também foi dado o direito de abrir escolas nessa língua.[87]

Esse "elevado" ativismo cultural foi acompanhado pela chamada "baixa" ucranização, ou seja, a promoção do idioma ucraniano na vida cotidiana — na mídia, no debate público e, sobretudo, em todas as escolas. Pouco antes do início do ano letivo de 1923, o governo republicano decretou que todas as crianças ucranianas deveriam ser ensinadas em sua língua natal, com o emprego do novo programa educacional destinado a "cultivar uma nova geração de cidadãos leais".[88] A ideia era formar um campesinato tanto alfabetizado quanto soviético. Ao absorverem o pensamento marxista em ucraniano, elas se sentiriam parte integral da URSS. Para promover o idioma de modo mais rápido e amplo, Skrypnyk chegou a importar cerca de 1.500 professores da Polônia, onde escolas ucranianas vigoravam por mais tempo e onde o ensino da língua estava mais arraigado.[89]

Tais decisões tiveram impacto significativo. A percentagem de livros publicados em ucraniano dobrou entre 1923 e 1929, como também cresceu bastante o número de jornais e periódicos na mesma língua. E igualmente aumentou a quantidade de escolas em ucraniano. Em 1923, um pouco mais da metade das escolas da república ministravam aulas em língua ucraniana. Uma década depois, essa quantidade havia se elevado para 88%.[90]

Em muitas regiões, a mudança foi ainda mais profunda. Petro Hryhorenko, estudante àquela época — filho de camponeses, tornou-se general soviético e dissidente mais tarde —, lembrou-se daquele tempo como

FOME E TRÉGUA: OS ANOS 1920

realmente inspirador. Dois dos professores de seu vilarejo fundaram um ramo da Prosvita, organização cultural ucraniana do século XIX que estava sendo revivida:

> *Na casa deles, ouvi e vi tocarem pela primeira vez um instrumento musical nacional ucraniano — o bandura. Foi com eles que aprendi sobre o Kobzar, escrito pelo grande poeta ucraniano Taras Hryhorovych Shevchenko. E com eles também aprendi que pertencia à mesma nacionalidade do grande Shevchenko, que eu era ucraniano.*[91]

Naquela ocasião, Hryhorenko não percebeu nenhum conflito entre sua identidade "ucraniana" e os ideais dos bolcheviques: "O amor por minha cultura e meu povo mesclou-se em minha mente com o sonho da felicidade universal, com a unidade internacional e com o ilimitado 'poder do trabalho'." Seu clube Prosvita, por fim, fundou uma célula do Komsomol, e Hryhorenko transformou-se em ativo comunista.[92]

Outros percorreram caminho semelhante. A ucranização tornou popular a música folclórica da república, e centenas de jovens ucranianos, tanto urbanos como rurais, formaram conjuntos de *bandura* que executavam canções tradicionais em eventos públicos. Algumas vezes, as canções, com seus ecos cristãos e antirrussos, tinham que ser adaptadas e "secularizadas". Mas seu apelo romântico parecia seduzir o público jovem, inclusive aqueles como Hryhorenko, que não haviam crescido com elas.[93]

Lendas românticas do passado serviram de inspiração a muitos. Um professor de Kiev ficou tão sensibilizado ao ensinar a linguagem da poesia ucraniana que batizou sua escola como Escola Trabalhista Taras Shevchenko de Kiev nº 1, e colocou o poeta nacional da Ucrânia no centro da grade curricular. Ele encorajou os alunos a escrever diários, a anotar seus pensamentos e a fazer desenhos suscitados pela poesia de Shevchenko. Eles apresentavam também paródias sobre o poeta nos clubes locais de trabalhadores e entrevistaram o zelador da escola, cujo pai o conhecera, para o jornal escolar.[94] Em todos esses projetos, os slogans que conclamavam por justiça social derivavam de Shevchenko, não de Marx. Que os versos de Shevchenko tivessem algumas conotações antirrussas, na época, não parecia importar:

suas palavras eram interpretadas como oposição ao Império Russo, e não à nação russa, não causando embaraço.

No entanto, rachaduras no esquema eram visíveis desde o começo. Nem todas as escolas oficialmente consideradas "falantes de ucraniano" necessariamente sabiam ensinar o idioma muito bem. Muitos dos professores eram nativos russos e poucos deles julgaram ser fácil realizar a mudança — ou nem sequer tinham vontade. Nas escolas rurais, professores que falavam mal ucraniano ensinavam aos alunos que também falavam mal o idioma. E o resultado foi que ambos terminaram falando uma mistura pouco gramatical de línguas. Tentativas de avaliar as qualificações dos professores enfrentaram muitas formas de resistência passiva. Professores se recusavam a ser testados, protestavam, afirmando não ter tempo de se tornar fluentes e reclamavam, sem dúvida com razão, da falta de livros didáticos adequados. Foi difícil refutar suas reclamações, uma vez que muitos membros entre os escalados para verificar a aptidão dos professores não eram também capazes de falar o ucraniano.[95]

Alguns resistiram mais ativamente. Muitas pessoas não desejavam que seus filhos fossem educados em ucraniano, alegando que enfrentariam problemas quando se candidatassem à educação superior, onde o russo ainda era dominante.[96] Os burocratas também fincaram pé contra os esforços de se fazer o aparato governamental empregar o ucraniano. Apesar de a teoria exigir que se falasse o idioma, servidores do partido frequentemente violavam a regra, com impunidade. Pela segunda metade da década, o comitê partidário regional, em Odessa, cidade russófila, criou cursos em ucraniano para trezentos *apparatchiks* do partido. Apenas 226 de fato se inscreveram, e, desses, só 75 frequentaram as aulas com regularidade. Ainda menos pagaram as taxas requeridas. Os organizadores do programa ameaçaram os recalcitrantes a pagarem o devido, o que dificilmente os encorajaria a frequentarem as aulas, pois eles reclamavam constantemente que haviam perdido dinheiro.[97]

O fracasso do partido até mesmo em treinar o idioma com os próprios servidores era sinal de algo mais profundo. Em meados dos anos 1920, a URSS havia se transformado em estrito Estado policial, que, se desejasse, poderia ter reprimido severamente os membros do partido que se recu-

FOME E TRÉGUA: OS ANOS 1920

sassem a aprender ucraniano. Mas, na verdade, o Estado policial já estava calmamente perseguindo outro conjunto de políticas. Mesmo quando Hrushevsky, Shumskyi, Skrypnyk e outros defensores de uma identidade independente ucraniana foram elevados à proeminência de ministérios culturais e educacionais, um grupo muito diferente de funcionários era também alçado ao lado deles. Pró-soviéticos, fluentes em russo — e, muitas vezes, russos, judeus, ou mesmo letões ou poloneses por "etnia" — os oficiais políticos da Ucrânia eram bem mais propensos a se dedicar a Stalin do que a qualquer ideia abstrata de nação ucraniana. Com o passar da década, suas lealdades começariam a vir à tona.

Dos policiais ucranianos que se tornaram maduros nos anos 1920, o mais leal, e em muitos outros aspectos o mais notável, foi Vsevolod Balytsky.[98] Nascido em 1892 em Verkhniodniprovsk, pequena cidade às margens do rio Dnieper, Balytsky passou a maior parte de sua infância na cidade industrial de Luhansk, onde seu pai era contador de uma fábrica. Criado no mundo que falava russo da *intelligentsia* industrial ucraniana — corriam rumores de que ele tinha origem aristocrata —, Balytsky descreveu-se em documento de 1922 como "russo", apesar de ter mudado depois a nacionalidade para "ucraniano". Só muito mais tarde, ao tempo de sua prisão durante o "Grande Terror" de 1937, ele se identificou novamente como "russo".

Na realidade, as simpatias nacionais de Balytsky sempre foram menos importantes para ele do que suas simpatias políticas. Ele radicalizou-se na adolescência e, depois, alegou ter entrado "em contato com o movimento revolucionário em Luhansk" a partir dos dezessete anos. Entrou para uma faculdade de Direito em Moscou e, em 1913, juntou-se ao Partido Menchevique, rival dos bolcheviques, fato que ele procurou mais tarde riscar de sua biografia. Mudou de lado e tornou-se bolchevique em 1915, filiando-se ao partido suficientemente cedo para ser considerado fiel crente. Alto e louro, ele era dado a gestos dramáticos e a declarações radicais. Depois de convocado para o exército a fim de combater na Primeira Guerra Mundial, ele conduziu "agitação revolucionária" entre os outros soldados. Quando a revolução finalmente eclodiu, em fevereiro de 1917, ele chefiou um dos sangrentos "tribunais do povo" no Cáucaso. Talvez tenha sido lá que Balytsky

A FOME VERMELHA

adquiriu o gosto por identificar, expurgar e assassinar inimigos de classe. A violência, na retórica dele, era muitas vezes associada à limpeza e à purificação, pois varria o partido de "cupins" e "poluição".

A crença de Balystky no poder de limpeza da violência política motivou-o a retornar à Ucrânia, e juntar-se à Cheka ucraniana, em 1919. Em fevereiro desse mesmo ano, publicou um poema no *Izvestiya* ucraniano:

> Lá, onde mesmo a vida de ontem era alegre
> Flui o rio de sangue
> E daí? Lá onde ele flui
> Não haverá compaixão
> Nada salvará você, nada![99]

Logo após seu retorno, Balytsky teve a oportunidade de ver o "rio de sangue" que imaginara. Ele desempenhou papel ativo na resistência ao levante dos camponeses de 1919. Combatendo com o Exército Vermelho, ele participou da execução em massa de reféns, antes de ser forçado a sair de vez da república. Por algumas semanas, ele foi parar em Gomel, na ponta sudoeste da República da Bielorrússia, no que deve ter parecido um grande infortúnio. Justo quando estava a ponto de ocupar lugar entre os líderes da Ucrânia, viu-se exilado em distante cidade provincial, uma vez mais liderando um tribunal revolucionário. Entretanto, ele não desistiu de seu propósito, mesmo na beirada de fora da zona de guerra, prendendo e fuzilando contrarrevolucionários, especuladores e outros que pareciam constituir ameaça para as forças soviéticas.

No fim, Balytsky voltou à Ucrânia, onde, triunfalmente, auxiliou a "limpeza" de Dzerzhinsky na sequência da retirada do Exército Branco. Viajou bastante pela república naquela oportunidade e, acidentalmente, topou com um bando de *partisans* de Makhno. Segundo seu relato, os insurgentes o prenderam de pronto e o conduziram para as cercanias do vilarejo para ser fuzilado. Mas um dos comandantes do bando, aparentemente impressionado com a aparência aristocrática de Balytsky, impediu o assassinato. Depois de breve interrogatório, o chefe *partisan* decidiu libertá-lo. Poucos anos mais tarde, Balytsky retribuiu o favor. Quando as forças bolcheviques capturaram o mesmo comandante, Balytsky supostamente comutou sua pena de morte.[100]

FOME E TRÉGUA: OS ANOS 1920

Logo que o combate arrefeceu, Balytsky foi recompensado por sua lealdade. Em 1923, tornou-se chefe da Cheka ucraniana. Tomando a liderança de seus camaradas de Moscou, muito ocupados perseguindo oponentes socialistas dos bolcheviques, ele ajudou a organizar o primeiro julgamento dos Socialistas Revolucionários da Ucrânia. Naquele período, os tribunais distribuíam sentenças relativamente brandas, e muitos dos acusados eram perdoados.

Aos poucos, o poder e a influência de Balytsky foram crescendo. Em 1925, por sua insistência, o Politburo ucraniano exarou uma série de decretos fortalecendo a polícia secreta ucraniana, cuja denominação fora mudada, primeiro, para GPU — Diretório Político do Estado — e, depois, OGPU — Diretório Político Conjunto do Estado.[101] Entre outras ações, ele convenceu o Politburo a proteger os salários de seus empregados departamentais. Mesmo quando a influência cultural da *intelligentsia* ucraniana estava em seu ápice, e o poder dos camponeses, em seu patamar mais elevado, Balytsky, nascido ucraniano, mas fluente em russo e simpático aos soviéticos, construía a lealdade de um grupo bem diferente, preparando-o para papel relevante no futuro da Ucrânia.

CAPÍTULO 4

A crise dupla: 1927-29

Glavlit instrui que você tome todas as providências a fim de barrar por completo o aparecimento na imprensa de qualquer despacho (artigos, itens etc.) que se refira às dificuldades ou interrupções no suprimento de grãos ao país, já que pode, sem razões plausíveis, causar pânico e prejudicar as medidas promovidas pelo governo para sobrepujar temporariamente dificuldades nas questões das aquisições dos grãos e no suprimento do país.

Cabograma a todas as unidades do departamento
de informações do OGPU, 1927[1]

Não é possível que não exista pão.
Se nos dessem fuzis, conseguiríamos algum.

Comentário ouvido por um informante da polícia secreta, 1927[2]

O Comunismo de Guerra fracassou. O Estado dos trabalhadores radicais não trouxe prosperidade para os trabalhadores. E, nos anos finais da década de 1920, a Nova Política Econômica de Lenin igualmente claudicava.

Teoricamente, os mercados eram livres. Porém, na prática, o Estado não se contentava em deixá-los nessa situação. Funcionários, desconfiados dos que lucravam com a venda de grãos, interferiam constantemente, fazendo

A FOME VERMELHA

circular propaganda agressiva e "antiespeculação", e impondo pesadas regulamentações. Eles fixavam preços elevados para os bens industriais e preços baixos para os agrícolas (daí a designação de "crise das tesouras"), o que criava um desequilíbrio. Alguns negociantes se ofereciam para comprar grãos aos baixos preços "estatais", outros desejavam os altos preços "privados". Muitos camponeses, que não conseguiam os preços mais altos, não vendiam nada. Em vez disso preferiam — logicamente — estocar seus cereais, alimentar seu gado e esperar que os preços subissem.

A nova crise foi um choque. O suprimento de alimentos vinha melhorando gradativamente desde a fome de 1921-23. Uma pobre safra de cereais em 1924 mais uma vez provocou fome em larga escala, mas os camponeses ainda tinham beterrabas, batatas e suas vacas e porcos para contornar o problema. A moratória na coleta forçada de grãos, que ainda vigorava, significava que os camponeses estavam dispostos a plantar na primavera seguinte.[3]

Por volta de 1927, o sistema estava abalado novamente. Naquele ano, o Estado obteve (de acordo com seus métodos inconfiáveis de contabilidade) 5,4 milhões de toneladas de cereais. Mas as agências de distribuição de alimentos, que entregavam fatias de pão estritamente racionadas ao proletariado urbano e à burocracia, esperavam 7,7 milhões de toneladas.[4] Em toda a URSS, relatório do OGPU relatava "repressão de multidões e tiroteios" nas filas pelo pão. O mesmo relatório secreto reproduzia a fala de uma esposa de operário de fábrica: "O dia todo é gasto para se conseguir 5 quilos de farinha, seu marido volta para casa do trabalho e a janta não está pronta." Ominosamente, algumas das queixas tinham viés político. Na cidade de Tver, a polícia encontrou uma proclamação convocando greve: "Não há manteiga, a farinha só ficou recentemente disponível, não existe querosene, o povo está sendo enganado."[5] Paul Scheffer, correspondente em Moscou do *Berliner Tageblatt*, reportou "filas em frente às lojas em toda a URSS", e preços abusivamente caros. Sua previsão pessimista: "Não se pode dizer, ao comentar sobre todas essas coisas, que elas se parecem 'com a situação do inverno de 1917', na Alemanha?"[6] Eugene Lyons, recém-chegado para a função de correspondente da United Press International, também descreveu as filas que observou no inverno de 1927-28:

A CRISE DUPLA: 1927-29

Por todos os lados, essas irritantes filas, principalmente de mulheres, se alongam das portas das lojas, respirações condensando o ar que sai de suas bocas; pacientes, bovinos; quase sem se queixar. (...) O pão, que constitui a metade maior da dieta do russo comum, tornou-se "produto escasso".[7]

Para o Partido Comunista, a crise ameaçava ofuscar um aniversário importante: dez anos depois da revolução, o padrão de vida na União Soviética ainda era menor do que havia sido sob o mando dos tsares. Alimentos de todos os tipos eram obsessivamente racionados — trabalhadores recebiam cartões de racionamento de acordo com seu status. Tão delicadas eram as informações sobre a produção de grãos que, cinco meses antes das celebrações do aniversário, em maio de 1927, o OGPU proibiu todos os jornais soviéticos de escreverem sobre quaisquer "dificuldades ou interrupções no fornecimento de grãos ao país, porque elas poderiam (...) causar pânico".[8]

A renovada crise dos alimentos também veio em momento crítico na luta interna pelo poder no Partido Comunista. Desde a morte de Lenin em 1924, Stalin procurava organizar suporte partidário, congregando suas forças contra Trotski, seu principal rival. Para fazê-lo, ele se aliou aos "Direitistas", sendo o mais notável deles Nikolai Bukharin — que apoiava os princípios da NEP, o livre-comércio limitado e a cooperação com os camponeses —, contra os "Esquerdistas" de Trotski, que alertavam que essa política criaria uma nova classe capitalista e enriqueceria os *kulaks* do interior. Mas em 1927, Stalin alterou sua política: tendo se livrado satisfatoriamente dos "Esquerdistas" — Trotski caíra em desgraça e logo partiria para o exílio —, ele começou a preparar um ataque contra os "Direitistas", Bukharin e a NEP. Em outras palavras, Stalin usou a crise dos grãos, assim como a insatisfação econômica generalizada, não só para radicalizar a política soviética, mas também para completar a destruição de seu grupo de adversários.

Da perspectiva do Kremlin, 1927 foi também um ano importante para a política externa. Nos anos anteriores, o OGPU vinha expandindo sua rede de espiões pela Europa com grande entusiasmo. Mas, em 1927, os espiões estrangeiros da URSS sofreram reveses embaraçosos. Importantes operações sigilosas de espionagem foram descobertas na Polônia, Turquia, China e França, entre outros. Em Londres, o governo britânico cortou relações com

124　　　　　　　　　**A FOME VERMELHA**

a União Soviética depois de revelar uma operação descrita pelo secretário do Interior na Câmara dos Comuns como "um dos mais completos e mais abomináveis sistemas de espiões que já conheci".[9]

Ao mesmo tempo, o recém-expandido serviço soviético de espionagem desvendou o que classificou como evidências de projetos territoriais japoneses no Extremo Oriente soviético. Acreditava-se que a Polônia também tivesse projetos em andamento na URSS, em particular depois que o bem--sucedido *coup d'état* do marechal Piłsudski, em 1926, levou de volta ao poder os bolcheviques poloneses. Ironicamente, a Polônia patrocinou em segredo certos esquemas para promover o nacionalismo ucraniano nos anos 1920, com algum apoio de diplomatas japoneses, mas não há evidência de que Stalin tivesse conhecimento.[10] Em vez disso, suas suspeitas estavam voltadas para inexistentes redes de espionagem nipo-polonesas e para o que, no máximo, era superficial colaboração militar entre poloneses e japoneses.[11]

Juntos, todos esses incidentes pareciam ameaçadores, em especial para os líderes soviéticos que ainda se lembravam do amargor da luta da década anterior. Em artigo para o *Pravda* de julho de 1927, Stalin alertou para a "ameaça real e concreta de uma nova guerra em geral, e uma guerra contra a URSS em particular". Histórias desarticuladas foram apresentadas em jornais e discursos públicos como uma conspiração que pairava no ar.[12] A campanha de propaganda que os acompanhou preparou a sociedade soviética para condições de tempo de guerra e mais austeridade, e procurou, ao mesmo tempo, inspirar maior lealdade ao sistema comunista.[13]

Reagindo tanto à aparente ameaça de hostilidades quanto à perspectiva mais realista de levantes em massa por alimentos, o OGPU propôs uma lista de novas medidas rígidas em outubro de 1927. Entre elas, a polícia secreta queria o direito de "responsabilizar" negociantes particulares de grãos que "especulavam" com bens escassos e preços inflacionados.[14] O Politburo também conclamou uma transferência imediata de bens industriais para o interior (um incentivo entre as muitas penalizações); a coleta de impostos atrasados; o congelamento dos preços dos grãos; e o envolvimento direto dos funcionários locais do partido na coleta dos cereais.[15]

Nenhuma dessas medidas causou impacto significativo. No começo de janeiro de 1928, o Comitê Central Soviético observou que, malgrado suas

A CRISE DUPLA: 1927-29

ordens, "nenhum sucesso era visível" na coleta de grãos. Com o objetivo de resolver o problema, Stalin disse aos chefes do partido para "mobilizarem rapidamente todas as melhores forças do partido", "responsabilizarem pessoalmente" seus líderes locais pela coleta, organizarem uma campanha de propaganda que apontasse claramente aqueles que fracassavam e aplicarem "medidas punitivas" aos que se recusassem a pagar seus impostos, especialmente se fossem *kulaks*.[16] Por fim, o Estado multaria os camponeses que não entregassem grãos, cobrando deles cinco vezes o valor monetário. Os que se recusassem a pagar essas multas teriam suas propriedades confiscadas e leiloadas."[17]

O linguajar usado agora por Stalin era militarista. Falava de "mobilização" e "fronts", assim como de "inimigos" e "perigo". Os *kulaks* e os especuladores tinham, disse ele, "tirado vantagem da boa vontade e do funcionamento lento de nossas organizações e penetrado no front de nosso mercado de pão, elevado os preços e criado um estado de espírito de 'esperar para ver' entre nossos camponeses, o que havia paralisado a coleta de grãos ainda mais". Em face dessa ameaça, seria terrível equívoco agir devagar e com brandura. Ao contrário, os *kulaks* e negociantes teriam que ser separados dos outros camponeses e duramente punidos com prisões:

> Somente com esse tipo de política os camponeses medianos entenderão que a possibilidade de preços mais elevados é mentira inventada pelos especuladores, que os *kulaks* e os especuladores são inimigos do poder soviético, que ligar seus próprios destinos aos destinos dos *kulaks* e dos especuladores é perigoso.[18]

Mais ou menos nessa época, Stalin e o restante da liderança soviética reviveram a expressão *chrezvychainye mery*, "medidas extraordinárias", bem como a *chrezvychaishchina*, estado de emergência, palavras que cheiravam a Tsaritsyn, Terror Vermelho e Guerra Civil. E, junto das expressões de guerra, as táticas de Guerra Civil — a violência que Stalin infligira a Tsaritsyn dez anos antes — retornaram também.

No começo de janeiro, Genrikh Yagoda, então *chairman* do OGPU, emitiu instruções duras para a prisão imediata "dos mais proeminentes agentes privados de aquisição de grãos e dos mais inveterados negociantes de cereais (...) que estão desorganizando a aquisição e os preços do mercado". Na prática, quem vivesse do comércio de cereais era agora suscetível a ser tachado de criminoso. Em meados do mês, mais de quinhentas pessoas haviam sido presas na Ucrânia, e mais investigações estavam a caminho. Em Cherkasy, Mariupol, Kharkov e algumas outras cidades, a polícia descobriu muitas toneladas de grãos estocadas porque os camponeses, muito racionalmente, esperavam pelo aumento dos preços. A polícia fez verdadeiros ataques àquelas provas de "conspiração".[19]

O OGPU, nesse ínterim, concluía que alguns dos negociantes que escondiam cereais tinham consciência da repressão policial e procuravam ativamente evitá-la. Muitos haviam transportado os grãos para não serem presos; outros, esperando que a onda de repressão amainasse, pagavam camponeses para estocá-los até uma ocasião melhor.[20] O OGPU acabou com essas atividades com o abrupto decreto de 19 de janeiro: quem se recusasse a vender grãos ao Estado ao preço acordado seria preso e julgado.[21] Com essa ordem, a NEP, efetivamente, chegou ao fim.

Os negociantes de grãos foram bodes expiatórios úteis. Porém, na realidade, a política econômica soviética na década de 1920 fundamentava-se em contradição relevante, e até as pessoas comuns podiam vê-la. No início de 1929, Semen Ivanisov, camponês instruído de Zaporizhia, no sul da Ucrânia, escreveu carta a um amigo que era membro do partido. A carta elogiava Lenin, que outrora escrevera sobre o "indispensável vínculo" entre operários e camponeses. Mas Ivanisov receava que os sentimentos de Lenin tivessem sido esquecidos. "O que vemos agora? A correta relação com o campesinato, uma relação de aliados — isso não existe."

Em vez disso, escreveu Ivanisov, ele e seus amigos camponeses se encontravam agora em uma situação insustentável. Se trabalhassem duro e construíssem suas fazendas, então se tornariam *kulaks*, "inimigos do povo". Mas se adotassem a outra opção e permanecessem *bedniaks*, camponeses pobres — então eles estariam em situação ainda pior que a dos "camponeses americanos", com quem deveriam competir. Uma armadilha sem saída. "O que devemos fazer", perguntou Ivanisov ao amigo, "como devemos viver?". Sua situação

A CRISE DUPLA: 1927-29

deteriorava-se. "Agora vamos ter que vender nosso gado, e não sobrará nada. Aqui em casa, só vejo lágrimas, discussões e berros sem fim, sofrimento, xingamentos. Sugiro que você vá visitar uma família de camponeses e ouça. Você concluirá: isso não é vida, e sim trabalho sem pausa, inferno, pior do que o demônio pensa. Isso é tudo."[22]

Ivanisov, como muitos outros, enfrentava dilema impossível: pobreza ideologicamente aprovada de um lado ou riqueza perigosamente inaceitável, do outro. Os camponeses sabiam que se trabalhassem mal, passariam fome; se trabalhassem bem, seriam punidos pelo Estado. Até Maurice Hindus, jornalista americano que normalmente admirava a URSS, conseguia ver o problema: "Quando, portanto, um homem passa a ter dois ou três cavalos e outras tantas, ou mais, vacas, cerca de meia dúzia de porcos e colhe trezentos ou quatrocentos *poods* de centeio ou trigo, ele entra na categoria de *kulak*."[23] Uma vez rico e bem-sucedido, o camponês torna-se inimigo. Fazendeiros que eram eficientes demais ou muito eficazes imediatamente se transformavam em figuras suspeitas. Até as moças se afastavam, registrou Hindus: "Ninguém quer se casar com um homem rico hoje em dia."[24] Eugene Lyons, em Moscou, registrou que "os camponeses mais espertos, mais inescrupulosos e mais prósperos" estão todos sob enorme pressão. O escritor Mikhail Sholokhov, em seu romance *Virgin Soil Upturned* [Solo virgem revolvido], também descreveu um personagem cuja fazenda prosperou demasiadamente:

> Semeei doze, depois vinte e cheguei a trinta hectares, imagine só! Trabalhei muito, assim como meu filho e sua esposa. Só contratei um empregado e, assim mesmo, vez por outra, quando a coisa apertava. Qual era a ordem do governo soviético naqueles anos? Plante o máximo que puder! E agora? (...) Estou com medo. Receio que, com meus trinta hectares, eles me chamem de *kulak*.[25]

Foi assim que a União Soviética destruiu todo o incentivo para que os camponeses produzissem mais grãos.

Talvez nem todos os bolcheviques percebessem essa contradição. Mas Stalin, certamente, a entendia e, no inverno de 1928, ele e seus camaradas

128 **A FOME VERMELHA**

mais experientes resolveram enfrentá-la diretamente. O Politburo enviou um de seus membros, Anastas Mikoyan, ao norte do Cáucaso para desvendar a fonte da escassez de alimentos. Molotov foi à Ucrânia. O próprio Stalin decidiu ir à Sibéria.

Os registros da viagem de três semanas de Stalin são reveladores. Nos relatórios que ele fez mais tarde, ressaltou que a maioria dos seus colegas de partido no local — alguns dos quais ainda ousavam discutir com ele — estavam convictos de que o problema da falta de alimentos podia ser resolvido com alterações técnicas, por exemplo, a oferta aos camponeses de mais bens manufaturados em troca dos grãos. Mas será que presentear um camponês com sapatos para seus filhos solucionaria um problema de longo prazo? Em reunião com líderes siberianos do partido, Stalin, envergando um casaco novo em folha de pele de carneiro, inesperadamente começou a pensar em voz alta sobre as profundas falhas da agricultura soviética. Depois da revolução, ele lembrou aos camaradas, os camponeses haviam ocupado e dividido as grandes propriedades privadas dos aristocratas e mosteiros, criando assim centenas de milhares de minúsculas fazendas improdutivas e a mesma quantidade de camponeses pobres. E era esse exatamente o problema: os *kulaks* — fazendeiros prósperos — eram muito mais produtivos que seus vizinhos pobres, porque eram donos de propriedades maiores.

A força dos fazendeiros ricos, concluiu Stalin, residia "no fato de que eles produziam em grande escala". Grandes fazendas eram mais eficientes, mais produtivas, mais apropriadas às modernas tecnologias. Ivanisov havia notado o mesmo problema: com o passar do tempo, os fazendeiros mais bem-sucedidos se tornavam mais ricos e acumulavam mais terras, o que aumentava a produtividade. Porém, ao fazê-lo, se tornavam *kulaks* e, portanto, ideologicamente inaceitáveis.

O que deveria ser feito a esse respeito? A ideologia de Stalin não o permitia concluir que os camponeses que se saíssem bem deveriam ter permissão para ganhar mais terra e organizar maiores propriedades, como vinha acontecendo com qualquer sociedade ao longo da história. Era impossível, inimaginável, que um Estado comunista pudesse ter latifundiários de peso ou mesmo fazendeiros ricos. Porém, Stalin também entendia que a perseguição aos camponeses bem-sucedidos não levaria a uma maior produção

A CRISE DUPLA: 1927-29

de grãos. Sua conclusão: fazendas coletivas eram a única solução. "A unificação das pequenas e minúsculas fazendas de família em grandes fazendas coletivas (...) é para nós o único caminho."[26] A URSS precisava de grandes fazendas estatais. Os fazendeiros tinham que ceder suas terras particulares, juntar recursos com os demais e a eles se associarem.

A coletivização tinha, conforme visto anteriormente, sido tentada em pequena escala e, em sua maior parte, abandonada em 1918-19. Mas ela se alinhava com outras ideias marxistas e possuía defensores no Partido Comunista, portanto, a noção permaneceu no ar. Alguns esperavam que a criação das fazendas comunais de propriedade coletiva — *kolkhoz* — "proletarizaria" o campesinato, fazendo dos fazendeiros trabalhadores assalariados que começariam a pensar e agir como operários. Durante o debate sobre o tema em 1929, um dos defensores explicou que "as grandes *kolkhoz* — e isso é perfeitamente claro para todos — têm que ser, em seu tipo de produção econômica, semelhantes às nossas fábricas socialistas e fazendas estatais".[27] A propaganda pela coletivização também continha mais do que uma amostra do culto soviético à ciência e à máquina, a crença de que a tecnologia moderna, o aumento na eficiência e as técnicas racionalizadas de gerência poderiam resolver todos os problemas. A terra seria compartilhada. O equipamento das fazendas seria compartilhado. Em nome da eficiência, tratores e colheitas combinadas seriam controlados pelas estatais Estações de Máquinas e Tratores, que os alugariam à base de *leasing* de acordo com as necessidades das fazendas coletivas.

A coletivização e a agricultura centralmente planejada também vinham ao encontro dos planos de Stalin para a indústria soviética. Em 1928, o governo soviético aprovaria seu primeiro "Plano Quinquenal", um programa econômico que especificava aumento anual enorme e sem precedentes de 20% na produção industrial, a adoção do regime de trabalho de sete dias por semana — os trabalhadores descansariam em turnos, de modo que as fábricas nunca fechassem —, e nova ética de competição no ambiente de trabalho. Capatazes, operários e gerentes competiam uns com os outros do mesmo modo para cumprir, ou até ultrapassar, as metas do plano. O crescimento massivo no investimento industrial criou milhares de novos postos de trabalho, muitos dos quais seriam ocupados por camponeses

130 A FOME VERMELHA

forçados a sair de suas terras. Criou também urgente necessidade de carvão, ferro e matérias-primas de todos os tipos, muitos dos quais só podiam ser conseguidos no norte ou no leste longínquos da URSS. Tais recursos naturais seriam também buscados por meio da mineração por camponeses demitidos pela coletivização.

Os "métodos emergenciais", a impulsão pela coletivização e a rápida industrialização logo se tornaram pontos fortes da política de Stalin. Essa "Grande Reviravolta" ou "Grande Revolução", como ficou conhecida, representou um retorno ao Comunismo de Guerra e, na prática, uma segunda revolução. Como as novas políticas representavam claro distanciamento das ideias que Stalin e outros advogavam havia diversos anos, e como seus principais rivais do partido se opunham acirradamente à coletivização em particular, Stalin muito se esforçou, política e pessoalmente, por seu sucesso. No fim, Stalin em pessoa reformulou as ordens de coletivização de modo a implementá-las o mais radical e rapidamente possível.[28]

Na esteira da visita de Stalin, o OGPU siberiano entendeu que precisava garantir a sucesso de seu líder. Em vez de esperar pelas contribuições dos camponeses, como feito no passado, ele abandonou qualquer pretexto de império da lei, enviou agentes ao interior, procurou e prendeu fazendeiros e tomou os grãos, justo como na Guerra Civil. "O Camarada Stalin nos deu o lema", declarou um dos coletores locais de cereais: "Pressionem, espanquem, espremam."[29] E conseguiram resultados. Até mesmo antes de Stalin retornar a Moscou, ele enviou telegrama aos camaradas, declarando sucesso: "Presenteamos o Comitê Central com 80 milhões de *poods* [1,31 milhão de toneladas métricas] em cereais para janeiro. Grande vitória para o partido." Fevereiro, previu ele, seria "o mais importante mês de luta na Sibéria".[30]

Animado com esses relatórios, Stalin intensificou a argumentação pela coletivização em dois tumultuados encontros do Comitê Central, na primavera e no verão de 1928. Nos discursos que fez naquela ocasião, ficou claro que ele estava, em parte, fazendo forte pressão pela mudança da política precisamente porque recebia oposição de remanescentes e sérios rivais no partido, em especial de Bukharin, a quem Stalin denunciara como "Oportunista de Direita". Mesmo se desconsiderando suas ramificações no interior, a política de coletivização era ferramenta ideológica que estabeleceu Stalin

A CRISE DUPLA: 1927-29

como inquestionável líder do partido. No fim, a aceitação de sua política o investiria com autoridade e legitimidade dentro do partido. Seus oponentes desistiriam da dissidência.[31]

Na primavera e no verão de 1928, o reverso também era verdade: Stalin usava o conflito interno no partido para criar uma argumentação ideológica a favor da impulsão da coletivização. No plenário de julho, ele argumentou, de maneira vergonhosa, que a exploração dos camponeses era chave para a industrialização da URSS: "Vocês sabem que por centenas de anos a Inglaterra espremeu o suco de todas as suas colônias, de todos os continentes, e assim injetou recursos extras de investimento em sua industrialização." A URSS não podia seguir o mesmo caminho, concordou Stalin. Nem conseguia, declarou, contar com empréstimos externos. A única solução era, com efeito, o país "colonizar" os próprios camponeses: espremê-los ao extremo e investir "o excedente interno" na indústria soviética. Para dar suporte a essa transformação, os camponeses teriam que pagar um "tributo", de modo que a União Soviética pudesse "desenvolver ainda mais a taxa de crescimento industrial":

> Essa situação, deve-se dizer, é desagradável. Mas não seríamos bolcheviques se fechássemos os olhos e esquecêssemos o fato de que, sem esse tributo adicional dos camponeses, infelizmente, nossa indústria e nosso país não conseguirão progredir.

Quanto aos "métodos emergenciais" que provocavam tanta dor, estes já haviam "salvado o país de uma crise econômica geral (...) teríamos agora séria crise de toda a economia nacional, fome nas cidades, inanição no exército". Os que se opunham "eram pessoas perigosas". O outrora exaltado "vínculo estreito" entre as classes dos operários e dos camponeses não era mais necessário: "A única classe que detém poder é o proletariado."[32]

A retórica de Stalin estava profundamente enraizada em seu entendimento marxista da economia. Ele chegara à "solução" da rápida coletivização não por acidente, mas após cuidadoso processo lógico. Ele havia determinado que o campesinato precisaria ser sacrificado para industrializar a URSS, e estava disposto a expulsar milhões de pessoas de suas terras. Decidira

132   A FOME VERMELHA

com esse conhecimento que eles deveriam pagar "tributo" ao Estado dos operários, e sabia que sofreriam no processo.

Seria a coletivização forçada, acompanhada de violência, realmente a única solução? Claro que não. Outras opções estavam abertas à liderança soviética. Bukharin, por exemplo, acreditava na coletivização voluntária e no aumento do preço do pão.[33] Mas a compreensão de Stalin sobre a agricultura soviética, seu compromisso fanático com a ideologia e as próprias experiências — em especial sua fé na eficácia do terror — faziam com que a coletivização forçada e em massa parecesse-lhe necessária e inevitável. Ele poria em jogo, por conseguinte, sua reputação pessoal pelo sucesso dessa política.

A NEP não era a única inconsistência na política bolchevique, nem foi a única a atingir ponto crítico em 1927. A "ucranização" também continha em si mesma profunda contradição, que se tornou óbvia mais ou menos nesse tempo. De um lado, essa política era essencialmente instrumental: os bolcheviques em Moscou a criaram para aplacar os nacionalistas ucranianos, para convencê-los de que a Ucrânia soviética era, de fato, um Estado ucraniano, e para atraí-los às estruturas soviéticas de poder. No entanto, a ucranização, para ser bem-sucedida, não poderia *parecer* ser instrumental: se os nacionalistas ucranianos tivessem que se tornar cidadãos da URSS, eles precisavam acreditar que a ucranização era autêntica.[34]

Para "ganhar" os nacionalistas ucranianos, o Estado soviético era, portanto, obrigado a nomear ucranianos étnicos para posições de destaque no país, financiar o estudo do ucraniano e permitir o desenvolvimento de "verdadeiras" arte e literatura nacionais ucranianas, que seriam distintas da cultura russa ou soviética. Mas essas ações não tranquilizaram os nacionalistas, e sim os encorajaram a requerer mudança mais rápida. No fim, elas os motivaram a questionar a primazia de Moscou como um todo.

As vozes mais estridentes de descontentamento partiram do mundo literário, no qual as ambições se expandiam velozmente. Tanto os grupos Hart e Pluh quanto os demais artistas soviéticos da *avant-garde* sobreviveram apenas por pouco tempo. Em janeiro de 1926, eles se gruparam em uma organização mais politicamente explícita, a Academia Livre da

A CRISE DUPLA: 1927-29

Literatura Proletária, *Vilna Akademiia Proletarskoï Literatury*, conhecida por seu acrônimo ucraniano VAPLITE. O líder do grupo, Mykola Khvylovyi, juntara-se aos bolcheviques durante a Guerra Civil e, por curto período, foi membro da Cheka. Todavia, sua identificação com a Ucrânia valeu-lhe algum distanciamento dos bolcheviques de Moscou, e ele começou a se desenvolver em uma direção diferente. Afastando-se do provincialismo, do "atraso" e do campesinato, e revoltando-se contra a "psicologia servil" de seus compatriotas, Khvylovyi ansiou pelo desenvolvimento de uma cultura literária urbana na Ucrânia. Procurou assemelhar a Ucrânia à Europa, não à Rússia, e em 1925 estava disposto a falar sobre isso:

> Como nossa literatura pode, finalmente, seguir seu próprio caminho de desenvolvimento, estamos em face de uma questão: qual literatura do mundo deveremos seguir os passos? De modo algum a russa. Isso é definitivo e incondicional. Nossa união política não pode se confundir com a literatura. A poesia ucraniana tem que escapar o mais rapidamente possível da russa e de seu estilo (...) o ponto é que a literatura russa vem pesando sobre nós por séculos como senhora da situação e condicionou nossa psique a segui-la como escrava imitadora...[35]

O artista ucraniano Mykhailo Boichuk, modernista que fez parte da *avant- -garde*, chegou a conclusão similar mais ou menos na mesma época. A Ucrânia deveria construir uma "grande muralha" na sua fronteira com a Rússia, como os chineses haviam feito, "uma barreira até para os pássaros", de sorte que a cultura ucraniana tivesse a chance de se desenvolver por si mesma.[36]

Um reflexo dessa linguagem apareceu na mídia ucraniana, que começava a doutrinar sobre o espraiamento dos benefícios da ucranização além das fronteiras da república. Como foi visto, o Estado aprovava a ideia de que a Ucrânia soviética deveria exercer influência nos que falavam ucraniano e viviam no exterior, particularmente na Polônia. No entanto, em 1927, a Ucrânia soviética voltou também sua atenção para a influência que poderia exercer sobre os ucranianos na Rússia, em especial os de Kuban, província ao norte do Cáucaso na qual os falantes de ucraniano sobrepujavam os de russo, na proporção de dois para um, e de três para um no interior. O jornal

134 A FOME VERMELHA

do governo na república publicou uma série de doze artigos sobre Kuban e o norte do Cáucaso, descrevendo a história da influência ucraniana na província e os sentimentos calorosos que os ucranianos em Kuban dispensavam à sua irmandade na Ucrânia.

A série de artigos defendeu abertamente a ucranização, enfurecendo os russófilos comunistas que governavam Kuban. Pouco depois, eles prenderam e julgaram um grupo de supostos sabotadores, acusando-os de advogarem a transferência de Kuban para a Ucrânia. Um deles confessou, ou foi feito confessar, que fora inspirado pelos artigos da imprensa ucraniana.[37] Temores de que a região pudesse ser "ucranizada" e, assim, para os bolcheviques, politicamente não confiável, teria significação fatal alguns anos mais tarde.

O descontentamento também borbulhava dentro da classe política ucraniana, que se opunha ao pulso firme que o mando de Moscou continuava a exercer sobre as questões dos comunistas da Ucrânia. Em abril de 1925, menos de dois anos depois do decreto da ucranização, o Partido Comunista da União Soviética, de repente, derrubou o líder do Partido Comunista da Ucrânia, Emmanuel Kviring, que fora claro oponente da ucranização, e o trocou por Lazar Kaganovich, um dos camaradas mais próximos a Stalin. Apesar de Kaganovich ter nascido na província de Kiev, ele mal sabia falar ucraniano. Ele era também judeu, passou a maior parte de sua carreira na Rússia, e era visto não como um ucraniano nato, e sim como defensor dos bolcheviques russos.

Ostensivamente, Kaganovich chegou com um plano para acelerar o processo de ucranização. Ao longo de seus três anos no comando do Partido Comunista da Ucrânia (foi substituído em 1928 por Stanislav Kosior), ele, na prática, continuou a encorajar a "baixa" ucranização — a eliminação dos obstáculos burocráticos ao uso da língua — porque os bolcheviques ainda julgavam ser necessário manter os falantes de ucraniano leais ao regime. Mas sua suspeita à "elevada" ucranização — cultura, literatura, teatro — transformou-se rapidamente em antagonismo, irritando seus novos companheiros. Logo após a nomeação de Kaganovich, Oleksandr Shumskyi, comissário da Educação, reuniu-se com Stalin. Reclamou do novo secretário do partido na Ucrânia e demandou a nomeação de um ucraniano "de verdade" no lugar de Kaganovich. Poucos meses depois, Shumskyi também se queixou

A CRISE DUPLA: 1927-29

ao Politburo sobre certos comunistas ucranianos — "sem princípios e hipócritas, escravos de duas caras e traiçoeiramente servis" — que aparentavam lealdade à Ucrânia, porém, na verdade, fariam qualquer coisa para agradar aos russos com o intuito de conseguir "altos cargos".

A confiança de Shumskyi — em si mesmo, em sua posição, e no compromisso de Moscou com a cultura ucraniana — era notavelmente elevada, dado que o chão já começava a se mexer sob seus pés. Enquanto Kaganovich se orientava quanto às questões ucranianas, ele foi ficando cada vez mais alarmado com o que via e ouvia. Espantou-se ao descobrir que Hrushevsky, um homem "que servira diversos governos" — ou seja, não bolcheviques — ainda andava livremente pelas ruas de Kiev. Em qualquer outro lugar da URSS, um homem assim já estaria atrás das grades. Os escritos mais agressivos dos literatos ucranianos, em particular os de Khvylovyi, incitavam a poesia ucraniana a "fugir o mais rapidamente possível da literatura russa e de seu estilo", chocando também o enviado de Stalin.[38] Assim também o faziam outros escritores, repetindo com frequência o slogan *Het vid Moskvy!* (Distância de Moscou!). Kaganovich enviou a Stalin uma seleção de citações de Khvylovyi que, previsivelmente irritado, denunciou as "opiniões extremadas" e fulminou o camarada Shumskyi, que teimava em não entender "que apenas combatendo tais extremismos é possível transformar a nascente Ucrânia e a vida social ucraniana numa cultura e numa vida social soviéticas".[39]

Stalin não precisou alertar seus outros aliados na Ucrânia sobre suas inquietações, porque eles já a partilhavam. Mais ou menos àquela época, Vsevolod Balytsky já vinha chefiando o OGPU ucraniano por diversos anos, na maior parte do tempo envolvendo suas atividades num manto de mistério. Embora, tecnicamente, encarregado de uma organização ucraniana, Balytsky mantinha em sigilo a vigilância que exercia sobre as figuras culturais notáveis e sobre os políticos, jamais fazendo relatórios regulares ao Conselho de Ministros da Ucrânia ou aos administradores locais. Chegou até a banir um filme de propaganda feito para exaltar o trabalho de seus agentes, com a desculpa de que revelaria segredos demais. Permanecia leal não à República da Ucrânia, mas à liderança do Partido Comunista em Moscou, e exigia o mesmo de seus subordinados: "Se a ordem for dada

136 A FOME VERMELHA

para atirar sobre a multidão e vocês se recusarem", disse-lhes em certa ocasião, "então eu atirarei em todos vocês. Vocês têm que cumprir, sem hesitação, meus comandos. Não tolerarei protestos". Ao mesmo tempo, Balytsky trabalhava duro para melhorar os salários e os privilégios deles, como também os seus. Presumivelmente, foi por volta dessa época que ele adquiriu o gosto por joias e obras-primas da arte, que seriam descobertas como suas na ocasião de sua morte.[40]

Por volta de 1925, Balytsky tinha também convencido o Politburo ucraniano a criar uma comissão para monitorar as atividades dos "intelectuais ucranianos", especialmente os ligados à Academia de Ciências. Em 1926, o OGPU produziu um relatório "sobre o separatismo ucraniano", que recomendava cerrada observação de quem tivesse, no passado, qualquer ligação com "movimentos ucranianos antissoviéticos".[41] Os nacionalistas haviam parado de fazer luta aberta contra o Estado soviético, mas isso "não significa que eles se reconciliaram por completo com a situação existente e que abandonaram sinceramente suas intenções hostis".[42] Talvez, cogitaram os autores do relatório, os nacionalistas tenham mudado de tática, não de ideologia:

> Suas esperanças de derrubar o poder soviético desvaneceram. Os nacionalistas foram obrigados a aceitar o poder soviético como fato consumado. Portanto, uma nova tática de batalha foi forjada. Eles usarão a nova arma do "trabalho cultural" contra o poder soviético. (...) Em geral, representantes do nacionalismo ucraniano trabalham sem descanso para inculcar sentimentos nacionalistas nas massas...[43]

Kaganovich, que lera os relatórios, concluiu que aqueles nacionalistas, entre eles antigos *Borotbysts*, não tinham "passado para nosso lado" porque eram autênticos bolcheviques, mas porque "calculavam que nos reorientariam". O programa soviético de ucranização tinha, temia ele, fracassado em sovietizar a Ucrânia. Havia, isso sim, incentivado os inimigos da URSS, transformando-os em uma "força hostil", que ameaçava por dentro a sociedade soviética: ao permitir que os nacionalistas ucranianos permanecessem no poder, os bolcheviques ajudaram essas sementes a germinar em uma nova oposição.[44]

A CRISE DUPLA: 1927-29

Balytsky, com a habilidade de um teórico da conspiração treinado, detectou trama ainda mais profunda. Suspeitou de que os nacionalistas ucranianos não eram meros inimigos: eram traidores, uma "quinta-coluna" que se infiltrara no sistema soviético em prol das potências estrangeiras. Em relatório intitulado "Sobre a Força da Contrarrevolução na Ucrânia", ele retraçou as origens dessa força secreta até o golpe levado a efeito por Piłsudski na Polônia, em maio de 1926. "Elementos antissoviéticos" na Ucrânia, explicou ele, "haviam visto na figura de Piłsudski um antigo aliado de Petliura", e se inspiraram novamente para lutar por sua causa nacionalista-burguesa. A destruição dessa elaborada conspiração exigia "vasta operação para estrangular a atividade ucraniana antissoviética".[45]

Na virada em 1926 para 1927, teve início a vasta operação. Stalin deu o pontapé inicial em ataques contra Shumskyi, denunciando-o nominalmente. Um a um, os outros membros do Comitê Central do Partido Comunista da Ucrânia também denunciaram Shumskyi, censurando-o e insultando-o, tanto nas reuniões do partido quanto pela imprensa. Ele teve que renunciar ao cargo de comissário da Educação e uma série de outros órgãos, inclusive a comissão ortográfica encarregada da feitura do dicionário da língua ucraniana. Khvylovyi também foi atacado e expulso da VAPLITE; a instituição literária foi dissolvida à força e substituída por uma mais "pró-soviética" — em outras palavras, controlada e infiltrada — união de escritores proletários, a União dos Trabalhadores da Cultura Comunista de Toda a Ucrânia. O "shumskyismo" e o "khvylovyismo" transformaram-se em senhas para desvios nacionalistas perigosos. Nos meses e anos subsequentes, a associação com qualquer um dos dois termos tornou-se veneno.

Os ataques a Shumskyi e Khvylovyi foram apenas as manifestações mais vocais da pressão política que começou a afetar também outros intelectuais ucranianos. Hrushevsky, sob severa vigilância desde que retornara a Kiev, começou a encontrar dificuldades para publicar seus livros.[46] De súbito, passou a enfrentar obstáculos para viajar ao exterior — os informantes que o seguiam estavam convictos de que ele planejava a defecção —, e um esquema do OGPU logo o impediria de ser presidente da Academia de Ciências.[47]

O OGPU também intensificou sua campanha de vigilância. Um de seus informantes ouviu um professor ucraniano prevendo uma guerra entre a

A FOME VERMELHA

União Soviética e a Polônia, e argumentando, supostamente, que os ucranianos deveriam "tirar proveito do conflito para se fortalecerem". Outro informante alegou que um professor acreditava que a "ucranização" provocaria conscientização nacional a tal ponto que não tardaria — dentro de dois ou três anos — para que a Ucrânia se separasse da Rússia. O OGPU também registrou intelectuais ucranianos preocupados com o fato de a república logo cair nas mãos de elementos "estrangeiros" — isto é, russos e judeus.[48] Tais acusações foram filtradas para o linguajar da liderança. Em plenário especial na primavera de 1927, Skrypnyk, que substituíra Shumskyi como comissário da Educação, deu voz à paranoia generalizada sobre inimigos estrangeiros e denunciou tanto Shumskyi quanto Khvylovyi de colaborarem com a "fascista" Polônia.[49]

Pelo fim de 1927, Balytsky estava pronto para proclamar a existência de uma conspiração mais ampla: o Partido Comunista da Ucrânia enfrentava oposição sem precedentes. Agindo tanto ostensiva quanto clandestinamente, pessoas ligadas a partidos antibolcheviques trabalhavam dentro das instituições soviéticas para disfarçar sua verdadeira lealdade. Muitas permaneciam em contato com "estrangeiros" que procuravam ativamente deslanchar uma contrarrevolução, como o fizeram em 1919.

Não foi por acidente que a onda de acusações coincidiu com a escassez de alimentos e com o descontentamento de 1927, bem como com o décimo aniversário da revolução. Afinal de contas, alguém precisava ser culpado pelo ritmo lento do crescimento soviético — e esse alguém não seria Stalin.

Em 1927, o OGPU procurava um "caso" para tornar possível o lançamento de nova campanha contra sabotadores e agentes estrangeiros que, supostamente, impediam o avanço da URSS. Na primavera de 1928, eles encontraram um. Na cidade russa de Shakhty — logo ao leste da Ucrânia, ao norte do Cáucaso e na extremidade da bacia carbonífera de Donbas —, o OGPU "descobriu" uma conspiração de engenheiros que, teoricamente, procuravam destruir a indústria do carvão, em conluio com potências estrangeiras. Alguns deles, de fato, eram recém-chegados do exterior e, como esperado, mais de duas dezenas de engenheiros alemães foram presos com mais ou menos o mesmo número de colegas soviéticos. A polícia secreta também

A CRISE DUPLA: 1927-29

acreditava que encontraria vínculos entre membros da força de trabalho e ex-donos de fábricas que haviam perdido suas propriedades na revolução e que supostamente conspiravam para reavê-las, da mesma maneira que ligações com outras potências estrangeiras, inclusive a Polônia.

O resultado foi uma elaborada farsa judicial, a primeira de muitas. Dezenas de jornalistas do exterior compareciam diariamente ao tribunal de Shakhty, no sudoeste da Rússia, bem como o embaixador alemão e outros convidados importantes. O procurador-geral, Nikolai Krylenko — um defensor da "justiça socialista", teoria em que a política vale mais do que a lei —, doutrinou uma audiência estupefata sobre os "vampiros" que sugavam o sangue da classe trabalhadora. "Aquilo foi Justiça Revolucionária", escreveu Eugene Lyons, "com olhos flamejantes e esbugalhados, e sua afiada espada pronta para atacar".[50] Nem todos os depoimentos seguiram o roteiro planejado. Uma das testemunhas, o prisioneiro Nekrasov, não apareceu. Seu advogado explicou que Nekrasov "sofria alucinações e havia sido posto numa cela acolchoada, onde ele berrava sobre fuzis apontados para seu coração e experimentava paroxismos".[51] Um dos engenheiros alemães declarou abertamente que fizera sua "confissão" sob enorme pressão.[52] Ainda assim, cinco dos engenheiros acusados de "causar danos" foram condenados à morte, e 44 receberam sentenças de prisão. Jornais de toda a Rússia cobriram o julgamento em detalhes. Servidores do partido por toda parte receberam o recado: se não obedecer, esse pode ser também o seu destino. Na prática, "os engenheiros de Shakhty foram essencialmente julgados não como indivíduos, mas como integrantes de uma classe".[53] Todos os instruídos, especializados e com experiência técnica do país passaram a ficar então sob suspeita.

Como muitos estrangeiros estavam envolvidos, o julgamento de Shakhty contou com enorme notoriedade no exterior. Diplomatas de outros países corretamente o interpretaram como indício de que a NEP fora abandonada e de que maiores mudanças estavam por vir. Mas, dentro da URSS, quase igual atenção se encontrava voltada para uma segunda farsa judicial: a da União pela Libertação da Ucrânia, *Spilka Vyzvolennia Ukraïny*, ou SVU, uma organização que parecia não passar de ficção. Um grupo de nome semelhante fora fundado em Lviv em 1914 — tendo depois estendido pequenas

140   A FOME VERMELHA

filiais para Viena e Berlim antes de desvanecer — e propagandeava a causa ucraniana entre prisioneiros de guerra. Mas a versão soviética foi inventada pelo OGPU ucraniano de Balytsky. O objetivo era evidente: prender intelectuais ucranianos que pudessem secretamente fomentar uma crença na independência da Ucrânia, e destruí-la de uma vez por todas.[54]

O julgamento da SVU foi tão bem preparado quanto o de Shakhty e, como esse, tinha propósitos mais amplos.[55] As primeiras prisões foram efetuadas na primavera de 1929. No fim, a OGPU deteve cerca de 30 mil pessoas — intelectuais, artistas, especialistas técnicos, escritores e cientistas — e julgou publicamente 45 delas na Casa da Ópera de Kharkov na primavera de 1930. O mais destacado dos acusados era Serhii Yefremov, crítico literário, historiador, vice-presidente da Academia Ucraniana de Ciências e antigo vice-*chairman* da Rada Central. Yefremov já estava sob ataque público havia muitos meses por ter publicado artigo em jornal de língua ucraniana sediado do outro lado da fronteira polonesa, em Lviv. Outros julgados incluíam professores, palestrantes, editores, assistentes de laboratórios, assim como filólogos, médicos, teólogos e engenheiros químicos.[56] Diversos outros haviam sido também políticos da Rada Central; quase a metade era constituída ou por sacerdotes ou por filhos de párocos.[57]

Professores e alunos foram alvos específicos. Entre eles estava o diretor da Escola Trabalhista Taras Shevchenko de Kiev nº 1, que organizara com tanto zelo a grade curricular em torno dos versos do poeta nacional ucraniano. O diretor e quatro de seus colegas foram presos e acusados de, supostamente, excluírem filhos de judeus e de operários da escola, servirem exclusivamente aos "nacionalistas burgueses" e coletarem fundos para um monumento a Petliura. Líderes de organizações estudantis, inclusive alguns acusados de terem atraído filhos de *kulaks* com a leitura da poesia de Shevchenko, também foram detidos e julgados. O Estado parecia temer que muitos ucranianos seriam seduzidos pela poesia nacionalista, paranoia que perduraria até os anos 1980.[58]

A Igreja Ortodoxa Independente da Ucrânia foi outro alvo. Seu sucesso — em seu ápice, ela contava com 6 milhões de fiéis e trinta bispos — inspirou suspeita. Os agentes da polícia secreta de Balytsky acharam "pistas" sobre a real natureza da Igreja. Informantes reportaram, por exemplo, que

A CRISE DUPLA: 1927-29

líderes da Igreja diziam sigilosamente aos camponeses para permanecerem fiéis à causa ucraniana.[59] Durante o julgamento da SVU, o Estado acusou ostensivamente a Igreja de preparar uma revolta:

> A contrarrevolução ucraniana derrotada nos campos de batalha da Guerra Civil passou à clandestinidade e começou a organizar *partisans* para solapar a construção do poder soviético e deslanchar uma sublevação contra o Estado dos operários-camponeses. Um dos mais importantes papéis nesse levante deveria ser desempenhado pela Igreja Independente, criada pelos líderes e ideólogos do movimento Petliura.[60]

Dois líderes da Igreja — irmãos, um deles ex-membro da Rada Central — estavam entre os acusados no julgamento da SVU. Milhares de outros, sacerdotes, pastores e crentes comuns, foram arrebanhados nas varreduras em massa que se seguiram.

As ocupações dos outros acusados eram bastante diversificadas. O Estado claramente quis que o grupo representasse uma ampla gama da *intelligentsia* nacional ucraniana, para que a difamação atingisse o maior número possível deles. O indiciamento da SVU teve por base o planejamento da derrubada do poder soviético na Ucrânia, "com a ajuda de um Estado estrangeiro burguês" — a Polônia —, de modo a "restaurar a ordem capitalista sob a forma de República Popular da Ucrânia". Ao longo do julgamento, o jornal *Bilshovyk Ukraïny* ("Ucrânia Bolchevique") esclareceu ainda mais: "O tribunal proletário está examinando um caso não apenas da escória de Petliura, mas também julgando, em retrocesso histórico, todo o nacionalismo ucraniano, partidos nacionalistas, suas traiçoeiras políticas, suas ideias indignas de independência burguesa, de independência da Ucrânia". Um dos acusados, um estudante chamado Borys Matushevsky, mais tarde se lembrou de ter ouvido linguajar semelhante de seu interrogador: "Temos que colocar de joelhos a *intelligentsia* ucraniana, essa é nossa missão — e ela será cumprida; aqueles que não conseguirmos colocar [de joelhos], nós fuzilaremos!"[61]

Stalin, em pessoa, ajudou a escrever o cenário do julgamento, enviando memorandos para a liderança ucraniana. Em um deles, expressou uma paranoia específica, que se repetiria muitos anos depois, nas investigações do

A FOME VERMELHA

"Complô dos Médicos", no início dos anos 1950. "Acreditamos que não só as ações insurgentes e terroristas dos acusados tenham que ser amplificadas durante o julgamento", escreveu ele para a liderança comunista ucraniana, "mas também os truques médicos, cujo objetivo era o assassinato de operários responsáveis". Tal ordem resultou na prisão de Arkadii Barbar, médico muito conhecido em Kiev e professor de medicina. Nenhuma prova foi conseguida contra ele, mesmo no julgamento. Mas o desejo de Stalin de punir "a parcela de especialistas da contrarrevolução, que buscava envenenar e matar pacientes comunistas" era tudo o que importava.[62]

O julgamento em si foi uma farsa. O caso contra Yefremov derivava quase inteiramente de anotações em seu diário, cuja existência foi revelada à polícia por outro acusado. Contudo, apesar de o diário ter alguns registros com farpas contra os líderes comunistas da Ucrânia, ele não mencionava organização clandestina alguma. Não continha evidências de contatos estrangeiros ou conspirações revolucionárias. Mesmo assim, Yefremov "confessou", depois de alertado de que não havia outro caminho para salvar sua esposa da prisão e da tortura. Um informante infiltrado em sua cela reportou o comportamento de Yefremov:

> Yefremov voltou do interrogatório muito contrariado e, à minha pergunta, "Como vai?", ele retrucou: "Nunca estive em tão repulsivo, penoso e estúpido estado. Teria sido melhor que me levassem direto para a execução do que esse tormento de seus interrogatórios diários. (...) Eu ficaria muito feliz se tivesse existido essa organização que eles dizem, com todas essas pessoas e detalhes que eles associam a ela. Então eu diria tudo e seria o fim. (...) Mas aqui tenho que contar-lhes detalhes sobre os quais não sei coisíssima alguma. (...)" Deve ser acrescentado que, durante essa conversa, Yefremov se mostrava transtornado, completamente exausto e falava com voz vacilante e lágrimas nos olhos.[63]

No fim, Yefremov escreveu uma confissão de 120 páginas dos seus "crimes"; repetiu as mesmas histórias inventadas durante a farsa judicial da Casa da Ópera de Kharkov. Outros fizeram o mesmo. Um escritor ucraniano, Borys Antonenko, disse mais tarde sobre outro acusado que "mesmo se alguém

A CRISE DUPLA: 1927-29

acreditasse em tudo o que ele disse, ao longo do julgamento ele pareceu um chefe de opereta sem um exército e sem companheiros pensantes". Outro chamou o julgamento de "um teatro dentro de um teatro". O escritor Kost Turkalo, possivelmente o único acusado a sobreviver ao julgamento, à sua prisão subsequente e à Segunda Guerra Mundial, mais tarde descreveu a cena:

> Teve início com o interrogatório dos acusados, cada um deles tendo a chance dada pelo presidente do tribunal de dizer se havia recebido uma cópia do documento de indiciamento e, em caso afirmativo, se se considerava inocente ou culpado. Quando, depois de todos terem atravessado o calvário, o procurador começou a ler todo o documento, a leitura durou dois dias, porque ele tinha 230 páginas. Verdadeiro livro que recebeu a alcunha dos acusados de "libreto da grande ópera da SVU". (...) Todos estavam perfeitamente conscientes da atitude da corte. Estava patente que todos os detalhes do julgamento e de seu resultado final já tinham sido preparados de antemão, e que ele só era necessário para fins de propaganda no exterior, para os seguidores fanáticos do partido e para alguns cidadãos iludidos da república.[64]

Todos os acusados foram considerados culpados. A maioria recebeu sentenças de prisão ou de envio ao *Gulag*, e muitos foram posteriormente fuzilados durante a onda de execuções nas prisões em 1938. Todavia, o expurgo não parou aí. Entre 1929 e 1934, o OGPU na Ucrânia viria a "descobrir" três outras conspirações nacionalistas: o "Centro Nacional Ucraniano" (*Ukraïnskyi Natsionalnyi Tsentr*, ou UNT), a "Organização Militar Ucraniana" (*Ukraïnska Viiskova Orhanizatsiia*, ou UVO) e a "Organização dos Nacionalistas Ucranianos" (*Orhanizatsiia Ukraïnskykh Natsionalistiv*, ou OUN). A UVO e a OUN eram organizações reais — ambas eram ativas no outro lado da fronteira com a Polônia, onde resistiam ao mando polonês na Ucrânia Ocidental —, mas sua influência na república foi amplamente exagerada. Todos esses casos foram adquirindo novos aspectos e, no fim, deturpados para incluir aqueles que a polícia política desejava prender, e duraram até o fim da década de 1930.[65]

A exemplo da investigação da SVU, esses casos também receberam apoio dos altos escalões, e o incentivo para ampliá-los foi intenso. Os agentes do OGPU que "desvendavam" conspirações nacionalistas na Ucrânia recebiam promoções. Na primavera de 1931, àqueles que se especializavam nessas questões foi oferecido um departamento especial dentro da OGPU da Ucrânia (o *sekretno-politychnyi viddil*, ou SPV). O SPV criou então seções especiais para monitorar a Academia de Ciências da Ucrânia, para rastrear cerca de 60 mil ucranianos que haviam se mudado da Polônia para a URSS, e para investigar amplo leque de grupos literários e editores, de professores universitários e do ensino médio, e outros grupos de "suspeitos". Em 1930, o OGPU chegou a anunciar que descobrira uma conspiração de "veterinários e bacteriologistas contrarrevolucionários", que andavam, supostamente, envenenando e matando gado.[66]

Cada um desses casos era acompanhado de substancial campanha pública de desinformação. A partir de 1927, a imprensa soviética ficou repleta de slogans que denunciavam a "contrarrevolução ucraniana" e o "nacionalismo burguês ucraniano". As campanhas públicas tinham a intenção de afetar suas vítimas, e, de fato, conseguiram: a humilhação pública teve papel importante para "quebrar" prisioneiros e fazê-los confessar crimes que não haviam cometido — e, é claro, para silenciar e aterrorizar quem os conhecesse. Naquela atmosfera de histeria e ódio, qualquer crítica ao Partido Comunista ou às suas políticas, inclusive a agrária, poderia ser usada como prova de que o crítico era um nacionalista, um fascista, um traidor, um sabotador ou um espião.[67]

A uma grande distância no espaço e no tempo, o problema das aspirações nacionais da Ucrânia poderia parecer bem diferente da questão da resistência às aquisições soviéticas de grãos. O primeiro envolvia intelectuais, escritores e outros que se sentiam continuamente leais à ideia de uma Ucrânia como Estado independente, ou mesmo semi-independente. A outra dizia respeito aos camponeses que receavam empobrecimento nas mãos da URSS. Contudo, nos últimos anos da década de 1920, há provas contundentes a mostrar que os dois movimentos se tornaram entrelaçados, pelo menos na mente de Stalin e da polícia secreta que trabalhava com ele.

Stalin explicitou, de modo bastante claro e mais de uma vez, que a "questão nacional" e a "questão dos camponeses" se interligavam. Em memorável discurso de 1925, ele havia declarado que "o campesinato constitui o exército

A CRISE DUPLA: 1927-29

principal do movimento nacional, que não existe movimento nacionalista poderoso sem o exército de camponeses". No mesmo pronunciamento, ele também censurou um camarada que não havia levado a sério essa perigosa combinação, por se recusar a ver "o caráter profundamente popular e revolucionário do movimento nacional".[68] Embora não tivesse nomeado especificamente a Ucrânia, ela era a república que então tinha o maior movimento nacional e o campesinato mais numeroso, como Stalin bem sabia.

Mesmo com seus comentários teóricos, em outras palavras, Stalin percebeu o perigo dos "exércitos de camponeses" por trás da bandeira nacionalista. Seu camarada bolchevique Mikhail Kalinin fez a mesma observação, embora Kalinin também repetisse uma solução oferecida pelos defensores da coletivização: transforme os camponeses em proletariado. Dessa maneira, eles perderiam seu vínculo a um lugar ou uma nação em particular: "A questão nacional é puramente uma questão dos camponeses (...) a melhor maneira de eliminar o nacionalismo é uma enorme fábrica com milhares de operários (...) que, como uma pedra de moinho, esmaga as nacionalidades e forja uma nova e única. Essa nova nacionalidade é o proletariado univesal."[69]

Na prática, o OGPU também previu um perigo específico ao Estado soviético vindo do campesinato ucraniano, que de teórico não tinha nada. Sob pressão econômica, os camponeses se rebelaram em 1918-20. Agora, com a coletivização no horizonte, as mesmas províncias estavam prestes a sofrer nova pressão econômica. Sem surpresas, o OGPU temeu uma repetição daqueles anos, ainda mais porque seus agentes, ecoando Stalin, também empregavam jargões que derivavam diretamente dos tempos da Guerra Civil.[70]

Em certo sentido, os receios do OGPU tinham fundamento. Entre outros aspectos, suas tarefas incluíam a coleta regular de informações sobre o "estado de espírito político" e sobre as opiniões das pessoas comuns. O órgão estava, portanto, ciente do quanto as novas políticas de coleta de cereais — na essência, uma repetição das anteriores — seriam odiadas por aqueles sobre os quais seriam infligidas, em particular na Ucrânia.

O OGPU estava igualmente ciente do descontentamento entre os instruídos cidadãos urbanos e temia uma conexão entre os dois grupos tão desmotivados. Em 1927, o órgão reportou, entre outros assuntos, que um

146 A FOME VERMELHA

ex-membro do Comitê Central do Partido Comunista da Ucrânia fora ouvido denunciando o "colonialismo" das políticas de Moscou em relação à Ucrânia.[71] Observou também "um aglomerado de chauvinistas" surpreendido com sentimentos "nacionais-independentes" e ofertando flores azuis e amarelas — as cores da bandeira ucraniana — a dois famosos músicos da república após uma apresentação em Odessa.[72] O OGPU registrou uma carta anônima endereçada a um jornal que descrevia os camponeses como "escravos" esmagados sob as "botas dos judeus-moscovitas" e as dos "tsares da Cheka". A mesma carta alertava o conselho editorial do jornal a não interpretar erroneamente o silêncio da nação: os ucranianos não haviam "se esquecido de tudo".[73] Informantes da polícia em Zhytomyr chegaram até a ouvir professores se queixando de que os alimentos da Ucrânia e outros recursos estavam sendo enviados para a Rússia. Os professores concordavam que os camponeses decerto se revoltariam contra essas práticas: "É apenas necessário encontrar líderes entre os próprios camponeses em quem as massas do campo possam confiar."[74]

Mais preocupante ainda foram os indícios de que alguns camponeses, receosos pelo constante soar dos tambores da propaganda de guerra, esperavam que uma invasão os salvasse de uma nova rodada de requisição de grãos. Rumores de que os poloneses estavam a ponto de cruzar a fronteira inspiraram os camponeses de Mykhailivka a estocarem alimentos, esvaziando as prateleiras de provisões das cooperativas locais. Um jornal da cidade publicou carta descrevendo o pânico:

> O choro é generalizado, e relatórios chegam como se viessem de telégrafos: "Os poloneses já estão em Velykyi Bobryk!" "Bobryk já foi tomada!" "Eles avançam diretamente para Mykhailivka!" Ninguém sabe o que fazer: fugir ou ficar.[75]

Relatórios da polícia secreta davam conta de camponeses dizendo uns aos outros que "Os poloneses chegarão à Ucrânia em dois meses e isso será o fim da requisição de grãos", ou que "Não temos grãos porque as autoridades os estão despachando para Moscou e o fazem porque perderão a Ucrânia em breve. Bem, não tem importância, porque já está na hora de eles darem no

A CRISE DUPLA: 1927-29

pé". No meio-tempo, poloneses, alemães e judeus que residem na Ucrânia começavam a se preparar para deixar a república. "Os alemães na Rússia são foras da lei; precisamos ir para a América", diziam membros daquela minoria uns aos outros. "É melhor ser um bom fazendeiro na América do que um ruim na Rússia, e ser tachado de *kulak*." Poloneses étnicos, era dito, ficaram muito animados com a notícia de que um exército polaco fazia manobras no outro lado da fronteira, e tinham "especial prazer com a perspectiva de uma iminente mudança de governo".[76]

Sabendo, ou pelo menos imaginando, o que estava por vir depois da coletivização, a polícia secreta esperava que a oposição crescesse entre os ucranianos, tanto do campo quanto das cidades. A ideologia deles fazia prever essa resistência: à medida que a luta de classes se intensificasse, a burguesia naturalmente lutaria com vigor ainda maior contra a revolução. O OGPU sabia que era sua missão fazer com que, apesar disso, a revolução triunfasse.

Em outubro de 1928, dois servidores de elevadas posições no OGPU, Terentii Derybas e A. Austrin, tentaram esboçar a natureza do problema em amplo relatório para seus superiores, intitulado "Movimentos Antissoviéticos no Interior". Começaram recontando as experiências devastadoras da Guerra Civil em toda a URSS, que haviam forjado tantas das carreiras deles. "Na história da luta de órgãos como a Cheka-OGPU contra a contrarrevolução, as refregas contra as manifestações contrarrevolucionárias no campo desempenharam importante papel". Prosseguiram lembrando como os "*kulaks* e a burguesia rural", liderados por partidos antissoviéticos, haviam combatido os bolcheviques durante o "levante dos *kulaks*" de 1918-19 — em outras palavras, as grandes revoltas camponesas chefiadas por Petliura, Makhno, Hryroviev e outros. Observaram que esses movimentos de camponeses haviam persistido durante o início dos anos 1920; mas também suspeitavam de que eles novamente ganhavam força, tomando novas formas e empregando novos slogans. Em síntese, o antigo levante dos camponeses poderia retornar com novo formato.

Os servidores haviam observado, ou disseram ter observado, um novo fenômeno: "A *intelligentsia* antissoviética urbana" se esforçava mais do que nunca para se ligar aos "movimentos antissoviéticos dos *kulaks*". Graças a essa relação crescente entre a cidade e o campo, escreveram eles, pequenas células de oposição haviam surgido em todo o país — até mesmo nas fileiras do Exército Vermelho. Eles se preocupavam particularmente com as periódicas conclamações por um sindicato dos camponeses, ou por um partido camponês baseado na classe — contraponto ao partido dos operários — que os informantes do OGPU ouviam então, ou pensavam ter ouvido, com alarmante frequência em todo o interior soviético. Eles contabilizaram 139 chamados por um sindicato dos camponeses em 1925. Em 1927, o número aumentou para 2.312.

Embora Symon Petliura já estivesse morto na ocasião — assassinado dois anos antes por tiros de revólver em Paris —, a lembrança de como suas forças haviam conquistado Kiev, apoiadas por tropas polonesas, não saía dos pensamentos dos autores do relatório:

> Especialmente reanimados nos dias recentes estão os petliuristas, que tentam fazer da Ucrânia uma cabeça de praia para uma futura campanha imperialista na URSS. Não há dúvida de que o governo de Piłsudski está por trás da petliurista UNR (movimento na República Popular da Ucrânia), mas seria incorreto explicar o renascimento dos petliuristas na República da Ucrânia como uma simples intriga do governo polonês e da UNR. Os petliuristas, promovendo slogans chauvinistas e antissemitas, e atraindo as massas com a existência de uma república [nacional ucraniana] independente, podem se tornar um centro organizacional capaz de reunir um vasto espectro de organizações antissoviéticas nos vilarejos e entre a pequena burguesia urbana sob uma bandeira unificada nacional, com o objetivo de promover um ataque conjunto contra o poder soviético.[77]

Mesmo sabendo-se hoje o que ocorreu, é impossível julgar-se a veracidade desse relatório. Elos entre os camponeses e os intelectuais antissoviéticos podem ter sido mesmo um fenômeno significativo, e os chamados por um sindicato dos camponeses podem também ter-se alastrado. Por certo, os relatórios da polícia secreta incluíam muitos exemplos de fermento político. No fim de 1927, o jornal *Vesti* recebeu carta anônima do "Sindicato dos Fazendeiros da Ucrânia", enviado de endereço não existente na "rua

A CRISE DUPLA: 1927-29

Petliura, Kiev", declarando que "não podemos mais suportar o mando dos comunistas". A carta terminava com um verso do hino nacional ucraniano: "A Ucrânia ainda não morreu." Mais ou menos na mesma ocasião, o OGPU encontrou panfletos circulando pela Ucrânia, supostamente impressos pelo "comitê revolucionário ucraniano", órgão que convocava os camponeses a se prepararem para "o dia em que o mando dos bolcheviques de Moscou terminaria" e a República Popular da Ucrânia retornaria.[78]

Contudo, essas teorias poderiam também ter sido produzidas ou infladas pela imaginação coletiva do OGPU. Alguns dos partidos e dos panfletos podiam igualmente ter sido crias da própria polícia secreta. Uma de suas técnicas, aprendidas de seus antecessores tsaristas, era criar falsos movimentos e organizações de oposição para atrair potenciais dissidentes a se revelarem e se juntarem a eles.

Não obstante, mesmo que essas crenças em uma conspiração cidade--campo fossem paranoicas, elas não eram ilógicas. A própria experiência de revolução dos bolcheviques ensinou-lhes que a revolução emerge da ligação entre intelectuais e trabalhadores. Sendo assim, por que não uma nova revolução surgida do vínculo entre intelectuais nacionalistas e camponeses ucranianos? E por que um movimento desse tipo não cresceria rapidamente? Afinal, fora mais ou menos isso o que ocorrera em 1919, quando o levante dos camponeses, aparentemente vindo do nada, explodiu por toda a Ucrânia. Alguns dos líderes desse movimento certamente tinham aspirações nacionais, e sua rebelião, de fato, abriu caminho para uma invasão "imperialista" estrangeira.

No começo de 1928, os dois autores do copioso ensaio claramente se lembravam desses eventos, cujo décimo aniversário estava tão próximo. Armados com relatórios diários de murmúrios "antissoviéticos", panfletos e coisas mais sérias, eles tinham que presumir que o perigo de nova explosão na Ucrânia era real. Tendo esperado uma ascensão do nacionalismo urbano-rural, o OGPU o investigou, procurou-o e registrou as evidências, reais ou falsas. Mesmo antes que o impulso pela coletivização tivesse início, em outras palavras, a polícia secreta e a liderança soviéticas já percebiam qualquer resistência ucraniana à coleta de grãos como evidência de uma conspiração contra a URSS.

150 A FOME VERMELHA

Muito rapidamente, as expectativas do OGPU se materializaram: em toda a URSS, camponeses fizeram objeção ao confisco de suas propriedades, às prisões arbitrárias, à criminalização do "estoque de cereais" e à imposição de multas. Começaram a chover relatos de resistência vindos da Sibéria, do norte do Cáucaso, da Ucrânia, de todos os cantos onde os "métodos emergenciais" eram aplicados com rigor. "Moscou", lembrou-se Eugene Lyons, "fervilhava com rumores de rebeliões localizadas no Kuban, na Ucrânia e em outros distritos. (...) Quando a imprensa recebeu permissão para falar com mais liberdade, muitos dos boatos pareceram ser autênticos. De todos os rincões do país chegavam relatos de que comunistas locais, agentes de grão visitantes e coletores de taxas eram espancados e assassinados".[79] Em alguns locais a raiva deu lugar à violência genuína. Em janeiro de 1928, o OGPU prendeu seis pessoas em uma cidade próxima a Odessa por agredirem o secretário de uma fazenda coletiva. Outro grupo de rebeldes foi detido ao sul da Ucrânia por esmurrar um coletor de taxas.[80]

Para alguns ucranianos aquilo não era resistência, e sim luta pela sobrevivência. A safra de 1928-29 foi fraca. Clima incerto e chuvas durante a estação da colheita significaram que a quantidade de grãos produzida no inverno e na primavera seria bem abaixo da média. Como em 1921, a pressão política foi reflexo de que os camponeses tinham poucos cereais em reserva. Os alimentos, mais uma vez, tornaram-se escassos, em particular na região das estepes do sudeste da Ucrânia — mas a requisição de grãos continuou no mesmo ritmo. Pelo menos 23 mil pessoas morreram diretamente em função da fome, na pouco lembrada e menor fome de 1928-29, e outros 80 mil faleceram em consequência das doenças e de efeitos da inanição.[81]

De muitas formas, essa fome em menores proporções foi "ensaio geral", marcando o ponto de transição entre o desastre de 1921 e a fome mais ampla de 1932-33. A União Soviética não solicitou envolvimento externo, como o fizera em 1921. Tampouco Moscou providenciou assistência internacional em alimentos e outros bens. Em vez disso, a URSS deixou o problema para os comunistas da Ucrânia resolverem. Em julho de 1928, o governo da Ucrânia criou uma comissão da república para ajudar as "vítimas da fome". A comissão forneceu aos camponeses empréstimos para a compra de sementes (que precisavam ser saldados), proporcionou algum auxílio em

A CRISE DUPLA: 1927-29

alimentos (em troca de serviços públicos), ofereceu alguma alimentação de emergência e assistência médica às crianças. Mas as notícias sobre a fome foram extremamente minimizadas. Em cerca de um terço das mortes, os atestados de óbito listaram outras causas. E em momento algum da crise de 1928-29 alguém da liderança questionou se os "métodos emergenciais" em si eram a raiz do problema.[82]

Em vez disso, ao longo de 1928, o OGPU continuou à procura de provas de atividade contrarrevolucionária. Seus agentes registraram a descoberta de "panfletos antissoviéticos" em diversas partes da zona rural da república, produzidos por "círculos de adeptos de Petliura". Relataram também comentários "antissoviéticos" no interior ucraniano. "É melhor queimar seu pão do que entregá-lo aos bolcheviques", um camponês foi ouvido declarar.[83] A liderança soviética acreditava que muitos ucranianos se preparavam para uma invasão do exterior, e o OGPU ucraniano se mostrava satisfeito em fornecer tal evidência. Balytsky disse a Kaganovich, no verão de 1928, que a dissidência interna na Ucrânia era, por definição, ligada a atores estrangeiros:

> Pode-se considerar como estabelecida a proporcionalidade entre o grau de atividade dos elementos chauvinistas internos e a complexidade e sutileza do status internacional da URSS. Ela deriva da tese fundamental de que a derrocada da URSS é inevitável e, com essa catástrofe, a Ucrânia será capaz de conquistar sua independência.[84]

Pior ainda, havia sinais de descontentamento nas fileiras do Exército Vermelho, no distrito militar da Ucrânia, cuja maioria era constituída por camponeses. Como sabiam das condições de penúria de suas famílias, eles falavam em abandonar suas unidades, juntando-se a grupos de *partisans*, e até em lutar pelos direitos dos camponeses. A historiadora Lyudmyla Hrynevych compilou surpreendente lista de queixas, todas feitas em maio de 1928:

> "Na eventualidade de guerra, as florestas transbordarão de bandoleiros." (80ª Divisão de Infantaria)
> "Tão logo a guerra ecloda, todas essas organizações desmoronarão, e o campesinato lutará por seus direitos." (44ª Divisão de Infantaria)

152　　　　　　　　　　**A FOME VERMELHA**

"No caso de guerra, viraremos nossas baionetas contra aqueles que estão tirando as peles dos camponeses." (51ª Divisão de Infantaria)

"Assim que a guerra eclodir, derrubaremos nossas armas e debandaremos para nossas casas." (Companhia de Comunicações do 17º Corpo de Infantaria)[85]

Em função do "estado de espírito político" na Ucrânia, que era considerado grave em 1928, o OGPU começou também a monitorar de perto quem quer que *potencialmente* pudesse liderar um levante dos camponeses ou um movimento de libertação da Ucrânia. Um informante reportou que Hryhorii Kholodnyi, chefe do Instituto Ucraniano de Linguagem Científica, disse a colegas acreditar que a polícia prendia quem tivesse conexões com os vilarejos ou fosse bem-visto entre o campesinato. Seus comentários dispararam uma busca pelo tipo de pessoa que Kholodnyi descrevera. Foi essa a hipótese que levantou uma das vítimas sobre a onda de prisões que se tornou uma das teorias de trabalho do OGPU. Kholodnyi, no fim, foi preso no caso da SVU. Passou oito anos no *Gulag* e acabou fuzilado em 1938.[86]

No entanto, o OGPU identificou novo e potencial bode expiatório: o próprio Partido Comunista da Ucrânia. Enquanto Stalin estava na Sibéria, em 1928, Molotov fez viagem semelhante à Ucrânia. Ao voltar a Moscou, reportou ao Politburo que as notícias não eram boas. A Ucrânia, observou Molotov — com a qual a União Soviética contava com 37% de seu plano para a coleta de grãos —, já colhia menos e menos cereais a cada mês. Ele culpou não só os *kulaks* e especuladores, como também os comunistas ucranianos. O Partido Ucraniano, queixou-se, subestimara o déficit de grãos. Faltava "disciplina elementar" nas províncias. Funcionários locais estabeleciam suas próprias metas para a aquisição de grãos, sem considerar as de "toda a União" e as requisições feitas por Kiev. Alguns desses funcionários locais pareciam até não se importar com sua visita, observou Molotov, com toda a ira que podia demonstrar: eles, evidentemente, haviam decidido que os "métodos emergenciais" significavam uma "minitempestade" que logo passaria.[87]

A ideia de que alguns partidos comunistas locais eram mais do que meramente ineficazes também começou a permear os relatórios do OGPU logo em seguida. Outro relato destacou o *khvostism* — do russo "cauda", significando

A CRISE DUPLA: 1927-29 153

estar por trás dos eventos — e a "inatividade" entre membros do partido. Acusou-os igualmente de oferecerem "explicações incorretas sobre os objetivos da campanha [de aquisição de grãos]" e de nutrirem simpatia injustificada pelos *kulaks*. Alguns funcionários de nível inferior, declarou o relato, estavam de fato se recusando a coletar grãos ou a cumprir quaisquer ordens.[88] Os informantes do OGPU registraram até mesmo resmungos de Marchenko e Lebedenko, dois funcionários locais. O primeiro fez objeções ao próprio Molotov. O homem era um russo que vivia em Moscou, Marchenko rosnou: sua visita era evidência de que a República da Ucrânia nada mais era do que "ficção", e que os comunistas ucranianos eram meros fantoches. Lebedenko foi além: "Os bolcheviques nunca haviam roubado a Ucrânia tão total e cinicamente quanto o faziam agora. Sem a menor dúvida, haverá fome..."[89]

Em vez de abordar o problema, o Partido Comunista da União Soviética buscou eliminar os dissidentes. Em novembro de 1928, o Estado conduziu um expurgo dos *komnezamy*, comitês dos camponeses pobres, dispensando os que demonstravam entusiasmo insuficiente. Expurgos no Partido Comunista da Ucrânia também aconteceram naquele ano. Não foram os expurgos letais de 1937-38; a ideia não era assassinar pessoas, e sim eliminar potenciais causadores de problemas, criando uma atmosfera de insegurança e tensão para persuadir os membros do partido a executarem a difícil tarefa da coletivização nos meses vindouros.[90] Na prática, Moscou também juntava provas das quais poderia precisar no futuro. A coletivização se aproximava, e se ela fracassasse na Ucrânia, Moscou poderia forçar o Partido Comunista da Ucrânia a assumir a culpa.

Boatos dos mais diversos matizes varreram o campo. Os ucranianos temiam nova onda de requisições, fome, colapso econômico ou guerra. Os camponeses diziam uns aos outros que as requisições de grãos haviam se tornado mais severas porque a União Soviética devia dinheiro a governos estrangeiros. Muitos começaram a esconder seus cereais embaixo da terra. Outros se recusaram a vender qualquer coisa por papel-moeda. Ainda outros passaram a acumular todos os bens que pudessem comprar.[91] E foi nesse clima — de conspiração, histeria, incerteza, suspeita — que teve início a coletivização.

CAPÍTULO 5

Coletivização: revolução no campo, 1930

O milho verde balança novas espigas
Embora plantado não faz muito tempo
Nosso brigadeiro calça botas novas
E nós, descalços, caminhamos.

Canção das fazendas coletivas, anos 1930[1]

A expressão "liquidação dos kulaks" contemplava
algumas implicações de agonia humana. Ela parece uma fórmula
de engenharia social e soa impessoal e metálica.
Mas para os que testemunharam o processo bem de perto,
ela é impregnada de horror...

Eugene Lyons, *Assignment in Utopia*, 1937[2]

No inverno de 1929, gente de fora chegou ao vilarejo de Miron Dolot, às margens do rio Tiasmyn, na Ucrânia Central. Pelos padrões da época, era um vilarejo grande, com cerca de oitocentos habitantes, uma igreja e uma praça principal. Os camponeses eram donos de suas casas e terras, porém a maioria das residências tinha teto de sapê e os tratos de terra eram pequenos. Poucos fazendeiros tinham mais do que cinquenta acres, mas se consideravam, pelos padrões da época, confortavelmente bem de vida.

156   A FOME VERMELHA

Como Dolot lembrou, a presença do Estado soviético em seu vilarejo, nos anos 1920, fora mínima. "Éramos totalmente livres em nossas atividades. Fazíamos passeios agradáveis e viajávamos à vontade à procura de empregos. Íamos às grandes cidades e vilas próximas para comparecer a casamentos, bazares das igrejas e funerais. Ninguém nos pedia documentos ou nos questionava sobre nossos destinos."[3] Outros relembravam a época anterior à coletivização da mesma forma. A União Soviética estava no comando, mas nem todos os aspectos da vida eram controlados pelo Estado, e os camponeses viviam em grande parte como no passado. Cultivavam a terra, geriam pequenos negócios, comercializavam e faziam alguns escambos. Uma mulher de Poltava lembrou-se de que seus pais, "muito trabalhadores e religiosos", tinham dez hectares de terra e também ganhavam dinheiro realizando tarefas diferentes: "Meu pai era bom carpinteiro. E ainda exercia muitas outras habilidades."[4]

A política no vilarejo permaneceu frouxa e descentralizada: "O governo ucraniano impunha pouca coisa na década de 1920 e não dizia se determinada escola deveria ensinar russo ou ucraniano, porque essa decisão era tomada pelos habitantes locais."[5] Na realidade, os vilarejos se autogovernavam havia muito tempo. Existia tensão entre os simpáticos ao bolchevismo e os camponeses mais tradicionais, mas os diversos grupos tentavam se adaptar uns aos outros. Em Pylypivka, foi assim que um grupo de meninos se organizou para o coro das canções de Natal:

> Os meninos fizeram uma estrela [tradicional dos coros para canções de Natal] e pensaram na maneira de dar forma a ela. Após algum debate, foi tomada uma decisão: de um lado da estrela, uma imagem da Virgem Maria seria representada, enquanto no outro, a estrela [soviética] de cinco pontas. Além disso, eles treinaram não só as antigas canções de Natal, como também as modernas. Bolaram um plano: quando se aproximassem da casa de um comunista, mostrariam a estrela de cinco pontas e cantariam as canções novas; mas, ao chegarem à residência de um religioso, mostrariam o lado com a imagem da santa e executariam as antigas canções.[6]

COLETIVIZAÇÃO: REVOLUÇÃO NO CAMPO, 1930

Mas os forasteiros que chegaram ao vilarejo de Dolot naquele dezembro trouxeram com eles um conjunto de ideias bem diferente de como a vida deveria ser vivida. Organizações frouxas deveriam ser substituídas pelo controle estrito. Fazendeiros empreendedores se transformariam em trabalhadores assalariados. A independência daria lugar à regulamentação rigorosa. Acima de tudo, em nome da eficiência, fazendas coletivas, cujos donos seriam os integrantes da comuna ou do Estado, substituiriam as privadas. Como Stalin dissera na Sibéria, "a unificação das pequenas e minúsculas fazendas de família em grandes fazendas coletivas (...) é para nós o único caminho".[7]

No fim, existiram tipos diferentes de fazendas coletivas com graus distintos de propriedade comunitária. Na maioria delas, seus membros teriam que abrir mão de suas propriedades privadas — terras, cavalos, gado, outros animais e equipamentos — e as entregariam ao coletivo.[8] Alguns fazendeiros ficariam em suas residências, mas outros viveriam em casas ou barracas de propriedade coletiva, e fariam suas refeições em salas de jantar comuns.[9] Ninguém seria dono de nada valioso, inclusive tratores, que seriam emprestados (*leasing*) pelas Estações de Máquinas e Tratores, responsáveis pelas compras e manutenções. Os camponeses não teriam dinheiro próprio, mas receberiam por seu trabalho pagamentos diários, *trudodni*, normalmente em forma de alimentos e outros bens, e não dinheiro, e assim mesmo em pequenas quantidades.

Supostamente, tudo isso deveria ocorrer de maneira espontânea, como resultado do enorme entusiasmo rural. Em novembro de 1929, Stalin exaltou o "movimento" de coletivização, que ele acreditava estar "varrendo o campo":

> Mudança radical (...) teve lugar no desenvolvimento de nossa agricultura, de pequenas e *individuais* fazendas para uma agricultura *coletiva*, avançada e em larga escala, para o cultivo em comum da terra (...) a nova e decisiva característica do campesinato coletivo é que os camponeses estão se unindo em fazendas comunitárias, e não em grupos separados, como era o caso anteriormente, mas em vilarejos inteiros, regiões inteiras, distritos inteiros e até mesmo em províncias inteiras.[10]

A FOME VERMELHA

Porém, na prática, a política forçada de cima para baixo. Na semana que começou em 10 de novembro de 1929, o Comitê Central reuniu-se em Moscou e resolveu "acelerar o processo de coletivização das casas de camponeses", enviando um pequeno grupo do partido aos vilarejos a fim de criar as fazendas coletivas e persuadir os camponeses a elas aderirem. A mesma resolução condenou aqueles que se opuseram à coletivização e expulsou seu líder, Nikolai Bukharin — o mais importante rival de Stalin naquela época — do Politburo. Poucas semanas mais tarde, o comissário do povo da Agricultura declarou que todas as regiões produtoras de grãos da URSS seriam coletivizadas dentro de três anos.[11]

Os homens e mulheres que apareceram no vilarejo de Dolot naquele inverno foram a primeira evidência tangível da nova política. De início, os habitantes do vilarejo não os levaram a sério: "A aparência daquela gente nos intrigou. Suas faces pálidas e suas vestes nada tinham a ver com o ambiente. Caminhando cuidadosamente para evitar a neve em seus sapatos polidos, eles eram presenças alienígenas entre nós." O líder, camarada Zeitlin, tratou os camponeses de forma rude e parecia desconhecer totalmente seus costumes. Supostamente, teria confundido um bezerro com um potro. Um fazendeiro chamou-lhe a atenção para o equívoco. "Bezerro ou potro", retorquiu ele, "não importa. A revolução proletária mundial não sofrerá nada com isso".[12]

O camarada Zeitlin, no linguajar da época, foi um "Vinte e Cinco Mil" —, ou seja, um dos cerca de 25 mil *aktivists* urbanos recrutados no fim de 1929, seguindo-se à resolução do Comitê Central, para ajudar na execução da coletivização da agricultura soviética. Manifestação física da crença marxista-leninista de que a classe trabalhadora seria um "agente da conscientização histórica", esses ativistas urbanos foram atraídos para o campo com uma campanha que tinha toda a semelhança com a "convocação militar nos estágios iniciais da guerra patriótica".[13] Jornais publicaram retratos daqueles "trabalhadores-voluntários", fábricas promoveram festas para saudá-los. A competição para fazer parte do grupo, ao menos de acordo com fontes oficiais, foi acirrada. Um voluntário, ex-*partisan* vermelho, mais tarde fez uma comparação explícita com as batalhas sangrentas da década

COLETIVIZAÇÃO: REVOLUÇÃO NO CAMPO, 1930

anterior: "Aqui, bem na minha frente, surge uma imagem de 1919, quando eu estava no mesmo distrito, subindo açoitado por nevasca, fuzil na mão, e a tempestade rugindo, como agora. Sinto-me jovem de novo..."[14]

As motivações dos homens e mulheres da cidade eram diversas. Alguns procuravam vantagens na carreira; outros, gratificações materiais. Alguns sentiam genuíno fervor revolucionário, instigados pela constante, raivosa e repetitiva propaganda; outros aparentavam também medo, pois os jornais escreviam repetidas vezes sobre guerra iminente. A escassez de alimentos nas cidades, bastante visível, era creditada aos camponeses, e os "Vinte e Cinco Mil" também sabiam disso. Mesmo em 1929, muitos cidadãos soviéticos já acreditavam que os camponeses recalcitrantes representavam perigo muito real para eles mesmos e para o futuro da revolução. Essa poderosa crença levou-os a fazer coisas que a "moral burguesa" teria anteriormente classificado como demoníaco.

Uma das pessoas tomadas por esse ardor revolucionário foi Lev Kopelev, um "Vinte e Cinco Mil" que desempenhou papel pouco usual na história das letras soviéticas. Kopelev nasceu em Kiev em meio a uma educada família de judeus, estudou em Kharkov, falava ucraniano e russo, mas se identificava como "soviético". Muito mais tarde, em 1945, ele seria preso e enviado ao *Gulag*. Sobreviveu, fez amizade com o escritor Alexander Soljenitsyn, tornou-se modelo para um dos personagens do famoso escritor, escreveu poderosas memórias a seu próprio respeito e se tornou um notável dissidente. Mas, em 1929, ele era convicto adepto dos bolcheviques:

> Como o restante de minha geração, acreditei firmemente que os fins justificavam os meios. Nosso grande propósito era o triunfo universal do comunismo, e em nome desse propósito, tudo era permitido — mentir, roubar, destruir dezenas de milhares, e mesmo milhões, de pessoas, todos aqueles que prejudicassem nosso trabalho ou pudessem impedi-lo, todos que se colocassem no nosso caminho. Hesitar, ou colocar em dúvida tudo isso, era ceder à "sensibilidade intelectual" e ao "liberalismo estúpido", atributos das pessoas que "não conseguiam ver a floresta como um todo, só as árvores individualizadas".[15]

160 **A FOME VERMELHA**

E ele, de fato, não estava sozinho. Em 1929, Maurice Hindus, o socialista americano, recebeu carta de uma amiga russa, Nadya, que ainda não tinha o benefício do olhar em retrospecto, como Kopelev. Ela escreveu em estado de entusiasmo deslumbrado:

> Parti para os vilarejos com um grupo de outros brigadistas, organizando *kolkhozy*. É trabalho duro, mas estamos conseguindo progressos surpreendentes. (...) Confio que, em pouco tempo, nenhum camponês permanecerá em sua própria terra. Temos ainda que esmagar os últimos vestígios do capitalismo e nos livrarmos para sempre da exploração. (...) O próprio ar que aqui respiramos está aquecido pelo novo espírito e pela nova energia.[16]

Kopelev, Nadya e outros como eles foram estimulados por um sentimento de injustiça. Os bolcheviques haviam feito promessas extraordinárias ao povo, oferecendo riqueza, felicidade, propriedade de terra, poder. Mas a revolução e a Guerra Civil tinham sido violentas, desorientadoras e, em consequência, as promessas não foram mantidas. Dez anos decorridos após a revolução, muitas pessoas se encontravam desapontadas. Elas precisavam de explicações para o vazio do triunfo bolchevique. O Partido Comunista ofereceu-lhes um bode expiatório, e incitou-lhes a não sentir compaixão. Mikhail Sholokhov, em seu romance *Virgin Soil Upturned*, pintou imagem reveladora de um fanático desapontado. Davidov era um dos "Vinte e Cinco Mil" que vieram coletivizar os camponeses a qualquer custo. Quando, a certa altura, um fazendeiro cautelosamente sugeriu que ele havia sido muito cruel com os *kulaks* do vilarejo, ele disparou de volta: "Você sente muito por eles (...) sente pena deles. E eles tiveram pena de nós? Nossos inimigos derramaram lágrimas por nossos filhos? Prantearam algum dia os órfãos daqueles que mataram?"[17]

Foi com esse tipo de atitude que, após breves sessões de treinamento — normalmente não mais que duas semanas — os voluntários urbanos partiram para os vilarejos. Mas, apesar de embarcarem em trens de Leningrado, Moscou e Kiev enquanto ouviam os sons vibrantes de canções revolucionárias e os ecos de pronunciamentos patrióticos, ao se aproximarem dos vilarejos esses sons se dissipavam. Um brigadista escreveu mais tarde: "Eles

COLETIVIZAÇÃO: REVOLUÇÃO NO CAMPO, 1930

se despediram de nós com marchas triunfais, e fomos recebidos com rostos lamentosos."[18] Foi nesse momento que a retórica stalinista de progresso bateu de frente com a realidade da vida camponesa na Ucrânia e na Rússia.

As composições diminuíam a velocidade quando entravam no interior: nem todos os chefes de estações de províncias mostravam-se entusiasmados com os novos ativistas urbanos. Na Ucrânia, a maioria desses voluntários forasteiros era falante de russo, tanto de cidades russas quanto ucranianas; nos dois casos, eles pareciam igualmente estrangeiros para os camponeses que falavam ucraniano. Quando chegavam às capitais provinciais, os ativistas, por vezes, julgavam que a recepção havia sido hostil, o que não era de admirar. Para os camponeses locais, que tinham acabado de se recuperar da escassez e da fome do verão de 1929, os recém-chegados não tinham nada de diferente dos soldados e ativistas que vieram ao interior ucraniano para expropriar cereais uma década antes.

E a missão deles tampouco era simples. Inicialmente, supunha-se que a coletivização seria voluntária. Só bastaria aos militantes argumentar e arengar, e, no processo, persuadir. Foram promovidas reuniões nos vilarejos, e esses agitadores também foram de casa em casa. Antonina Solovieva, ativista urbana e membro do Komsomol nos Urais, lembrou-se da tarefa de coletivização com nostalgia:

> O objetivo era convencer camponeses individuais a se juntarem às fazendas coletivas; garantir que a fazenda comunitária estivesse pronta para começar a semear e, mais importante, descobrir onde e por quem os grãos do Estado estavam sendo escondidos. (...) Passávamos noites e noites reunidos em torno de pequena mesa com vacilante luminosidade de lamparina de querosene em alguma sede das fazendas coletivas, ou ao lado de forno aceso em alguma cabana de camponeses pobres.[19]

Entretanto, enquanto os objetivos eram claros, as linhas de comando, não. Muitos grupos distintos tinham algum tipo de responsabilidade pela implementação da coletivização, incluindo os partidos comunistas locais, o Komsomol (organização juvenil comunista), os Jovens Pioneiros (organização comunista das crianças), os remanescentes dos comitês dos camponeses pobres, a Comissão de Controle Central, a Inspetoria dos Operários e Camponeses, o Centro de Fazendas Coletivas (*kolkhoz-tsentr*), os sindicatos e, é claro, a polícia secreta. Outros funcionários do governo, mais notavelmente professores — educadores da nova geração — estavam também envolvidos.

Todas essas autoridades locais, já sobrecarregadas com as caóticas cadeias de comando e as prioridades conflitantes, tinham lá suas desconfianças a respeito desses jovens entusiastas sem experiência em agricultura, gerência de fazendas ou até mesmo de vida no campo, ao passo que os entusiastas urbanos eram também recíprocos em seus sentimentos relacionados às autoridades locais. Muitos documentos daquele período citam queixas sobre os conselhos locais dos vilarejos, que eram acusados de fazer corpo mole ou, até mesmo, de obstruir o trabalho dos voluntários vindos de fora. Os conselhos locais eram, claramente, ineficientes. Mas talvez eles também quisessem proteger os interesses de seus vizinhos contra o rigoroso impacto das ordens emanadas pelos jovens fanáticos vindos de fora.[20]

Os próprios camponeses agricultores, fossem ou não classificados como *kulaks*, mostravam-se ainda menos animados em relação aos ativistas urbanos. O especialista em história oral, William Noll, ao entrevistar ucranianos na década de 1980, descobriu que as lembranças dos habitantes dos vilarejos sobre os "Vinte e Cinco Mil" eram ainda bastante fortes. Como na descrição de Dolot, eles eram relembrados como incompetentes: usavam as sementes erradas para o tipo de solo, davam maus conselhos, não sabiam coisa alguma sobre o interior.[21] Eram também lembrados como estrangeiros, russos ou judeus. Oleksandr Honcharenko, um jovem na época, mais tarde lembrou — incorretamente, já que muitos vieram de cidades ucranianas — que os "Vinte e Cinco Mil" eram "todos russos". Também recordou que em seu vilarejo da província de Cherkasy, o brigadista — "obviamente", um russo — foi rejeitado de pronto: "Ele veio para convencer os camponeses do quão maravilhosa era a vida sob o regime soviético. Mas, quem escutou? Ninguém. Aquele mentiroso foi de vilarejo em vilarejo. Ninguém quis nada com ele."[22]

Evidentemente, os ativistas urbanos eram impopulares não apenas porque pareciam "estrangeiros", mas porque a política deles era indesejável — profundamente indesejável, como o próximo capítulo mostrará. No entanto, se um pequeno número de camponeses veio, por fim, a exemplo

COLETIVIZAÇÃO: REVOLUÇÃO NO CAMPO, 1930

de Kopelev, a simpatizar com seus pontos de vista, a maioria demonstrou aversão. Na verdade, a oposição teimosa dos camponeses deixou os ativistas mais raivosos, mais propensos à violência e mais convencidos da correção de sua causa. Em janeiro de 1930, Genrikh Yagoda, vice-diretor da polícia secreta na época, disse aos seus auxiliares mais próximos que a resistência seria feroz. O *kulak* "entende perfeitamente bem que perecerá com a coletivização e, por conseguinte, oferece resistência cada vez mais brutal e violenta, como já estamos vendo, [abarcando] desde conspirações insurrecionais e organizações *kulak*s contrarrevolucionárias até incêndios criminosos e terror".[23]

Essa noção destilou gota a gota até os vilarejos, onde os emissários da classe trabalhadora viram a antipatia dos camponeses como prova "das tendências contrarrevolucionárias *kulak*s", que eles haviam sido alertados para esperar. Muito da crueldade subsequente pode ser explicado por esse choque entre o que os ativistas urbanos queriam e a realidade bastante diferente no campo.

Eles também tiveram que dar provas de sua lealdade. "Sua missão", disse um comunista local a Antonina Solovieva, "é engajar-se no trabalho de agitação entre a juventude camponesa (...) também descobrir onde os *kulak*s estão escondendo os grãos e quem está danificando a maquinaria agrícola". E acrescentou: "Você precisará conversar com essas pessoas e explicar-lhes as políticas do partido e a coletivização." Solovieva, na época uma jovem estudante, teve um momento de dúvida: "Isso é uma tarefa enorme; será que estamos prontos? Realmente não sabemos nada sobre essas coisas; nem sabemos por onde começar." Disposta a provar a si mesma seu valor — "não há tempo a perder" —, ela não recebeu o menor incentivo para ser gentil.[24]

Não resta dúvida de que a impulsão pela coletivização foi ordenada por Moscou, imposta "de cima" e ela foi política pessoal de Stalin, pois esboçada pela primeira vez em sua viagem à Sibéria, no fim de 1928. Também não há como duvidar de a coletivização ter sido levada pela primeira vez ao campo por forasteiros urbanos, culturalmente distanciados e, no caso da Ucrânia, também linguisticamente, e, muitas vezes, etnicamente estrangeiros para a república. Mas o movimento de coletivização chegou a encontrar adeptos

164   **A FOME VERMELHA**

entre funcionários e camponeses locais. Da mesma forma que Aleksandr Shlikhter havia instigado habitantes pobres de vilarejos contra os prósperos no rescaldo imediato da revolução, os bolcheviques procuraram mais uma vez empoderar um grupo de camponeses para que pudessem explorar os vizinhos em nome do Estado.

Tão logo chegaram, os agitadores de fora começaram a selecionar e promover colaboradores locais — os *aktiv* — que pudessem ajudá-los no cumprimento de sua missão. Pasha Angelina, que mais tarde seria uma célebre "trabalhadora de choque" e uma das primeiras tratoristas mulheres na URSS, escreveu um livro de memórias altamente politizado sobre a coletivização em Starobesheve, seu vilarejo na província de Donetsk. Seus escritos são relevantes por sua rígida conformidade com o modelo realista dos bolcheviques — fazendo um relato previsível do triunfo do Partido Comunista acima de todos os obstáculos —, bem como pelo ódio genuíno evocado por sua rude prosa. Apesar de ter fornecido poucos detalhes, Angelina e sua família desempenharam papel ativo em forçar os vizinhos a se juntarem às novas fazendas coletivas. "Aqueles foram dias difíceis, cheios de tensão e feroz luta de classes. Foi só depois de derrotar os *kulaks* e expulsá-los da terra que nós, os pobres, nos sentimos realmente no comando." Nem ela nem seus pais e irmãos demonstraram qualquer tipo de remorso:

> Corríamos atrás dos "*kurkuls*", que eram fortes e maldosos em seu ódio a tudo que fosse novo. (...) Nossa família, e muitas como a nossa, vinha trabalhando para os *kulaks* por diversas gerações. Concluímos que, para nós, era impossível viver na mesma terra que aqueles sanguessugas. Os *kulaks* se punham entre nós e a boa vida, e não havia persuasão, pressão ou taxação comum suficientes para tirá-los dali. Mais uma vez, o partido compreendeu nossas necessidades e mostrou-nos a solução. Através do camarada Stalin, o partido nos disse: "Deixem de limitar os *kulaks* e passem a liquidá-los como classe..."[25]

Ela e seus irmãos não foram os únicos. Um relatório da polícia secreta ucraniana, de fevereiro de 1930, descreveu com entusiasmo os aglomerados de pobres e dos chamados camponeses "medianos", que eram bem menos desvalidos, empunhando suas "bandeiras vermelhas e entoando canções

COLETIVIZAÇÃO: REVOLUÇÃO NO CAMPO, 1930

revolucionárias" em alguns vilarejos, para supervisionar a coletivização.[26] Alguns desses participantes locais eram ex-membros dos "comitês de camponeses pobres", exatamente as mesmas pessoas que conduziram a requisição de grãos em 1918-20, e sentiam alguma lealdade ao sistema soviético. Matvii Havryliuk, que trabalhara na requisição em 1921, apesar de os *kulaks* terem "ameaçado matar a mim e minha família", aproveitou a chance de se juntar de novo ao movimento. "Durante todo o ano de 1930, fui um agitador, participando de brigadas. (...) Cheguei a encontrar aqueles *kulaks* que tentavam evitar a deskulakização escondendo-se nos bosques. Eu, pessoalmente, levei-os à Justiça."[27]

Outros buscaram se aproveitar da nova situação revolucionária para elevar seu status. Como o próprio OGPU reconheceu, muitos dos "camponeses pobres" eram na verdade "elementos criminosos" que detectaram a oportunidade de ganhar dinheiro com o infortúnio dos vizinhos.[28] Sergo Ordzhonikidze, chefe do OGPU, que viajava com frequência entre Ucrânia e Moscou naquela época, preocupou-se com o fato de as autoridades confiarem demais em pessoas sem histórico ou experiência: "Pegamos um membro do Komsomol, juntamos mais dois ou três camponeses pobres e chamamos o grupo de *aktiv*, e esse *aktiv* conduz todos os assuntos do vilarejo."[29]

Assim como os "Vinte e Cinco Mil", alguns desses colaboradores locais consideravam a ideologia bolchevique atraente. Eles acreditavam nas promessas de "vida melhor", expressão que deve ter significado "barriga cheia" para uns e algo mais místico para outros, e eles pensavam que a destruição dos "inimigos" do partido faria a vida melhor chegar mais rapidamente. Como em 1918, a coletivização, no fim, ajudaria a criar uma nova elite rural, uma que se sentia com o direito de mandar. Ativistas argumentaram, mesmo anos mais tarde, que a despeito da oposição, a coletivização "havia sido feita "para o bem maior".[30] Muitos, porém nem todos, seriam recompensados com empregos e rações melhores. O fortalecimento dessa nova elite também ajudou, por sua vez, a intimidar ainda mais os oponentes da coletivização. Um relatório do OGPU da Ucrânia, de março de 1930, explica, favoravelmente, que "as atividades das massas dos vilarejos foram tão grandes que, ao longo de todo o período da operação, não houve necessidade de convocar as Forças Armadas". Graças ao "entusiasmo e atividade" dos voluntários locais, os oponentes da coletivização sentiram-se abandonados e sozinhos. Isso, de acordo com o OGPU, removeu o incentivo pela resistência e desmoralizou os que estavam presos.[31]

É impossível saber, a partir das evidências disponíveis, que doses de "entusiasmo e atividade" foram mesmo reais. Os livros de memórias existentes dão indícios de que muitos dos que se juntaram às brigadas de coletivização, talvez a maioria, não eram entusiastas, hipócritas nem criminosos, simplesmente tinham medo: julgaram não ter opção a não ser se associarem ao movimento. Receavam ser feridos ou espancados, passar fome ou ser chamados de *kulaks* ou inimigos. Membros do Komsomol receberam ordens diretas para participar, e boa quantidade acreditou ser impossível recusar.[32] Um deles mais tarde se lembrou: "Certa vez, todos os estudantes e professores do Komsomol e membros do partido foram ordenados a cercar um dos vilarejos para evitar que alguém fugisse enquanto [veículos da polícia secreta] conduziam os camponeses para fora da comunidade e os empurravam para dentro de vagões ferroviários fervendo de calor, que os aguardavam para deportação."[33] Um professor lembrou-se de que "todos os professores eram considerados ajudantes na socialização do vilarejo, de modo que eram automaticamente recrutados como ativistas para encorajar pessoas a se juntarem às fazendas coletivas". Aqueles que se recusassem podiam perder suas propriedades e ser transportados para outro vilarejo.[34]

Para os que se opunham a eles, esses colaboradores eram considerados "preguiçosos expropriadores" ou "ladrões", que esperavam lucrar com a desgraça dos outros.[35] Porém, muitos dos perpetradores locais estavam tão traumatizados quanto suas vítimas, intimidados pelas mesmas nuances da violência e pela linguagem ameaçadora. E, quando a fome se espraiou, alguns deles se transformaram também em vítimas.

Certa manhã, em janeiro de 1930, não muito depois de os "Vinte e Cinco Mil" terem chegado ao vilarejo de Dolot, os camponeses descobriram ao acordar que muitos de seus mais proeminentes cidadãos — um professor, um escrivão, um dono de loja e diversos fazendeiros razoavelmente prósperos, todos entre os mais respeitados membros da comunidade — haviam sido presos. Imedia-

COLETIVIZAÇÃO: REVOLUÇÃO NO CAMPO, 1930

tamente, as esposas dos homens detidos foram despejadas de suas residências com os filhos. Uma das mulheres, esposa do fazendeiro conhecido como Tio Tymish, tentou reagir depois que eles a agarraram:

> Ela brigou e puxou os cabelos deles. Por fim, foi arrastada da casa e jogada sobre o trenó. Enquanto dois homens a seguravam, as crianças também foram levadas para fora. Alguns de seus pertences foram arremessados para dentro do trenó e ele começou a se deslocar. Ainda detida pelos dois servidores, a esposa de Tio Tymish e seus filhos, berrando e aos prantos, desapareceram na névoa do inverno.[36]

Poucos dias após a deportação daquele próspero fazendeiro e de sua família — fosse para a Sibéria, fosse para qualquer região desconhecida da Ucrânia, ninguém soube —, homens de Moscou ocuparam a casa de Tio Tymish e a reformaram para transformá-la em escritório do distrito.

O que Dolot havia testemunhado era o início da "deskulakização" — termo feio e burocrático que servia de abreviação para a "eliminação dos *kulaks* como classe".[37] Mas quem era *kulak*? Como observado, esse termo não era tradicional em lugar nenhum da URSS e, por certo, na Ucrânia também não. Apesar de amplamente utilizado pela imprensa, por agitadores e por autoridades de todas as espécies desde a queda o tsar Nicolau II, ele sempre foi vago e indefinido. Em suas memórias da Revolução Russa, Ekaterina Olitskaia registrou que na era da Guerra Civil:

> Qualquer um que expressasse descontentamento era *kulak*. Famílias de camponeses que nunca tinham contratado mão de obra foram tachadas de *kulaks*. Uma família que possuísse duas vacas, uma vaca e um bezerro ou uma parelha de cavalos era considerada *kulak*. Habitantes de vilarejos que se recusassem a entregar os grãos excedentes ou a denunciar *kulaks* recebiam visitas indesejáveis de destacamentos de punição. Assim, os camponeses faziam reuniões especiais para definir quem seria o *kulak*. Fiquei atônita com tudo aquilo, mas os camponeses explicaram: "Recebemos ordens para revelar os *kulaks*, então o que mais podemos fazer?" (...) Para poupar as crianças, eles normalmente selecionavam solteiros sem filhos.[38]

168

A FOME VERMELHA

Em 1929, assim como em 1919, a noção de camponês "rico" permanecia relativa. Em um vilarejo pobre, "rico" podia significar um homem com dois porcos em vez de um. Um camponês "rico" podia ser também alguém que despertasse antipatia ou inveja entre seus vizinhos — ou fosse antipático aos mandantes do vilarejo ou aos comunistas locais.

Como a demanda do Estado, "eliminar os *kulaks* como classe", tornou-se prioritária, as autoridades ucranianas sentiram necessidade de uma melhor definição. Em agosto de 1929, o Conselho dos Comissários do Povo da Ucrânia emitiu decreto identificando "sintomas" das fazendas de *kulaks*: fazenda que contrate regularmente mão de obra; fazenda que tenha moinho, curtume, olaria ou outra pequena "indústria"; fazenda que alugue prédios ou implementos agrícolas regularmente. Qualquer fazenda cujos donos ou gerentes se envolvessem com o comércio, com empréstimos ou com qualquer outra atividade que produza "renda não derivada de seu trabalho" certamente era *kulak* também.[39]

Com o tempo, essa definição econômica evoluiria. Precisando justificar como era possível que pessoas que não contratassem empregados ou alugassem bens podiam ainda se opor à coletivização, as autoridades inventaram novo termo. Os *podkulachniki*, os *subkulaks* — ou, em uma tradução mais exata, os "agentes dos *kulaks*" — eram camponeses pobres que estavam, de alguma forma, sob a influência de um parente, empregador, vizinho ou amigo *kulak*. Um *podkulachnik* podia ser um homem pobre que tivera pais mais ricos, herdando, assim, algum tipo de essência *kulak*. Alternativamente, ele poderia ter sido, de alguma maneira, ludibriado ou iludido para se opor aos bolcheviques, e não podia ser reeducado.[40]

Outros camponeses pobres se tornaram *kulaks* simplesmente por se recusarem a se associar às fazendas coletivas. Maurice Hindus estava no fundo da sala enquanto um doutrinador visitante discursava para um grupo de mulheres do vilarejo bielorrusso de Bolshoe Bykovo sobre os ditos benefícios de se juntarem às fazendas coletivas: "Elas não teriam que se preocupar de modo algum com seus bebês", declarou ele, "pois eles seriam cuidados por creches muito bem organizadas e equipadas. Elas não teriam que lidar com fogões, porque as cozinhas comunitárias se ocupariam da alimentação..."

COLETIVIZAÇÃO: REVOLUÇÃO NO CAMPO, 1930   **169**

A resposta a esse comentário foi completo silêncio — e depois uma "babel de gritos". Por fim, uma das mulheres disparou para todas as outras: "Só porcos já vieram aqui; o melhor que faço é ir para casa." Um agitador local gritou de volta: "O que vemos? O que ouvimos? Uma de nossas cidadãs, uma pobre mulher, mas decididamente com viés *kulak* na cabeça; ela acabou de nos chamar de porcos!" Em outras palavras, não foi sua "riqueza" que a definiu como *kulak* — tampouco o fato de ser alguém "com viés *kulak* na cabeça" —, mas sua oposição à coletivização.[41]

A definição, infinitamente adaptável, parecia se expandir mais facilmente para abranger os menores grupos étnicos que viviam na URSS, incluindo poloneses e alemães, ambos com consideráveis presenças na Ucrânia. Em 1929 e 1930 muitos funcionários ucranianos acreditavam que todos os germânicos étnicos na Ucrânia, que lá estavam desde o século XVIII, deveriam ser classificados como *kulaks*. Na prática, eles foram deskulakizados e deportados cerca de três vezes mais do que os ucranianos étnicos e foram alvos de abusos especiais. "Onde quer que vocês, insetos destruidores, tenham se instalado em nossas terras", um chefe de fazenda coletiva disse a um grupo de germânicos étnicos, "nenhum maná de Deus gotejará do céu para ajudá-los, e em nenhum lugar alguém dará ouvidos às suas miseráveis queixas".[42] Judeus, pelo contrário, raramente eram classificados como *kulaks*. Apesar de muitos terem sido presos como especuladores, poucos deles possuíam terras, já que o Império Russo restringira muito sua capacidade de propriedade própria.

De início, alguns membros do OGPU ficaram apreensivos com a rapidez com que a definição de *kulak* evoluiu. Em nota para Stalin, escrita em março de 1930, Yagoda temia que os "camponeses de renda mediana, os pobres e até os operários e trabalhadores rurais" estivessem caindo na categoria de *kulaks*. Assim como os antigos "*partisans* vermelhos" e familiares de soldados do Exército Vermelho. Na província do Volga Central, "camponeses pobres e medianos" eram tachados de "*kulaks* convictos". Na Ucrânia, queixou-se Yagoda, camponeses pobres eram chamados de *kulaks* simplesmente por serem "faladores" ou causadores de problemas. Na província central da Terra Negra — um dos distritos administrativos russos ao norte da Ucrânia —, a lista de *kulaks* continha três camponeses pobres e um trabalhador diarista, filho bastardo de um negociante.[43]

170 **A FOME VERMELHA**

Ainda assim, o próprio OGPU era responsável pela rápida expansão da definição: em grande parte, o número de pessoas classificadas como *kulaks* aumentava porque Moscou assim determinava. As ordens para eliminar *kulaks* vinham acompanhadas de números e listas: quantos deveriam ser removidos, quantos exilados, quantos enviados para campos crescentes de concentração do *Gulag*, quantos reassentados em outros vilarejos. Policiais no local eram responsáveis por cumprir essas metas, fossem ou não capazes de identificar *kulaks*. E, quando não os encontravam, era preciso criá-los.

Assim como os planejadores centrais da mesma época, o OGPU era ambicioso. De todas as regiões produtoras de cereais da URSS, esperava-se que a Ucrânia fosse a que mais entregasse *kulaks*: 15 mil dos "*kulaks* mais obstinados e ativos" deveriam ser presos, de 30 mil a 35 mil famílias de *kulaks* deveriam ser exiladas, e todos os 50 mil tinham que ser removidos para o norte de Krai, região setentrional da Ucrânia próxima a Arkhangelsk, no mar Branco. Em contraste, os números comparáveis para a Bielorrússia eram: de 4 mil a 5 mil; de 6 mil a 7 mil e 12 mil. Da província central da Terra Negra, de 3 mil a 5 mil foram presos, de 10 mil a 25 mil foram exilados e um total de 20 mil tiveram que ser reassentados. As grandes quantidades para a Ucrânia possivelmente refletiram a maior porcentagem de camponeses que lá existiam. Poderia também ser consequência da percepção de Moscou de que os camponeses ucranianos constituíam a maior fonte de ameaça política.[44]

A necessidade de atingir essas quantidades enormes também significava que a retórica *antikulak* tendia a se tornar mais extrema com o passar do tempo, e não mais moderada. Já em janeiro de 1930, um agente do OGPU usava o termo "*kulaks* bandidos da Guarda Branca" para descrever oponentes da coletivização, estigmatizando assim os *kulaks* não só como inimigos de classe mas também como inimigos nacionais — a serviço da "Guarda Branca" — e criminosos.[45] A linguagem, dessa forma, rapidamente se tornou mais extremada na região. No vilarejo de Dolot, uma reunião obrigatória terminou em caos quando os habitantes se recusaram a se juntar às fazendas coletivas. A brigada "propagandista" continuou insistindo, mas ninguém reagiu:

COLETIVIZAÇÃO: REVOLUÇÃO NO CAMPO, 1930

"Vamos lá! Está ficando tarde!", incitou ele. "Quanto mais cedo vocês se inscreverem, mais depressa irão para casa." Ninguém se mexeu. Todos permaneceram sentados e calados. O *chairman*, surpreso e nervoso, cochichou algo no ouvido do propagandista. (...) Continuamos em silêncio. Isso irritou os funcionários, em particular o *chairman*. Logo depois que o propagandista deu seu discurso por terminado, o *chairman* saiu às pressas de trás da mesa, pegou o primeiro homem que encontrou e sacudiu-o violentamente. "Você... você, inimigo do povo!", berrou com a voz embargada pela emoção e pela raiva. "O que estão esperando? Talvez Petliura?"[46]

A imediata associação a "Petliura", nome que evocava a rebelião antissoviética, não foi, novamente, acidental: para os agitadores, quem não se juntasse às fazendas coletivas tinha que ser, por definição, partícipe da contrarrevolução, componente do derrotado movimento nacional ucraniano, ou um dos muitos "inimigos" do regime soviético.

E não se tratava de meros insultos. Quando a deskulakização começou mais a sério, a linguagem perversa passou a ter consequências práticas: uma vez qualificado como *kulak*, o camponês era, automaticamente, um traidor, um inimigo e um não cidadão. Perdia direitos de propriedade, situação legal, casa e local de trabalho. Suas posses não mais lhe pertenciam; seguia-se, quase sempre, a expropriação. Os *aktiv*, em conjunto com agitadores e a polícia, podiam e de fato confiscavam residências, equipamentos e gado dos *kulaks*, com absoluta impunidade.

A princípio, as novas fazendas coletivas eram as beneficiárias desses roubos em massa. Um relatório das autoridades do Centro de Fazendas Coletivas, de fevereiro de 1930, elogia os "métodos decisivos" empregados pelos perpetradores da batalha contra os fazendeiros prósperos: "Confisco das propriedades *kulaks* (...) dos meios de produção, equipamentos, gado e feno. As residências dos *kulaks* estão sendo usadas para organizações comunitárias ou como alojamento para os trabalhadores rurais."[47]

Na prática, a deskulakização evoluiu rapidamente para saque. Algumas propriedades de *kulaks* eram confiscadas e depois vendidas ao público em leilões improvisados. Roupas e adornos eram empilhados em carroças nas praças dos vilarejos, e os camponeses eram convidados a fazer ofertas pelos bens dos vizinhos:

172 A FOME VERMELHA

Posso ainda ver a cena como se ela estivesse ocorrendo justo agora: uma mocinha do Komsomol, de pé, em frente ao soviete do vilarejo, conduzindo um "leilão". Ela pegava um trapo miserável de roupa dos bens confiscados de algum *kulak* e o balançava no ar, perguntando: "Quem vai querer fazer uma oferta por esta coisa?"[48]

Grande parte dos bens foi simplesmente roubada. Em um vilarejo perto de Kharkov, doze fazendas foram "deskulakizadas". Isso significava que, no dia marcado, uma multidão de cerca de quatrocentos camponeses carregando bandeiras vermelhas marchavam para as fazendas selecionadas. Chegavam, destroçavam as cabanas e pegavam o que desejassem. Um dos líderes do bando tirou o chapéu da cabeça de um *kulak* e arrancou o casaco de seu corpo, depois saiu andando vestido com as duas peças.[49] Em outro vilarejo, a fazenda comunitária e o chefe das fazendas coletivas meramente dividiam todos os bens entre eles.[50] Alguns chamavam esse tipo de roubo de "Comunismo de Guerra", em outro aceno ao passado.[51]

Em certas ocasiões, a expropriação era rápida e violenta. Na província de Chernihiv, as brigadas locais expulsaram uma família de seu lar no mais inclemente inverno. Toda a família foi despida na estrada e levada para um prédio sem calefação, que seria sua nova residência.[52] No distrito de Bereznehuvate, uma menina de 12 anos foi deixada apenas com uma blusa. As roupas de um bebê foram arrancadas e ele foi lançado à rua, junto com sua mãe. Um brigadista militante tirou toda a roupa íntima de uma adolescente e também a deixou nua na rua.[53]

Em outros casos, a deskulakização foi arrastada por vários meses. Quando um camponês se recusava a juntar-se à fazenda coletiva local, as autoridades faziam-no pagar: "Eles nos taxavam cada vez mais. Levaram embora a vaca e, mesmo assim, impunham impostos sobre a manteiga, o queijo e o leite, que já não tínhamos mais!" Quando a família não tinha mais nada a oferecer, os líderes da brigada chegavam para confiscar o que quer que restasse:

Eles começaram invadindo nossas caixas de grãos, onde guardávamos as sementes. Encostavam as carroças puxadas por cavalos, enchendo com tudo que pudessem. Depois das sementes, começaram a pegar nossas roupas. O

COLETIVIZAÇÃO: REVOLUÇÃO NO CAMPO, 1930

confisco acontecia em etapas. (...) Levaram todas as nossas roupas de inverno, os casacos de pele de ovelha, sobretudos e tudo o mais. Depois começaram a arrancar as roupas que vestíamos.

Por fim, no inverno, o *aktiv* local tirava a família de casa, exilava o pai e distribuía as crianças entre os parentes.[54]

Em alguns casos, a expropriação se dava por meio de pesadas e retroativas taxações. Um camponês doou seu gado à fazenda coletiva. Trabalhou na fazenda por cerca de um ano, depois tentou pegar suas vacas de volta: seus filhos passavam fome e ele precisava do leite. Recebeu permissão para levá-las, mas, no dia seguinte, dele foi exigido o pagamento dos pesados impostos requeridos dos camponeses "individuais". Para pagar, o camponês teve que vender uma vaca, duas cabras e algumas roupas. Os impostos iam crescendo sem parar, até que a família precisou vender a casa e se mudar para um celeiro, onde todos dormiam sobre feno. Finalmente, conseguiram escapar, misturando-se à paisagem urbana de Leningrado.[55]

Com o progresso da coletivização, o mesmo ocorreu com a propaganda. Nos locais em que os esforços pareciam estar se esvaindo, o Exército Vermelho fazia inesperadas aparições. Soldados marchavam pelas ruas, realizavam treinamentos, atiravam para o ar. Cavalarianos atravessavam ruas a galope. Equipes urbanas de *agitprop* por vezes apareciam também, "algumas centenas de pessoas de cidades próximas [marchando] em colunas ordenadas (...) operários comuns, estudantes, funcionários burocráticos". Eles estavam ali para demonstrar o apoio das cidades à coletivização e traziam filmes de propaganda, palcos improvisados e "uma barulheira incessante".[56] Apesar de ostensivamente destinada a provar a solidariedade entre cidade e campo, aquela presença também parecia sublinhar a inutilidade da dissidência. Os camponeses precisavam entender que a classe trabalhadora urbana apoiava a coletivização e que a dissidência não lhes traria aliados.

Sob pressão para atingir as metas, inspirados e aterrorizados pela máquina de propaganda, as brigadas de coletivização às vezes recorriam à intimidação e tortura. Tanto arquivos quanto memórias registram diversos exemplos de "persuasão" envolvendo ameaças, assédio e violência física. Em um vilarejo russo, um brigadista estuprou duas *kulaks* e forçou um senhor

174 A FOME VERMELHA

idoso a se despir, dançar e cantar, antes de ser espancado. Em outro, um senhor foi obrigado a ficar nu, tirar as botas e caminhar em torno de uma sala até desmaiar. Um relatório do OGPU também deu conta de outras formas de tortura:

> No vilarejo de Novooleksandrivka, o secretário Erokhin da célula do Komsomol forçou um camponês mediano a apertar o nó de uma corda que fora enrolada em torno de seu pescoço. O camponês já sufocava enquanto o secretário pilheriava, dizendo: "Aqui tem um pouco de água, pode beber.[57]

Na província de Poltava, a filha de outro *kulak* lembrou-se de que seu pai fora trancado em um frio depósito e privado de água e comida. Por três dias, ele só comeu a neve que atravessava as trincas das paredes. No terceiro dia, ele concordou em se juntar à fazenda coletiva.[58] Em Sumy, os líderes das brigadas locais instalaram sua sede em uma das cabanas do vilarejo. Um punhado deles se sentava no cômodo maior, com uma arma em cima da mesa. Um a um, os camponeses recalcitrantes entravam na sala e lhes era perguntado se queriam se associar às fazendas coletivas. A quem recusasse, era mostrado o revólver — e, se isso não fizesse efeito, o camponês era levado para uma cela isolada em outro vilarejo com os dizeres "malicioso estocador de grãos do Estado" escritos a giz em suas costas.[59]

Houve muitas crueldades causadas pelas circunstâncias. Em um vilarejo, as brigadas reduziram a cinzas a casa de duas irmãs que haviam recentemente perdido os pais. A mais velha foi trabalhar na fazenda coletiva e proibida de cuidar da irmã mais nova quando ela ficou doente. Nenhuma compaixão foi demonstrada para as duas. Em vez disso, os vizinhos vasculharam as cinzas da casa em busca de lenha para queimar e pegaram para si os pertences restantes.[60]

Não obstante, as mesmas circunstâncias extremas que geraram medo e ódio também trouxeram à tona, em alguns casos, atos de bravura, gentileza e compaixão das pessoas. Até o OGPU percebeu isso. Um de seus servidores observou, com certa preocupação, que "devido à falta de trabalho explicativo em massa, alguns camponeses pobres e medianos tratavam os *kulaks* com simpatia ou indiferença, e, em casos isolados, com piedade, ajudando-os com

COLETIVIZAÇÃO: REVOLUÇÃO NO CAMPO, 1930

alojamentos e providenciando ajuda física e material". Em um vilarejo, o OGPU observou que "cinquenta camponeses pobres, sem oferecer resistência à expropriação, choraram com os *kulaks* e os auxiliaram a retirar seus bens da residência, e ainda ajudaram a conseguir acomodações para eles".[61]

Do ponto de vista do servidor, os camponeses que "choraram com os *kulaks*" antes de convidá-los para suas próprias casas eram provas de que "o trabalho explicativo em massa" — propaganda imoral — havia fracassado. Também provaram que, mesmo em ambiente repleto de violência e histeria, algumas pessoas, em alguns locais, conseguiam preservar considerável dose de humanitarismo.

Uma vez identificados como inimigos e espoliados de seus bens, os *kulaks* experimentavam uma variedade de destinos. A alguns foi permitido permanecer em seus vilarejos, onde recebiam as terras mais inacessíveis, inóspitas e não férteis. Caso insistissem em não se juntar às fazendas coletivas, muitas vezes tinham seus equipamentos confiscados, assim como seu gado. Eram chamados de *odnoosibnyk*, ou "peculiares", termo que acabou se tornando insulto.[62] Quando, mais tarde, a fome se instalou, eles eram os primeiros a morrer.

Para mantê-los afastados de amigos e vizinhos, alguns *kulaks* receberam tratos de terra em outras regiões do país, ou até no mesmo distrito, porém distantes de suas antigas terras e com solo terrível de trabalhar. A família de Henrikh Pidvysotsky foi mandada para os Urais: "Vivemos lá por um verão e passamos quase todo o outono voltando a pé."[63] Uma ordem do governo ucraniano do fim dos anos 1930 especificou que os *kulaks* fossem expropriados e transferidos para as terras "mais longínquas e menos confortáveis" dentro da república.[64]

Para evitar tal infortúnio, muitos escaparam. Em alguns casos, vizinhos ou funcionários locais ajudavam-nos a vender suas propriedades, ou até sigilosamente devolviam-lhes alguns bens para facilitar sua jornada.[65] Os que conseguiam fugir se dirigiam às cidades. Cerca de 10 milhões de camponeses passaram a integrar a força de trabalho industrial soviética entre 1928 e 1932; muitos, se não a maioria, foram forçados a fazer isso em virtude da coletivização e da deskulakização.[66] Enquanto o desemprego havia sido

A FOME VERMELHA

um problema em algumas cidades um ou dois anos antes, as fábricas, que se esfalfavam para cumprir as metas do Plano Quinquenal, estavam desesperadas para conseguir mão de obra e não tão preocupadas assim com as origens que ela, supostamente, deveria ter.

Para os *kulaks* vindos de vilarejos da Ucrânia, o destino mais óbvio era o das minas de carvão e o centro industrial da Donbas, bem no canto sudeste da república. A Donbas se expandia rapidamente e, por muito tempo, tinha a reputação de "leste selvagem", terra de cossacos e de aventureiros. Na Rússia tsarista, a Donbas atraíra servos fugitivos, dissidentes religiosos, criminosos e agentes do mercado negro.[67] Por volta de 1930, ela se tornou o destino preferido para quem quisesse encobrir sua origem *kulak*. Oleksandr Honcharenko lembrou-se mais tarde de que evitou a prisão "escondendo-se" na Donbas: como "todos sabiam", escreveu ele, "eles não caçavam *kulaks* na Donbas". Honcharenko acreditava se tratar de decisão deliberada: as autoridades soviéticas queriam que os bons trabalhadores fossem para as fábricas, enquanto a "ralé" ficava para trás nas fazendas coletivas.[68] Mesmo quando leis posteriores exigiram que os camponeses tivessem permissões para viver em determinados locais, ainda era possível, por vezes, burlar essas leis na Donbas. O trabalho nas minas e nas indústrias pesadas era difícil e perigoso, e as autoridades fingiam não saber o passado de sua mão de obra.[69]

Certos servidores ainda rastreavam a jornada dos fugitivos. Na província de Mykolaiv, as autoridades registraram a fuga de 172 famílias *kulaks* e sua chegada aos distritos industriais da Donbas, onde "viviam em apartamentos da classe trabalhadora e conduziam propaganda antissoviética entre os operários". Na província de Sumy, centenas de *kulaks* eram também considerados suspeitos porque "se recusavam" a semear suas terras, preferindo, em vez disso, abandoná-las e se mudar, supostamente destruindo a maquinaria da fazenda antes de partir.[70]

Mas a avassaladora quantidade de *kulaks* acabou se vendo muito mais distante de casa. Entre 1930 e 1933, mais de 2 milhões de camponeses foram exilados para a Sibéria, norte da Rússia, Ásia Central e outras regiões subpovoadas da União Soviética, onde viveram como "exilados especiais", impedidos de sair dos vilarejos designados.[71] A história desse gigantesco

COLETIVIZAÇÃO: REVOLUÇÃO NO CAMPO, 1930

deslocamento de pessoas resultou separada da história da coletivização e da fome, embora não menos trágica. Foi o primeiro dos diversos movimentos soviéticos de deportação em massa nas décadas de 1930 e 1940, e o mais caótico. Famílias inteiras foram atulhadas em vagões ferroviários, transportadas por milhares de quilômetros e, muitas vezes, deixadas em campos sem alimentos ou abrigos, uma vez que não tinham sido realizados preparativos para sua chegada. Outras foram abandonadas em vilarejos da Ásia Central, onde encontraram suspeitosos cazaques que se dignaram, ou não, a ajudá-las. Muitos morreram no caminho, ou durante o primeiro inverno, em assentamentos sem acesso ao mundo exterior.

Em quase todos os lugares, os assentamentos tinham instalações primitivas, e os funcionários locais eram desorganizados e negligentes. No que acabaria por se tornar um campo de trabalho forçado na região de Arkhangelsk, um prisioneiro chegou e "não viu barracas nem vilarejo. Havia tendas, em um dos lados, para os guardas e o equipamento. A quantidade de gente não era expressiva, cerca de 1.500 pessoas. A maior parte era constituída de camponeses de meia-idade, ex-*kulaks*. E criminosos."[72] Em fevereiro de 1930, o próprio Politburo discutiu com urgência o fato de que a Sibéria não estava preparada para receber vasta quantidade de prisioneiros, sem falar em suas esposas e filhos. O OGPU, ficou decidido, dividiria os exilados em grupos de não mais do que 60 mil famílias. A Ucrânia, a Bielorrússia e outras regiões com grande número de *kulaks* coordenariam, convenientemente, essas atividades.[73]

Com o passar do tempo, a grande quantidade de *kulaks* deportados alimentaria a rápida expansão do sistema soviético de trabalho forçado, a cadeia de campos que acabou sendo conhecida como *Gulag*. Entre 1930 e 1933, pelo menos 100 mil *kulaks* foram enviados diretamente para o *Gulag*, e o sistema cresceu, em parte, para acomodá-los.[74] Nessa época, o relativamente pequeno grupo de campos "políticos" nas ilhas Solovetsky expandiu-se para o extremo norte e leste. Sob a liderança do OGPU, o *Gulag* lançou uma série de projetos industriais ambiciosos: o canal do mar Branco, as minas de carvão de Vorkuta, as minas de ouro de Kolyma — empreendimentos possibilitados pela súbita disponibilidade de trabalho forçado em abundância.[75] Por outro lado, em algumas regiões, líderes locais ambiciosos procuraram aumentar

178 A FOME VERMELHA

a oferta de trabalho forçado para expandir seus projetos industriais. Nos Urais, os burocratas locais podem ter procurado aumento no número de *kulaks* justamente porque precisavam de homens para trabalhar nas minas carboníferas e nas usinas metalúrgicas da região, que agora precisavam atingir as quase impossíveis metas do Plano Quinquenal.[76]

No devido tempo, os *kulaks* passaram a experimentar a mesma variedade de destinos de outros prisioneiros do *Gulag* e dos deportados soviéticos. Alguns morreram de inanição, outros foram assassinados como "inimigos" no Grande Terror de 1937. Alguns permaneceram nas cidades ou nas regiões industriais para as quais foram deportados, integrando-se completamente à cultura da classe trabalhadora soviética. Outros foram parar no Exército Vermelho e combateram os nazistas. Uns poucos reconheceram que o exílio os salvou da fome de 1932-33: na década de 1980, um camponês ucraniano disse a um especialista em história oral que teve sorte de ter sido enviado para a Sibéria, porque pôde levar a família quando a escassez de alimentos teve início.[77]

A maioria dos *kulaks* jamais voltou para seus vilarejos. Ficaram na Sibéria ou na Donbas, pararam de trabalhar nas fazendas, mesclaram-se com a classe operária. Foi assim que a política stalinista conseguiu, com sucesso, retirar os fazendeiros mais prósperos, mais produtivos e mais desafiadores do campo soviético.

A deskulakização foi a arma mais espetacular das muitas empregadas para forçar a revolução no campo. Mas ela foi também acompanhada por ataque ideológico igualmente poderoso contra o "sistema" que os *kulaks* supostamente representavam, e que seria substituído pelas fazendas coletivas: a estrutura econômica do vilarejo, bem como a ordem moral e social, simbolizada pelas igrejas do vilarejo, sacerdotes e símbolos religiosos de todos os tipos. A repressão religiosa na URSS começou em 1917 e durou até 1991, entretanto, na Ucrânia, ela atingiu o ápice da brutalidade durante a coletivização. Não foi coincidência que o decreto sobre coletivização do Politburo, de janeiro de 1930, também tenha determinado que as igrejas fossem fechadas, e os padres, presos: os líderes soviéticos sabiam que a revolução na classe e na estrutura econômica do interior exigia também uma revolução em seus hábitos, costumes e moralidade.

COLETIVIZAÇÃO: REVOLUÇÃO NO CAMPO, 1930

O ataque à religião fez parte da coletivização desde o início. Em toda a Ucrânia, as mesmas brigadas que organizavam as fazendas coletivas, também receberam ordens para derreter os sinos, incendiar as propriedades da Igreja e destroçar símbolos.[78] Padres foram ridicularizados e locais sagrados, profanados. Oleksandr Honcharenko descreveu um agitador que "vestido com roupas de sacerdote, pegou um candelabro e começou a fazer palhaçadas dentro da igreja, pisoteando todo o altar repleto de ícones".[79] Muitas testemunhas — das províncias ucranianas de Odessa, Cherkasy e Zhytomyr, entre outras — recordaram-se dessas profanações por muitos anos, em particular do silêncio dos sinos.[80] A esposa de um sacerdote, nascida na província de Poltava, descreveu o ataque ao campanário do vilarejo: "Quando um homem subiu para retirar o sino, o pesado instrumento de metal despencou e começou a rolar no chão, enquanto escorriam lágrimas pelos rostos dos fiéis. Todos choravam e se despediam do sino, porque aquela era a última vez que ele emitiria sons..."

Depois disso, o *aktiv* destroçou também os ícones da igreja. Não tardou para que seu marido fosse preso, juntamente com muitos outros sacerdotes: "Eles o levaram para bem longe, e ficamos sozinhos, eu e meu filho sem pai."[81] Outros sacerdotes foram igualmente expelidos de suas paróquias. Muitos deles foram deportados juntamente com os *kulaks*, ou forçados a mudar de profissão. Eles despiram suas vestes sacerdotais e se tornaram trabalhadores braçais ou operários de fábricas.[82]

O Estado acompanhou a destruição dos símbolos físicos da religião e a repressão aos sacerdotes com uma onda de ácida propaganda antirreligiosa e ataques aos rituais da Igreja, bem como aos da vida no campo em geral. Nas escolas urbanas e do interior, as crianças foram ensinadas a não acreditar em Deus. O Estado baniu os feriados tradicionais — Natal, Páscoa, dias santos — e os serviços religiosos dominicais, substituindo-os por celebrações bolcheviques como o Primeiro de Maio e o aniversário da revolução. Organizou também palestras ateístas e reuniões antirreligiosas. Todo o ciclo tradicional da vida no campo — batizados, casamentos, funerais — foi desfeito. As autoridades promoveram a "união" em vez do casamento, um status caracterizado pela ida do casal ao cartório e não mais à igreja, sem a cerimônia em si e as celebrações posteriores.[83]

180 A FOME VERMELHA

Decorrida uma década, as tradições musicais haviam sido também perdidas. Tradicionalmente, os jovens se reuniam na casa de um amigo; moças solteiras também compareciam para tricotar e bordar, enquanto os rapazes cantavam e tocavam canções. Esse costume de celebrações *dosvitky* — "até o amanhecer" — foi gradualmente desaparecendo, assim como os bailes de domingo e outras reuniões musicais informais. Os jovens foram doutrinados, em vez disso, a se encontrarem no Komsomol, e concertos formais substituíram a espontânea composição de músicas nos vilarejos.[84]

Ao mesmo tempo, a instituição do *kobzar* — o tradicional menestrel errante tocando *bandura*, que antes fora marca registrada da vida no interior ucraniano — desapareceu tão rapidamente que muitos acreditavam que os músicos haviam sido presos em massa. Não há provas documentais disso (embora Dmitry Shostakovich faça referência a isso em suas memórias), mas não se pode descartar a ideia. Porém, mesmo sem o deliberado assassinato, os *kobzars* teriam se complicado com as leis do passaporte aprovadas em 1932; mais tarde, a fome teria matado muitos, pois eles não conseguiriam fácil acesso às rações. Inevitavelmente, eles teriam atraído a atenção da polícia. Muitas de suas canções tradicionais recontavam lendas cossacas e tinham conotações antirrussas que adquiriram conotações antissoviéticas depois da revolução. Em 1930, um cidadão alerta de Kharkov escreveu carta indignada a um jornal local, reclamando que ouvira um menestrel recitar versos anti-Lenin (e antissemitas), e entoar uma canção antissoviética:

> O inverno pergunta à geada
> Se o *kolkhoz* botas tem
> Não há botas, só sandálias,
> Deles não vai sobrar ninguém.[85]

A cançoneta, com rimas em ucraniano, deve ter sido popular, porque dois etnólogos registraram outro homem, um *kobzar* cego, cantando a mesma música em um bazar de Kremenchuk. Quando policiais chegaram para prendê-lo, ele cantou versos diferentes:

COLETIVIZAÇÃO: REVOLUÇÃO NO CAMPO, 1930

Ora, vejam, bons amigos
O mundo que não renego:
Policiais se transformando
Em guias para cego.[86]

A aversão ao *kobzar* e à *bandura* não era novidade: como os bobos da corte nos tempos de Shakespeare, eles sempre expressaram temas e pensamentos politicamente incorretos, alguns cantando sobre assuntos que não podiam ser falados. Na atmosfera conturbada da coletivização, quando todos estavam à procura de inimigos, essa forma de humor — acompanhada da nostalgia e da emoção que a música folclórica evocava na Ucrânia — era intolerável. Um coronel do Exército Vermelho em Kiev queixou-se disso a um colega:

O que testemunho quando vou a um concerto de piano, de violino ou a uma orquestra sinfônica, ou até mesmo a uma apresentação de coro? Sempre noto que a plateia ouve educadamente. Mas, quando escutam um coro feminino de *bandura* e elas começam a cantar *dumy* [baladas épicas], aí vejo lágrimas se formarem nos olhos de soldados do Exército Vermelho. Quer saber de uma coisa? Acho que essas *banduras* têm alma petliurista.[87]

A música folclórica inspirava ligação sentimental à Ucrânia e evocava lembranças da vida no campo. Não é à toa que o Estado soviético quisesse destruir ambas.

O ataque conjunto às igrejas e aos rituais dos vilarejos tinha justificativa ideológica. Os bolcheviques eram ateus convictos que acreditavam ser a igreja parte integral do antigo regime. Eram também revolucionários que desejavam destruir até mesmo as lembranças de outro tipo de sociedade. Igrejas — onde os habitantes de vilarejos costumavam se reunir por décadas ou séculos — permaneciam sendo um símbolo potente do vínculo entre o presente e o passado. Na maioria das cidades russas e em muitas ucranianas, os bolcheviques imediatamente saquearam as igrejas — entre 1918 e 1930, fecharam mais de 10 mil delas em toda a URSS, transformando-as em depósitos, cinemas, museus ou garagens.[88] No início da década de 1930, poucas igrejas urbanas ainda funcionavam como local de adoração e fé. O fato de continuarem existindo em muitos vilarejos era um dos muitos aspectos que faziam com que os camponeses parecessem suspeitos aos citadinos, em particular aos agitadores urbanos que chegaram para fazer a coletivização.

As igrejas também tinham função social, especialmente nos vilarejos mais pobres, que quase não contavam com instituições sociais. Elas proporcionavam um ponto de encontro físico que não era controlado pelo Estado, e às vezes serviam de centros de oposição a ele. Durante uma série de levantes violentos na província de Ryazan, próxima a Moscou, os sinos das igrejas serviram para chamar o povo a pegar em armas, alertando os camponeses para a chegada de brigadistas e soldados na capital.[89] Acima de tudo, a Igreja era um guarda-chuva institucional sob o qual as pessoas podiam se organizar para esforços benemerentes e sociais. Durante a fome de 1921, sacerdotes ucranianos e instituições da Igreja ajudaram a organizar assistência para os que sofriam.

Com o desaparecimento das igrejas, não restaram no interior órgãos independentes capazes de motivar e organizar voluntários.[90] O lugar da Igreja na vida cultural e educacional do vilarejo foi tomado por instituições do Estado — "casas de cultura", cartórios, escolas soviéticas — sob controle do Partido Comunista. As igrejas foram eliminadas de forma a evitar que se tornassem fontes de oposição; na prática, sua ausência também significou que elas não podiam ser fonte de auxílio e conforto quando as pessoas começaram a morrer de fome.

Quer tenham se apresentado como voluntários ou sido forçados a se juntarem às fazendas coletivas; quer tenham se associado às campanhas ou feito oposição a elas, a coletivização foi um caminho sem volta para os habitantes do interior soviético. Habitantes de vilarejos que haviam participado de atos violentos encontraram dificuldade para voltar ao antigo *status quo*. Amizades de longa data e relações sociais foram destruídas por atos imperdoáveis. A atitude para com o vilarejo, o trabalho e a vida mudou para sempre. Petro Hryhorenko chocou-se ao descobrir, em viagem pelo interior em 1930, que seus antigos vizinhos, que trabalhavam com tanto afinco, haviam perdido o interesse até mesmo em colher as próprias safras:

COLETIVIZAÇÃO: REVOLUÇÃO NO CAMPO, 1930

Arkhanhelka, enorme vilarejo na estepe consistindo de mais de 2 mil fazendas, estava morta no auge da estação de colheita. Oito homens trabalhavam abrindo valetas com o arado em um único turno diário. Os demais trabalhadores — homens, mulheres e jovens — ficavam sentados ou deitados à sombra das árvores. Quando tentei iniciar conversas, as pessoas respondiam calmamente e com total indiferença. Se eu lhes dissesse que os grãos estavam caindo dos talos de trigo e apodrecendo, eles replicariam: "Claro, eles vão apodrecer." Seus sentimentos devem ter sido terrivelmente fortes para que chegassem ao extremo de deixar os grãos largados no solo.[91]

As relações familiares também se alteraram. Pais, privados da propriedade, não puderam mais legá-la aos filhos e perderam autoridade. Antes da coletivização, era bastante incomum que os pais abandonassem seus filhos, porém, depois dela, mães e pais muitas vezes saíam para procurar empregos nas cidades, retornando esporadicamente, ou nunca mais.[92] Assim como em todo o restante da Rússia, filhos foram instruídos a denunciar os pais e eram questionados na escola sobre o que passava em casa.[93] As tradições de autogoverno dos vilarejos chegaram a abrupto fim. Antes da coletivização, os homens locais escolhiam os próprios líderes; depois dela, eleições "fictícias" ainda aconteciam, com candidatos que faziam exortações aos vizinhos para que se juntassem ao grande projeto soviético. Porém, todos sabiam que o resultado era determinado com antecedência, garantido pela onipresença da polícia.[94]

Por fim, o que foi de pior augúrio, a coletivização deixou os camponeses economicamente dependentes do Estado. Uma vez criadas as fazendas coletivas, ninguém que nelas vivia tinha meio algum de conseguir um salário. Os chefes das fazendas distribuíam produtos alimentícios e outros bens de acordo com a qualidade e a quantidade da produção. Teoricamente, o sistema deveria proporcionar incentivo ao trabalho. Na prática, significava que os camponeses ficavam sem dinheiro, sem meios de comprar alimentos e sem mobilidade alguma. Quem saísse sem permissão ou se recusasse a trabalhar era privado de alimentos. Quando o gado da família e os pedaços de terra eram levados, como ocorreria durante o outono e o inverno de 1932-33, os camponeses ficavam absolutamente sem nada.[95]

Por si só, a coletivização não levaria necessariamente à fome na escala da que aconteceu em 1932-33. Porém, os métodos utilizados para coletivizar os camponeses destruíram a estrutura ética do campo, bem como a ordem econômica. Antigos valores — respeito à propriedade, à dignidade e à vida humana — desapareceram. Em seu lugar, os bolcheviques instilaram os rudimentos de uma ideologia que acabaria se tornando letal.

CAPÍTULO 6

Rebelião, 1930

Camaradas! Incitei-os a defender sua propriedade e a propriedade do povo. Preparem-se para a primeira e última conclamação. Os rios e mares secarão e suas água fluirão para o alto Kurgan, sangue correrá pelos riachos e córregos, e a terra se elevará em poderosos redemoinhos. (...) Convoco-os a defenderem uns aos outros, a não se associarem às fazendas coletivas, a não acreditarem em rumores. (...) Camaradas, lembrem-se do passado, quando vocês viviam livremente, todos viviam bem, pobres e ricos, agora todos se veem na miséria.

Proclamação anônima, 1930[1]

Se não tivéssemos tomado medidas imediatas contra as violações da linha do partido, teríamos tido ampla onda de levantes do campesinato, e boa parcela dos escalões inferiores de nossos oficiais teria sido destroçada pelos camponeses.

Memorando secreto do Comitê Central, 1930[2]

Em apenas poucos meses do inverno de 1929-30, o Estado soviético promoveu uma segunda revolução no campo; para muitos, mais profunda e

186 A FOME VERMELHA

mais chocante do que a própria revolução bolchevique original. Em toda a URSS, líderes locais, fazendeiros prósperos, sacerdotes e anciãos dos vilarejos foram depostos, expropriados, presos ou deportados. Vilarejos inteiros foram obrigados a abrir mão de suas terras, seu gado e, por vezes, de seus lares, para se juntarem às fazendas coletivas. Igrejas foram destruídas, ícones destroçados e sinos quebrados.

O resultado foi resistência rápida, intensa, por vezes caótica e frequentemente violenta. Porém, descrevendo com mais exatidão, não é correto dizer-se que ela *se seguiu* à coletivização, uma vez que várias formas de resistência de fato acompanharam cada estágio da deskulakização e da coletivização, desde a requisição de grãos de 1928 até as deportações de 1930, continuando ao longo de 1931 e 1932, até que a fome e a repressão impossibilitaram ulteriores desafios. Desde o início, a resistência ajudou a moldar a natureza da coletivização: como os camponeses se recusavam a cooperar, os jovens agitadores idealistas de fora e seus aliados locais tornaram-se mais furiosos; seus métodos passaram a ser mais extremados, e sua violência, mais pesada. A resistência, em especial na Ucrânia, também elevou os sinais de alerta aos mais altos níveis. Para todos que se lembravam da rebelião dos camponeses de 1918-19, o levante de 1930 pareceu ao mesmo tempo familiar e perigoso.

Em diferentes estágios, a rebelião tomou diferentes formas. A recusa inicial em se juntar às fazendas coletivas foi por si só uma forma de resistência. Muitos camponeses ucranianos não confiavam no Estado soviético, contra o qual lutaram fazia apenas dez anos. Partes da Ucrânia ainda se recuperavam da fome e da escassez de alimentos de 1929; sem a tradição de terra de propriedade comunitária, os camponeses tinham boas razões para acreditar que os forasteiros piorariam a situação, em vez de melhorá-la. Em toda a URSS, os camponeses eram muito ligados ao seu gado, aos seus cavalos e equipamentos, e não desejavam cedê-los a uma entidade incerta. Até mesmo na Rússia, onde havia uma tradição de fazendas de propriedade comum, os camponeses ainda desconfiavam das fazendas coletivas, temendo o futuro imprevisível e a organização que não lhes era familiar. O Estado soviético já propusera antes rápidas mudanças na política e, às vezes, as colocavam em prática com igual rapidez. Alguns lembravam que a desordem dos anos da Guerra Civil dera lugar à mais "razoável" Nova Política Econômica, e

REBELIÃO, 1930

julgavam que a atual coletivização seria outra novidade soviética de vida curta, que logo desapareceria.

Os camponeses também tinham motivos de sobra para temer que, mesmo que concordassem com ela, a política pudesse dar mau resultado. Em seu primeiro relatório de 1930 para Moscou, Vsevolod Balytsky observou que muitos camponeses de renda mediana — não eram *kulaks*, mas também não eram dos mais pobres — foram ouvidos declarando que "depois dos *kulaks*, eles vão nos deskulakizar também".[3]

A recusa direta era, muitas vezes, seguida por ação imediata. Ordenados a entregar os rebanhos para fazendas coletivas em que não confiavam, os camponeses começaram a abater vacas, porcos, ovelhas e até cavalos. Comiam a carne, salgavam, vendiam ou a escondiam — faziam qualquer coisa para que as fazendas coletivas não a conseguissem. Em toda a União Soviética, os abatedouros dos distritos rurais passaram a trabalhar horas extras. Mikhail Sholokhov descreveu famosa imagem fictícia da matança de gado:

> A escuridão mal caíra quando o balir curto e contido de uma ovelha, o berro mortal de um porco sendo sacrificado, ou o urro de um bezerro eram ouvidos cortando o silêncio. Não só os camponeses que haviam se juntado às fazendas coletivas, como também fazendeiros individuais participaram da carnificina. Mataram bois, carneiros, porcos, até vacas; liquidaram animais que eram mantidos para a procriação (...) os cães começaram a arrastar entranhas e tripas pelos vilarejos, os celeiros e silos ficaram abarrotados de carne. (...) "Matem, eles não são mais nossos!" "Matem, eles coletarão impostos pela carne se vocês não o fizerem!" "Matem, pois vocês não sentirão o gosto de carne nas fazendas coletivas!"[4]

Tal forma visceral e imediata de resistência continuou pelo ano seguinte e ainda foi além. Entre 1928 e 1933, a quantidade de gado e de cavalos na URSS caiu quase pela metade. Dos 26 milhões de suínos, o número decresceu para 12 milhões. Dos 146 milhões de carneiros, ovelhas, cabras e cabritos, o total caiu para 50 milhões.[5]

Aqueles que não sacrificaram seus animais, protegeram-nos ferozmente. Em um vilarejo, o OGPU observou uma multidão tentando agredir um membro do Komsomol que queria levar embora um cavalo. Em outro, cerca de vinte mulheres, armadas com porretes, invadiram uma fazenda coletiva para pegar de volta seus animais. Ainda em outro, camponeses incendiaram um celeiro repleto de cavalos, preferindo ver seus animais mortos a vê-los confiscados.[6] Camponeses foram ouvidos dizendo que era "melhor destruir tudo" do que deixar que as autoridades passassem a mão em suas propriedades.[7]

Em poucos casos, os camponeses simplesmente soltaram seus animais nas ruas em vez de entregá-los. No vilarejo de Ekaterinovka, no norte do Cáucaso, um fazendeiro libertou seu garanhão castanho para vagar pelas ruas carregando uma placa: "Por favor, quem quiser pegue-o." Um relato indignado a respeito de tal incidente descreveu-o como obra de um "*kulak* agitador": o garanhão "já vagava pelas ruas havia dois dias, provocando curiosidade, risadas e pânico".[8]

Tanto a matança dos animais quanto a resistência ao confisco foram totalmente pessoais: os camponeses meramente temiam a perda de seus bens, de seus alimentos e de seu futuro inteiro. No entanto, as autoridades encararam a chacina como ato político: foi "sabotagem" deliberada, motivada por ideias contrarrevolucionárias — e puniram os sabotadores de acordo. Um homem, que se recusara a entregar sua vaca e a matara, foi forçado a caminhar em torno do vilarejo com a cabeça da vaca amarrada ao pescoço. Os líderes da brigada local quiseram "mostrar a todo o vilarejo o que podia acontecer, o que cada um poderia esperar mais tarde".[9] Mais comumente, aqueles que sacrificavam seu gado eram automaticamente tachados de *kulaks*, se já não fossem assim antes considerados, com todas as suas consequências: perda de propriedade, prisão, deportação.

Como já esperado, a demanda pelos grãos produzidos provocou reações semelhantes. As lembranças do confisco de cereais, da escassez e da fome da década anterior ainda eram muito recentes e fortes. Uma mulher, jovem àquele tempo, lembrou-se do dia em que seu pai voltou todo afobado para casa e a trancou lá dentro. Ela se sentou à janela e viu dezenas de pessoas, a maioria mulheres, passando correndo por seu quintal na direção da estação ferroviária. Não muito depois, viu-as de volta carregando sacos de grãos. Mais tarde, seu pai lhe disse que habitantes dos vilarejos vizinhos atacaram o estoque de cereais da estação — os depósitos de seus grãos — e começa-

REBELIÃO, 1930   189

ram a se apossar dos conteúdos. Apesar de os guardas da segurança local terem fracassado e permitido a entrada na área do estoque, tropas policiais chegaram de Poltava. Cavalos pisotearam os "ladrões". Poucas pessoas escaparam levando alguma quantidade de cereais, mas a maior parte delas não conseguiu nada.[10] Incidentes assim não eram incomuns: em relatório abarcando dezesseis distritos, o OGPU observou que os motins após a "coletivização" das sementes de grãos resultaram em mortes de 35 pessoas "do nosso lado" — ou seja, policiais e autoridades. Outras 37 ficaram feridas e 314 tinham sido espancadas. Em reação, 26 manifestantes — descritos pela polícia como "contrarrevolucionários" — também tinham sido mortos.[11]

Entretanto, se a polícia via os manifestantes como agentes políticos, em vez de pessoas desesperadas que tinham medo da fome, foi igualmente verdade que os participantes dos levantes encaravam o governo como força hostil, ou pior. Para alguns, a política de coletivização era a traição definitiva da revolução, prova de que os bolcheviques pretendiam impor uma "segunda servidão" e governar como os tsares do século XIX. Em 1919, temores similares inspiraram os sentimentos antibolcheviques da rebelião camponesa. Agora, eles expressavam essas noções com frequência, tanto que o OGPU as coletou de informantes. No distrito da Terra Negra da Rússia Central, fontes do OGPU declararam ter ouvido um camponês dizer: "Os comunistas nos enganaram com sua revolução. Toda a terra foi cedida para que nela se trabalhasse de graça, e agora eles levam a última vaca." Em uma província do médio Volga, outro camponês disse: "Eles começaram a falar comigo sobre 'revolução', e eu não entendia, mas agora percebo que essa revolução significa tomar tudo dos camponeses e deixá-los nus e com fome." Na Ucrânia, um camponês se queixou: "Eles nos empurram para dentro dessas fazendas coletivas para sermos etenos escravos."[12] Muitas décadas mais tarde, Mikhail Gorbachev, o último secretário-geral do Partido Comunista da União Soviética e neto de *kulaks*, descreveu as fazendas coletivas como "servidão". Para que a lembrança de tais fazendas como "segunda servidão" perdurasse por tanto tempo, ela devia estar muito arraigada.[13]

Contudo, para algumas pessoas, o regime se tornou bem mais do que apenas um inimigo mundano comum. No passado, temores sobre apocalipse e sobre o fim do mundo varriam periodicamente os interiores russo e

190 A FOME VERMELHA

ucraniano, onde cultos religiosos e práticas de magia estiveram presentes por séculos. A Revolução de 1917 inspirou outra onda de mania religiosa. Ao longo da década de 1920, profecias horrendas eram comuns, assim como agouros e milagres. Na província de Voronezh, peregrinos se juntaram aos montes para ver árvores que, inesperadamente, haviam florescido: a "regeneração" delas era indício de que alguma novidade estava por vir.[14] Na Ucrânia, uma multidão se formou para presenciar um ícone enferrujado, em uma estrada de Kharkov, "ganhar vida", tomando cor e forma.[15]

Em 1929-30, alguns camponeses soviéticos, assustados com os ataques contra as igrejas e os sacerdotes, uma vez mais se convenceram de que a União Soviética era o Anticristo — e de que, como consequência, os administradores das fazendas coletivas eram seus representantes. Sacerdotes afirmaram a seus paroquianos que o Anticristo lhes retirava a comida, ou que ele tentava destruí-los.[16] Alinhados com essa crença, os camponeses rejeitavam as fazendas coletivas não meramente por razões materiais ou políticas, e sim espirituais: temiam a condenação eterna. O Estado atacava a Igreja; grupos de preces, cantos e serviços religiosos se transformaram em formas de oposição. Um servidor local registrou as palavras de um fazendeiro ucraniano: "Você será forçado a trabalhar nos domingos caso entre nas fazendas coletivas, [eles] marcarão sua testa e seus braços com o selo do Anticristo. Já começou o reinado do Anticristo, e entrar para essas fazendas é um grande pecado. Está escrito na Bíblia."[17] Membros da minoria católica na Ucrânia foram afetados pelo mesmo estado de espírito: no vilarejo de maioria étnica germânica de Kandel, o bispo local, Antonius Zerr, começou a fazer confissões e mesmo a ordenar padres em segredo, desafiando as leis antirreligiosas.[18]

Amparados pela fé e, por vezes, pela raiva ao terem suas posses roubadas, os camponeses foram ficando cada vez mais ousados. Em resposta às canções de propaganda soviética que escutavam repetidas vezes — canções com refrões como "Nossas cargas diminuíram! Nossas vidas são mais felizes!" —, eles começaram a compor letras próprias:

Vejam! Nossas safras que não conhecem limites ou medidas
Que crescem, amadurecem e chegam a se espalhar pelo chão.

REBELIÃO, 1930

Alastram-se pelos campos. (...) Enquanto os escoteiros vigilantes
Vêm para tomar conta das espiguetas que amadurecem do grão.[19]

Canções e poemas de resistência passavam de vilarejo a vilarejo. Segundo um morador da província de Dnipropetrovsk, certas vezes elas eram até impressas e grupadas em pequenos livretos.[20] O grafite fez também parte da resistência: um camponês ucraniano mais tarde se lembrou de inscrições rabiscadas nas paredes das casas: "Abaixo Stalin", "Abaixo os comunistas". Eram apagadas, mas reapareciam no dia seguinte. Dois homens acabaram presos como membros da "organização" que as produzia.[21]

O protesto também tomou a forma de fuga, não só do interior como da própria União Soviética. Já em janeiro de 1930, guardas capturaram três camponeses na província fronteiriça de Kamianets-Podilskyi tentando cruzar a fronteira polaco-ucraniana.[22] Um mês mais tarde, quatrocentos camponeses de diversos vilarejos caminharam para a fronteira gritando "Não queremos coletivos, vamos para a Polônia!". Ao longo do caminho, eles atacaram e espancaram quem quer que tenha se colocado em seu caminho, até que foram barrados pelos guardas de fronteira. No dia seguinte, outro aglomerado do mesmo grupo de vilarejos marchou de novo para a fronteira, berrando que pediriam ajuda aos poloneses. Eles também foram impedidos pelos guardas, dessa vez quando estavam a apenas quatrocentos metros do objetivo. A polícia secreta registrou diversas tentativas de invadir os estoques de grãos próximos à fronteira. Camponeses que viviam perto do país vizinho pareciam ter sido inspirados pela proximidade com a vida "normal" que eles levavam no outro lado.[23]

Inevitavelmente, esses protestos espontâneos, reuniões em igrejas e marchas para a fronteira deram lugar à violência organizada. Em toda a URSS — mas com quantidades bem mais significativas na Ucrânia —, pessoas prestes a perder seus bens e, possivelmente, suas vidas, resolveram solucionar o problema ao seu próprio jeito. Os arquivos do OGPU registraram o que ocorreu a seguir.

Na província de Sumy, treze *kulaks* pegaram as armas que haviam guardado da Guerra Civil, fugiram para as florestas e se tornaram *partisans*. Próximo a Bila Tserkva, na província de Kiev, outro ex-*partisan* organizava,

192 A FOME VERMELHA

segundo relatório da polícia secreta, um bando armado. Pasha Angelina, a motorista de trator que tanto se alegrara com a queda dos vizinhos *kulaks*, foi a primeira a sentir a violência:

> No verão de 1929, quando meu irmão, Kostia, minha irmã, Lelia, e eu caminhávamos para uma reunião do Komsomol no vilarejo vizinho de Novobesheve, alguém atirou em nós com uma espingarda de cano curto. (...) Jamais esquecerei como corremos, descalços, através do capim grosso, com nossos corações acelerados pelo medo.[24]

O OGPU reagiu de imediato a esses primeiros "incidentes terroristas". Por volta de 6 de fevereiro de 1930, apenas poucos meses após o lançamento oficial da coletivização, a polícia secreta já prendera 15.985 pessoas em toda a URSS por "atividade contrarrevolucionária" no interior. Dessa quantidade, cerca de um terço era de ucranianos. Entre 12 e 17 de fevereiro, a polícia secreta fez aproximadamente 18 mil prisões em toda a União Soviética. Os presos foram acusados de planejar levantes armados, de "recrutar" rebeldes entre os camponeses pobres e medianos e até de buscar contatos com os camponeses soldados do Exército Vermelho, com a finalidade de aliená-los do governo e convertê-los à causa *kulak*.[25]

Nenhuma dessas notícias foi capaz de convencer Stalin a abandonar a coletivização ou a reconsiderar se era mesmo uma boa ideia forçar os camponeses às fazendas coletivas, que eles detestavam. A situação parecia ainda estar sob controle. Não obstante, ele se preocupou o suficiente com os relatórios iniciais para abrandar um pouco a retórica da coletivização — com resultados inesperados.

"Zonzo com o sucesso." Foi esse o título de um artigo escrito por Stalin e publicado no *Pravda* de 2 de março de 1930. A frase podia muito bem ter sido tomada emprestada de Josef Reingold, o membro da Cheka que utilizou a mesma expressão em 1919 para interromper a repressão sangrenta dos cossacos do Don. Mas se insinuou ou não tal alusão, Stalin, por certo, não tencionou ironizar. "Zonzo com o sucesso" começou com longo tributo às grandes conquistas da coletivização. Não só a política funcionava

REBELIÃO, 1930

bem, declarou ele, como progredia melhor e mais rapidamente do que o esperado. A URSS já "ultrapassara" as metas do Plano Quinquenal para a coletivização, afirmou Stalin: "Mesmo nossos inimigos são obrigados a admitir que os sucessos são substanciais." Em apenas algumas semanas o interior já havia feito uma "mudança radical (...) em direção ao socialismo". Feitos extraordinários haviam sido conquistados — tantos que talvez fosse o caso de diminuir o ritmo da mudança. Porém, até as grandes conquistas sofrem reveses, alertou:

> Tais sucessos, por vezes, provocam um espírito de vaidade e arrogância. (...) As pessoas com frequência ficam intoxicadas com o sucesso, ficam zonzas com ele, perdem todo o senso de proporção e de capacidade para compreender realidades (...) tentativas aventureiras são feitas para resolver em um átimo todos os problemas da construção socialista. (...) Daí a razão para que o partido trave luta determinada contra tais sentimentos, que são perigosos e causam danos à nossa causa, para expeli-los do partido.[26]

A coletivização, lembrou Stalin, sem sinceridade, ao partido, pretendia ser "voluntária". Não deveria exigir força. Poderia não progredir uniformemente: nem todas as regiões seriam capazes de "coletivizar" no mesmo ritmo. Em função do enorme entusiasmo, ele receava que esses princípios tivessem sido esquecidos. Alguns excessos haviam ocorrido.

É claro, nem Stalin nem qualquer outra pessoa em Moscou assumiu a responsabilidade por tais "excessos", nem então, nem depois. Tampouco Stalin forneceu detalhes reais. Os assassinatos e espancamentos, as crianças deixadas nuas na neve — nada disso, naturalmente, foi mencionado. Em vez disso, Stalin transferiu a culpa por qualquer equívoco diretamente para os ombros de membros locais do partido, homens e mulheres dos círculos mais inferiores da hierarquia, que haviam ficado "zonzos com o sucesso e, por um momento, perderam a clareza do pensamento e a sobriedade da visão". Ele os ridicularizou por usarem linguajar militar — que era, evidentemente, eco do seu próprio — e condenou suas tentativas "estúpidas" de juntar diferentes tipos de fazendas no mesmo saco. Chegou até a censurá--los por terem removido os sinos das igrejas: "Quem se beneficia com essas

194 A FOME VERMELHA

distorções, com esse tratamento burocrático do movimento das fazendas coletivas, com essas ameaças indignas contra os camponeses? Ninguém, salvo nossos inimigos!"[27]

Por que Stalin escreveu esse artigo? Na época, a impressão foi de que ele lera os relatos da polícia secreta sobre a rebelião, a resistência e os ataques armados contra membros do partido. Ele devia também saber que pelo menos alguns integrantes da liderança do Partido Comunista na Rússia e na Ucrânia tinham dúvidas sobre a política. Embora esses críticos só viessem a se manifestar ostensivamente meses mais tarde, Stalin deve ter percebido potencial para uma reação contra ele na onda de uma fracassada ou caótica impulsão pela coletivização, portanto, buscou alguém para culpar. Os membros do partido pertencentes aos níveis mais inferiores da hierarquia — líderes locais e chefes dos vilarejos — eram alvos perfeitos: estavam distantes, eram praticamente desconhecidos e não detinham poder. O artigo visivelmente desviou para longe de Stalin a responsabilidade pelo que era, sem sombra de dúvidas, uma política desastrosa, e jogou-a sobre os ombros de um grupo social afastado de Moscou.

O artigo também tinha tom ostensivamente conciliador. Stalin parecia buscar uma interrupção, ao menos temporária, para os piores excessos de sua política. No rescaldo do artigo, algumas genuínas concessões também foram feitas: o Comitê Central, por exemplo, decidiu permitir que os camponeses mantivessem a vaca da família, algumas aves e hortas domésticas.[28] Entretanto, se esses gestos tiveram o propósito de parar a rebelião, o tiro saiu pela culatra. Longe de acalmar os camponeses, o "Zonzo com o sucesso" inspirou nova onda de insurreições e vasta resistência, armada ou não. Um funcionário batizou esse movimento de "Febre de Março", mas foi uma expressão enganosa: dava a entender que se tratava de doença passageira ou, talvez, de insanidade temporária. O que começou a ocorrer foi, de fato, mais profundo. "O que o Estado rotulou como febre", escreveu Lynne Viola, "foi, na realidade, massiva rebelião dos camponeses, embasada em causa e conteúdo."[29]

O impacto foi imediato. Por toda a URSS, servidores do partido leram e debateram o artigo de Stalin em reuniões partidárias e entre eles. No vilarejo de Myron Dolot, como em muitos outros, um ativista local leu "Zonzo

REBELIÃO, 1930

com o sucesso" em voz alta para alguns habitantes. Enquanto explicava que erros e excessos haviam sido cometidos, e que membros do partido tinham feito cálculos grosseiramente equivocados, "o público manteve-se em rigoroso silêncio". Então o ativista acrescentou opinião própria: os judeus do partido eram os culpados, não o partido em si. Tal explicação praticamente o isentava — assim como seus camaradas — de culpa. "O que aconteceu depois", escreveu Dolot, "foi uma rebelião espontânea". "Fora daí!", berrou um homem. "Estamos fartos de você!", gritou outro. "Fomos enganados! Vamos pegar nossos cavalos e gado de volta e levar para fora desta fedorenta fazenda coletiva antes que seja tarde!" Em uma corrida desordenada, os camponeses do vilarejo dispararam para pegar o gado, pisoteando uns aos outros no meio da escuridão. Cerca de vinte camponeses foram fuzilados no caos subsequente.[30]

Nos dias seguintes, levantes parecidos irromperam em toda a União Soviética e, em uns poucos casos, eles adquiriram novas camadas de sofisticação. De fato, os primeiros sinais de resistência, que tanto horrorizaram Balytsky em janeiro, tornaram-se, em março, abril e maio, um verdadeiro movimento. As rebeliões rapidamente se tornaram organizadas — algumas vezes, muito bem organizadas —, assumindo um caráter político muito mais óbvio. Homens e mulheres de toda a URSS, em especial e em maiores quantidades na Ucrânia, atacaram, espancaram e assassinaram ativistas na primavera de 1930. Planejaram e executaram invasões a depósitos e vagões carregados de grãos. Arrebentaram cadeados, roubaram cereais e os distribuíram pelos vilarejos. Incendiaram propriedades coletivas e soviéticas. Agrediram "colaboradores". Em um dos vilarejos, aqueles que "não estavam satisfeitos com o regime (...) atearam fogo em casas de ativistas [nas fazendas coletivas]".[31] O ativista que havia se "vestido com roupa de sacerdote" e pisoteado todo o altar repleto de ícones fora encontrado morto em uma valeta no dia seguinte.[32]

Houve pouca piedade com as vítimas. Um homem, integrante de uma banda que fazia apresentações locais, lembrou-se de ter sido convocado para tocar no funeral de membros dos "Vinte e Cinco Mil" mortos pelos camponeses. "Para nós, eram eventos felizes, porque, a cada vez que alguém era assassinado, nos levavam ao vilarejo, nos davam alguma comida e íamos tocar no funeral. E ficávamos ansiosos pelo próximo enterro, porque isso significava comida para nós."[33]

Alguns dos protestos mais raivosos tomaram a forma de *babski bunty*, expressão que literalmente significa "revoltas de mulheres", embora a palavra *baba* também tenha a acepção não apenas de mulher, e sim de mulher camponesa, além de implicar certa dose de rudeza e irracionalidade. Mulheres já haviam promovido antes, em 1927 e 1928, revoltas na URSS; mas foram levantes focados na escassez de alimentos, sem conotações políticas. Segundo um agente da polícia secreta que escrevera sobre essas revoltas anteriores: "Naquele tempo, manifestações com a participação de mulheres não tinham, em geral, nenhum tipo definido de característica antissoviética: punhados, ou mesmo aglomerados, de mulheres se juntavam à frente de uma organização do Estado ou cooperativa, demandando pão."[34]

Na primavera de 1930, as incipientes exigências das mulheres camponesas se transformaram em igualmente rudimentares ataques aos homens que haviam confiscado seus bens. Multidões de mulheres cercaram ativistas, funcionários soviéticos e até dignitários em visita, demandando a devolução de suas propriedades. Gritavam palavras de ordem, entoavam canções e disparavam ameaças. Outras partiam para a ação. Em um vilarejo ucraniano, uma menina observou sua mãe, junto com outras "mulheres famintas", quebrando cadeados de depósitos e pegando grãos estocados; servidores locais, intimidados pelos bandos de mulheres, convocaram funcionários do partido e membros do Komsomol para ajudarem a prendê-las e a recuperar os cereais. Elas ficaram encarceradas por duas semanas.[35] Em outro vilarejo ucraniano, um menino viu ativistas irem de casa em casa requerendo artigos em nome da fazenda coletiva. Em reação, um grupo de mulheres invadiu a fazenda e exigiu tudo de volta: "Uma mulher pega seu arado; outra, seu cavalo; uma terceira, a vaca." Soldados, ou possivelmente agentes da polícia secreta — o memorialista não sabe ao certo —, "surgem e expulsam as mulheres da fazenda (...) todos os itens confiscados, implementos agrícolas e cavalos, passam a fazer novamente parte da fazenda coletiva".[36] No começo de março de 1930, aproximadamente quinhentas mulheres de etnia germânica de três diferentes vilarejos passaram uma semana fazendo manifestações,

REBELIÃO, 1930   197

demandando das fazendas coletivas a devolução de suas propriedades, e impedindo que as fazendas funcionassem.[37]

Por vezes, os grupos iam além. O próprio OGPU reportou um incidente na província de Mariupol, na Ucrânia, que começou quando uma "turba" de trezentas mulheres invadiu o conselho do vilarejo e exigiu as chaves da porta da igreja, que fora transformada em prédio administrativo. As mulheres então gritaram que Naumenko, chefe do soviete local, havia invadido a residência de um membro do conselho da igreja. Quando ele negou, "as mulheres sentaram-no em uma carroça (*tachanka*) e o levaram à força para a casa do paroquiano, onde ficou decidido que o chefe de fato praticara a ação. O grupo resolveu então realizar um julgamento improvisado".

As mulheres forçaram Naumenko a assinar um documento prometendo soltar o religioso — e então tentaram a prisão cidadã de um servidor local do partido, Filomynov. Elas ridicularizaram publicamente os dois funcionários, cuspindo nos olhos e no rosto de ambos, chamando-os de "bandidos, ladrões e Guardas Brancos". Os homens só foram soltos com a intervenção do OGPU. Por diversos dias depois disso, multidões armadas com porretes e pedaços de pau continuaram a se reunir na frente das repartições administrativas, fazendo as mesmas exigências de devolução de suas propriedades. A rebelião foi finalmente reprimida e as camponesas, "pacificadas". Porém, ninguém acreditou que o Estado soviético tivesse vencido.[38]

Os incidentes foram numerosos. No fim de março de 1930, o OGPU havia contabilizado cerca de 2 mil protestos "de massa", a maioria promovida exclusivamente por mulheres, só na Ucrânia.[39] No Congresso do Partido da Ucrânia, realizado no verão de 1930, diversos oradores fizeram referências ao problema. Kaganovich, não mais chefe do partido, mas ainda muito interessado nas questões ucranianas, declarou que as mulheres haviam desempenhado o "mais 'avançado' papel na reação contra as fazendas coletivas".[40] O OGPU explicou tal fenômeno, é claro, como prova da influência dos "elementos *kulaks*-antissoviéticos" sobre suas esposas e filhas ignorantes. Mais trabalho de agitação e propaganda entre as camponesas certamente resolveria o problema.[41]

O OGPU também suspeitava de que as mulheres protestassem justamente porque sabiam ter poucas chances de serem presas. Talvez estivessem certas:

mesmo sem ter homens ao lado, as mulheres podiam atacar autoridades — até fisicamente — com bem menos medo de retaliações. Os protestos de mulheres também ofereciam uma forma "legítima" de adesão dos homens: se ativistas chegassem para combater as camponesas, então os homens do vilarejo podiam entrar na rixa, alegando que defendiam a honra de suas esposas, mães e filhas.

Nem todos eles precisavam de um pretexto. Na história recente, muitos homens ucranianos haviam pegado em armas contra mandantes odiados. Como o fizeram durante a Guerra Civil, alguns começaram a se organizar em unidades *partisans*. Como um deles lembrou: "Disparos de fuzis eram ouvidos à noite. Grupos de *partisans* operavam fora das florestas. Era um típico levante de camponeses. O soviete do vilarejo foi destruído. Chefes do soviete ou fugiram ou correram o risco de serem mortos."[42] Muitos comunistas locais não conseguiram escapar e foram sumariamente executados.

A violência foi real e generalizada. Documentos soviéticos de 1930 contabilizaram 13.794 "incidentes de terror" e 13.754 "protestos em massa", entre os quais a maioria ocorreu na Ucrânia e foram causados, segundo o próprio OGPU, pela coletivização e pela deskulakização.[43] Os registros locais da polícia secreta na Ucrânia são mais emotivos e mais precisos quanto às rebeliões em seu território. A despeito de tentativas anteriores de confiscar armas, eles observaram que os camponeses ainda as tinham: espingardas de caça e fuzis, mantidos estocados desde a Guerra Civil, assim como lanças e porretes. Na primavera de 1930, eles começaram a utilizar essas armas de maneira coordenada. Balytsky não tinha dúvida de que testemunhava o mesmo tipo de "atividade antissoviética" que havia ocorrido no passado recente da Ucrânia. "Os ativistas *kulaks* contrarrevolucionários não interromperam sua luta", declarou ele, "em vez disso, estão fortificando suas posições". Entre 20 de janeiro e 9 de fevereiro, seus homens prenderam 11.865 pessoas, incluindo membros de "organizações e grupos contrarrevolucionários", pessoas que se preparavam para executar a "revolução armada", bem como aquelas que poderiam se tornar "os ideólogos" de tal revolução. Quem tivesse relações com o estrangeiro — em especial com a Polônia — era suspeito, porque poderia receber "ajuda ativa" vinda de fora. A polícia secreta também manteve o foco em quem falasse qualquer

REBELIÃO, 1930

coisa que soasse como um slogan "chauvinista ucraniano" ou *petliurista*, e identificou três importantes grupos de tais ativistas nas províncias de Dnipropetrovsk, Kharkov e Kremenchuk, todos centros importantes nos embates da Guerra Civil.[44]

Em meados de março, a situação piorou. No dia 9 daquele mês, Balytsky reportou "manifestações em massa" em dezesseis distritos da Ucrânia. A maioria delas já havia sido "pacificada" quando o relatório foi entregue, mas no distrito de Shepetivka, na parte oeste do país, "elementos antissoviéticos e criminosos", alguns em grupos de trezentos a quinhentos integrantes, haviam se armado com espingardas, armas de caça com canos serrados e machados. Os camponeses de Shepetivka combatiam desde fevereiro, quando o próprio Balytsky chegou ao distrito. Por ordens suas, o OGPU trouxera unidades de cavalaria, armadas com metralhadoras e apoiadas por guardas de fronteira e milicianos.[45] Balytsky alegou que o OGPU acabara com a gangue, mas eles haviam assassinado um líder do Komsomol e mantinham refém outro deles; ele temia que a gangue tivesse feito contato com outro bando armado de distrito vizinho.[46] Poucas semanas decorridas depois da publicação do "Zonzo com o sucesso", a rebelião parecia muito perto de fugir ao controle.

Na consulta dos documentos arquivados a respeito das rebeliões de 1930, nem sempre é fácil separar fatos da ficção. Quão organizada foi, na realidade, a dissensão? Quantas vezes os policiais secretos inventaram conspirações onde nenhuma existia? Quantos foram os movimentos nacionalistas por eles "descobertos"? Em que medida eles "criavam" um problema que poderiam, mais tarde, alegar terem resolvido? O OGPU, afinal, havia inventado o fictício SVU apenas um ano antes. Poucos anos mais tarde, policiais soviéticos secretos "arquitetariam" centenas de milhares de acusações falsas no decorrer do Grande Terror de 1937-38.

Os relatos arquivados da rebelião de 1930 por vezes soam deliberadamente "adornados", como se o OGPU procurasse mostrar a Moscou que seguia religiosamente suas ordens. Em fevereiro de 1930, por exemplo, o OGPU conduziu uma operação contra os "Guardas Brancos-*kulaks* contrarrevolucionários e elementos bandidos" em toda a União Soviética, mais uma vez prendendo a maior parcela na Ucrânia, onde identificaram 78 células individuais de "ativistas antissoviéticos". Entre as mais sérias estava a "Petliurivska", bandidos que eles acreditavam estar organizando um levante armado no distrito de Kremenchuk, na Ucrânia Central, marcado para a primavera de 1930. Identificaram seu líder, "Manko" — nome suspeitosamente parecido com "Makhno" — como "ex-subordinado de Petliura, que entrara ilegalmente na Ucrânia, cruzando a fronteira polonesa em 1924.

O relatório da conspiração citou Manko: "Quando as autoridades do Estado conduzirem a coletivização, elas garantirão sua influência sobre as massas, estarão com olhos atentos para todos os cantos e, em consequência, será difícil abordá-las; nossos esforços organizacionais causarão o fracasso do levante." Dizia-se também que o grupo havia "estabelecido como "objetivo a criação de uma Ucrânia independente com base no direito de propriedade privada da terra" e na preservação da classe dos cossacos. Supostamente, Manko pretendia lançar um ataque contra Kremenchuk começando com incêndios na periferia da cidade e tomando a estação de trem e os escritórios do telégrafo.[47]

Acreditava-se que outros grupos teriam metas semelhantes. Alguns, era dito, ligavam-se entre si; outros estariam semeando ideias traidoras dentro do Exército Vermelho. Ainda outro grupo, nos distritos ocidentais da Ucrânia, havia criado uma organização "kulak-petliurista" que, supostamente, conduzia "agitação contrarrevolucionária" e espalhava também "boatos provocadores". O mesmo relatório registrava a prisão de 420 membros de "organizações e grupos contrarrevolucionários" em regiões do norte do Cáucaso, em apenas cinco dias, bem como prisões em áreas do Volga.[48] O próprio Balytsky registrou sua visita ao distrito de Tulchyn na primavera de 1930, onde encontrou rebeldes armados, trincheiras no entorno dos vilarejos e camponeses gritando "Abaixo os sovietes" e cantando "A Ucrânia ainda não morreu", hino da República Popular da Ucrânia na época da Rada Central.[49]

O tom dessas narrativas pode parecer exagerado e histérico. Todavia, tanto as provas documentais como as das memórias mostram que, realmente, nem todos esses movimentos foram inventados. Houve violência genuína, organizada e de caráter nacionalista. Em diversos locais, ela foi armada e contagiosa, espalhando-se de vilarejo em vilarejo à medida

REBELIÃO, 1930

que os camponeses ganhavam confiança com as ações e os slogans de seus vizinhos.

Em meados de março de 1930, para citar um caso, uma série de vilarejos do distrito de Tulchyn efetivou protestos, um atrás do outro. Os relatórios arquivados são claros: camponeses gritavam "Não queremos líderes que roubam os camponeses!" e "Abaixo os comunistas, que estão levando o país ao desastre!". Quando não matavam as autoridades locais, os rebeldes os expulsavam das repartições. Em 343 vilarejos, os camponeses elegeram os próprios *starostas*, os tradicionais anciãos, e se recusaram a cooperar com os comunistas.[50] Em muitos lugares, eles também despediram os professores soviéticos, baniram cooperativas e anunciaram o retorno do livre-comércio. Alguns camponeses começaram a falar sobre organizar resistência armada e outros distribuíram panfletos, que o OGPU descreveu sombriamente como tendo um "caráter antissoviético". Em uma das reuniões, a plateia conclamou pela devolução das propriedades aos *kulaks* e pela liquidação das fazendas coletivas. Em diversas ocasiões, os rebeldes teriam cantado o hino nacional. A vitória em Tulchyn teve vida curta: o OGPU culpou os *petliuristas* e solicitou "providências operacionais". A província foi diligentemente dividida em setores, e cada um deles foi designado para determinada unidade armada de cavalaria do OGPU.[51] Balytsky disse a um camarada que fora instruído pelo próprio Stalin para "não fazer discursos e agir decisivamente".[52]

Em diversos lugares, as rebeliões não foram apenas genuinamente políticas, mas também autenticamente lideradas por pessoas que haviam desempenhado algum papel nos levantes de camponeses, no movimento nacional ucraniano ou na Guerra Civil. Esse foi o caso em Pavlohrad, distrito da província de Dnipropetrovsk, no leste da Ucrânia, cuja rebelião armada já foi extensivamente documentada.[53] Mesmo antes da "Febre de Março", as autoridades já esperavam violência em Pavlohrad, cidade originalmente fundada como base cossaca. No século XIX, um dos vilarejos daquele distrito participou de revolta contra o gentio local; em 1919; grande parcela do distrito apoiou Makhno.[54] Antevendo violência depois da coletivização, a polícia local, em fevereiro de 1930, prendeu 79 pessoas e executou 21 delas por planejarem rebelião.

202 A FOME VERMELHA

Mesmo depois disso, diversos líderes de Pavlohrad com experiência militar prévia ainda desejavam resistir. Em março de 1930, Kyrylo Shopin, ex-soldado do exército do *hetman* Skoropadsky, escapou da prisão e começou a vagar pela região. Foi de vilarejo em vilarejo encorajando camponeses à revolta. Alguns do quais, no fim, se juntariam a ele haviam previamente combatido por Petliura ou Makhno.

Os esforços de Shopin deram resultado no início de abril, quando representantes dos vilarejos das redondezas se reuniram em Bohdanivka e começaram a planejar o levante. Muitos dos presentes haviam perdido suas posses durante a coletivização e eram, em parte, motivados pela crença de poder reavê-las. Mas eles também tinham objetivos políticos e usaram lemas neste sentido: "Abaixo o poder soviético" e "Vamos lutar por diferente tipo de liberdade". Depois da primeira reunião do grupo, foram formadas pequenas células rebeldes, algo caóticas, ao redor do campo vizinho. Em 4 de abril, muitos de seus membros foram chegando a Osadchi, pequeno arraial perto de Bohdanivka, na esperança de se juntar à revolução e receber armas.

Precauções foram tomadas: os rebeldes concordaram que, caso a revolução fracassasse, todos deveriam alegar terem sido forçados a dela participar contra sua vontade. Os líderes tentaram cooptar os soldados da milícia do distrito de Pavlohrad, na esperança de engrossar suas fileiras. Traçaram um plano: avançar sobre a cidade, conseguir armamento, usá-lo para atacar Dnipropetrovsk e, finalmente, conquistar o restante da Ucrânia. Da documentação — interrogatórios, investigações, lembranças, relatos escritos depois — parece claro que os participantes do levante de Pavlohrad estavam convencidos de que poderiam sair vitoriosos. Por toda a Ucrânia, disseram uns aos outros, camponeses maltratados se ergueriam e se juntariam a eles.

Em 5 de abril, teve início a rebelião em Osadchi, onde mataram ativistas locais e membros do soviete. Depois, se deslocaram rapidamente para os vilarejos próximos, e outros revoltosos se juntaram a eles. Chegando a Bohdanivka ao meio-dia, tocaram os sinos da igreja, assumiram o controle de uma ponte estratégica e começaram o combate contra a milícia. No decorrer do dia, os insurgentes mataram dezenas de figuras do governo, incluindo membros do partido e do Komsomol, conselheiros do vilarejo e outros. Pelo fim do dia, conseguiram cortar as linhas telefônicas, mas, então, já

REBELIÃO, 1930

era tarde: o chefe do conselho do vilarejo já havia entrado em contato com Pavlohrad solicitando socorro.

A milícia de Pavlohrad, que não atendera ao chamado dos rebeldes para se juntar à rebelião, chegou à noite. Os camponeses manifestantes recuaram, porém, no meio-tempo, outro grupo de insurgentes tomara o conselho e prédios de repartições de vilarejo próximo, Ternivka. Finalmente, em 6 de abril, uma unidade armada do OGPU chegou a Bohdanivka vinda de Dnipropetrovsk — duzentos homens, 58 montados a cavalo. Balytsky lhes repassara ordens explícitas, usando a linguagem mais forte possível: "Liquidem esses bandos de contrarrevolucionários."

No fim, a batalha não durou mais que dois dias. Apesar de os insurgentes terem matado dezenas de figuras do governo, incluindo membros do Komsomol e do partido, conselheiros e outros, o exército de camponeses nunca teve chance real de vencer. Em sua maioria líderes analfabetos, eles não entendiam de comunicações nem de logística, além de não contarem com armamento suficiente. Foram facilmente sobrepujados, presos e fuzilados. Treze deles morreram, e um punhado ficou gravemente ferido.

Mais de trezentos revoltosos foram presos, dos quais 210 acabaram condenados em um julgamento que, diferentemente daquele do SVU, foi estritamente fechado ao público: o partido não poderia correr o risco de encenar uma "farsa judicial" para uma rebelião genuína. As testemunhas poderiam não ser tão facilmente manipuladas, a história poderia não ser recontada de maneira a esconder o que realmente havia ocorrido: camponeses pobres, liderados por homens com verdadeiro histórico militar, haviam pegado em armas contra o Estado. Nem poderiam os sobreviventes continuar vivos para contar a história real. Em 20 de maio, 27 deles foram executados.

A rebelião de Pavlohrad foi extraordinariamente brutal, mas não foi única. Em março, o OGPU também foi surpreendido por um levante na província de Kryvyi Rih, no leste da Ucrânia, uma região que tivera o recorde de "quase cem por cento" de coletivização e era considerada dócil. Embora as prisões e deportações tivessem sido "acompanhadas por um fenômeno negativo", de acordo com relatório do OGPU, a deskulakização fora apoiada com entusiasmo por camponeses pobres e medianos.

204   **A FOME VERMELHA**

Contudo, uma "mudança no estado de espírito" se seguira às ordens de confisco de grãos, às vésperas da estação de semeadura da primavera. Um camponês local foi ouvido dizendo que a requisição significava que "todo o pão será levado da Ucrânia, e ficaremos sem nada". Em outro vilarejo alguém expressou o receio de que "eles vão tirar nosso último grão e deixar os camponeses passando fome". Seguindo-se ao "Zonzo com o sucesso" de Stalin, os agentes do OGPU jogaram a culpa do mau humor no entusiasmo em excesso dos funcionários de Kryvyi Rih, que fizeram pressão sobre camponeses que não eram *kulaks*. Um grupo de servidores havia, supostamente, confiscado "roupas sujas" de um camponês miserável e ainda exigira dele leite e banha de porco para sua brigada; outros haviam arrombado as portas das cabanas de camponeses, despido os moradores e jogado-os na rua. Em reação, um grupo de mulheres se juntou em torno de um ativista local do partido e gritou que Stalin dissera que as fazendas coletivas deveriam ser compostas "voluntariamente". Outras organizaram petições exigindo suas terras de volta, ou correram para as fazendas para reaver seus equipamentos e gado.

Outros camponeses foram além em suas demandas. "Sob a influência de agitação *kulak* e antissoviética", reportou o OGPU, camponeses do vilarejo de Shyroke fizeram uma "série de exigências políticas contrarrevolucionárias". Por fim, em 14 de março, uma multidão de aproximadamente quinhentos homens e mulheres cercaram o prédio da administração local e demandaram o retorno dos cereais, a dissolução do Komsomol, a restituição de propriedade confiscada ou forçosamente "doada" ao coletivo e do dinheiro pago em multas às autoridades locais.[55]

Mais uma vez, a documentação deixa claro que todas essas rebeliões, em Tulchyn, Pavlohrad, Kryvyi Rih e outros locais, foram reais. Elas representaram uma reação organizada à política extremamente odiada, bem como à violência usada para reforçá-la; algumas das pessoas que lideraram as insurreições foram, sem surpresa, aquelas que se opuseram ao mando soviético desde o início.

Porém, mesmo que as rebeliões tivessem sido reais, as explicações do OGPU quanto às suas fontes e influência são difíceis de acreditar. Os agentes da polícia secreta na União Soviética de Stalin não podiam dizer aos

REBELIÃO, 1930

superiores que sua política estava fracassando, ou que os honestos cidadãos soviéticos se opunham a ela por razões compreensíveis. Em vez disso, eles tiveram que acusar a influência de inimigos de classes e estrangeiros, inventando ou exagerando relações e conexões. O relatório de Kryvyi Rih, por exemplo, atribuiu toda a violência a "elementos antissoviéticos, *kulaks* e parentes de *kulaks*": Karpuk, um "refugiado da Polônia"; Lisohor, irmão de um *kulak* exilado; Krasulia, fabricante de botas e, portanto, homem de posses.[56] Todos eles integravam categorias suspeitas: pessoas com conexões internacionais, com membros da família previamente presos e com qualquer tipo de propriedade.

Repetidas vezes, agentes também buscaram justificativas para a força dos levantes na história das províncias, chamando atenção específica para as rebeliões de 1918-20. A certa altura, o OGPU designou determinado grupo de servidores para operar em diversos distritos, citando o "significado político especialmente importante das zonas fronteiriças e do passado histórico dessas regiões". Entre elas, estavam os distritos de Volyn, Berdychiv, Mogilev, Vinnytsia, Kamianets e Odessa, todos locais de acirrados embates na década passada.[57] Balytsky registrou em outro documento o cuidado particular a ser tomado em certa região porque era território da "gangue Zabolotny", uma das unidades *partisans* formadas durante a Guerra Civil.[58]

Essa obsessão com a Guerra Civil não ocorria só na Ucrânia. Ela se espalhava para incluir o norte do Cáucaso, onde as autoridades soviéticas também atribuíam a resistência violenta à coletivização aos nacionalistas cossacos e ucranianos. Espraiava-se também pela Sibéria e pelos Urais, onde a polícia secreta tinha como alvo "ex-oficiais da Guarda Branca". A oposição à coletivização na Ásia Central, Cazaquistão, Tartaristão e Bashkiria foi imediatamente vista como contrarrevolução antissoviética — de novo, não sem razão. Na região de Fergana, na Ásia Central, tropas do Exército Vermelho chegaram para pacificar o movimento guerrilheiro Basmachi. Embora tivesse sido reprimido poucos anos antes, o movimento ressurgiu com a raiva pela coletivização. Embates violentos também se seguiram à coletivização nas repúblicas autônomas caucasianas da Chechênia e do Dagestão.[59]

No entanto, a força do nacionalismo nas cidades da Ucrânia tornou a ira do campo mais perigosa. Em 1930, analistas do OGPU voltaram repetidas

206 A FOME VERMELHA

vezes ao tema dos contatos campo-cidade e aos vínculos entre intelectuais e camponeses previsto em 1929. Alguns desses contatos podem ter sido reais; outros foram claramente inventados. Em 21 de março, Balytsky enviou relatório para Stanislav Kosior, secretário-geral do Partido Comunista da Ucrânia, e para Yagoda, então chefe do OGPU: em um vilarejo do distrito de Vinnytsia, ele descobrira um elo entre líderes do levante local e o SVU. Supostamente, um rebelde de lá declarara: "Depois da liquidação do SVU, é necessário trabalhar segundo outros métodos — incitar as massas ignorantes à revolta." Outros membros do SVU foram "descobertos" em Vinnytsia nos dias subsequentes. Balytsky congratulou-se por revelá-los e, de fato, por predizer a influência do SVU — uma organização que ele criara. As células, escreveu ele, "confirmam corretamente os fortes vínculos com os ativos quadros da contrarrevolução rural e as expectativas do SVU quanto a um levante em 1930-31". Ele deu tapinhas nas próprias costas: "Foi apenas a oportuna liquidação do SVU que desmantelou as lascas da organização, forçando-os a agir à custa de seus próprios temores e riscos." Talvez tenha sido assim que Balytsky escapou das críticas pelo fracasso em interromper os levantes rurais: se ele não tivesse estilhaçado o inexistente SVU ucraniano, a situação poderia ter piorado.[60]

Durante os meses seguintes, a polícia manteve-se à procura de novas e não descobertas conspirações. Mesmo após o SVU ter sido, supostamente, cercado, o OGPU ainda antevia "o fortalecimento dos laços entre elementos contrarrevolucionários na cidade e no campo", alegando que ampla gama de organizações rurais tinha suas sedes nas cidades. Contrarrevolucionários urbanos estavam, supunha-se, perambulando pela Ucrânia; nas províncias ocidentais da república, "um leque de organizações contrarrevolucionárias (principalmente *petliuristas*), liquidadas na Ucrânia, (...) tinha fortes ligações com a Polônia".[61]

A busca por SVU e *petliuristas* avançaria até o fim da década. Em retrospecto, está claro que 1932 e 1933 foram realmente o início da grande onda de terror que atingiu seu auge na URSS em 1937 e 1938. Todos os elementos do "Grade Terror" — a suspeita, a propaganda histérica, as prisões em massa realizadas de acordo com esquemas de planejamento centralizado — já eram empregados na Ucrânia às vésperas da fome. Na

REBELIÃO, 1930 207

verdade, a paranoia de Moscou em relação ao potencial contrarrevolucionário da Ucrânia continuou depois da Segunda Guerra Mundial, e chegou às décadas de 1970 e 1980. Ela foi repassada de geração em geração, de agentes da polícia secreta, do OGPU para a NKVD e para a KGB, bem como para as sucessivas gerações de líderes do partido. Talvez tenha até ajudado a moldar o pensamento da elite pós-soviética, bem depois de a URSS ter deixado de existir.

CAPÍTULO 7

A coletivização fracassa, 1931-32

"Podemos perder a Ucrânia..."

Stalin para Kaganovich, agosto de 1932[1]

A polícia secreta triunfou. Embora os protestos desacelerassem o progresso da coletivização, o Estado reagiu com prisões, deportações e repressões em massa. O Partido Comunista esperou — depois pisou no acelerador. O linguajar conciliador de Stalin no "Zonzo com o sucesso" não passou disto: um modo de falar. As mesmas políticas continuaram e se tornaram mais rigorosas.

Em julho de 1930, apenas poucos meses depois dos raivosos protestos da "Febre de Março", o próprio Politburo estabeleceu novas metas: até 70% dos lares nas principais regiões produtoras de grãos, a Ucrânia entre elas, deveriam estar reunidos em fazendas coletivas até setembro de 1931. Em dezembro de 1930, ansiosos para provar seu entusiasmo, os membros do Politburo alçaram essa mesma meta para 80% dos lares.[2] Uma resolução do Comitê Central confirmou mais uma vez que em certas regiões — Ucrânia, norte do Cáucaso, baixo e médio Volga — a concretização desse objetivo teria que requerer a "liquidação dos *kulaks* como classe".[3]

Ao longo de toda a semeadura do outono seguinte e das colheitas de inverno e, mais uma vez, durante a semeadura da primavera e a colheita do verão — a

210   A FOME VERMELHA

pressão sobre os camponeses continuou. Os impostos sobre camponeses que permaneceram nas próprias terras continuaram elevados. As deportações para os campos de rápida expansão do *Gulag* se tornaram maiores. A falta de alimentos se tornou permanente. No verão de 1930, relatórios da polícia secreta identificaram os primeiros sinais de fome, enquanto as pessoas, mais uma vez, passavam a padecer de doenças causadas pela inanição. Um motorista, enfraquecido pela fome, caiu de seu trator em um vilarejo da Ucrânia; em outro vilarejo, as pessoas começavam a inchar pela ausência de alimentos. No curso de poucos meses, cerca de 15 mil camponeses do norte do Cáucaso abandonaram suas fazendas em busca de trabalho nas cidades. Na Crimeia, pessoas comiam carne de cavalo e ficavam doentes.[4]

Ameaçados pela violência e temerosos da fome, centenas de milhares de camponeses, enfim, entregaram suas terras, seus animais e suas máquinas para as fazendas coletivas. Mas não foi por terem sido forçados a se mudar que se transformaram em entusiastas fazendeiros coletivos da noite para o dia. Os frutos de seu trabalho não eram mais deles. Os grãos que semeavam e colhiam eram confiscados pelo Estado.

A coletivização também significava que os camponeses haviam perdido a capacidade de decidir sobre o destino deles. Como os servos do passado, eles foram forçados a aceitar um status legal especial, inclusive controle sobre seus movimentos: todos os fazendeiros coletivos, *kolkhozniks*, tiveram, no fim, que obter permissão para trabalhar fora do vilarejo. Em vez de decidirem quando colher, semear e vender, os *kolkhozniks* tinham que seguir as ordens dos representantes locais do poder soviético. Eles não ganhavam salários comuns, mas eram pagos em *trudodni*, ou salários do dia, que, muitas vezes, significava pagamento em bens de consumo — cereais, batatas e outros produtos — no lugar de dinheiro. Em suma, os camponeses perderam a capacidade de se autogovernarem, enquanto os chefes das fazendas coletivas e seus entourages substituíam os tradicionais conselhos dos vilarejos.

Em consequência, homens e mulheres que até bem pouco tempo haviam sido camponeses autossuficientes agora trabalhavam o mínimo possível. A maquinaria não tinha manutenção agendada e bem-feita, por isso os implementos enguiçavam a toda hora. Em agosto de 1930, cerca de 3.600 tratores dos 16.790 da Ucrânia precisavam de reparos. E a culpa era cinica-

A COLETIVIZAÇÃO FRACASSA, 1931-32

mente lançada sobre a "luta de classe" e os "baderneiros" que, supostamente, sabotavam os equipamentos das fazendas.[5]

Mesmo quando os camponeses de fato plantavam e cultivavam a terra, em geral faziam seu trabalho sem o zelo e entusiasmo que haviam demonstrado no passado. As fazendas coletivas produziam bem menos do que podiam e deviam. Todos tentavam tirar do coletivo o máximo possível: afinal de contas, os grãos do Estado não "eram de ninguém". Homens e mulheres, que nunca haviam cogitado roubar, agora não tinham o menor escrúpulo em se apossar de bens de organizações do Estado, das quais ninguém era dono ou respeitava. Essa forma de "resistência diária" não era exclusiva do campesinato.[6] Trabalhar o mínimo possível, apossar-se de propriedade pública, não tomar cuidado com equipamentos e máquinas pertencentes ao governo — esses eram os métodos pelos quais trabalhadores soviéticos de todos os tipos, que ganhavam mal, eram mal alimentados e viviam desmotivados, se entendiam.

Camponeses também continuaram a abandonar as fazendas coletivas para trabalhar nas cidades — o OGPU citou um deles dizendo "é impossível tolerar mais isso". Eles dividiam a terra ou os grãos colhidos entre eles em vez de os partilharem com outros. Em alguns locais, as autoridades observaram que *kulaks* expulsos de suas fazendas juntaram-se para formar o que ficou conhecido como "coletivos *kulaks*". Trabalhando juntos, eles "tentaram ganhar a simpatia da população local e demonstrar sua superioridade em relação às outras fazendas coletivas". Isso também foi visto como forma de atividade antissoviética.[7]

Ataques a lojas e depósitos de grãos também continuaram. Em maio de 1930, uma multidão de milhares de pessoas — em sua maioria, mulheres — de fora de Odessa enxamearam a cidade e atacaram diversas lojas de propriedade estatal, inclusive um restaurante. Policiais montados foram enviados para restaurar a ordem, e diversas prisões foram feitas. A agitação foi suficientemente significativa para aparecer nos relatórios dos cônsules turco e japonês da cidade — e tais relatórios foram significativos o bastante para alarmar o OGPU. Embora a polícia tenha reagido de imediato, o japonês observou: "O clima geral em Odessa permanece agitado."[8]

212   A FOME VERMELHA

Não obstante, o verão de 1930 pareceu, do ponto de vista de Moscou, marcar um momento de vitória. Malgrado as evidências de sofrimento e os relatos de caos, a ilusão de que a coletivização ainda seria um "sucesso", zonzo ou não, persistiu até o fim daquele ano. Muitos são os questionamentos sobre as quantidades publicadas para tal ano — e na verdade, para os anos subsequentes —, se seriam reais, falsificadas ou simplesmente erradas. Mas não há dúvida de que o Estado alegou, e Stalin parece ter acreditado, que 1930 foi um ponto alto. As estatísticas oficiais decretaram que 83,5 milhões de toneladas de cereais foram colhidas em 1930, notável aumento em relação a 1929 — um ano de fome e clima desfavorável —, quando a produção fora de 71,7 milhões de toneladas.[9] Convencido de que a coletivização era então o caminho do sucesso, o Kremlin tomou aquela que viria a se tornar uma decisão insensível e desastrosa: aumentar a exportação de grãos, bem como de outros produtos, em troca de moeda forte.

É claro que a exportação de cereais não era novidade. Como já foi visto, em 1920, os bolcheviques admitiram que grãos eram itens seguros de ser exportados para o Ocidente, pois não havia interação com "capitalistas".[10] Tampouco eram a única fonte de moeda forte. Boas receitas eram também conseguidas com a venda de obras de arte, mobília, joias, ícones e outros objetos confiscados da "burguesia" e da Igreja. Em julho de 1930, o Estado também inaugurou a *Torgsin*, cadeia de lojas de moedas fortes (palavra derivada de *torgovlia s inostrantsami*, "comércio com estrangeiros"), originalmente criada para atrair visitantes de fora proibidos de gastar suas moedas em outros locais e, mais tarde, acessível aos cidadãos soviéticos. Os artigos dessas lojas estavam disponíveis aos que tivessem moedas de ouro da era tsarista; durante a fome, elas se tornariam meio de sobrevivência dos camponeses que as haviam economizado, como também para os que tinham objetos de ouro ou até moedas estrangeiras a eles transferidas por parentes do exterior.[11]

Porém, os grãos continuavam sendo as exportações mais lucrativas, em particular depois que o comércio de madeira enfrentou problemas; relatórios (acurados) de que a exploração soviética da madeira era fruto de trabalho de prisioneiros provocou boicotes de diversos países ocidentais. O nível das exportações de cereais, dessa maneira, cresceu ao longo da década de 1920.

A COLETIVIZAÇÃO FRACASSA, 1931-32

A Inglaterra comprou 26.799 toneladas de trigo da URSS em 1924; por volta de 1926-27, essa quantidade cresceu para 138.486 toneladas. Exportações para a Turquia, Itália e Holanda também aumentaram. Entre 1929 e 1931, as vendas dos grãos soviéticos para a Alemanha triplicaram.[12]

Com o crescimento das exportações, a liderança soviética percebeu que elas traziam mais do que somente moeda forte. Prenunciando o futuro uso soviético (e russo) do gás como arma de influência, os bolcheviques também começaram a solicitar favores políticos em troca dos despachos de grãos a preços relativamente baixos. Em 1920, eles demandaram que, em troca de grãos, os lituanos reconhecessem a República Soviética da Ucrânia. Em 1922, o governo soviético informou ao secretário britânico do Exterior, Lord Curzon, que, a menos que o Reino Unido assinasse tratado de paz com a Rússia soviética, o suprimento de cereais seria cortado dos mercados britânicos. Houve especulações de que, no fim da década de 1920, a União Soviética fazia *dumping* no preço dos grãos por razões geopolíticas: Stalin esperava prejudicar o capitalismo ocidental. Por volta de 1930, um jornal alemão defendia barreiras comerciais para impedir a inundação de "produtos russos baratos". Em reunião da Liga das Nações convocada em 1931, o ministro soviético do Exterior, Maksim Litvinov, orgulhosamente se jactou: "Recebo aqui status especial graças ao fato de que o país que represento não apenas não sofre crise financeira, como, pelo contrário, vive momento sem precedentes em sua vida econômica."[13]

O desejo de manter esse "status especial" era intenso, mas também era enorme a pressão doméstica por mais importações. Nas cidades e nos locais de novos complexos, a impulsão de Stalin pela industrialização se intensificava. Para atingir as metas extraordinariamente ambiciosas do primeiro Plano Quinquenal, as fábricas soviéticas precisavam com urgência de máquinas, conjuntos, ferramentas e outros artigos só adquiríveis com moeda forte. Em carta a Molotov de julho de 1930, Stalin já escrevia sobre a necessidade de "forçar a exportação de grãos. (...) Isso é ponto-chave". Em agosto, receando que o grão americano logo dominasse o mercado, ele insistiu de novo por velocidade: "Se não exportarmos de 130 a 150 milhões de *poods* [2,1 a 2,4 milhões de toneladas], nossa situação monetária se tornará desesperadora. Mais uma vez: temos que forçar a exportação de grãos ao máximo possível."[14]

214 A FOME VERMELHA

Em outra ocasião, Stalin falou sobre o risco que a falta de moeda forte representava para as indústrias metalúrgica e de construção de máquinas, e sobre a necessidade de se firmar no mercado internacional. Ele também protestou contra os "sabichões" do departamento de exportações que aconselhavam esperar pelo aumento dos preços, e que deveriam é ser expulsos a pontapés: "Esperar significa ter reservas monetárias. E não temos nenhuma."[15] Em setembro de 1930, Anastas Mikoyan — então comissário do Comércio Interno e Externo — escreveu uma nota para o chefe da empresa de exportação de grãos, instando-o a concluir acordos de exportação de longo prazo com companhias europeias, nem que isso significasse "reter algumas reservas para elas".[16] Poucas semanas depois, o Politburo debateu o aumento nas exportações de alimentos para a Itália fascista, e até mesmo a tomada de empréstimos em bancos italianos para financiá-las.[17]

O resultado dessa diretriz política urgente seria uma taxa de exportações de grãos bem mais alta em 1930 — 4,8 milhões de toneladas a mais do que as 170 mil toneladas exportadas em 1929 — e mais ainda em 1931: 5,2 milhões de toneladas.[18] Essas quantidades eram uma fração relativamente pequena dos mais de 83 milhões de toneladas, com ainda maiores cifras no futuro, que Stalin acreditava ser o total da safra. Entretanto, quando menos ainda foi colhido, isso significou que alimentos não estariam disponíveis para os cidadãos soviéticos — e, decerto, também não o estariam para os camponeses ucranianos que o produziram.

O otimismo que se seguiu à safra do verão de 1930 não durou. A estação de semeadura do outono foi atrasada pela confusão generalizada — os camponeses ainda entravam, saíam e voltavam às fazendas coletivas — e pela incerteza sobre quem controlava quais pedaços de terra. A semeadura da primavera de 1931 foi prejudicada pela falta de cavalos, tratores e sementes. Pior ainda, a primavera foi fria, e choveu menos do que em outros anos, em particular no Leste. A região do Volga, a Sibéria e o Cazaquistão sofreram longos períodos de secas, assim como a Ucrânia Central. Por si só, o clima talvez não tivesse criado uma crise. Contudo, assim como em 1921, as condições desfavoráveis combinadas com o caos da política soviética significaram que os fazendeiros não conseguiam produzir aquilo que o

A COLETIVIZAÇÃO FRACASSA, 1931-32

215

Estado deles exigia. Alguns já encontravam dificuldades para colher até o que precisavam para a própria sobrevivência.[19]

No verão de 1931, os burocratas e ativistas de todos os níveis já alertavam para os problemas que estavam por vir. O OGPU da Ucrânia previu a perda de "parcela significativa da safra". Além dos problemas climáticos, os relatórios destacavam depósitos mal preparados para estoque, assim como o mau estado dos tratores e de outros implementos agrícolas: "Em nenhuma região, os distritos têm planos para os vilarejos individuais e para as fazendas coletivas. (...) Nenhum trabalho educacional em massa ou preparação organizacional para a colheita foi realizado em nível local."[20] Relatórios diversos — alguns diretamente remetidos a Stalin — descreveram os pobres e ineficientes métodos operacionais das fazendas comunitárias.[21]

Ao longo do verão e do outono, uma chuva de cartas e diretrizes circularam por Moscou e Kharkov, todas expressando temores de que a colheita de grãos seria inexpressiva, em especial na Ucrânia — ou até mesmo que os camponeses ucranianos não semeariam coisa alguma. Em 17 de junho, Stalin e Molotov assinaram juntos uma ordem exigindo que a liderança da Ucrânia garantisse que "os campos não semeados fossem semeados", e demandando sem rodeios que o Partido Comunista da Ucrânia mobilizasse todos os recursos disponíveis: "Por favor, queremos informações sobre os resultados até 25 de julho."[22]

Mas a situação não apresentou melhora naquela data, nem mesmo no outono. Em setembro, já estava patente que a safra de 1931 seria menor que a do ano anterior, e não maior, como esperado.[23] A liderança soviética se inquietava particularmente com o fato de o país não atingir as cotas de exportação. Em meados do mês, Molotov enviou telegrama secreto aos líderes do Partido Comunista do Cáucaso Setentrional declarando que a colheita de grãos para fins de exportação prosseguia em ritmo "desgraçadamente lento".[24] Pelo fim do outono, já era bem claro que a safra de grãos em toda a URSS ficaria bem longe das metas: seu total para 1931-32 chegaria ao termo a 69,5 milhões de toneladas, bem abaixo dos 83 milhões ou mais previstos.[25]

As exportações soviéticas seriam fortemente atingidas se as quantidades não crescessem. Pior ainda, o povo nas cidades não teria pão. O líder da província de Kiev já havia escrito carta implorando a Mikoyan, na época

216   A FOME VERMELHA

comissário do Comércio: "Há duas semanas não distribuímos nenhuma carne racionada, não chegou peixe algum; batatas, só ocasionalmente." Como resultado, "o estado de espírito dos trabalhadores é preocupante; o pobre rural não tem pão. A produtividade industrial está à beira de séria crise". Por favor, suplicou ele, alguém poderia "suprir Kiev rapidamente com pão, de acordo com as normas estabelecidas?"[26] Em Moscou não havia carne alguma disponível.[27]

Todos entendiam, em algum nível, que a coletivização era, por si só, a fonte da nova escassez. O próprio Stalin recebera relatórios que explicavam exatamente o que não funcionava nas fazendas coletivas, descrevendo em detalhes a ineficiência delas. Um funcionário da província central da Terra Negra chegou a escrever uma defesa ousada da propriedade privada: "Como explicar a enorme queda na produção das fazendas coletivas? Explicação impossível, a não ser dizendo que o interesse material e a responsabilidade pelas perdas, além da baixa qualidade do trabalho, não afetam diretamente cada fazendeiro que coopera para o coletivo..."[28]

O sentimento inexistente de "responsabilidade", destruído pela coletivização, atormentaria a agricultura soviética (e, por extensão, a indústria soviética) pelo tempo que durasse. Mas, por mais que isso já estivesse perfeitamente claro em 1931, não era possível questionar a política porque ela estava cerradamente associada ao próprio Stalin. Ele havia apostado sua liderança do partido na coletivização e derrotara os rivais no decorrer de sua luta por ela. Stalin não podia estar errado. Uma grande parte do plenário do Comitê Central de outubro foi dedicada à busca de bodes expiatórios alternativos. Como Stalin não podia ser responsabilizado — e membros do alto escalão do partido não desejavam ser —, a culpa pelo desastre que pairava no horizonte foi mais uma vez passada para os níveis mais baixos da hierarquia.

Fazendo eco para as acusações do "Zonzo com o sucesso", Stanislav Kosior — desde 1928 secretário-geral do Partido Comunista da Ucrânia, além de membro do Politburo soviético — culpou os patamares inferiores dos escalões partidários pelo fracasso das safras. Funcionários ucranianos, explicou ele, tinham ido aos distritos rurais. Eles falaram diretamente com os diretores das oficinas de manutenção dos tratores. Acusaram-nos cara a

A COLETIVIZAÇÃO FRACASSA, 1931-32

cara de não terem se esforçado ao máximo na colheita dos grãos. No entanto, muitos "foram atraídos" pela ideia de que as demandas do Estado haviam sido demasiadamente elevadas, pois eles retornaram a Kharkov e Moscou de suas estadias pelo interior com uma mensagem equivocada para a liderança: os camponeses estavam muito famintos e precisavam de mais alimentos.

Como bom bolchevique, Kosior só poderia enxergar essa exigência em termos conspiratórios. "Até nossos comunistas e, muitas vezes, nossos 'Vinte e Cinco Mil' passaram a acreditar na ficção de camponeses famintos", declarou ele. Pior, "entre os 'Vinte e Cinco Mil' surgiu uma série de elementos totalmente alienados". O resultado:

> "Não só eles não batalharam, não somente eles falharam na organização das fazendas coletivas na briga pelo pão contra os inimigos da classe, como, com frequência, acompanharam o estado de espírito dos camponeses, algumas vezes por ingenuidade; outras, conscientemente."

Membros suspeitos já haviam sido expulsos do Partido Comunista da Ucrânia: "No campo, precisamos de genuínos bolcheviques, que lutarão pela construção do socialismo, pelas fazendas coletivas, pelos interesses do Estado soviético, e não pela causa sem sentido dos *kulaks*."[29]

Como muitas vezes faziam quando suas políticas não davam certo, as autoridades também culparam a "sabotagem". Durante o julgamento de Shakhty, em 1928, eles se concentraram nos engenheiros das minas para justificar o fracasso da indústria pesada. Agora, eles buscavam os especialistas agrícolas para culpar. Na primavera de 1931, agentes da polícia secreta, na cidade ocidental ucraniana de Vinnytsia, descobriram e eliminaram uma "organização sabotadora contrarrevolucionária", o "Partido dos Camponeses Trabalhistas de Podolia". A maior parte das dezesseis pessoas presas por "organizarem atos de sabotagem em todos os setores da agricultura: plantação, administração da terra, créditos, suprimento de máquinas etc." era de agrônomos. Muitos eram membros do ramo podoliano da Sociedade Agrícola de Toda a Ucrânia, organização criada no ano mais otimista de 1923. Agora, eles se viam acusados de tentar "derrubar o mando soviético e criar uma república democrática burguesa".

A FOME VERMELHA

Apesar de nenhuma das biografias dos acusados apresentar o menor resquício obviamente contrarrevolucionário, eles eram pessoas instruídas e tinham conexões com gente de vilas e cidades — precisamente a categoria de indivíduos que mais interessava ao OGPU. Stepan Cherniavsky era agrônomo que trabalhara para o governo ucraniano desde os tempos de Petliura, e fora *chairman* da Agência da Terra de Podolia. Iukhym Pidkui-Mukha fora secretário da mesma organização. Ivan Oliinyk havia sido professor no Instituto de Agricultura de Kamianets-Podilskyi. Outros trabalharam em assuntos de crédito agrícola ou como especialistas em diversas esferas da agricultura e de sua administração. Esse grupo instruído e talentoso de especialistas poderia ser acusado não somente pelos diversos fracassos na agricultura, mas também por espalhar ideias contrarrevolucionárias entre os camponeses do interior. O julgamento foi amplamente coberto pela imprensa soviética; a maior parte dos acusados passaria de três a dez anos no *Gulag*.[30]

Essa busca por bodes expiatórios foi eficaz, mas somente em sentido restrito: a prisão dos agrônomos "inimigos" e a expulsão de alguns membros do partido ajudaram a explicar a falha do sistema no cumprimento das metas estipuladas, ao menos para o restante do partido, mas isso não fez com que mais grãos fossem produzidos. Telegramas raivosos de Moscou não resultaram em mais cereais.[31] Tampouco a declaração de Mikoyan, em outubro de 1931, de que o plano anual ainda tinha que ser cumprido, fosse qual fosse o clima, de modo que as regiões não afetadas pela seca deveriam contribuir mais. Isso talvez fosse injusto, como até ele reconheceu — "as pessoas estão trabalhando duro (...) e ainda exigimos mais" —, mas pouco importava, uma vez que tais ordens também não faziam aparecer mais pão nas prateleiras.[32]

Tanto as ameaças quanto a persuasão não funcionavam. Só restava a coerção — e, em dezembro de 1931, lá veio ela, pelas mãos de Stalin e Molotov: as fazendas coletivas que não atingissem suas cotas de grãos teriam que indenizar os enormes empréstimos e devolver os tratores e outros implementos que lhes haviam sido emprestados (*leasing*) pelas estações de tratores e máquinas. O dinheiro excedente — inclusive aquele destinado à compra de sementes — seria confiscado. Molotov, enviado a Kharkov a fim

A COLETIVIZAÇÃO FRACASSA, 1931-32

de explicar as novas regras, não teve piedade. Ignorou quaisquer reclamações sobre mau tempo e pobres safras. O problema não era falta de grãos, disse ele aos líderes partidários: era a incompetência. Eles eram desorganizados, e não haviam se esforçado para se mobilizar nem se preparado para colher o máximo possível de cereais, como deveriam. Nos distritos, ele discutiu com líderes das fazendas coletivas, chamando-os de "agentes dos *kulaks*". Repetiu a ameaça de Stalin de tomar os tratores, ao mesmo tempo que os intimidou dizendo que ofertaria mais bens manufaturados às fazendas que atingissem as metas do Estado. Tão logo retornou a Moscou, Molotov e Stalin enviaram outra carta a Kosior, que estava de férias em Sochi. Ordenaram-lhe que voltasse à Ucrânia de imediato e exigiram que ele forçasse a república a atingir as cotas de grãos como planejado.[33]

Na sequência desse encontro mal-humorado, o Politburo ucraniano reuniu-se de novo no fim de dezembro. Mais uma vez, os comunistas ucranianos apoiaram falsamente o Plano Quinquenal. Seus membros concordaram em colher 8,3 milhões de toneladas de grãos, embora todos no recinto soubessem que se tratava de meta impossível de cumprir. Declararam que eles mesmos iriam aos vilarejos supervisionar os trabalhos, apesar de, no íntimo, terem conhecimento de que isso também não faria diferença alguma. Para aumentar a eficiência de toda a operação, os membros reorganizaram a Ucrânia em seis distritos de colheita e designaram um só líder do partido para cada um deles. Todos eles devem ter sentido ansiedade profunda quanto à tarefa que os esperava.

É possível que alguns deles tivessem se tranquilizado um pouco com a notícia de que cada chefe de distrito receberia poderes emergenciais, inclusive o de demitir quem obstasse seu caminho para que o plano fosse cumprido: aquele que fracassasse teria como lançar a culpa, mais uma vez, sobre um bode expiatório.[34] Porém, ao mesmo tempo, as apostas eram altas. A safra tinha sido insatisfatória nos Urais, no Volga, no Cazaquistão e no oeste da Sibéria. Isso significava que os ucranianos e outros da URSS Ocidental precisavam colher não só sua cota original de grãos, mas também cota extra de sementes para serem usadas na semeadura da primavera em outras regiões. A uma cota impossível, em outras palavras, o Estado acrescentara uma nova demanda ainda mais impossível.[35]

A FOME VERMELHA

Na primavera de 1932, servidores desesperados, temerosos por seus empregos e até mesmo por suas vidas, conscientes de que nova fome poderia estar a caminho, começaram a coletar grãos onde e como pudessem. Confiscos em massa ocorreram em toda a URSS. Na Ucrânia, o ritmo foi alucinante. Visitando a República Autônoma da Moldávia, então parte da Ucrânia, um correspondente do *Pravda* ficou atônito ao descobrir os extremos a que iam agora os funcionários da requisição.[36] Em carta particular a um colega, ele escreveu a respeito dos "ataques visivelmente contrarrevolucionários" sobre o campesinato: "As buscas são normalmente conduzidas à noite, e eles revistam ferozmente, mortalmente a sério. Há um vilarejo, bem na fronteira com a Romênia, onde nem uma só casa deixou de ter seu fogão destruído."

Pior ainda, quem fosse apanhado na posse de qualquer pão ou cereal — mesmo o mais pobre dos camponeses — era arrastado de casa e destituído de seus bens, exatamente como acontecera com os *kulaks* nos meses anteriores. Mas isso não era comum: "Muito raramente eles encontravam uma quantidade mais ou menos sólida, normalmente as buscas terminavam com o confisco dos últimos nacos de pão e nas menores quantidades possíveis."[37] Nenhuma autoridade questionou a sabedoria de tal procedimento: o fato de os servidores do OGPU e do Partido Comunista terem permitido que jornalistas, mesmo aqueles favoráveis ao governo, testemunhassem o confisco de grãos significou que, nos mais altos escalões, eles estavam convictos da legitimidade do que faziam.

Líderes locais do partido, com suas carreiras em jogo, organizavam grupos de ativistas e os despachavam, de vilarejo em vilarejo, para iniciar o confisco de qualquer grão que pudessem encontrar. Um camponês do vilarejo de Sobolivka, na parte ocidental da Ucrânia, escreveu para os parentes poloneses descrevendo como a ação era executada:

> As autoridades fazem o seguinte: enviam as chamadas brigadas que chegam a um homem ou um fazendeiro e conduzem a busca, que é tão minuciosa que chegam até a verificar o chão com ferramentas de metal, através das paredes com pedaços de pau, no jardim, nos telhados de palha, e se encontram nem que seja a metade de um *pood*, levam para a carroça puxada por cavalo. É isso que consideram vida por aqui. (...) Querido irmão Ignacy, se

A COLETIVIZAÇÃO FRACASSA, 1931-32

possível, peço-lhe que me mande um pacote com qualquer coisa; tudo é muito necessitado. Não há nada para comer, e é preciso comer.[38]

Todos esses atos evocavam eventos do passado: nos tempos do "Comunismo de Guerra", soldados do Exército Vermelho revistaram propriedades dos camponeses com violência semelhante, e com o mesmo desprezo pelas vidas. Mas dava também para antever o futuro imediato: aquelas foram as primeiras das que seriam milhares de revistas muito intensas e destrutivas, conduzidas por ativistas em toda a Ucrânia um ano depois, no inverno de 1932-33. O uso da violência, a derrubada de paredes e a quebra de móveis na busca por grãos escondidos — tudo isso era um prenúncio do que estava por vir.

Os bolsões de fome verdadeira em toda a URSS eram também sombrios alertas. Relatórios de distritos do Volga, de regiões do Cáucaso e do Caza quistão já davam conta de crianças famintas, pessoas fracas demais para trabalhar, distritos inteiros desprovidos de pão. Na Ucrânia, a situação em diversos vilarejos da província de Odessa era tão dramática que, em março, os líderes locais do partido do distrito de Zynovïvskyi enviaram uma equipe de médicos para investigar. Os doutores ficaram boquiabertos com o que encontraram. No vilarejo de Kozyrivka, metade dos habitantes havia morrido de fome. No dia da visita, restavam cem casas ocupadas das 365 existentes, as restantes "estavam sem vivalma": "Boa parte das cabanas restantes está sendo desmontada, as janelas e esquadrias das portas sendo usadas como combustível." A família de Ivan Myronenko — sete pessoas, incluindo três crianças em idade escolar — vem sobrevivendo "à base de carniça". Quando a equipe entrou na cabana, os Myronenko comiam carne de cavalo cozida "em fedorento líquido amarelo", caldo daquela mesma carne. Nas proximidades, os inspetores encontraram a família Koval cozinhando os ossos de um cavalo morto. Uma anciã prostrada na cama pedia remédio "para ajudá-la a morrer mais rapidamente".[39]

No vilarejo de Tarasivka a situação não era melhor. Lá, o número de residências ocupadas caíra pela metade: de quatrocentas para duzentas. Cadáveres jaziam nas ruas, pois não havia pessoas para sepultá-los. À equipe de médicos foi dito que aquilo se tornara normal nos vilarejos, onde corpos

222 A FOME VERMELHA

ficavam insepultos por três ou quatro dias. Os doutores visitaram uma casa em que o pai estava "amarelado, emaciado e mal conseguia ficar de pé".[40] Com igual horror, o grupo reportou que servidores provinciais, distritais e do vilarejo "tentavam não notar a incidência da fome nem falavam sobre ela". Os líderes locais, na verdade, procuravam "esconder" a crescente mortalidade. Era uma realidade que em breve seria repetida.[41]

O OGPU na Ucrânia não alimentava ilusões sobre o que ocorria. No primeiro trimestre de 1932, seus agentes registraram que 83 ucranianos estavam inchados pela fome e seis haviam falecido. Informantes também reportaram esporádicas faltas de alimentos em províncias de Kharkov, Kiev, Dnipropetrovsk e Vinnytsia. A crescente taxa de mortes de cavalos era também um alerta; a quantidade de equinos na Ucrânia decrescera mais que a metade durante a coletivização.[42] Os chefes de uma fazenda coletiva informaram conjuntamente às autoridades partidárias que perdiam até quatro cavalos por dia, por falta de alimentos e excesso de trabalho. Pior, eram incapazes de impedir que camponeses os comessem. "Alertamos várias vezes aos *kolkhozniks* que não se alimentassem de carcaças, mas eles nos responderam: 'De qualquer maneira, vamos morrer de fome, então comeremos as carcaças, mesmo de gado infectado. Se vocês quiserem, nos fuzilem.'"[43]

Cartas inundaram as repartições partidárias e, em especial, o escritório de Stalin. "É horrível ter filhos e não conseguir criá-los em condições civilizadas — melhor seria não tê-los", escreveu-lhe uma mulher de Nyzhniodniprovsk.[44] Um membro do partido escreveu sobre equipes de coleta invadindo as cabanas de camponeses pobres e medianos que haviam "cumprido suas obrigações de requisição de cereais", e, ainda assim, levavam os grãos restantes, "não lhes deixando coisa alguma para comer, nada para a semeadura do outono".[45] Outro escreveu:

> Prezado Stalin,
> Por favor, me responda, por que os fazendeiros das fazendas coletivas estão inchando de fome e comendo cavalos mortos? Quando de licença, fui ao distrito de Zynovïvskyi e vi com meus próprios olhos que as pessoas estão comendo cavalos...[46]

A COLETIVIZAÇÃO FRACASSA, 1931-32

Na primavera de 1932, informantes da polícia secreta também começaram, pela primeira vez em uma década, a usar a palavra "fome" para descrever a situação nos vilarejos ucranianos.[47] O governo republicano em Kharkov também começou a agir como se entendesse que a fome era real. Os depósitos governamentais de grãos distribuíram mais de 2 mil toneladas de sementes em abril, para ajudar aqueles que se encontravam "nas situações mais penosas".[48] Um mês depois, o governo provincial de Kiev debateu a distribuição extra de alimentos para trinta distritos, em especial para as crianças.[49] Decidiu também enviar imediatamente suprimentos adicionais de grãos para dois distritos em que a necessidade era extrema.[50]

O senso de crise iminente afetou também os estrangeiros que viviam na Ucrânia. O cônsul polonês em Kiev passou cabograma para Varsóvia com suas observações sobre "severa escassez de alimentos" em muitos vilarejos. Ele presenciara pessoas desmaiando de fome nas ruas de Vinnytsia e de Uman.[51] O cônsul alemão reportou que recebera apelos de membros da comunidade minoritária de germânicos, solicitando serem reconhecidos como cidadãos para poderem emigrar: "Não há pão o bastante, os habitantes de vilarejos são forçados a comer *ersatz* inaceitáveis [alimentos] (...) os subalimentados das fazendas coletivas e os operários cujas rações são insuficientes imploram por comida."[52]

Em função da escalada da falta de alimentos, não foi de admirar que os camponeses se queixassem naquela primavera e, como em 1921, se recusassem a semear a terra: se eles plantassem suas últimas sementes, então nada teriam para comer. Também deviam saber que o que quer que conseguissem plantar seria confiscado. Em abril de 1932, o OGPU acionou o alarme: mais de 40 mil lares não plantariam coisa alguma.[53] À medida que a fome se alastrava, muitas pessoas ficavam por demais fracas para trabalhar no campo. As extensões de terras vazias não eram segredo: o *Visti VUTsVK*, principal jornal do governo republicano ucraniano, publicou abertamente que apenas dois terços dos campos ucranianos haviam sido semeados naquela primavera.[54]

Nenhum observador imparcial, naquele momento, poderia acreditar que a Ucrânia tivesse qualquer chance de atingir as cotas estabelecidas por Moscou para aquele ano. O abastecimento de alimentos obviamente

224 **A FOME VERMELHA**

despencaria. Os grãos para exportação fatalmente não se materializariam. E muitas, muitas pessoas enfrentariam a fome extrema.

Na primavera de 1932, uns poucos comunistas ucranianos de elevadas posições finalmente reuniram coragem para pleitear drástica mudança de posição. Em fevereiro, Hryhorii Petrovskyi — bolchevique da "Velha Guarda", membro do partido desde antes da revolução, integrante do Politburo e *chairman* do Soviete Supremo da Ucrânia — escreveu curta carta aos colegas. Não nomeou bodes expiatórios e não tentou descartar a escassez como "temporária" ou imaginária. Em vez disso, observou que a falta de alimentos "não acontecia apenas nos vilarejos, mas também nos distritos urbanos de operários" de toda a Ucrânia, nas províncias de Kiev e Vinnytsia, bem como nas de Odessa, Dnipropetrovsk e Kharkov.

Petrovskyi preparou uma lista de sugestões: escrever carta ao Comitê Central descrevendo a "preocupante falta de produtos para a população e de alimentos para o gado; pedir a suspensão do confisco de grãos na Ucrânia e a restauração do livre-comércio de bens "de acordo com a lei"; solicitar assistência da Cruz Vermelha e de outras organizações de alívio emergencial para juntarem seus recursos, como o fizeram em 1921, a fim de socorrer as pessoas das áreas mais afetadas, em particular crianças; mobilizar organizações dentro da república da Ucrânia para ajudar as áreas atacadas pela fome. Secamente, declarou que o Estado soviético não deveria esperar colher coisa alguma na Ucrânia ao longo de todo o ano de 1932. Para alimentar os camponeses famintos da Ucrânia, qualquer alimento colhido deveria ficar dentro da república.[55]

A liderança ucraniana do partido deu atenção ao alerta de Petrovskyi. Em março, contrariando declarações anteriores, servidores partidários subitamente ordenaram aos líderes locais que parassem a coleta de grãos. Apesar de não terem atingido as cotas da primavera, os camponeses deveriam se concentrar na semeadura para a próxima safra.[56] Encorajados por esses sinais de cima, diversos funcionários dos escalões mais baixos da hierarquia se recusaram a cumprir demandas de outras repúblicas e de outras instituições do Estado por grãos ucranianos. Um servidor, tendo recebido ordem para despachar mil toneladas de cereais para os Urais, escreveu de

A COLETIVIZAÇÃO FRACASSA, 1931-32   225

volta dizendo que era "impossível". Uma demanda de favas e ervilhas foi igualmente recusada.[57]

As discussões subsequentes — dentro da liderança em Moscou, do Partido Comunista da Ucrânia em Kharkov e entre Moscou e Kharkov — foram obscuras e reservadas, até mesmo confusas e contraditórias. O potencial de uma fome espraiada já era então muito bem conhecido por todas as partes. Porém, mais uma vez, a responsabilidade pessoal de Stalin pela política de coletivização — ele a havia concebido e defendido, fora apoiado e firmara posição por sua implementação — também era muito bem entendida. Opor-se ostensivamente a ela seria admitir que a coletivização fracassara, e soaria como crítica ao próprio líder. Todos sabiam que a ajuda alimentícia para a Ucrânia seria tácito reconhecimento do fracasso de Stalin — entretanto, se os grãos dos camponeses da Ucrânia não fossem poupados e eles não fossem encorajados a semear suas safras, todos sabiam também que a seguir viria a catástrofe.

Diferentes líderes tentaram diferentes estratégias, escolhendo as palavras com muito cuidado. Em 26 de abril, Kosior escreveu uma carta extremamente cautelosa a Stalin sobre a situação geral no interior da Ucrânia, abrandando a gravidade dos problemas. Ele havia, afirmou, acabado de chegar de uma visita aos distritos meridionais. Malgrado os relatórios negativos, ele estava seguro de que a safra de 1932 ultrapassaria a do ano anterior, em grande parte porque o tempo melhorara. Contradizendo as cartas temerosas dos colegas, Kosior declarou que "todas as conversas sobre 'fome' na Ucrânia deveriam ser categoricamente desconsideradas". É verdade, "sérios erros haviam sido cometidos na implementação da coleta de grãos" em algumas províncias, mas ele esperava corrigi-los. Kosior também reconheceu que houve "incidentes" na província de Kiev, onde certos protestos de caráter *petliurista* haviam acontecido: camponeses famintos recusavam-se a semear qualquer grão. Contudo, assegurou a Stalin que tudo ia bem. O Estado oferecera certa quantidade de alimento àquelas províncias, inclusive sementes, milho e feno. Esse pequeno soluço levou-o a solicitar um favor: em virtude dessas pequenas interrupções, alguma "ajuda extra" poderia ser útil em certas regiões da Ucrânia. Para tanto, "somos forçados a recorrer uma vez mais ao Comitê Central".[58]

Delicadamente, Kosior estava, em outras palavras, pedindo ajuda em alimentos, mas apenas para poucos distritos e apenas em pequenas quantidades, e só porque alguns contrarrevolucionários haviam perturbado a estação de semeadura com seus protestos políticos. Ele e outros comunistas ucranianos tinham motivos para acreditar que Stalin consideraria favoravelmente aquelas solicitações com palavras escolhidas com cuidado. No decorrer da primavera de 1932, o líder soviético pareceu diversas vezes aberto a fazer mudanças na política. Disse a Kaganovich que mais produtos industrializados deveriam se tornar disponíveis aos camponeses para melhor inspirá-los. Ofereceu alguns pequenos despachos de cereais em abril para aliviar a falta de alimentos.[59] Mesmo que as exportações para países ocidentais tivesse continuado, ele autorizara compras sigilosas de milho, trigo e outros grãos da Pérsia e do Extremo Oriente, demonstrando assim que tinha conhecimento da escassez dentro da URSS.[60] Stalin também apoiou a resolução do Politburo de autorizar outro pequeno despacho de grãos para a província de Odessa.[61] Chegou a considerar a ideia de que os planos de coleta de grãos em toda a URSS fossem "muito mecânicos" e devessem ser ajustados às condições regionais do clima e a outros fatores locais. Tanto Kaganovich quanto Molotov reiterariam mais tarde, no verão, esse ponto.[62]

Entretanto, em abril, seu tom se alterou: Stalin recebera algum material alarmante sobre a situação política na Ucrânia. Os arquivos não registram exatamente o que ele leu, mas é possível especular. Talvez fossem os protestos *petliuristas* a que Kosior fez alusão, ou um relatório sobre os levantes de Pavlohrad. Quem sabe fosse o estado de espírito dentro do próprio Partido Comunista? O OGPU de Balytsky coletava diligentemente relatos de informantes sobre o interior, registrando em especial a insatisfação reinante entre membros do partido, sua antipatia pela coletivização e seu ressentimento com Moscou. Mais tarde naquele outono, ele apresentaria a Stalin uma lista de declarações amargas de servidores partidários ucranianos, repassadas por informantes, e descrições de membros do partido devolvendo suas carteiras de afiliados; é possível que Stalin tenha visto algo semelhante naquela primavera. Fosse o que fosse, Stalin explodiu em carta a Kosior de 26 de abril: "A julgar por esse material, parece que, em diversas partes da Ucrânia, o poder soviético deixou de existir. Isso é mesmo verdade? A situação

A COLETIVIZAÇÃO FRACASSA, 1931-32

no interior é realmente tão terrível? Onde estão os órgãos do OGPU, o que estão fazendo? Poderia o senhor verificar esse caso e reportar de volta ao Comitê Central quais as providências que tomou?"[63]

Incitado por qualquer que tenha sido a razão que o levara a escrever a carta, Stalin imediatamente sustou o envio de sementes e outros alimentos para a Ucrânia. Também exigiu que o Partido Comunista da Ucrânia mantivesse sua política de confiscar tratores e outros implementos agrícolas das fazendas que não produzissem adequadamente. Ele não queria que gestos generosos pudessem ser mal interpretados como ação independente da liderança ucraniana e, por certo, não desejava que esses líderes parecessem estar fazendo uma "manifestação contra Moscou e o Partido Comunista da União Soviética".[64] Stalin estava bastante preocupado com a confiabilidade do partido ucraniano. Empregando linguajar que ilustra quão longe o Estado soviético havia caminhado na direção da tirania pessoal, ele disse a Kaganovich e Molotov que os líderes locais eram insuficientemente leais. "Prestem muita atenção à Ucrânia", escreveu aos dois em 2 de junho: "[Vlas] Chubar [chefe do governo ucraniano], com sua natureza podre e oportunista, e Kosior, com sua diplomacia rasteira (...) e sua atitude criminosamente despreocupada com os problemas, estão arruinando a Ucrânia por completo. Esses camaradas não estão em condições de liderar a Ucrânia de hoje."[65]

Tais líderes "podres" e insultados, no entanto, fizeram um último apelo. Em 10 de junho, Petrovskyi escreveu a carta mais franca de todas. Ele recém chegara de visita a diversos distritos rurais em que as pessoas começavam a passar fome. Ficara frente a frente com camponeses famintos:

> Sabíamos de antemão que cumprir as metas do Estado de requisições de grãos na Ucrânia seria difícil, mas o que testemunhei no interior indica que exageramos em demasia, tentamos com excesso de dureza. Estive em muitos vilarejos e vi considerável parcela do interior soterrada pela fome. Não restam muitas, mas há pessoas inchadas pela fome, especialmente camponeses pobres e medianos. Estão comendo restos de alimentos do fundo dos tachos, quando sobra algum. Durante grandes reuniões nos vilarejos, os camponeses, é claro, rogam pragas contra mim, mulheres idosas choram e, por vezes, homens também. Às vezes, as críticas pela piora da situação se

tornam profundas e amplas — Por que eles criaram uma fome artificial? Afinal, tivemos boa safra. Por que eles levam embora todas as sementes plantáveis? Isso não acontecia nem durante o antigo regime. Não passávamos por isso nem no antigo regime. Por que os ucranianos precisam fazer traiçoeiras jornadas para encontrar pão em regiões menos férteis? Por que o pão não está sendo trazido para cá? E por aí vai... É difícil, nessas condições, dar uma explicação. Nós, obviamente, condenamos os que cometeram excessos, mas em geral nos sentimos como uma carpa se contorcendo em frigideira fervente...[66]

O roubo aumentou nos vilarejos, Petrovskyi explicou. Nas lojas, ele não havia conseguido comprar pão, muito menos açúcar ou qualquer outro item. Os preços disparavam, e a "especulação" se espalhava. Os escritórios locais se recusavam a vender passagens de trem, e eles não sabiam por quê. Cada um desses fatos "estava sendo usado contra o partido e contra as fazendas coletivas", escreveu ele, encerrando a carta com pedido de ajuda: "Para concluir, peço-lhe novamente que considere todos os métodos e recursos disponíveis para prover assistência urgente aos vilarejos ucranianos e suprir com trigo-sarraceno para semear o mais rapidamente possível, a fim de compensar o que não foi semeado."[67]

No mesmo dia, Chubar, o líder ucraniano, também escreveu longa carta para Stalin e Molotov, descrevendo as pobres safras da primavera e os bolsões de fome: "É agora possível contabilizar pelo menos cem distritos que necessitam de ajuda em alimentos." Como Petrovskyi, ele estivera no interior. E, como Kosior, evitou lançar a culpa diretamente sobre a política do Estado, limitando--se, em vez disso, a atribuí-la a "planejamento e gerenciamento fracos" da safra. Mas foi absolutamente claro quanto ao que ocorria: "Em março e abril, havia dezenas de milhares de pessoas malnutridas, famintas e inchadas pela fome em todos os vilarejos; crianças abandonadas pelos pais e órfãos surgindo. Os governos provinciais e distritais distribuíram suas reservas emergenciais para aliviar a fome, mas o desespero crescente e a psicologia da fome resultam em mais apelos por auxílio."

E chegou à mesma conclusão: era hora de acabar com as "irrealistas" políticas de confisco de grão. "Até mesmo algumas daquelas fazendas coletivas que já haviam atingido suas cotas receberam demandas para produzir mais uma segunda e até uma terceira vez."[68]

A COLETIVIZAÇÃO FRACASSA, 1931-32

Kaganovich encaminhou as duas cartas para Stalin. Disse-lhe que achou a missiva de Chubar mais "profissional e autocrítica"; a de Petrovskyi, por outro lado, continha certa dose de "podridão". Kaganovich não gostara, em particular, das críticas do líder ucraniano ao Partido Comunista da União Soviética e, por implicação, a Stalin. Não obstante, ele apoiava os apelos de ambas: era tempo de oferecer alguma ajuda à Ucrânia.[69] Molotov também escreveu a Stalin e sugeriu que as exportações soviéticas de grãos pudessem, por algum tempo, ser reduzidas, de sorte a se poder suprir a Ucrânia com cereais.[70]

Stalin contra-argumentou. Pelo tom de sua carta fica claro que ele não conseguia (ou não queria) acreditar que havia insuficiência de grãos na Ucrânia:

> Não gostei das cartas de Chubar e Petrovskyi. A primeira jorra "autocrítica" para garantir um milhão a mais de *poods* de pão de Moscou, a outra finge santidade e alega vitimização do [Comitê Central] para a redução dos níveis de aquisição de grãos. Nenhuma das duas é aceitável. Chubar se engana caso pense que é necessária autocrítica para conseguir "ajuda" externa e não para mobilizar as forças e os recursos dentro da Ucrânia. Em minha opinião, a Ucrânia já recebeu mais do que o suficiente...[71]

Stalin falava, é evidente, sobre "dar" grão para a Ucrânia, que fora, antes de tudo, dela tirado. Mas ninguém questionou o fato. Em 16 de junho, Kaganovich escreveu de novo a Stalin, afirmando que: "Neste ano, a campanha pela safra será particularmente difícil, em especial na Ucrânia. Infelizmente, essa república não está preparada o bastante para ela."[72] Mas ele não tocou, como fizeram os outros dois camaradas ucranianos, no assunto do auxílio para envio em massa de alimentos.

Em vez disso, no verão de 1932, as políticas que poderiam ter evitado a fome em massa na Ucrânia foram calmamente abandonadas. Algum grão foi concedido a Kiev e Odessa, porém, muito abaixo do esperado. Nem tratores nem cavalos foram incluídos.[73] Kosior disse aos chefes locais do partido que só havia alimento suficiente para ajudar "vinte distritos" — de um total de mais de seiscentos: "Informem rapidamente por telegrama quais distritos de sua província devem estar nessa lista."[74]

230 A FOME VERMELHA

Mesmo com a expansão da fome, o Estado continuou emitindo planos e ordens específicos para a manutenção da exportação de grãos para países estrangeiros. Em março de 1932, Moscou comunicou a Kharkov que os funcionários ucranianos "seriam pessoalmente responsabilizados pela exportação de centeio do porto de Odessa". O Conselho dos Comissários do Povo instou todas as empresas envolvidas na exportação para que aperfeiçoassem os barris e contêineres, assim como dessem especial atenção aos depósitos de grãos destinados ao exterior.[75] Para os ucranianos que presenciavam a saída dos cereais, deixando sua república faminta, a política de exportação parecia maluca, e até mesmo suicida. Mykola Kostyrko, engenheiro que vivia em Odessa naquela ocasião, lembrou-se dos "navios estrangeiros" chegando ao porto: "Eles exportavam de tudo, a fim de conseguirem capital de fora para 'as necessidades do Estado' de comprar tratores e de fazer propaganda no exterior". A certa altura, lembrou-se Kostyrko, estivadores em Odessa se recusaram a carregar um navio com porcos. Um destacamento de soldados do Exército Vermelho interveio para que o fizessem.[76]

Um funcionário do consulado italiano em Odessa recordou-se da raiva generalizada contra a política de exportação: "Não existe óleo [vegetal] por aqui e, ainda assim, o próprio óleo e as sementes para sua produção estão sendo mandados para fora."[77] A ira pública contra a exportação não era segredo nem para o Partido Comunista. Em abril de 1932, a liderança do partido ucraniano concordou em jamais debater o assunto publicamente, já que isso apenas resultaria em "humores pouco saudáveis".[78] No fim do ano, as exportações de fato caíram vertiginosamente — de 5,2 milhões para 1,73 milhões de toneladas.[79] Em termos monetários, a queda também foi espantosa para o Estado: de 203,5 milhões de rublos em 1931 para 88,1 milhões em 1932.[80] Mas os despachos para o exterior nunca cessaram de vez.

O ânimo dentro do próprio partido também não melhorou. Em julho, Molotov e Kaganovich chegaram novamente à Ucrânia com o objetivo de passar por cima de quaisquer objeções remanescentes. Levavam ordens diretas de Stalin, que para eles escreveu em 2 de julho, repetindo suas inquietações em relação à Ucrânia e sua liderança: "Deem a mais séria atenção à Ucrânia. A natureza oportunista e desgastante de Chubar, a fracassada

A COLETIVIZAÇÃO FRACASSA, 1931-32

diplomacia de Kosior (...) e a abordagem criminosamente descuidada dos problemas serão a perdição final da república."[81]

Eles aproveitaram a 3ª Conferência do Partido — um evento sombrio — para firmarem sua posição. Todos os ucranianos presentes fizeram objeções — até o ponto em que a ousadia permitia — quanto às cotas especificadas para sua república. Alguns líderes locais chegaram a ser contundentes. O primeiro-secretário de um distrito da província de Kharkov realçou que, graças à falta de reservas e de sementes de grãos, havia "escassez de alimentos" em sua área.[82] Um de seus equivalentes da província de Kiev queixou-se, sem meias palavras, que as brigadas de coleta de grãos condenavam os camponeses à morte: o partido, dissera ele, era culpado pelas "distorções" de sua política agrária.[83] Um camarada do distrito de Melitopol reclamou que o plano central, com frequência, não guardava relação alguma com a situação de fazendas coletivas específicas, e que o centro parecia formular planos sem consultar os camponeses locais.[84] Roman Terekhov, da província de Kharkov, declarou que todos os distritos sabiam muito bem que os planos eram malfeitos, que o trabalho era pobremente organizado e que "perdas horríveis" eram o resultado disso, levando à "escassez de alimentos" em pelo menos 25 distritos.[85]

Apesar de não ter repetido seu chamado pelo fim da coleta de grãos como um todo, Mykola Skrypnyk, o comissário da Educação, foi também bastante direto. A Ucrânia, simplesmente, não podia, e não iria, produzir a quantidade exigida de grãos. O plano não seria cumprido: "Isso é um gigantesco e vergonhoso fracasso."[86] Ambos, Petrovskyi e Chubar, falaram sobre "faltas" e "fracassos" também.[87] O que eles pediam, entretanto, era uma redução na quantidade de cereais que a Ucrânia deveria produzir.

Molotov e Kaganovich recusaram-se a ceder. Molotov disse aos comunistas ucranianos que eles haviam se tornado "cochichadores e derrotistas".[88] Mais tarde, os dois chefes reportaram a Stalin que haviam recusado uma moção por cotas mais baixas: "Rejeitamos categoricamente uma revisão do plano, exigimos a mobilização das forças do partido para combater as perdas e o desperdício de grãos e demandamos o fortalecimento das fazendas coletivas."[89] O resultado foi que, em vez de recuar, a conferência aprovou uma resolução reconhecendo como "correto" o irrealista e impossível plano

232   A FOME VERMELHA

de 5,8 milhões de toneladas (356 milhões de *poods*), e decidiu "adotar seu incondicional cumprimento".[90]

Molotov e Kaganovich também descreveram o clima da liderança partidária comunista de Kharkov como "mais favorável" do que o previsto, talvez querendo dizer com isso que seus membros ainda estavam propensos a seguir ordens.[91] Cautelosamente, os dois homens sugeriram a Stalin que a seriedade da situação permanecesse velada: "Para não dar informações à imprensa estrangeira, temos que publicar apenas críticas modestas em nossa mídia, sem detalhes da situação nos distritos piores."[92] Convenientemente, a linha oficial permaneceu positiva. Poucas semanas depois da conferência, o governo soviético e o Partido Comunista anunciaram juntos "a vitória completa" na agricultura. A "teoria burguesa" de que a URSS teria que reverter ao capitalismo e aos mercados havia sido "espancada e reduzida a pó".[93]

Não há dúvida de que Stalin sabia, àquela altura, que 5,8 milhões de toneladas era quantidade irreal. Em 25 de julho, ele disse a Kaganovich que pretendia permitir às "sofredoras" fazendas coletivas da Ucrânia que prosseguissem o trabalho com cotas menores. Ele evitara, escreveu, falar antes sobre redução na coleta de grãos, porque não desejava "desmoralizar" ainda mais os ucranianos ou desorganizar a colheita da safra. Tencionou, em vez disso, aguardar até mais tarde para fazer o anúncio na esperança de "estimular" os camponeses durante a estação da colheita — e passar a impressão de benevolente —, oferecendo pequena redução de 30 milhões de *poods* (490 mil toneladas), ou "como último recurso" (essas palavras estavam sublinhadas), 40 milhões de *poods* (655 mil toneladas). Kaganovich respondeu concordando: "Agora não é o momento propício para falar aos ucranianos sobre o decréscimo. Melhor seria deixá-los preocupados com o cumprimento da missão impossível."[94]

Antes que esse jogo pudesse se desenrolar, Stalin se viu novamente distraído por más notícias na União Soviética — e, em particular, por péssimas na Ucrânia. No curso de todo o verão, o OGPU vinha reportando crescentes casos de roubos. Pessoas surrupiavam das ferrovias, das lojas, das empresas e, sobretudo, das fazendas coletivas. Isso não surpreendia: fazendeiros das fazendas coletivas (e também operários de fábricas) achavam que a proprie-

A COLETIVIZAÇÃO FRACASSA, 1931-32

dade do Estado não pertencia a ninguém, portanto, não havia mal algum em furtá-la. Mais precisamente: eles estavam famintos. Isso é o que se pode intuir claramente de um relatório do OGPU preparado em julho, descrevendo uma inquietante tendência: muitos camponeses estavam colhendo os cereais prematuramente e em segredo, para ficar com eles. Um relatório chegou da província do Volga Central:

> Na noite de 9 de julho, cinco mulheres foram descobertas cortando as espiguetas do trigo. Quando foi feita a tentativa de prendê-las, elas fugiram em diferentes direções. O guarda disparou duas vezes com espingarda de caça. Uma das mulheres fugitivas da fazenda coletiva ficou seriamente ferida (e morreu horas depois)...

Naquela mesma noite e no mesmo vilarejo, um guarda também descobriu um bando de "quinze ladrões a cavalo com sacos de grãos roubados". Esse grupo de "ladrões" saiu-se melhor do que as cinco mulheres. Depois de oferecerem feroz resistência, o guarda ficou com medo e fugiu.[95]

Como muitas vezes o fizera no passado, Stalin encontrou uma interpretação política para esses atos de desespero. De férias em Sochi — tendo viajado "em um trem muito bem abastecido de excelentes provisões" —, ele escreveu diversas cartas para Kaganovich sobre o assunto.[96] Os dois homens confirmaram os pontos de vista um do outro. O Estado e suas políticas não constituíam perigo para os camponeses famintos — mas os camponeses famintos eram um grande perigo para o Estado. "Os *kulaks*, os deskulakizados e os elementos antissoviéticos todos roubam", disse Stalin a Kaganovich. "O crime deve ser punido com dez anos de prisão ou com a pena capital", e não haverá anistia: "Sem essas (e semelhantes) medidas draconianas socialistas é impossível criar nova disciplina, e sem essa disciplina é impossível robustecer e defender a nova ordem social."[97]

Poucos dias mais tarde, em novo conjunto de cartas para Kaganovich e Molotov, ele elaborou um pouco mais suas ideias, tendo, evidentemente, bem mais tempo para pensar sobre o assunto durante as férias no litoral. Uma nova lei, temia então, era um impedimento insuficiente. Para que as pessoas parassem de roubar alimentos, a lei deveria ser apoiada por uma

234 **A FOME VERMELHA**

campanha de propaganda totalmente fundamentada na teoria marxista. O capitalismo derrotou o feudalismo porque garantiu com o Estado a proteção da propriedade privada; o socialismo, por seu turno, poderia derrotar o capitalismo se declarasse que a propriedade pública — cooperativa, coletiva, estatal — é também sagrada e inviolável. A própria sobrevivência do socialismo depende de o Estado poder ou não evitar que "elementos antissociais e capitalistas *kulaks*" roubem propriedade pública.[98]

A obsessiva crença de Stalin na teoria marxista mais uma vez triunfou sobre o que ele teria chamado de "moral burguesa". Em 7 de agosto de 1932, a URSS aprovou um decreto draconiano, até mesmo para os padrões soviéticos. Começou com uma declaração:

> A propriedade pública (estatal, *kolkhoz*, cooperativa) [é] a base do sistema soviético; ela é sagrada e inviolável, e os que tentarem roubar propriedade pública têm que ser considerados inimigos do povo (...) a luta decisiva contra os assaltantes de propriedade pública é a obrigação primeira de qualquer órgão da administração soviética.

Continuou com uma definição, e uma conclusão:

> O Comitê Executivo Central e o Soviete dos Comissários do Povo da URSS, por meio deste, resolve...
> 1) Considerar a propriedade de *kolkhozes* e cooperativas (safras em estoque etc.) como equivalente à propriedade do Estado.
> 2) Aplicar como medida punitiva para o saque (roubo) de propriedade *kolkhoz* e coletiva a mais elevada medida da defesa social: execução com o confisco de toda a propriedade, que pode ser substituída (...) pela privação da liberdade por um período de não menos do que dez anos.[99]

O roubo de pequena quantidade de alimentos, em outras palavras, poderia ser punido com dez anos de prisão em campo de trabalhos forçados — ou com a morte. Tais punições vinham sendo, até então, reservadas para atos de alta traição. Agora, uma mulher camponesa que se apossasse de alguns grãos de trigo de uma fazenda coletiva seria tratada como um oficial que

A COLETIVIZAÇÃO FRACASSA, 1931-32 235

tivesse traído o país durante o tempo de guerra. A lei não tinha precedente, mesmo na URSS. Apenas poucos meses antes, a Suprema Corte punira uma pessoa que roubara trigo de uma fazenda coletiva com somente um ano de trabalhos forçados.[100]

Como Stalin queria, seguiu-se uma campanha educativa pela imprensa. Duas semanas após o decreto, o *Pravda* publicou um relato do caso de "uma mulher *kulak* Grybanova", que vinha roubando grãos da fazenda coletiva "Construtor Vermelho". Ela foi sentenciada ao fuzilamento. A imprensa ucraniana destacou em detalhes três casos julgados em Odessa, inclusive uma narrativa sobre marido e mulher fuzilados por "furto".[101] Outros publicaram histórias, inclusive o caso de uma mulher camponesa fuzilada por estar de posse de pequena quantidade de trigo surrupiada pela filha de 10 anos.[102]

Essa legislação extraordinária teve um custo extraordinário. No fim de 1932, com menos de seis meses de vigência da lei, aproximadamente 4.500 pessoas haviam sido executadas por violá-la. Muitos mais — acima de 100 mil pessoas — tinham recebido pena de dez anos de trabalhos forçados. Essa preferência pelo trabalho forçado à pena capital, ditada lá de cima, foi claramente pragmática: trabalhadores forçados poderiam laborar nos numerosos e novos projetos industriais do sistema *Gulag* — minas, fábricas, prédios habitacionais — que estavam apenas começando.[103]

Nas semanas e meses seguintes, milhares de camponeses inundaram o sistema de campos, vítimas da lei de 7 de agosto. De acordo com os valores oficiais (que não refletem todas as prisões), o número de cativos no *Gulag* chegou quase ao dobro entre 1932 e 1934, de 260 mil para 510 mil. O sistema de campos não tinha nem recursos nem capacidade de organização para receber tal influxo de pessoas, muitas das quais já chegavam emaciadas pela fome. Como resultado, as mortes no *Gulag* também cresceram de 4,81% em 1932 para 15,3% em 1933.[104] Outros podem ter sido salvos graças ao encarceramento. Anos mais tarde, Susannah Pechora, prisioneira do *Gulag* em período posterior, lembrou-se de ter encontrado uma colega na prisão, ex-camponesa. Depois de receber sua magra ração diária, a mulher suspirou e acariciou seu pequeno e duro naco de pão. "*Khlebushka*, meu pequeno pedaço de pão", sussurrou ela, "e pensar que eles nos dão você todos os dias!"[105]

236 A FOME VERMELHA

O roubo não foi a única preocupação de Stalin no verão de 1932. Logo após a aprovação da lei de 7 de agosto, ele recebeu surpreendente documento da polícia secreta ucraniana. O historiador Terry Martin, o primeiro a identificar seu significado, qualificou o documento como "extraordinário e singular".[106] Stalin podia ter visto antes relatórios comparáveis. Aquele talvez fosse semelhante ao material que causara sua explosão em abril, quando ele quis saber se "o poder soviético havia deixado de existir" em algumas partes da Ucrânia. Porém, dessa vez, com nova crise de fome crescendo, sua reação foi ainda mais rígida.

Normalmente, o OGPU enviava relatórios a Stalin em linguajar bastante comedido e repleto de lugares-comuns sobre inimigos e conspirações. Contudo, em agosto de 1932, a polícia secreta ucraniana mandou-lhe um conjunto de citações diretas e sem comentários; elas haviam sido coletadas por informantes e atribuídas a membros do partido ucraniano que trabalhavam a nível distrital, todos amargamente contra a campanha de requisição de grãos. Era normal que esse tipo de material bruto servisse de base para relatório mais elaborado. Dessa vez, porém, o material bruto em si era alarmante o suficiente para ser enviado sozinho.

Quase todas as evidências no documento expressavam desafio direto às ordens de Moscou. "Não vou obedecer esse plano [de requisição de grãos]", foi a citação ouvida de um membro do partido, que acrescentou: "Não quero aceitar esse plano. Não vou completar esse plano de confisco de grãos." Dito isso, conforme o informante registrou, ele "colocou sua carteira de afiliado do partido em cima da mesa e deixou a sala".

Outro teve reação similar: "Será difícil batalhar para completar esse plano de requisição de grãos, mas já tenho uma saída para a dificuldade: vou enviar minha carteira de afiliação ao partido ao conselho local, e então serei livre."

E um terceiro:

"Não aceitaremos o plano de requisição de grãos, pois em sua forma atual ele não pode ser cumprido. E é criminoso forçar de novo as pessoas a passarem fome. Para mim, o melhor é devolver minha carteira de membro a condenar os fazendeiros comunitários à inanição através de logro."

A COLETIVIZAÇÃO FRACASSA, 1931-32

E um quarto: "Sei que esse plano me condena. Vou solicitar ao partido que me tire dessa função, caso contrário logo serei excluído de suas fileiras por não completar o trabalho e não cumprir as missões do partido."[107]

Se eles estivessem deliberadamente tentando envenenar o líder soviético contra a Ucrânia, não poderiam ter escolhido melhor opção, porque o relatório confirmava os piores receios de Stalin. Havia bastante tempo que ele percebera uma clara conexão entre o problema da coleta de grãos na Ucrânia e a ameaça do nacionalismo na república. Agora, ele ouvia forte eco dos eventos da década anterior: a Guerra Civil, a revolta dos camponeses, o revés bolchevique. Sua reação, em carta para Kaganovich, foi dura:

> O principal problema é agora a Ucrânia. O que se passa por lá é terrível. E é terrível no partido. Eles dizem que em algumas partes da Ucrânia (parece que em Kiev e Dnipropetrovsk) cerca de cinquenta comitês distritais têm se posicionado contra o plano de requisição de grãos, considerando-o irrealista. Em outros comitês distritais parece que a situação não é melhor. O que é isso? Isso não é o partido, não é parlamento, isso é caricatura de parlamento...
>
> Se não nos esforçarmos agora para melhorar a situação na Ucrânia, podemos perdê-la. Tenham em mente que Piłsudski não sonha acordado, e que seus agentes na Ucrânia são muito mais fortes do que Redens ou Kosior pensam. Tenham em mente que o Partido Comunista da Ucrânia inclui mais do que um punhado de elementos podres, *petliuristas* conscientes ou inconscientes, bem como agentes diretos de Piłsudski. Tão logo as coisas piorem, esses elementos não demorarão a abrir um *front* dentro do partido contra o partido. O pior é que os ucranianos simplesmente não veem esse perigo...[108]

Stalin prosseguiu listando todas as mudanças que desejava fazer no Partido Comunista da Ucrânia. Queria remover Stanislav Redens, o chefe da polícia secreta ucraniana (e seu cunhado). Queria transferir Bałytsky, seu confiável aliado, de Moscou novamente para a Ucrânia, onde havia atuado brevemente como vice-chefe do OGPU, uma ordem que seria executada em outubro. Queria que o próprio Kaganovich, mais uma vez, assumisse total responsabilidade pelo Partido Comunista da Ucrânia: "Dê a você mesmo a missão de transformar rapidamente a Ucrânia em verdadeira fortaleza da

URSS, um genuíno modelo de república. Não pouparemos dinheiro para a consecução dessa tarefa."[109] Ele acreditava que era chegada a hora de reviver uma tática desenvolvida no passado: "Lenin estava certo ao dizer que uma pessoa que não tem coragem de nadar contra a correnteza quando necessário não pode ser autêntico líder bolchevique..."

Ele também acreditava que o tempo era curto: "Sem essas e medidas semelhantes (trabalho ideológico e político na Ucrânia, sobretudo em seus distritos das fronteiras, e assim por diante), repito: podemos perder a Ucrânia..."[110]

Para Stalin, que se lembrava da Guerra Civil na Ucrânia, a perda da república era uma perspectiva extremamente perigosa. Em 1919, uma revolta dos camponeses na Ucrânia levara o Exército Branco a estar a alguns dias de marcha de Moscou; em 1920, o caos na Ucrânia trouxera o exército polonês bem profundamente para dentro do território soviético. A URSS não poderia se dar ao luxo de perder a Ucrânia de novo.

CAPÍTULO 8

Decisões para a fome, 1932: requisições, listas negras e fronteiras

Como os judeus que Moisés libertou da escravidão egípcia, o enfadonho, se-
misselvagem e estúpido povo dos vilarejos russos (...) desaparecerá, e uma
nova tribo tomará seu lugar — gente alfabetizada, gentil e cordial.

Maxim Gorky, *Sobre o camponês russo*, 1922[1]

Em algum momento das primeiras horas de novembro de 1932 — dois dias depois das solenes celebrações do décimo quinto aniversário da revolução —, Nadejda Sergeevna Alliluyeva, esposa de Stalin, disparou um tiro com uma pequena pistola em si mesma. Morreu imediatamente.

Poucas horas mais tarde, um médico examinou seu corpo e declarou a causa da morte: "Um ferimento aberto no coração." Logo depois de trocar ásperas palavras com Molotov e Kaganovich, o doutor mudou de ideia. No atestado de óbito, o motivo da morte foi alterado para "apendicite aguda". A razão política por trás da modificação estava perfeitamente clara para o círculo de convivência mais próximo de Stalin: no outono de 1932, todos eles sabiam que o suicídio de Nadya, qualquer que fosse sua motivação real, seria interpretado como forma de protesto — até mesmo como angustiado brado contra a fome alastrada.[2]

A FOME VERMELHA

Com ou sem razão, foi de fato assim que o suicídio de Nadya foi lembrado. Anos mais tarde, a filha Svetlana escreveu sobre "a terrível e devastadora desilusão" de sua mãe em relação ao marido e sua política.[3] Um boquirroto nativo de Ossétia, que conheceu Nadya em uma festa estudantil em 1929, lembrou-se da simpatia dela pelo mais importante rival de Stalin, Bukharin — que se opôs à coletivização, perdeu seu assento no Politburo e, por fim, sua vida, em virtude de tal comportamento.[4] A fome havia sido tema recorrente nas conversas dos colegas estudantes na Academia Industrial, e diversas pessoas ouviram Nadya denunciando a coletivização. Em seus últimos meses de vida, ela padeceu de horrendas dores de cabeça, cólicas estomacais, rápidas mudanças de humor e surtos de histeria. Em retrospecto, esses males foram atribuídos à depressão profunda. Na época, eles foram descritos, em sussurros, como sintomas de consciência pesada, desapontamento e desespero.[5]

Certamente, outras pessoas da comitiva mais próxima de Stalin também estavam descontentes com a fome. Espiando através das cortinas rendadas dos trens especiais dos líderes, muitos bolcheviques experientes viram cenas que os horrorizaram naquele verão, e alguns poucos tiveram coragem de relatá-las a Stalin. Em agosto de 1932, enquanto o líder ainda estava em Sochi, ele recebeu carta de Klement Voroshilov, que logo se tornaria comissário da Defesa:

> Na região de Stavropol, testemunhei todos os campos sem cultivo. Esperávamos uma boa safra, mas não a tivemos. (...) Atravessando a Ucrânia, pela janela do meu trem percebi, na verdade, que a terra parece ainda menos cultivada do que no norte do Cáucaso. (...) Desculpe-me falar sobre isso durante suas férias, mas não pude ficar calado.[6]

Outra figura militar experiente, o herói da Guerra Civil Semyon Budyonny também escreveu a Stalin de seu trem: "Olhando para as pessoas pela janela do trem vi muitas delas com aspecto cansado e usando roupas em frangalhos; os cavalos são pele e ossos."[7] Quando Kira Alliluyeva, sobrinha de Nadejda, viajou para Kharkov a fim de visitar o tio — Stanislav Redens, então chefe do OGPU ucraniano —, ela também viu pedintes nas estações

DECISÕES PARA A FOME, 1932: REQUISIÇÕES, LISTAS NEGRAS... 241

de trem, pessoas emaciadas e com barrigas inchadas. Contou para a mãe, que, por sua vez, informou a Stalin. Ele menosprezou a história: "Kira é uma criança, ela inventa coisas."[8]

Outros, menos íntimos do chefe soviético, viram e ouviram os mesmos relatos. Bukharin já havia, à época, retificado seus pontos de vista: em dezembro de 1930, declarara que agora entendia a necessidade da liquidação dos *kulaks* e a "total quebra das antigas estruturas".[9] Entretanto, outros não fizeram o mesmo. Martemyan Ryutin, chefe do partido em Moscou, foi um deles. Ryutin fora expulso do partido em 1930 por "expor opiniões oportunistas de direita", porém, diferentemente de Bukharin, havia se recusado a desmenti-las. Ryutin foi preso e, em seguida, libertado. Todavia, manteve-se em contato com futuros dissidentes e, na primavera de 1932, convidou uma dezena deles a escrever uma declaração de oposição. Em agosto, o grupo se reuniu em subúrbio de Moscou para dar os retoques finais na plataforma política que demandava mudanças, bem como aprimorar também um mais breve "Apelo a todos os membros do partido".[10] Fizeram cópias dos dois documentos e os passaram de mão em mão ou pelo correio, em Moscou, Kharkov e outras cidades.

A "Plataforma de Ryutin", como ficou conhecida, denunciou Stalin sem rodeios. Os autores o chamaram de "político inescrupuloso e causador de intrigas", ridicularizaram-no por suas pretensões de se tornar sucessor de Lenin e o acusaram de aterrorizar tanto os camponeses quanto os operários. Acima de tudo, Ryutin demostrava raiva pelo ataque de Stalin contra o campo. A política de "coletivização completa", declarou ele, não havia sido voluntária, como alegava a propaganda, e também não fora um sucesso. Ao contrário:

> Ela se fundamentou em diferentes formas da mais severa coerção. Foi projetada para forçar os camponeses a se juntarem às fazendas coletivas. Não se baseou na melhoria de suas condições, e sim na expropriação direta ou indireta e no maciço empobrecimento (...) insultos dirigidos por Stalin aos *kulaks* no tempo presente são apenas método de intimidação das massas e encobrimento de sua própria falência.

242 A FOME VERMELHA

Não foram simplesmente erros, escreveu Ryutin, mas crimes. E então convocou seus companheiros dissidentes a organizarem uma revolta:

> Na luta para destruir a ditadura de Stalin, precisamos confiar em novas forças, e não nos antigos líderes. Essas forças existem, e crescerão rapidamente. Novos líderes inevitavelmente surgirão, novos organizadores das massas, novas autoridades. (...) A batalha faz desabrochar líderes e heróis. Temos que começar a agir.[11]

Esse linguajar era distintamente bolchevique, o que talvez ajude a entender por que Stalin, assim que o leu, levou-o a sério. Ele já presenciara antes a paixão revolucionária, e sabia que ela poderia ser de novo fomentada. Depois que um informante fez um alerta ao OGPU em setembro, Stalin não demonstrou mais compaixão. Em poucos dias, o Partido Comunista expulsou e prendeu 21 pessoas, entre elas o filho de Hryhorii Petrovskyi, o *chairman* do Soviete Supremo ucraniano, bem como o próprio Ryutin. Todos foram condenados como contrarrevolucionários. E todos foram executados, assim como, no devido tempo, a esposa de Ryutin e seus dois filhos adultos.[12] Nos últimos anos, ter lido a "Plataforma de Ryutin", ou mesmo ter ouvido falar dela, tornara-se crime capital.

Stalin deve ter presumido que os pontos de vista de Ryutin eram, no entanto, partilhados por muita gente, em particular nos escalões mais baixos do partido e entre pessoas que tinham contato diário com a população rural faminta, pois a questão Ryutin aguçara sua sensibilidade para outros sinais de descontentamento. Ao longo do verão de 1932, ele lera relatórios provindos de toda a URSS, inclusive os mais perturbadores da Ucrânia. Mais relatos chegaram no início de setembro. No norte do Cáucaso, o OGPU alegou ter descoberto um grupo contrarrevolucionário que fazia objeção à política soviética porque "o ritmo da coletivização total havia sido demasiadamente rápido".[13] Em toda a União Soviética, agentes da polícia secreta alertavam seus superiores sobre "novas táticas praticadas pelos *kulaks*", incluindo agora "falsas" reclamações de fome. Eles receberam determinações para investigar: "Onde um caso de fome inventada fosse revelado, os perpetradores deveriam ser considerados elementos contrarrevolucionários."[14]

DECISÕES PARA A FOME 1932: REQUISIÇÕES, LISTAS NEGRAS... 243

A morte de Nadya, o caso Ryutin, as cartas preocupantes de colegas próximos, as fortes mensagens chegadas do campo — tudo isso alimentou a crescente paranoia de Stalin naquele outono. O descontentamento fervia ao seu redor, e a perspectiva de uma contrarrevolução de repente pareceu real. Historiadores por muito tempo haviam pensado que os eventos do verão e do outono de 1932 foram catalisadores das prisões e execuções em massa de 1937-38, mais tarde conhecidas como Grande Terror.[15] Mas eles também constituíram o pano de fundo imediato para um extraordinário conjunto de decisões que afetaram a Ucrânia.

Naquele outono, ainda teria sido possível voltar atrás. O Kremlin poderia ter oferecido assistência alimentar à Ucrânia e a outras regiões produtoras de grãos da URSS, como o regime fizera em 1921, e como também começara a fazer, aos trancos e barrancos, naquele ano. O Estado poderia ter redistribuído os recursos disponíveis, ou importado alimentos do exterior. Poderia até ter solicitado, como em 1921, auxílio de fora.

Em vez disso, Stalin começou a utilizar linguagem dura contra a Ucrânia e contra o norte do Cáucaso, província russa primordialmente ucraniana. "Dê a você mesmo a missão de transformar rapidamente a Ucrânia em verdadeira fortaleza da URSS, um genuíno modelo de república", foram as palavras de Stalin para Kaganovich. "Insulte a liderança do norte do Cáucaso por seu péssimo trabalho na requisição de grãos", declarou ele.[16] Outros repetiram suas expressões enquanto operavam no campo. No início de outubro, Stanislav Kosior, secretário-geral do Partido Comunista da Ucrânia, acusou servidores distritais que não conseguiam coletar quantidades suficientes de grãos de fomentarem "atitudes de direita". Poucos dias depois, após uma semana em que a província produzira apenas 18% de sua cota de cereais, o Politburo ucraniano despachou uma carta apavorada aos líderes locais, alertando-os de que "faltava pouco tempo" e concitando-os a "dar um fim à atitude calma das agências do partido e do Estado".[17] Logo depois disso, Molotov chegou a Kharkov, e Kaganovich seguiu para o norte do Cáucaso, "para lutar contra o inimigo da classe que sabotava a coleta de grãos e a semeadura".[18]

Em novembro de 1932, no entanto, já estava patente que a safra do outono não chegaria à meta do plano. Ela acabou sendo 40% menor do que o esperado

244 A FOME VERMELHA

para toda a URSS, e 60% menor na Ucrânia.[19] O intrigante foi que a queda total na produção não foi tão drástica quanto a de 1921 e, nos anos seguintes, ela permaneceu, mais ou menos, no mesmo patamar. No cômputo final, a colheita de grãos em toda a União Soviética para 1931-32 foi de 69,5 milhões de toneladas (abaixo dos 83,5 milhões de toneladas de 1930-31); para 1932-33, o total foi de 69,9 milhões de toneladas. Em 1933-34, a URSS colheu 68,4 milhões de toneladas e, em 1934-35, o total foi de 67,6 milhões. Porém, as demandas irrealistas impostas aos camponeses — a expectativa de que eles atingissem metas irrealizáveis — criaram a sensação de fracasso total. A insistência para que os camponeses entregassem a quantidade de cereais que Stalin acreditava que *deveria* existir, por sua vez, provocou uma catástrofe humanitária.[20]

As políticas de Stalin naquele outono levaram inexoravelmente à fome em todas as regiões produtoras de cereais da URSS. Entretanto, em novembro e dezembro, ele enfiou a faca mais profundamente na Ucrânia e a torceu, criando crise maior ainda de forma deliberada. Passo a passo, utilizando jargões burocráticos e a quase ininteligível linguagem jurídica, a liderança soviética, auxiliada por seus camaradas ucranianos intimidados, lançaram uma fome dentro da fome, desastre que teve como alvos específicos a Ucrânia e os ucranianos.

Naquele outono, diversos conjuntos de diretrizes sobre requisições, fazendas e vilarejos incluídos na lista negra, controles de fronteiras e o fim da ucranização — com bloqueio de informações e revistas extraordinárias para tirar tudo que fosse comestível de dentro das residências de milhões de camponeses — criaram a fome que é hoje lembrada como *Holodomor*. A *Holodomor*, por sua vez, provocou o resultado previsível: o movimento nacional ucraniano desapareceu por completo da política soviética e da vida pública. A "lição cruel de 1919" havia sido aprendida, e Stalin pretendia nunca mais repeti-la.

REQUISIÇÕES

Em julho de 1932, Stalin havia cogitado uma redução nas ilusórias demandas por grãos na Ucrânia para parecer benevolente. No outono, quando ficou evidente que a Ucrânia não chegaria nem perto da quantidade re-

DECISÕES PARA A FOME, 1932: REQUISIÇÕES, LISTAS NEGRAS... 245

querida, ele mudou a tática. À Ucrânia "seria autorizado" que produzisse menos do que o exigido, em até 70 milhões de *poods* (1,1 milhão de toneladas). Mas isso significava que cada grão da cota restante — que ainda era algo fora da realidade — deveria ser coletado. Em 29 de outubro, Molotov enviou telegrama a Stalin confirmando o que dissera aos ucranianos: o plano restante tinha que ser "cumprido incondicionalmente, totalmente, sem um grama a menos".[21]

Em 18 de novembro, os comunistas ucranianos realizaram seu desejo. O partido emitiu uma resolução declarando que "a entrega completa dos planos de produção de grãos é o principal dever de tudas as fazendas coletivas", com prioridade sobre qualquer outra coisa, inclusive a colheita de reservas de cereais, de reservas de sementes, de alimentação para os animais e, assustadoramente, dos suprimentos diários para a alimentação humana. Na prática, tanto os fazendeiros individuais quanto os coletivos estavam proibidos de guardar qualquer tipo de artigo comestível. Até mesmo aqueles autorizados a estocar pequenas quantidades no passado tiveram que devolvê-las. Todo fazendeiro coletivo que produzisse cereais para sua família em trato de terra privado era agora obrigado também a abrir mão deles para o Estado.[22] Não eram aceitas desculpas.

Poucas semanas depois da emissão dessa ordem, Kaganovich chegou à Ucrânia para garantir sua entrada em vigor. Em seguida a outra tumultuada reunião do Politburo, que se estendeu até as quatro da madrugada, ele postou carta a Stalin. Inúmeros comunistas ucranianos haviam implorado para que aos camponeses fosse permitida alguma reserva de cereais para consumo próprio, bem como umas tantas sementes para a semeadura da safra seguinte, mas Kaganovich assegurou a Stalin que permanecera firme em sua postura: "Estamos convencidos de que essa 'preocupação' com reservas, incluindo a de sementes, está prejudicando seriamente e minando todo o plano de aquisição de cereais."[23] Dois dias depois, em 24 de dezembro, o Partido Comunista da Ucrânia desistiu de continuar resistindo. A liderança cedeu por completo e deu a todas as fazendas coletivas improdutivas "cinco dias para entregar, sem exceções, todas as reservas das fazendas, inclusive as de sementes".[24]

Os cereais não foram os únicos alimentos que Moscou decidiu sugar da Ucrânia. Durante os anos anteriores de safras ruins e mau tempo, os

246 **A FOME VERMELHA**

camponeses sobreviveram graças ao gado e aos vegetais que cultivavam em suas hortas. Seguindo-se à colheita fraca de 1924, agrônomos soviéticos observaram que, na verdade, as indústrias de laticínios e de aves domésticas se expandiram.[25] Mas, no outono de 1932, os fazendeiros particulares e as fazendas coletivas com baixo desempenho tiveram que entregar não só suas reservas de sementes, mas também pagar uma multa em carne — uma "cota de quinze meses de carne do gado dessas fazendas coletivas e dos donos particulares de animais" — e, mais ainda, uma multa em batatas, abrangendo "cota de um ano de batatas". Na prática, tal lei forçava as famílias a abrirem mão de toda batata que tivessem conseguido armazenar, e ceder também o gado restante, inclusive as vacas que tinham permissão para manter desde março de 1930.[26]

Para garantir que ninguém protestasse ou resistisse ao cumprimento da ordem, Stalin mandou um telegrama aos líderes do Partido Comunista da Ucrânia, em 1º de janeiro de 1933, ordenando que o partido lançasse mão da lei de 7 de agosto sobre o "roubo de propriedade do Estado" para processar os fazendeiros individuais e coletivos, que, supostamente, escondiam grãos.[27] O historiador Stanislav Kulchytsky argumentou que esse telegrama, vindo do próprio líder do partido em momento tão conturbado, era sinal para que se começassem as revistas e perseguições. Seu ponto de vista era uma interpretação, não prova concreta: Stalin jamais pusera no papel, ou preservara, documento algum sobre ordens quanto à fome. Contudo, na prática, tal documento forçou os camponeses a tomarem uma dificílima escolha: podiam ceder suas reservas de grãos e morrer de inanição, ou podiam manter escondidas reservas de cereais e arriscar serem presos, executados ou encararem o confisco do que restasse de seus alimentos — depois do qual também morreriam de fome.[28]

Duas semanas e meia mais tarde, o governo soviético emitiu outra ordem que pareceu, em uma primeira leitura, ter a intenção de amenizar o golpe. Em termos confusos, o Conselho de Ministros denunciou os métodos irregulares de coleta de grãos que vinham sendo usados em todo o país — os planos, os fracassos do plano, os planos suplementares — e determinou que, em vez deles, os camponeses pagassem um imposto sob a forma de porcentagem fixa das suas produções. Contudo, existia uma

DECISÕES PARA A FOME, 1932: REQUISIÇÕES, LISTAS NEGRAS... 247

ressalva: o imposto só entraria em vigor no verão de 1933. Até lá, continuariam as mortais requisições.[29] Em outras palavras, Stalin sabia que os métodos usados eram prejudiciais, e também sabia que eles fracassariam. Mas permitiu que continuassem por diversos meses fatais, durante os quais milhões de pessoas morreram.[30]

Sem dúvida, ao longo do inverno de 1933, ele não ofereceu nenhuma ajuda alimentícia adicional, nem facilitou a coleta de grãos. As exportações de cereais continuaram a sair da União Soviética, embora mais lentas do que no passado. Desde a primavera de 1932, o comércio exterior da URSS vinha se queixando da queda da quantidade de grãos para exportação. Em Odessa, os responsáveis pelos despachos também reclamavam que recebiam cereais de baixa qualidade e muito mal embalados. Funcionários soviéticos haviam sido especificamente instruídos no passado a convidarem negociantes ocidentais a jantares, e bajulá-los, de modo a compensar os atrasos nas exportações de grãos e até a inexistência dos cereais.[31] Tais gestos podem muito bem ter sido repetidos em 1932, pois a exportação de grãos despencou, como observado mais cedo.[32]

Não obstante, o número nunca chegou a zero. Como também não cessaram as exportações de outros itens. Em 1932, a URSS exportou mais de 3.500 toneladas de manteiga e 586 toneladas de bacon só da Ucrânia. Em 1933, esses números subiram para 5.433 toneladas de manteiga e 1.037 toneladas de bacon. Em ambos os anos, os exportadores soviéticos continuaram o despacho de ovos, aves, maçãs, castanhas, peixe enlatado, vegetais em conserva e carne também enlatada.[33]

LISTAS NEGRAS

Em novembro e dezembro de 1932, quando o significado das novas ordens de requisição "incondicional" começou a ser absorvido, o Partido Comunista da Ucrânia ampliou e formalizou o sistema de listas negras da república. A expressão "lista negra" (*chorna doshka*, que pode ser traduzida literalmente como "quadro negro") não era nova. Desde os primeiros dias no poder, os bolcheviques vinham lidando com o problema da baixa produtividade.

248 A FOME VERMELHA

Como nem os patrões tampouco os empregados das companhias do Estado tinham quaisquer incentivos do mercado para trabalhar mais e melhor, o Estado criara elaborados sistemas de recompensas e punições. Entre outras medidas, muitas fábricas começaram a colocar os nomes de seus melhores funcionários em "quadros vermelhos", e os daqueles menos bem-sucedidos em "quadros negros". Em março de 1920, o próprio Stalin discursou na Donbas e referiu-se especificamente à necessidade de se "favorecer um grupo em detrimento do outro", e condecorar com "medalhas vermelhas" os líderes das brigadas de trabalho, "como nas operações militares". Ao mesmo tempo, os camaradas que evitavam o trabalho deveriam "ter as orelhas puxadas": "Para eles, precisamos de quadros negros." Durante a Guerra Civil, em 1919-21, os bolcheviques haviam colocado vilarejos inteiros nas listas negras se eles tivessem deixado de cumprir suas metas nas exigências da requisição de grãos.[34]

Em 1932, as listas negras voltaram a ser ferramentas para reforçar a política de aquisição de grãos. Apesar de elas terem sido utilizadas em outras regiões produtoras de cereais da URSS, seu emprego começou antes, e de forma mais ampla e rigorosa, na Ucrânia. Desde o início daquele ano, autoridades locais e provinciais começaram a incluir fazendas coletivas, cooperativas e até vilarejos inteiros que não haviam atingido suas cotas de grãos nas listas negras, e a sujeitá-los a uma gama de punições e sanções. No fim do verão, os líderes locais expandiram essas listas. Em novembro, a prática tornou-se onipresente, espraiando-se para incluir vilarejos e fazendas coletivas de quase todos os distritos da Ucrânia.[35]

Por toda a república, os nomes dos vilarejos nas listas negras apareciam nos jornais, com a porcentagem da cota de grãos que eles haviam alcançado. Um desses artigos, por exemplo, intitulado "A lista negra", apareceu na província de Poltava em setembro de 1932, com moldura preta. A lista continha sete vilarejos, cada um dos quais havia produzido entre 10,7% a 14,2% do plano anual.[36]

Como os registros eram mantidos separadamente em cada província da Ucrânia, o número total de entidades listadas é difícil de determinar. Porém, pelo fim do ano existiam centenas, e possivelmente milhares, de vilarejos e fazendas coletivas e independentes nas listas negras de toda a república.[37]

DECISÕES PARA A FOME, 1932: REQUISIÇÕES, LISTAS NEGRAS... **249**

Ao menos 79 distritos foram colocados por inteiro nas listas negras, e 174 deles foram parcialmente colocados, quase a metade do total em toda a república.[38] Embora os nomes fossem compilados por líderes locais, Moscou dedicou considerável interesse pelo processo. Kaganovich fomentou pessoalmente a ampliação das listas negras para incluir o Kuban, província historicamente cossaca do norte do Cáucaso, cuja maioria dos habitantes falava ucraniano.[39] Kuban havia atraído atenção negativa poucos anos antes, quando entusiastas da ucranização haviam começado a promover o idioma. Kaganovich em pessoa assumiu a chefia da comissão criada para combater o problema combinado das entregas de grãos e dos sentimentos nacionalistas no Kuban. Em 4 de novembro, a liderança do norte do Cáucaso publicou uma lista negra com quinze assentamentos cossacos (*stanitsy*).

Uma série de sanções contra fazendas e vilarejos listados veio a seguir. Em telegrama enviado a todas as províncias, o Comitê Central da Ucrânia baniu os distritos incluídos nas listas negras da compra de manufaturados e de bens industriais. Na ordem inicial, exceções foram feitas para o querosene, o sal e os fósforos. Duas semanas depois, em telegrama originado em Moscou, Molotov ordenou a Kosior que banisse também o suprimento desses três itens. Com tal banimento, qualquer camponês que tivesse alimentos teria grande dificuldade para cozinhá-los.[40]

A novidade seguinte foi a total supressão do comércio. No início de 1932, um decreto proibira que os camponeses comercializassem grãos e produtos de carne se suas fazendas não tivessem atingido as metas de requisição. Agora, distritos que não tivessem cumprido suas cotas — e isso abarcava a maioria da Ucrânia — não podiam mais comercializar legalmente grãos, sementes, farinha e pão em qualquer forma possível. Quem fosse pego negociando esses itens se tornava passível de prisão. Policiais tomaram grãos e pães dos bazares. Os camponeses que viviam em fazendas de baixo desempenho não podiam comprar grão, nem que fosse por troca, ou ter posse legal de qualquer tipo de grão.

O decreto seguinte do Politburo expurgou os elementos "contrarrevolucionários" das comunidades das listas negras. Ativistas locais do Kuban ganharam o direito de conduzir os próprios "julgamentos" de sabotadores locais e, nas semanas seguintes, deportaram 45 mil pessoas e importa-

250 A FOME VERMELHA

ram soldados desmobilizados do Exército Vermelho e outros de fora para substituí-los.[41] Kaganovich não tinha dúvida sobre o propósito da lista negra do Kuban. Como escreveu a Stalin, ele queria "que todos os cossacos do Kuban soubessem que, em 1921, os cossacos Terek que resistiram foram deportados. Exatamente como agora: não podemos permitir que fiquem nas terras do Kuban, terras de ouro, que se recusem a semear e vivam, em vez disso, criando dificuldades para nós."[42]

As listas negras também serviram como lição para tolir a resistência na Ucrânia. Ao contrário da Rússia e da Bielorrússia, onde a expressão "lista negra" ficava restrita aos produtores de grãos, na Ucrânia ela podia ser aplicada a quase todas as entidades. Distritos inteiros constaram delas. Estações de Máquinas e Tratores, companhias madeireiras e todos os tipos de empreendimentos provinciais remotamente ligados à produção de grãos podiam entrar nas listas. Como escrevera um historiador, "a lista negra tornou-se arma universal apontada para todos os residentes rurais" na Ucrânia.[43] Ela afetou não apenas camponeses, mas também artesãos, enfermeiras, professores, clérigos, funcionários públicos, qualquer um que vivesse em um vilarejo ou trabalhasse em empresas das listas negras.

Conforme o número de pessoas afetadas aumentava, a definição do que significava estar incluído nas listas negras também evoluía. Assim como todos os habitantes das regiões que não haviam cumprido suas cotas de grão, aqueles incluídos nessas listas eram proibidos de receber quaisquer bens manufaturados — inclusive, graças a Molotov, querosene, sal e fósforos. Os ativistas também os forçavam a entregar às autoridades centrais outros artigos fabricados — vestuário, mobiliário, ferramentas — que haviam armazenado em lojas ou depósitos.

Sanções financeiras também se seguiram: fazendas e empresas nas listas negras não poderiam mais receber créditos. Caso tivessem contraído empréstimos substanciais, foram obrigadas a saldá-los mais cedo. Em alguns casos, todos os seus recursos financeiros foram confiscados: o Estado podia encerrar suas contas bancárias e forçar seus empregados a pagarem suas dívidas coletivas. O Estado proibiu a moagem dos grãos, tornando impossível o preparo da farinha (mesmo que algum grão pudesse ser obtido) para a produção de pão. Fazendas das listas negras não podiam receber os serviços

DECISÕES PARA A FOME, 1932: REQUISIÇÕES, LISTAS NEGRAS... **251**

das Estações de Máquinas e Tratores, assim, os trabalhos tinham que ser realizados de modo braçal ou com a ajuda de animais.[44] Em alguns locais, as listas negras eram reforçadas por brigadas especiais, destacamentos de soldados ou policiais secretos, que bloqueavam o comércio para vilarejos, distritos ou outras fazendas.[45]

Algumas fazendas eram vítimas de sanções extras. Depois que o vilarejo de Horodyshche, no distrito de Voroshilov, província de Donetsk, entrou para a lista negra em novembro de 1932, as autoridades locais notaram que as regras não tiveram muito impacto. Horodyshche ficava perto da grande estação ferroviária de Debaltseve, onde ocorria uma grande quantidade de comércio ilícito. Muitos dos habitantes do vilarejo eram artesãos ou trabalhavam em minas próximas, tinham ampla rede de contatos bem como tratos particulares de terras, e davam um jeito de conseguir os produtos de que necessitavam. Pior ainda, Horodyshche tinha histórico suspeito: durante a Guerra Civil, o relatório do comitê local do partido observara que o vilarejo havia abrigado muitos "grupos de bandidos, ladrões de cavalos e indivíduos duvidosos". A coletivização também "encontrara ativa resistência" no local, em virtude da "grande comunidade de *kulaks*". Os líderes do distrito resolveram arrochar as regras somente para Horodyshche. Exigiram o pagamento antecipado do empréstimo de 23.500 rublos que a fazenda coletiva havia feito. Apreenderam três tratores e todo o estoque de sementes do vilarejo. Impuseram "multas" sobre a carne — o que significou o confisco de todo o gado — e ainda se apossaram de todos os lotes de hortas dos mineradores. Provocaram a demissão de 150 operários das fábricas locais porque suas famílias não conseguiram entregar os grãos. Por fim, prenderam e levaram a julgamento a liderança da fazenda coletiva e alertaram a todos os residentes da comunidade que se a "sabotagem" não parasse, eles seriam deportados e substituídos por "fazendeiros coletivos conscientes". Suas casas seriam confiscadas e entregues a "operários industriais necessitados de acomodações".[46]

Ostensivamente, as listas negras foram projetadas para persuadir os camponeses nelas incluídos a trabalhar com mais vigor para produzir mais grãos. Na prática, elas tiveram impacto bem diferente. Sem grãos, gado,

252 — A FOME VERMELHA

ferramentas e dinheiro, sem a possibilidade de fazer empréstimos, de comercializar, ou mesmo de abandonar seus locais de trabalho, os habitantes dos vilarejos nas listas negras não podiam cultivar, produzir nem comprar absolutamente nada para comer.

FRONTEIRAS

À medida que os camponeses ficavam mais e mais famintos, outro problema surgiu: como evitar que aquela gente necessitada abandonasse seus lares em busca de alimento.

O problema não era novidade. Já em 1931, o OGPU havia alertado sobre um êxodo "sistemático" de camponeses dos vilarejos ucranianos, e os números não paravam de aumentar.[47] As próprias estatísticas mostravam queda acentuada no número de trabalhadores rurais, pois eles escapavam aos milhares das fazendas coletivas.[48] Em janeiro de 1932, o problema subitamente se agravou. Em relatório enviado a Stalin, Vsevolod Balytsky, ainda chefe do OGPU ucraniano, admitiu que mais de 30 mil pessoas haviam deixado a República da Ucrânia durante o mês anterior.[49] Um ano mais tarde, o órgão produziu um documento ainda mais alarmante: entre 15 de dezembro de 1932 e 2 de fevereiro de 1933, cerca de 95 mil camponeses haviam abandonado seus lares. O OGPU não chegou a ponto de admitir que os trabalhadores rurais iam embora porque morriam de fome — "a maioria dos fugitivos é composta por fazendeiros particulares e *kulaks* que não atingiram suas cotas obrigatórias de grãos e temiam enfrentar a repressão" —, mas reconheceu que alguns deles tinham "preocupações referentes a problemas com suprimentos alimentícios".[50]

Fugitivos cruzavam a fronteira para procurar alimentos na Rússia. "Quando as batatas acabaram", lembrou um operário ucraniano, "as pessoas começaram a ir para os vilarejos russos e a trocar suas roupas por alimentos. Interessante era que, para além de Kharkov, onde começa o território russo, não havia fome".[51] De fato, funcionários dos distritos russos ao longo da fronteira com a Ucrânia já vinham se queixando do incessante influxo de ucranianos desde o início de 1932. "Multidões" de indivíduos, famílias

DECISÕES PARA A FOME, 1932: REQUISIÇÕES, LISTAS NEGRAS... 253

inteiras com crianças pequenas e pessoas idosas cruzavam a fronteira com o objetivo de comprar pão ou implorar por ele: "A situação está se tornando perigosa", escreveu um servidor russo local. A carta falava também sobre a ameaça "moral" dessas chegadas de famintos e sobre o aumento dos roubos.[52]

Poucas semanas depois, um grupo de operários bielorrussos escreveu carta ao Partido Comunista da Ucrânia. Eles se queixavam dos ucranianos famintos que bloqueavam suas estradas e ferrovias:

> É uma vergonha observar esses ucranianos famintos e errantes, e quando se pergunta por que eles não permaneceram nos locais de trabalho, suas respostas são de que não há sementes para plantar, nada a fazer nas fazendas coletivas e os suprimentos são deficientes (...) fatos são fatos, milhões de pessoas vagam sem roupas, sofrem de inanição nas florestas, estações, cidades e fazendas da Bielorrússia, suplicando por um naco de pão.[53]

Mas os ucranianos continuaram indo embora, particularmente porque de fato havia alimentos disponíveis na Rússia e na Bielorrússia. No fim de outubro de 1932, o pai de uma garotinha chegou até Leningrado. Partindo em segredo, no meio da noite, a família conseguiu se juntar a ele algumas semanas depois, viajando por estações repletas de ucranianos famintos. "Na época, nem Moscou nem as cidades próximas passavam fome", lembrou ela. Somente a Ucrânia foi honrada com essa coroa de espinhos." Por terem feito essa árdua jornada até o extremo norte, a família inteira sobreviveu.[54]

Outros também conseguiram: em janeiro de 1933, o OGPU observou que 16.500 passagens de longa distância haviam sido compradas na estação de Lozova, e 15 mil em Sumy, ambas cidades da província de Kharkov, na região norte da Ucrânia.[55] Outras dezenas de milhares de pessoas tentavam partir com eles. No fim de 1932, as estações ferroviárias de toda a Ucrânia se encontravam apinhadas de pessoas esquálidas e esfarrapadas implorando por comida e tíquetes dos passageiros, já que muitas delas não tinham dinheiro. Um rapaz que viajava para se encontrar com a mãe naquela ocasião viu cadáveres na estação de Kharkiv e observou uma menina pegar ossos de galinha do chão do bufê da estação e começar a roê-los. Os que conseguiam embarcar escondiam-se sob os bancos; os fiscais de vagões os expulsavam,

A FOME VERMELHA

mas outros continuavam entrando.[56] Multidões assim também haviam perturbado Voroshilov, Budyonny e Kira Alliluyeva no verão de 1932. No outono do mesmo ano e no inverno de 1933, os números só aumentaram.

Outros fugiram de navio. Um dos diversos cônsules italianos incomumente observadores na cidade de Batumi, Geórgia, no litoral do mar Negro, calculou em janeiro de 1933 que "de cada navio a vapor que chega de Odessa — três por semana — costumam desembarcar de mil a dois mil ucranianos". Antes, os ucranianos pareciam querer comprar comida em Batumi, adquirir farinha e sementes que poderiam comer em casa, ou realizar vendas lucrativas. Porém, no fim do outono, o movimento em massa de pessoas tomou as características de influxo de refugiados, com milhares deles procurando se instalar "onde os meios de existência e as oportunidades de conseguir alimentos são mais abundantes".[57]

Como em 1930, alguns camponeses também tentaram sair do país. Maria Błażejewska, de etnia polonesa, entrou na Polônia vinda da Ucrânia, em outubro de 1932, fingindo ser lavadeira. Aproveitou uma oportunidade em que lavava roupa no rio Zbruch, que servia de fronteira, e atravessou para o outro lado. Dois de seus filhos fizeram a perigosa travessia com a mãe; um terceiro já havia sido deportado para o Extremo Oriente. "Desde 1931", disse ela à polícia polonesa de fronteira, "a vida na Rússia soviética (...) tornou-se insuportável tortura, porque as autoridades soviéticas começaram a tirar quase todo o grão e o gado de nós, deixando-nos apenas com pequena quantidade, insuficiente até para o mais modesto padrão de vida".[58] Leon Wozniak, de 15 anos, também escapou em outubro: "Fomos expulsos de nossa própria casa (...) tanto eu quanto meu irmão trabalhávamos nas florestas, mas com isso não conseguíamos ganhar a vida. Como, no momento, acabou todo o trabalho e eu estava morrendo de fome, em 15 de outubro, com minha mãe Małgorzata e meu irmão Bronisław, escapei da Rússia soviética para a Polônia.[59]

Outros tentaram fugir da mesma maneira, mas fracassaram no intento. Poucos meses depois de Maria e Leon terem escapado pela fronteira, um grupo de sessenta pessoas tentou cruzar em conjunto o rio Zbruch. Apenas quatorze foram bem-sucedidos; os demais se afogaram ou foram mortos a tiros pelos guardas da fronteira. Outras 250 famílias tentariam a mesma

DECISÕES PARA A FOME, 1932: REQUISIÇÕES, LISTAS NEGRAS... 255

sorte durante o inverno de 1932-33. Em dezembro de 1932, o Ministério do Interior polonês criou comissão especial para os refugiados ucranianos, nela incluindo um representante da Cruz Vermelha e um da Liga das Nações.[60]

Ainda outros tentaram escapar a pé, a cavalo ou embarcando em trens com destino a cidades ucranianas. Se conseguissem partir cedo o bastante, se tivessem parentes para ampará-los ou fossem suficientemente fortes para trabalhar, algumas vezes se saíam bem. Muitos *kulaks* conseguiram driblar a deportação com antecedência, mudando-se para Kiev ou Kharkov, bem como para as minas e fábricas de Donetsk. Entretanto, no fim de 1932, o número de pessoas começou a se multiplicar, e as cidades, em particular Kiev, Kharkov e Odessa, não conseguiram mais lidar com a situação. No outono de 1932, um memorialista recordou-se do "clima de inquietação" em Kharkov:

> Não havia alimentos. As filas eram gigantescas, e os jornais faziam muito barulho sobre a coleta de grãos, sobre as atitudes de elementos antissoviéticos, os chamados *kurkuls* ou *kulaks* estavam escondendo grãos do governo. (...) O pão, que podia ser obtido com os cartões de racionamento, só era vendido de forma irregular. As filas começavam a se formar à noite, mas eram com frequência dispersadas pela milícia. Para mascarar a situação, o pão era vendido ao ar livre, e não nas lojas.[61]

À medida que mais camponeses começavam a perambular pelo centro de Kharkov, a situação piorava. Eles eram facilmente identificáveis pelas roupas esfarrapadas e pelos pés descalços: graças ao sistema *trudodni* de racionamento, eles não tinham dinheiro nem condições de comprar alimentos ou peças de vestuário. Instintivamente, os habitantes da cidade, eles próprios com poucos artigos alimentícios e submetidos ao sistema de racionamento, distanciavam-se dos refugiados. No inverno, os camponeses na cidade não estavam em situação muito melhor que a dos que haviam permanecido nos vilarejos:

> Muitos camponeses vagavam pelas ruas. Estavam por todos os lados. Podia-se reconhecê-los de longe — idosos, jovens, crianças e bebês. Seu estado de deterioração física ficava evidente com a lentidão dos movimentos de

seus corpos. O brilho se apagara de seus olhos mortiços em rostos pálidos e, ocasionalmente, inchados. Estavam famintos, em farrapos, sujos, com frio e sem banho. Alguns ousavam bater nas portas e às vezes em janelas, e alguns estendiam os braços com muita dificuldade para solicitar caridade com as mãos. Outros simplesmente se sentavam com as costas contra os muros e ficavam imóveis e calados.[62]

Outro memorialista lembrou-se dos camponeses nos mercados:

> As mães com bebês nos braços causavam a mais forte impressão. Elas raramente se misturavam com as outras pessoas. Lembro-me de ter visto uma dessas mães que mais parecia uma sombra do que um ser humano. Estava de pé à beira da estrada, e o pequeno esqueleto em forma de filho, em vez de tentar sugar os seios secos da mãe, chupava os nós dos próprios dedos cobertos por fina pele translúcida. Não tenho a menor ideia de como aqueles desvalidos que vi conseguiram sobreviver. Todas as manhãs, em meu caminho para o trabalho, vi cadáveres em pavimentos, em valetas, sob um arbusto ou uma árvore, que mais tarde eram levados.[63]

Em consequência de tal influxo, as autoridades municipais se viram simultaneamente tentando lidar com diferentes tipos de crises. Órfãos passaram a abarrotar os orfanatos das cidades, já que muitos pais deixaram os filhos para trás na esperança de que sobrevivessem. Os cadáveres provocaram crise sanitária. Em janeiro de 1933, a cidade de Kiev teve que recolher cerca de quatrocentos corpos das ruas. Em fevereiro, a quantidade subiu para 518 e, só nos oito primeiros dias de março, recolheram 248.[64] E esses foram apenas os números oficiais. Diversas testemunhas em Kiev e Kharkov recordaram-se de caminhões cruzando a cidade naquela ocasião, com homens retirando os cadáveres das ruas e enchendo as caçambas de modo tão casual que sugeria que ninguém pensava muito na necessidade de contá-los.

Os pedintes do campo aumentaram a pressão sobre os citadinos que também vivenciavam a escassez de alimentos. Os ânimos em Kharkov se exaltaram rapidamente. Naquela primavera, o cônsul italiano reportou que muitos milhares de pessoas atacaram os milicianos designados para distri-

1. "A partir deste dia, o povo da República Popular da Ucrânia se torna independente, subjugado por ninguém, um livre e soberano Estado da Ucrânia Popular."
A Rada Central declara a Independência, Quarta Universal, 9 de janeiro de 1918.

RENASCIMENTO NACIONAL

2. Heorhiy Narbut projeta o brasão das armas, selos e notas bancárias da Ucrânia, assim como a capa do boletim cultural *Nashe Mynule*, que significa "Nosso Passado".

3. Comício pela independência, em 1917, na Khreshchatyk, principal rua de Kiev – onde também ocorreu a manifestação de Maidan em 2014.

4. Mykhailo Hrushevsky, uma das figuras centrais para o renascimento nacional ucraniano.

5. Capa da marcante obra *História da Ucrânia*, publicada em 1917.

NACIONALISTAS E ANARQUISTAS

6. Symon Petliura (no centro à direita), comandante do Diretório ucraniano, com o líder polonês Józef Piłsudski (no centro à esquerda), Stanislaviv, 1920. As lembranças dessa aliança polaco-ucraniana atemorizaram Stalin por muitos anos.

7. Nestor Makhno, cujo Exército Negro anarquista combateu igualmente ucranianos, bolcheviques e o Exército Branco.

8. Pavlo Skoropadsky (ao centro), que assumiu o título cossaco de *hetman* e governou a Ucrânia, com o apoio alemão, em 1918.

COMUNISTAS

9. Oleksandr Shumskyi, líder político do Borotbyst, partido que se juntou aos bolcheviques, antes de ser expulso por nacionalismo. Preso durante a fome.

10. Mykola Skrypnyk, o líder "comunista-nacional". Suicidou-se durante a fome.

11. Hryhorii Petrovskyi, líder do governo da república ucraniana durante a fome, recebendo de um dos jovens "Escoteiros" a gravata da instituição.

12. Vsevelod Balytsky, OGPU. Chefe da polícia secreta ucraniana durante a fome.

DESKULAKIZAÇÃO

13. Leilão de propriedade *kulak*.

14. Família *kulak* a caminho do exílio.

15. Ícones confiscados, Kharkov.

16. Sinos de igrejas descartados, e mais tarde derretidos, Zhytomyr.

17. Camponeses pobres ao lado das ruínas de uma casa destruída por incêndio.

18. O que, supostamente, seria a coletivização: mulheres votam para se juntar a uma fazenda coletiva.

COLETIVIZAÇÃO, VERSÃO OFICIAL

19. Camponeses ouvindo rádio durante folga no trabalho.

20. Família camponesa lendo o *Pravda*.

21. Generosa colheita de tomates.

22. Operários de uma fábrica local "voluntariamente" ajudando a colher a safra.

REQUISIÇÕES DE GRÃOS

23. Uma brigada de ativistas encontra grãos enterrados no chão. O líder segura o longo bastão metálico utilizado nas revistas.

24. Uma brigada de militantes mostra os sacos de grãos e de milho que descobriram.

25. Vigiando os campos a cavalo.

26. Guardando o depósito de grãos com uma arma.

A FOME NA PROVÍNCIA DE KHARKOV
PRIMAVERA DE 1933

27. Camponeses deixando suas casas em busca de comida.

28. Uma casa de camponeses abandonada.

29. Pessoas passando fome à margem da estrada.

30. Uma família de famintos no campo devastado.

31. Menina camponesa. Uma das mais famosas fotos de Wienerberger.

32 e 33. Filas de pão em Kharkov.

A FOME EM KHARKOV, PRIMAVERA DE 1933

34 e 35. Fome em Kharkov, primavera de 1933.

36 e 37. Fome em Kharkov, primavera de 1933.

RESCALDO

38. Wienerberger tirou esta foto de um homem ainda vivo.

39. E do mesmo homem morto.

40. Duas fotos tiradas por Mykola Bokan, em Baturyn, província de Chernihiv, e preservadas em seu arquivo político. A primeira (acima), de abril de 1933, inclui a inscrição "300 DIAS SEM UM PEDAÇO DE PÃO".

41. A segunda foto de Bokan, tirada em julho de 1933, inclui um memorial a "Kostya, que morreu de fome". Bokan e seu filho foram presos por documentarem a fome. Ambos morreram no *Gulag*.

A IMPRENSA OCIDENTAL

42. "A fome domina a Rússia — O Plano Quinquenal extinguiu o suprimento de pão." Gareth Jones, *Evening Standard*, 31 de março de 1933.

43. Walter Duranty (sentado, ao centro) jantando suntuosamente em seu apartamento em Moscou.

44. "Russos com fome, mas não passam necessidades."
Walter Duranty, *The New York Times*, 31 de março de 1933.

45. Os vitoriosos: Kaganovich, Stalin, Postyshev, Voroshilov, 1934.

46. As vítimas: vala comum que serviu de sepultura coletiva, Kharkov.

DECISÕES PARA A FOME, 1932: REQUISIÇÕES, LISTAS NEGRAS... 257

buir pão em um dos subúrbios da cidade. Em outra parte do município, uma multidão enraivecida atacou duas padarias, roubou farinha e vandalizou as instalações das lojas. Reagindo aos fatos, a polícia começou a empregar medidas preventivas especiais. Por volta das 4 horas de certa manhã, reportou o cônsul, a polícia de Kharkiv bloqueou as ruas laterais em torno de uma padaria onde havia centenas de pessoas esperando durante toda a noite que as portas fossem abertas. Os policiais espantaram a multidão e os obrigaram a ir para a estação de trem. Eles os empurraram vagões adentro e os expulsaram da cidade.

A fuga dos camponeses só aumentou a desmoralização no interior, porque a vasta migração tornou a vida mais difícil para os que ficaram. Em desespero, um membro do Partido Comunista de Vinnytsia escreveu carta a Stalin, no outono de 1932, suplicando ajuda:

> Todos os camponeses estão se deslocando e deixando seus lares, para fugirem da fome. Nos vilarejos, de dez a vinte famílias morrem diariamente de fome. As crianças correm para onde podem, todas as estações ferroviárias estão repletas de camponeses tentando escapar. No interior, não restam cavalos ou gado. Trabalhadores famintos das fazendas coletivas deixam tudo e desaparecem (...) é impossível falar sobre a campanha de semeadura, porque a pequena porcentagem dos camponeses que ficaram está padecendo de inanição.[65]

O que realmente preocupava as autoridades soviéticas era o significado político daquele deslocamento em massa de pessoas. Em toda a União Soviética, do extremo norte ao extremo leste, nos territórios da Polônia que falavam ucraniano e na própria Ucrânia, ucranianos itinerantes não só espalhavam notícias sobre a fome, mas também levavam com eles supostas atitudes contrarrevolucionárias. Como os números aumentavam exponencialmente, o governo soviético declarou, por fim, que não podia haver mais dúvida alguma: "A fuga dos habitantes de vilarejos e o êxodo da Ucrânia no ano passado e neste ano estão sendo organizados por inimigos do governo soviético (...) e agentes da Polônia com o propósito de difundir propaganda entre os camponeses."

258 A FOME VERMELHA

Foi achada uma solução. Em janeiro de 1933, Stalin e Molotov simplesmente fecharam as fronteiras da Ucrânia. Qualquer camponês ucraniano que fosse encontrado fora da república era obrigado a retornar ao seu local de origem. Passagens de trem deixaram de ser vendidas para moradores de vilarejos. Apenas os que tivessem permissão poderiam deixar seus lares — e a permissão era, claro, negada.[66] As fronteiras do distrito do norte do Cáucaso, predominantemente ucraniano, foram também bloqueadas, e, em fevereiro, o distrito do baixo Volga teve o mesmo destino.[67] O fechamento das fronteiras perdurou durante todo o período da fome.

Separadamente, o trabalho continuou com um sistema interno de passaporte, que foi, por fim, estabelecido em dezembro de 1932. Na prática, isso significou que todos aqueles que residissem na cidade precisavam de um passaporte especial, um documento de residência — e os camponeses foram explicitamente impedidos de obtê-lo. Em conjunto com essa nova lei, Kharkov, Kiev e Odessa receberam determinação para se livrarem dos "elementos em excesso" do interior.[68] Aos citadinos foi prometido: as novas medidas facilitariam "o alijamento das cidades e a expulsão de elementos *kulaks* criminosos".[69]

Tais restrições foram implementadas com velocidade sem precedentes. Em poucos dias, o OGPU enviara reforços de Moscou. Cordões de isolamento surgiram nas estradas que saíam da Ucrânia e nas principais rodovias de acesso às cidades. Entre 22 e 30 de janeiro de 1933, Genrikh Yagoda, chefe de todo o OGPU, disse a Stalin e a Molotov que seus homens haviam capturado 24.961 pessoas tentando cruzar as fronteiras, das quais dois terços eram ucranianos e quase todo o restante do norte do Cáucaso. A maioria foi enviada de volta para casa, embora cerca de 8 mil tivessem ficado detidos para investigação policial e mais de mil já tivessem sido presos.[70]

Por conta própria, os colegas ucranianos de Yagoda ficaram ainda mais ocupados. Em fevereiro, eles reportaram que haviam criado um "banimento incondicional na expedição de qualquer documento de viagem", de modo que nenhum camponês pudesse deixar seu vilarejo. Além disso, criaram "patrulhas móveis", que detiveram mais de 3.800 pessoas encontradas nas estradas e mais de 16 mil nas ferrovias. Mobilizaram "agentes secretos" e "ativistas dos vilarejos" para descobrirem os "organizadores do êxodo" e ajudar a prendê-los.[71]

DECISÕES PARA A FOME, 1932: REQUISIÇÕES, LISTAS NEGRAS... 259

O efeito foi gritante, como se a Ucrânia e a Rússia tivessem agora uma fronteira visível. Um diplomata polonês que viajou de carro de Kharkov para Moscou em maio de 1933 ficou impactado:

> O que mais me intrigou durante todo o trajeto foi a diferença entre as aparências dos vilarejos na Ucrânia e as de seus vizinhos na província [russa] da Terra Negra. (...) Os vilarejos ucranianos estavam decaídos, vazios, miseráveis e desertos, as cabanas semidestruídas, sem telhados; nenhuma casa nova à vista, crianças e idosos mais pareciam esqueletos, nenhum sinal de gado. (...) Quando me vi logo depois na [Rússia], tive a impressão de ter cruzado a fronteira de um Estado dos sovietes para a Europa Ocidental.[72]

Para preservar a aparência de ordem, policiais começaram também a remover quaisquer camponeses que conseguissem chegar às cidades. Vasily Grossman — o escritor soviético que cresceu na Ucrânia, trabalhou na Donbas e sabia da fome enquanto ela ocorria — lembrou-se dos "bloqueios colocados nas estradas para evitar que camponeses entrassem em Kiev. Mas eles usavam desvios, e passavam por florestas e pântanos para chegar lá".[73] Os bem-sucedidos tinham ainda que "cortar" os cordões de isolamento" e abrir caminho através de vegetação rasteira.[74] Porém, mesmo aqueles que chegaram a ocupar lugares nas filas por pão não duraram muito, como comentou outro morador de Kiev: "A polícia tirava esses camponeses das filas, embarcavam-nos em caminhões e os levavam para fora da cidade."[75]

Halyna Kyrychenko viu policiais tirando camponeses das filas por pão também em Kharkov. Eles foram colocados em caminhões, recordou-se ela, e levados para tão longe da cidade que não tinham condições de voltar: "Exaustos, eles morriam em algum trecho da estrada." A polícia também prendeu pessoas nas ruas que pareciam tentar comprar ou fazer trocas por pão, atividade considerada suspeita: os habitantes das cidades tinham cartões de racionamento, e operários com o devido registro faziam suas refeições em cantinas. A própria Kyrychenko, então com 13 anos, escapou diversas vezes da polícia.[76]

Os ucranianos urbanos viam o que ocorria e começaram a espalhar rumores sobre os acontecimentos. O pai de Mariia Umanska disse-lhe que

260 A FOME VERMELHA

ajudara a tirar camponeses e seus filhos das ruas de Kharkov. As autoridades tinham-lhe prometido que eles seriam alimentados e levados para suas casas, mas ele também ouvira história diferente: à noite, vivos e mortos eram amontoados em caminhões, levados para um barranco fora da cidade e nele jogados. "Diziam que a terra se mexia."[77] Olena Kobylko ouviu a mesma história: camponeses encontrados nas ruas de Kharkov eram, supostamente, "transportados em trens de carga para fora da cidade e levados para um campo onde não eram vistos por ninguém", e então, vivos ou mortos, eram lançados para dentro de covas.[78]

Essas histórias, naturalmente, filtraram-se nos vilarejos, como esperado. Os camponeses sabiam que se saíssem de casa sem permissão das autoridades locais, poderiam ser obrigados a voltar à força. A conclusão de Lev Kopelev foi dura: "O sistema de passaportes estabeleceu uma base administrativa e judicial de uma nova servidão [e] amarrou ao solo o campesinato, como fora feito antes da emancipação de 1861."[79]

CAPÍTULO 9

Decisões para a fome, 1932: fim da ucranização

Eles colocaram seus talentos a serviço dos kulaks *e dos nacionalistas ucranianos contrarrevolucionários e até agora não demonstraram sintomas de mudança artística para provar que estão prontos a colaborar completamente com os interesses do partido, com o governo soviético e com os trabalhadores da grande pátria socialista — a URSS.*

Ivan Mykytenko explicando por que a alguns escritores ucranianos foi recusada a possibilidade de se tornarem membros do Sindicato do Escritores, 1934.[1]

Para qualquer um que conhecesse o interior ucraniano teria ficado evidente, no outono de 1932, que uma fome generalizada estava a caminho, e que muitas pessoas morreriam. Catástrofe tão extraordinária exigia uma explicação extraordinária. Em dezembro, foi exatamente isso que o Politburo providenciou. Enquanto eram publicados abertamente novos decretos sobre requisição de grãos e listas negras, o Politburo também exarou, em 14 e 15 de dezembro, respectivamente, dois decretos secretos que culpavam explicitamente a ucranização pelo fracasso das requisições.

A FOME VERMELHA

No contexto mais amplo da fome soviética de 1932-33, esses dois decretos são singulares, como o são os eventos que os seguiram. Houve, é verdade, outras regiões que também receberam tratamento especial. Suspeitas sobre sua lealdade provavelmente contribuíram para o aumento das taxas de mortalidade entre camponeses das províncias do Volga, onde algumas das políticas empregadas na Ucrânia, incluindo a prisão em massa de líderes comunistas, foram também implantadas, mas não no mesmo nível que na república.[2] No Cazaquistão, o regime bloqueou as tradicionais rotas dos nômades e requisitou gado para alimentar cidades da Rússia, criando terrível sofrimento entre os cazaques étnicos nômades. Mais de um terço dos 1,5 milhão de habitantes morreu durante a fome, que mal tocou a população eslava do Cazaquistão. Essa investida contra os nômades, por vezes chamada "sedentarização", foi outra forma de sovietização e claro ataque a um grupo étnico recalcitrante.[3] No entanto, em nenhum outro lugar os fracassos na agricultura foram tão explicitamente ligados a questões de cultura e língua nacional quanto o foram na Ucrânia e no norte do Cáucaso, com sua grande população de falantes do ucraniano.

O primeiro decreto lançou a culpa pelas falhas na aquisição de grãos, tanto na Ucrânia quanto no norte do Cáucaso, sobre "os esforços insuficientes e a ausência de vigilância revolucionária" dos Partidos Comunistas locais e regionais. Apesar de fingirem ser leais à URSS, esses baixos escalões dos comitês partidários haviam sido, supostamente, "infiltrados por elementos contrarrevolucionários — *kulaks*, ex-oficiais, *petliuristas*, adeptos da Rada de Kuban etc. Eram traidores secretos e se abrigaram bem no coração do partido e da burocracia do Estado:

> Eles conseguiram se esgueirar para dentro das fazendas coletivas como diretores e como outros membros influentes da administração: contadores, gerentes de depósitos, feitores dos terraços de separação de sementes etc. Foram bem-sucedidos em se infiltrar nos sovietes dos vilarejos, nos órgãos de gerenciamento dos tratos de terra, nas sociedades cooperativas, e agora tentam direcionar o trabalho dessas organizações contra os interesses do Estado proletário e a política partidária, bem como organizar movimentos contrarrevolucionários e sabotar as campanhas de colheita e semeadura...

DECISÕES PARA A FOME, 1932: FIM DA UCRANIZAÇÃO

Os piores inimigos do partido, da classe trabalhadora e do campesinato das fazendas coletivas são os sabotadores da aquisição de grãos que têm carteiras de afiliados ao partido. Para agradar aos *kulaks* e a outros elementos antissoviéticos, eles organizam fraudes estatais, mercados de compra e venda, e o fracasso das metas estabelecidas pelo partido e pelo governo.[4]

A política de ucranização estava em descompasso: ela fora executada "mecanicamente", explicava o decreto, sem muita atenção aos propósitos a que deveriam servir. Em vez de fomentar os interesses da URSS, a ucranização permitiu que "elementos nacionalistas-burgueses, *petliuristas* e outros" criassem células contrarrevolucionárias secretas dentro do aparato estatal. O tratado também investia contra a "irresponsável 'ucranização' não bolchevique no norte do Cáucaso", que proporcionara cobertura legítima aos "inimigos do poder soviético".[5]

Kulaks, ex-oficiais Brancos, cossacos e membros da Rada de Kuban — aqueles que haviam lutado, durante a Guerra Civil, por um Estado independente e cossaco no Kuban — eram todos acusados. Foram nomeados e colocados num mesmo saco com o rótulo de "Ucranianos", ou ao menos tachados de beneficiários da ucranização.

O segundo decreto fez eco ao primeiro, mas ampliou a área do banimento para nela incluir o Extremo Oriente, o Cazaquistão, a Ásia Central, a província central da Terra Negra e "outras regiões da URSS" que pudessem ter sido infectadas pelo nacionalismo ucraniano. O governo soviético emitiu essa medida suplementar para "condenar as sugestões de camaradas individuais ucranianos sobre a mandatória ucranização de áreas inteiras da URSS" e autorizar sua interrupção imediata onde quer que fosse. As regiões citadas foram ordenadas a impedir qualquer publicação de jornais e livros em ucraniano e a impor o russo como principal língua do ensino escolar.[6]

Os dois decretos ofereciam uma explicação para a crise dos grãos e nomeavam bodes expiatórios. Eles também desencadearam um expurgo em massa imediato dos servidores do Partido Comunista da Ucrânia, bem como ataques verbais, e depois físicos, contra professores universitários e escolares, acadêmicos e intelectuais — qualquer um que tivesse promovido a ideia nacionalista ucraniana. Durante o ano seguinte, todas as instituições

264

A FOME VERMELHA

de alguma forma vinculadas a tal noção foram expurgadas, fechadas ou transformadas: universidades, academias, galerias, organizações culturais.

Os decretos estabeleceram uma ligação direta entre o ataque à identidade nacional ucraniana e a fome. Foi a mesma organização da polícia secreta que os executou. Os mesmos servidores supervisionaram a propaganda que os descreveu. Da perspectiva do Estado, eles eram parte do mesmo projeto.

EXPURGO NO PARTIDO DA UCRÂNIA

O OGPU era especialista em formular fantásticas teorias conspiratórias sobre seus inimigos. No entanto, a oposição à política de requisição de grãos nos níveis mais baixos do Partido Comunista da Ucrânia era real. Em novembro de 1932, os relatórios da insatisfação no partido, que haviam levado Stalin a declarar que a "situação na Ucrânia era terrível", foram atualizados e voltaram a circular. Centenas de membros do partido ucraniano se opunham, repetida e regularmente, ao confisco de grãos e às listas negras, tanto verbalmente quanto na prática.

Por vezes, seus apelos eram emotivos. Um membro do partido na cidade de Svatove declarou abertamente suas opiniões em longa carta para o comitê partidário local. "Lembro-me de que, desde meu primeiro dia no Komsomol, em 1921, fiquei entusiasmado e fui trabalhar com o sentimento de que a linha do partido estava certa, e eu também", escreveu ele. Porém, em 1929, ele começou a ter dúvidas. E quando as pessoas começaram a passar fome, ele sentiu a necessidade de protestar: "A linha geral do partido está errada, e sua implementação levou a pobreza ao campo e forçou a proletarização da agricultura, o que foi confirmado em nossas estações ferroviárias e com a aparição de massas de órfãos sem-teto nas cidades."[7] Outros perceberam claramente as novas requisições como um ataque à própria república. "Eles poderiam cometer erros em dez ou vinte distritos", um secretário do partido local foi ouvido declarando, "mas errar em todos os distritos da Ucrânia — significa que algo está errado".[8]

Tais manifestações de dúvida desestabilizaram a liderança soviética. Se os próprios comunistas não mais apoiavam a política oficial, então quem

DECISÕES PARA A FOME, 1932: FIM DA UCRANIZAÇÃO 265

a colocaria em prática? Ninguém levou esse problema mais a sério do que o próprio Stalin. Depois de consultas a Balytsky, com quem se encontrou duas vezes em novembro de 1932, Stalin despachou carta a todos os líderes partidários, nacionais, regionais ou locais de todo o país, declarando guerra aos inimigos internos do partido. "Um inimigo com carteira de membro do partido deve ser punido mais rigorosamente do que um não afiliado", proclamou ele:

> Os organizadores da sabotagem são, na maioria dos casos, "comunistas", isto é, pessoas que têm carteiras de afiliação ao partido nos bolsos, mas que há muito foram desencaminhados e quebraram seus elos partidários. São eles os mesmos imundos e desonestos que conduzem a política *kulak* sob o falso estandarte de seu "comprometimento" com a linha geral do partido.[9]

Àquela altura, mudanças de alto nível já haviam começado. Stalin determinara que Balytsky seria novamente chefe da polícia secreta na Ucrânia, interrompendo sua breve estada na sede em Moscou. Enviara também Pavlo Postyshev, ex-chefe do partido em Kharkov, de volta à Ucrânia depois de curto período no comando da divisão de propaganda do Comitê Central também em Moscou. Nos meses subsequentes, Postyshev operou como subordinado direto de Stalin, uma espécie de governador-geral da Ucrânia. Stalin também tirou Vlas Chubar da liderança ucraniana, embora tenha permitido que Stanislav Kosior e Hryhorii Petrovskyi permanecessem (o primeiro foi preso em 1938 e executado em 1939; o outro conseguiu sobreviver até os anos 1950).[10] No inverno de 1932-33, o líder soviético lançou nova onda de investigações, acusações e prisões de membros dos níveis inferiores do Partido Comunista da Ucrânia que ousavam protestar. O resultado desse expurgo, que coincidiu com a fome, foi transformar o partido ucraniano em uma ferramenta de Moscou, sem autonomia ou capacidade alguma de tomar decisões próprias.[11]

Líderes locais pagaram alto preço pela honestidade. No vilarejo de Orikhiv, por exemplo, os comunistas locais tentaram dizer a verdade. "Somos membros do partido e devemos ser sinceros", disseram a colegas em Kharkov: "O plano é irrealista e não o cumpriremos. Só obteremos entre

45 a 50%."[12] Anos mais tarde, quando o caso de Orikhiv foi reexaminado — durante o breve período conhecido como "Degelo de Kruschev" —, testemunhas e mais testemunhas declararam que os comunistas de Orikhiv não atingiram as cotas porque a tarefa era impossível: seus campos simplesmente não produziam aquela quantidade de grãos. Um dos depoentes, Mykhailo Nesterenko, ex-chefe de fazenda coletiva, lembrou-se da enorme pressão que sofrera naqueles anos: "O ponto importante é que o termo 'sabotagem' àquele tempo não tinha significado definido. Ao menor erro, eles nos tachavam de sabotadores e nos ameaçavam com repressão."[13]

Naquele tempo, pensamentos desse tipo eram considerados traições, e diversos comunistas de Orikhiv foram presos e sentenciados. Alguns passaram longos períodos no *Gulag*. Muitos não chegaram a regressar para casa. O OGPU justificou essas punições extremas com uma interpretação mais profunda de suas ações: embora aparentassem ser membros do partido, comunistas como os de Orikhiv planejavam secretamente derrubar o Estado. Eles seguiram "o caminho dos *kulaks* da traição ao partido e ao Estado dos trabalhadores, o caminho da sabotagem, da desmoralização das fazendas coletivas, da sabotagem organizada da coleta de grãos, ocultando ao mesmo tempo sua roubalheira *kulak* sob o pretexto do 'comprometimento' com a linha geral do partido".[14]

Uma das pessoas sentenciadas — Maria Skypyan-Basylevych, burocrata do partido que passou dez anos no *Gulag* — declarou, trinta anos mais tarde, que "pessoas absolutamente inocentes, comunistas honestos e com princípios, sofreram".[15] Contudo, em 1933, as prisões de Orikhiv passaram forte mensagem: os próprios membros do partido não eram imunes às acusações. "Qualquer afiliado, por mais que aparentasse ser leal e bom comunista, poderia se tornar bode expiatório caso discordasse das autoridades.

A linguagem utilizada para condenar os comunistas de Orikhiv foi aplicada em toda a república. Em 18 de novembro, mesmo dia em que o Politburo ucraniano determinou o confisco dos estoques de grãos remanescentes, foi também emitido decreto "sobre a aniquilação dos ninhos de contrarrevolucionários e a derrota dos grupos *kulaks*". Nos vilarejos das listas negras, "*kulaks, petliuristas, pogromistas* e outros elementos contrarrevolucionários" foram mandados para a prisão.[16] Quatro dias depois, o Politburo soviético

DECISÕES PARA A FOME, 1932: FIM DA UCRANIZAÇÃO 267

em Moscou resolveu estabelecer sentenças de morte para líderes do partido e das fazendas coletivas que não cumprissem suas cotas de grãos. Uma *troika* especial de servidores ucranianos, incluindo Kosior, recebeu a autoridade para ordenar tais execuções. Recebeu também instruções para reportar suas decisões a Moscou a cada dez dias.[17]

Eles agiram rapidamente. Em quatro dias, o OGPU descobriu não apenas insatisfação generalizada, mas também provas de conspiração *kulak-petliurista* em 243 distritos ucranianos[18]. A polícia secreta prendeu 14.230 pessoas só em novembro de 1932; o total de prisões naquele ano se aproximou de 27 mil indivíduos, quantidade suficiente para cortar o mal do partido pela raiz.[19] Até os jovens, que nem eram ainda afiliados ao partido, foram punidos: entre o fim de 1932 e o início de 1934, o Komsomol expulsou 18.638 de seus membros.[20]

Com o progresso das prisões, o linguajar do OGPU foi ficando mais estridente. "O ataque operacional contra grupos internos antissoviéticos e das fazendas coletivas caminha em ritmo acelerado, declarou o boletim de operações do OGPU em dezembro de 1932:

> As atividades contrarrevolucionárias de grupos descobertos e liquidados nas fazendas coletivas consistiam em solapar importantes campanhas agrícolas, especialmente a de coleta de grãos; em desperdiçar e esconder cereais; e em agitação antissoviética e antifazendas coletivas. (...) A avassaladora maioria desses grupos era fortemente influenciada por *kulaks* e por elementos contrarrevolucionários, em particular elementos *petliuristas* que corrompiam as fazendas coletivas e seus aparatos administrativos...[21]

As conspirações "fictícias" também se tornaram mais densas, mais complexas e mais intimamente ligadas às rebeliões do passado. Muitos dos presos, em particular os de novembro e dezembro, eram *chairmen* ou líderes de fazendas coletivas; outros eram contadores ou burocratas. Os nomes dos encarcerados eram normalmente listados com seus reais ou imaginários vínculos e credenciais: "Ex-comandante *petliurista*"; "filho de negociante cuja mãe fora enviada para o Norte"; "ex-latifundiário"; "ex-partícipe de bandos *petliuristas* ou de Makhno". Seus "crimes" sempre envolviam

268

A FOME VERMELHA

supostos roubos de pão, críticas às campanhas de confisco de cereais ou outras atividades que, de algum modo, justificavam os fracassos das safras na Ucrânia.[22] Mesmo assim, suas motivações eram descritas não apenas como políticas, mas também como contrarrevolucionárias. Acusavam-nos de terem sido influenciados por Makhno, Petliura, pelo SVU, por elementos hostis à classe dos trabalhadores, por *kulaks* ou por outros movimentos revolucionários anteriores.

Em alguns casos, o passado e o presente eram explicitamente ligados. As autoridades do vilarejo de Kostiantynivka, na província de Odessa, prenderam Tymofii Pykal, em dezembro de 1932, com base em seu comportamento presente, bem como suas conexões passadas. No relato do caso, Pykal foi citado dizendo aos seus amigos fazendeiros que não entregassem os grãos: "Neste ano, as autoridades soviéticas vão tomar todo o nosso pão; morreremos de fome se o entregarmos." Ao mesmo tempo, a polícia observou que Pykal fora "comandante de uma unidade durante o levante dos camponeses", uma década antes. Ele foi preso sob o infame artigo ucraniano 54-10 — "agitação e propaganda antissoviéticas" — e mandado embora para ser sentenciado.

Petro Ovcharenko, habitante de outro vilarejo da província de Odessa, teve destino semelhante. Ele foi simultaneamente acusado, em dezembro de 1932, de ter "organizado grupo sectário" no passado, assim como "sistemática agitação contra os planos de coleta de grãos". Supostamente, ele fora ouvido declarando: "Por que precisamos desses planos? Quem tem o direto de levar nossos grãos e deixar-nos famintos? Não entregaremos nossos grãos..."[23]

No fim do ano, a "conspiração" adquirira também aspectos internacionais. Nos últimos dias de dezembro, Balytsky revelou a existência de um complô "de insurgente movimento polaco-*petliurista* clandestino, abrangendo 67 distritos locais na Ucrânia". Em fevereiro de 1933, ele escreveu novamente sobre o "complô secreto contrarrevolucionário, ligado a estrangeiros e à inteligência de fora, em especial do estado-maior polonês".[24] Os colegas russos de Balytsky reforçaram esse tipo particular de pensamento conspiratório no início do mesmo ano, quando divisões do OGPU soviético prepararam relatório mais elaborado "sobre as organizações contrarrevolucionárias de *kulaks* insurgentes e do Exército Branco que foram descobertas

DECISÕES PARA A FOME, 1932: FIM DA UCRANIZAÇÃO 269

e erradicadas", não apenas na Ucrânia, mas — na esteira dos decretos de dezembro de 1932 — também no norte do Cáucaso, na província central da Terra Negra e nos Urais.

O relatório de Moscou foi além das alegações fantásticas de Balytsky, afirmando que encontrara elos entre as fazendas coletivas de baixo rendimento e a "União Militar de Toda a Rússia", organização de ex-oficiais tsaristas exilados que era liderada por Piotr Wrangel, um general do Exército Branco. Na Ucrânia, o OGPU havia capturado um *kulak* chamado Barylnykov que, supostamente, fora mandado de Paris por Wrangel para promover agitação contra a coleta de grãos e a coletivização. Haviam também descoberto "23 representantes polaco-*petliuristas*"; um "movimento clandestino insurgente amplamente estabelecido" nos distritos ocidentais da Ucrânia, como também na Donbas, supostamente ligado a um governo ucraniano no exílio "sediado em Varsóvia"; um "grupo diversionista *kulak*-Exército Branco" vinculado à inteligência romena; e, em Kuban, organizações vinculadas a "centros cossacos de emigrados Brancos". Esses vários grupos foram acusados, entre outras coisas, de distribuir panfletos políticos; promover ataques incendiários contra propriedade *kolkhoz*; destruir uma granja e matar cerca de 11 mil aves domésticas; criar elos com organizações contrarrevolucionárias usando marinheiros como agentes; e, é claro, de sabotar as safras e roubar grãos.[25]

Embora a resistência dos níveis mais baixos do partido tivesse sido real, essas vastas conexões internacionais eram, até mesmo para os padrões do OGPU, absurdas. A Polônia assinara pacto de não agressão com a URSS, em julho de 1932.[26] Os generais do Exército Branco nomeados nos relatórios já eram semiaposentados e viviam em Paris, senhores idosos sem qualquer ligação ou influência na URSS. Petliura já morrera havia muito tempo.

Mas as acusações engendradas por Balytsky e pelo chefe do OGPU, Genrikh Yagoda, não tinham o intento de refletir a verdade. A descoberta da vasta conspiração política proporcionava, sobretudo, uma explicação: por que a colheita fracassava, por que as pessoas passavam fome, por que a política agrícola soviética, tão cerrada e estritamente vinculada a Stalin, dava errado. Para reforçar a argumentação, Stalin em pessoa enviou carta aos membros e aos candidatos a membros do Comitê Central, bem como aos líderes do partido em níveis republicano, provincial e local. Em anexo,

270 A FOME VERMELHA

ele despachou documentos longos e prolixos detalhando a "sabotagem da coleta de grãos nas províncias de Kharkov e Dnipropetrovsk", assim como as atividades de "grupos de devastadores em Kuban". Listas de servidores culpados, com seus crimes, foram adicionadas no fim.[27]

O conto da conspiração também serviu para fornecer àqueles que permaneceram no partido uma justificativa ideológica para o que estavam prestes a fazer. Os novos decretos letais não poderiam ser executados só por Moscou. A política exigia novos colaboradores locais. Em poucas semanas, milhares de pessoas seriam necessárias para implementar políticas que conduziriam seus vizinhos à fome. Elas precisariam de muitas motivações: medo da prisão, medo de passar fome — da mesma maneira que histeria, suspeita e ódio aos seus inimigos.

O EXPURGO NO MOVIMENTO NACIONAL: "O RENASCIMENTO LIQUIDADO"

O Partido Comunista da Ucrânia foi a vítima imediata dos decretos de dezembro. Mas as ordens que ligavam a ucranização à requisição de grãos também marcaram o fim do movimento nacional ucraniano na União Soviética.

De fato, a situação dos líderes da cultura nacional já havia se deteriorado bastante por volta do outono de 1932. Desde o orquestrado clamor contra o "shumskyismo" em 1927, a vida de muitos dos associados à cultura ucraniana tornou-se cada vez mais precária. Mykhailo Hrushevsky permaneceu sob ataques constantes, alguns visíveis, outros, não. Detalhes da polícia secreta a seu respeito deliberadamente encorajavam animosidade ao redor dele, incitando seus amigos a se tornarem críticos. Seus recursos financeiros secaram. Uma nova escola de historiadores marxistas desancou seus livros sobre a história da Ucrânia, argumentando que ele dera pouca atenção à história da classe trabalhadora e mostrara interesse demais pela evolução da identidade ucraniana.

O OGPU finalmente prendeu Hrushevsky na primavera de 1931, enquanto ele fazia uma visita a Moscou. Levaram-no para a Ucrânia, onde Balytsky

DECISÕES PARA A FOME, 1932: FIM DA UCRANIZAÇÃO 271

em pessoa se encarregou do caso. Ele decidiu enviar o maior historiador ucraniano para o exílio, e não para a prisão. O OGPU providenciou seu retorno à Rússia e ordenou-lhe a lá permanecer. Pouco depois, as autoridades organizaram três debates públicos para deslegitimar sua obra como um todo. Essas "farsas judiciais" foram encenadas com grande pompa e circunstância em três prédios associados ao movimento nacional: na Casa da Ópera de Kiev, no ex-edifício da Rada Central e na Academia de Ciências. Eles "desmascararam" Hrushevsky como ativo agente inimigo, um "burguês ucraniano nacionalista e fascista que supostamente trabalhava para separar a Ucrânia da URSS e para subjugá-la ao capitalismo ocidental".[28] Seu nome desapareceu da vida pública e ele jamais retornou à Ucrânia. Morreu em circunstâncias que muitos ainda creem suspeitas, na estação de repouso da cidade caucasiana de Kislovodsk, em 1934.

Nos meses subsequentes aos julgamentos de Hrushevsky, todos os comunistas nacionais — fiéis bolcheviques que acreditavam poder inspirar os camponeses e operários da Ucrânia com a cultura ucraniana e com a retórica soviética — tiveram o mesmo destino. Mykola Skrypnyk, que havia liderado as acusações contra Shumskyi, acatado as acusações contra Hrushevsky e aderido fielmente à linha do partido, era agora a vítima primária. Em janeiro de 1933, o partido aboliu os cursos de história e língua ucranianas que Skrypnyk havia estabelecido nas universidades da Ucrânia. Em fevereiro, ele foi forçado a se defender contra a acusação de que tentara "ucranizar" crianças russas à força. Em março, enquanto a fome se alastrava no interior, Postyshev, em seu papel de porta-voz *de facto* de Stalin na Ucrânia, decretou a eliminação dos livros didáticos em ucraniano, assim como o término das aulas adaptadas para as crianças ucranianas.[29]

O sistema escolar de Skrypnyk estava então em ruínas. Em junho, Postyshev o acusou de ter cometido "erros" teóricos como comissário da Educação. E foi além:

> Esses [erros teóricos] são triviais se comparados ao estrago que teve lugar nos órgãos da educação que buscavam confundir nossa juventude com ideologia hostil ao proletariado. (...) [Em consequência], a ucranização foi posta nas mãos de porcos *petliuristas* e de inimigos do povo que portavam

A FOME VERMELHA

carteiras de membros do partido e eram respaldados pelas costas largas do Politburo ucraniano, e você com frequência os defendeu. Você deveria ter falado sobre isso. Esse é o ponto que levanto.

Postyshev não chegou a chamar Skrypnyk de "inimigo disfarçado", mas chegou bem perto.[30] Logo depois, uma série de artigos na imprensa comunista atacou a política de idioma e linguística de Skrypnyk, inclusive sua nova ortografia ucraniana, compilada durante muitos anos com a cooperação do círculo de acadêmicos que falava a língua.[31] Em reunião do Politburo de 7 de julho, Skrypnyk protestou, em um salão repleto de seus colegas, contra tais acusações. Eles refutaram formalmente seus comentários: "Skrypnyk não cumprira sua obrigação de enviar ao Comitê Central uma breve carta admitindo seus erros." Porém, a essa altura, ele já havia se retirado da reunião, ido para casa e disparado um tiro contra si mesmo.[32]

O cerco também se fechava para outros, em particular para artistas e escritores ucranianos que haviam fixado residência no "Slovo" Budynok, a Casa dos Escritores, bloco de apartamentos reservados para figuras culturais importantes de Kharkov. Desde 1930, o "Slovo" Budynok vinha sendo objeto de vigilância quase histérica do OGPU. Agentes se revezavam na observação do prédio; a polícia conduzia revistas regulares nos 68 apartamentos e interrompiam qualquer chance de conversa entre mais de três pessoas no saguão ou no pátio do prédio, alegando que podiam ser encontros "organizacionais" para o planejamento de complôs. Um escritor, Ostap Vyshnia, deixou de sair de seu apartamento; outro, Mykola Bazhan, dormia todas as noites com roupas de sair, pronto para ser levado.

As prisões começaram a esvaziar o prédio, criando uma atmosfera que era especialmente penosa para Mykola Khvylovyi, escritor cujas conclamações por uma literatura "europeia" na Ucrânia tanto haviam chocado Kaganovich e Stalin. Àquela altura, Khvylovyi já havia retirado ou abjurado grande parte de sua obra provocativa, inclusive seu famoso slogan "Distância de Moscou!". Ele também fizera viagem pelo interior dizimado e testemunhara o crescente número de camponeses famintos, retornando a Kharkov devastado. Disse a um amigo que a fome que presenciara era puramente uma construção política, "com o intento de resolver um problema ucraniano muito peri-

DECISÕES PARA A FOME, 1932: FIM DA UCRANIZAÇÃO   273

goso de uma vez por todas". Para Khvylovyi, a ligação entre a política letal de coleta de grãos e o desmanche da cultura ucraniana já estava evidente. A polícia secreta, que o vigiava em tempo integral, escreveu que após sua visita aos distritos famintos, "as emoções se apossaram dele mais do que qualquer outra coisa". A prisão de um de seus amigos mais próximos, o escritor Mykhailo Ialovyi, pareceu empurrar-lhe para a beira do precipício. Poucas horas antes de se suicidar com um tiro, Khvylovyi compôs uma nota de suicídio. Nela, falou sobre "o assassinato de uma geração (...) por quê? Porque éramos os comunistas mais sinceros? Não entendo". Sua conclusão: "Vida longa ao comunismo. Vida longa à construção do socialismo. Vida longa ao Partido Comunista."[33]

A morte de Khvylovyi piorou uma situação que já era ruim: informantes do "Slovo" Budynok disseram aos analistas do OGPU que os amigos do escritor encararam seu suicídio como "ato de heroísmo". Outros queixaram-se amargamente de não poderem fazer protestos durante o funeral, porque o partido "censuraria todos os pronunciamentos de antemão". Conclusão dos informantes: "Elementos antissoviéticos dos institutos de pesquisa acadêmica e a *intelligentsia* ucraniana estão se aproveitando da morte de Khvylovyi como oportunidade para conspiração contrarrevolucionária." Seguiram-se mais prisões; entre as novas vítimas estava Oleksandr Shumskyi. Poucos meses mais tarde, um jornal do partido grupou os três — Khvylovyi, Shumskyi e Skrypnyk: todos eles desejavam "afastar a Ucrânia soviética da URSS e transformá-la em colônia imperialista".[34]

Àquela altura, o expurgo no Comissariado da Educação de Skrypnyk já estava bem encaminhado. O terreno havia sido preparado em 1927, quando uma investigação do OGPU sobre suas opiniões políticas concluiu que os professores, assim como os fazendeiros das fazendas coletivas, escondiam "seus pontos de vista antissoviéticos" por trás de uma fachada de apoio ao Estado.[35] Durante os julgamentos do SVU de 1929 e 1930, milhares foram acusados de conspiração contrarrevolucionária.[36] Porém, depois da renúncia e do suicídio de Skrypnyk, a destituição sistemática de professores, acadêmicos e burocratas da educação ucraniana progrediu para sua conclusão lógica. Em 1933, todos os chefes de departamentos regionais de educação foram despedidos, acompanhados pela vasta maioria dos burocratas da educação.

A FOME VERMELHA

Cerca de 4 mil professores ucranianos foram qualificados como "elementos hostis de classe". Dos 29 diretores de institutos pedagógicos, dezoito foram dispensados.[37] Em toda a república, qualquer pessoa com concebível ligação ao nacionalismo — ou quem quer que tivesse um elo imaginário a qualquer coisa que se assemelhasse a nacionalismo — acabou perdendo o emprego. Muitos foram presos depois.

Por qualquer que seja o parâmetro, o número de vítimas foi muito grande: no curso de dois anos, 1932 e 1933 — os anos da fome —, a mesma polícia secreta soviética responsável por supervisionar a inanição no interior prenderia cerca de 200 mil pessoas na república da Ucrânia.[38] Porém, mesmo essa quantidade, por maior que seja, não faz jus ao impacto catastrófico desse expurgo direcionado a instituições e ramos da sociedade, em particular a educação, a cultura, a religião e a editoração. Na essência, os 200 mil representavam uma geração inteira de ucranianos instruídos e patrióticos. No contexto da Ucrânia, esse expurgo de 1932-33 foi proporcional em escala ao Grande Terror de 1937-38, que erradicou a maior parte da liderança soviética e também faria muitas vítimas na Ucrânia.[39]

No decurso dos anos cruciais de 1932-33, instituições inteiras — o instituto pedagógico polonês, a escola secundária germânica — foram fechadas ou tiveram o corpo docente e o quadro auxiliar "desinfetados".[40] Faculdades e editoras foram eliminadas. Quarenta servidores da Biblioteca Nacional da Ucrânia foram presos como "destruidores nacional-fascistas".[41] Todos os departamentos remanescentes da Academia de Ciências da Ucrânia foram liquidados.[42] A Academia de Ciências Agrícolas da Ucrânia perdeu entre 80 e 90% de seus integrantes. Outras organizações simplesmente sumiram em 1933, incluindo o conselho editorial da Enciclopédia Soviética da Ucrânia, da Câmara de Pesos e Medidas, do Instituto de Direito Soviético de Kharkov e muitas outras. Duzentas peças teatrais "nacionalistas" ucranianas foram banidas, juntamente com algumas dezenas de traduções ucranianas de clássicos universais.[43]

Particularmente mordaz foi o destino do instituto pedagógico de Nizhyn, na província de Chernihiv, cujas origens remontavam ao início do século XIX, e dentre seus famosos formandos se destacava Nikolai Gogol. Na segunda metade de 1933, uma comissão especial do Comitê Central investigou o ins-

DECISÕES PARA A FOME, 1932: FIM DA UCRANIZAÇÃO 275

tituto e "descobriu" vasta rede de elementos suspeitos que residiam em seus clássicos prédios. As "descobertas" foram nefastas: o boletim do instituto foi acusado de conter perigosos exemplos de nacionalismo, os professores propagavam a então inaceitável obra de Hrushevsky, os pesquisadores tratavam como ídolos os líderes cossacos do passado. O diretor do departamento de história soviética ignorara o papel da luta de classes na história ucraniana e foi obrigado a se retratar publicamente em relação às suas noções; o diretor do departamento de economia apoiara a teoria "antileninista" da crise econômica. Depois de absorver o relatório, a célula local do partido dispensou os diretores de muitos departamentos — incluindo os dos departamentos de biologia, história e economia —, fechou o museu do instituto e acabou com seu boletim. O instituto de Nizhyn sobreviveu, mas mudou de nome e foi repovoado com quadro completamente diferente de professores.[44]

Outros compreenderam a mensagem. Embora a política de ucranização continuasse a existir no papel, na prática, a língua russa reassumiu o domínio tanto na educação superior quanto na vida pública. Milhões presumiram que qualquer associação com a língua ou com a história ucraniana seria tóxica, até perigosa, bem como "retrógrada" e inferior. O governo da cidade de Donetsk abandonou o uso do idioma ucraniano; jornais de fábricas que eram publicados em ucraniano passaram a empregar o russo.[45] As universidades de Odessa, que haviam recentemente adotado o ucraniano, voltaram a ensinar em língua russa. Estudantes ambiciosos procuraram ostensivamente evitar o ucraniano, preferindo estudar em russo, idioma que lhes dava maior acesso e melhores oportunidades na carreira.[46]

Alguns passaram a temer o uso do ucraniano em qualquer circunstância. O diretor da academia de belas-artes de Odessa, que ministrava a maior parte de suas aulas em ucraniano, esclareceu muito bem a situação: "Depois do caso Skrypnyk, todos mudaram para o russo receando que, se não o fizessem, seriam tachados de nacionalistas ucranianos."[47] Forças similares engolfaram os museus nacionais, bem como os pequenos periódicos dedicados a estudos regionais e história ucraniana. A maioria deixou de receber ajuda financeira e começou também a sumir.[48]

Uma onda semelhante de repressão varreu a Igreja. A Igreja Ortodoxa Independente da Ucrânia, estabelecida em 1921 como ramo separado da

Ortodoxia, já havia sido severamente afetada durante os julgamentos do SVU de 1929, quando muitos de seus líderes foram presos e condenados. Em fevereiro de 1930, no auge da rebelião dos camponeses, a URSS adotara seu decreto sobre "a luta contra novos elementos contrarrevolucionários em órgãos governantes das uniões religiosas" e, como mencionado, promovera o roubo de sinos e ícones, bem como a prisão de clérigos.

Entre 1931 e 1936, milhares de igrejas — três quartos das existentes no país — pararam de funcionar completamente. Muitas seriam fisicamente demolidas: entre 1934 e 1937, 69 igrejas foram destruídas apenas em Kiev. Igrejas e sinagogas foram convertidas para novos usos. Os prédios, foi dito aos camponeses, seriam necessários como "celeiros". O resultado foi que, em 1936, serviços religiosos só ocorreram em 1.116 igrejas em toda a República da Ucrânia. Em muitas províncias grandes — Donetsk, Vinnytsia, Mikolaiv — não restou uma só igreja. Em outras — Luhansk, Poltava, Kharkov — só havia uma igreja em uso.[49]

Kiev também sofreu. Como muitas construções da cidade eram associadas a momentos anteriores de triunfo nacional, elas se tornaram focos do ataque antinacionalista na esteira da fome. Em seu periódico profissional, o Sindicato dos Arquitetos da URSS criticou a arquitetura da cidade por incorporar "ideologia hostil de classe". Uma comissão especial do governo foi criada para promover a reconstrução socialista de Kiev; Balytsky e Postyshev dela participaram.[50] Em 1935, a comissão aprovou um "plano geral" para a cidade, que transformaria "uma urbe de igrejas e mosteiros em um centro arquitetônico — autêntico, completo e socialista — da Ucrânia soviética".[51] Apenas poucos anos antes, a Academia Ucraniana de Ciências propusera a criação de uma zona de preservação histórica, "a Acrópole de Kiev", na parte mais antiga da cidade. Mas, em 1935, ao contrário, a cidade teve destruídas dezenas de monumentos históricos, incluindo cemitérios ortodoxos e judeus, bem como igrejas e estruturas eclesiásticas. Os túmulos e monumentos de personalidades políticas e literárias do século XIX e do início do XX também desapareceram de Kiev.[52] Supostamente, Postyshev acreditava que esse tipo de vandalismo ajudaria o partido a combater o nacionalismo burguês inspirado por tal "lixo histórico".[53]

DECISÕES PARA A FOME, 1932: FIM DA UCRANIZAÇÃO

A destruição dos prédios foi acompanhada de um ataque às pessoas que mais os conheciam: toda uma geração de curadores e de historiadores da arte. Pessoas que haviam dedicado suas vidas à causa das artes e do conhecimento tiveram fins horríveis. Mykhailo Pavlenko, da galeria de pinturas de Kiev, foi preso em 1934 e fuzilado em 1937, depois de três anos no exílio. Fedir Kozubovskyi, diretor do Instituto da História da Cultura Material em Kiev, foi executado em 1938; antes disso, ele foi levado a tal desespero durante o interrogatório que pediu veneno para aliviar o sofrimento. Pavlo Pototsky, colecionador de arte que doara seus quadros ao Museu Histórico, foi preso aos 81 anos. Faleceu de ataque cardíaco no interior da Lubyanka, a notória prisão de Moscou.[54]

Uma vez livres das pessoas e dos monumentos, o ataque se concentrou nos livros. Em 15 de dezembro de 1934, as autoridades publicaram uma lista de autores banidos, decretando que toda a sua obra, para todas as idades e em todas as línguas, tinha que ser removida das livrarias, lojas, instituições educacionais e depósitos de livros. No fim, quatro dessas listas seriam publicadas, contendo trabalhos de escritores, poetas, críticos, historiadores, sociólogos, historiadores da arte e de todos os outros ucranianos que foram presos. Ou seja, o extermínio da classe intelectual foi acompanhado do extermínio de suas obras e ideias.[55]

Finalmente, o novo *establishment* cultural lançou-se contra a própria língua ucraniana, começando pelo dicionário de Skrypnyk, fruto de tão cuidadosa colaboração: ele baseou-se demais em fontes pré-revolucionárias, negligenciou as novas e revolucionárias palavras "soviéticas", incluiu componentes linguísticos que tinham "características de inimigos de classe". Seus autores representavam a "teoria da linguagem do nacionalismo burguês", tinham "dado continuidade à tradição da União pela Libertação da Ucrânia [SVU]", logo, precisavam ser expurgados de suas várias instituições. Muitos foram presos e, mais tarde, executados.[56]

A abolição do dicionário levou a mudanças linguísticas nos documentos oficiais e acadêmicos, na literatura e nos livros didáticos. A letra ucraniana "g" (Г) foi abandonada, uma alteração que fez o ucraniano parecer mais "perto" do russo. Às palavras estrangeiras foram dadas formas russas, em vez de ucranianas. Periódicos ucranianos receberam listas de "palavras a não

278 A FOME VERMELHA

serem usadas" e de "palavras a serem usadas", com as primeiras abarcando mais termos ucranianos e as últimas soando mais como russo. Algumas dessas mudanças seriam revertidas mais uma vez, em 1937, quando o Grande Terror levou à prisão dos filólogos ucranianos que restaram, inclusive aqueles que haviam colocado em vigor as alterações de 1934. No fim da década, imperava o caos, como o linguista George Shevelov escrevera:

> Os professores estavam confusos e receosos, e os estudantes, estupefatos. Não seguir a nova tendência era criminoso, mas segui-la era impossível, pela falta de informação. A instabilidade pareceu ser característica inerente à língua ucraniana, em contraste com o russo, que não experimentou sublevação de espécie alguma. O já abalado prestígio do ucraniano afundou de vez.[57]

A situação só se estabilizaria um pouco depois que Nikita Kruschev tornou-se primeiro-secretário do partido na Ucrânia, em 1939. Mas, àquela altura, os especialistas já estavam presos ou mortos; nem seus livros nem suas gramáticas cuidadosamente produzidas foram revividos na Ucrânia soviética.

CAPÍTULO 10

Decisões para a fome, 1932: as revistas e os ativistas

Não estou mais enfeitiçado, posso ver agora que os kulaks
*eram seres humanos. Mas por que meu coração estava tão
gélido naquela época? Enquanto aqueles terríveis eventos ocorriam,
quando tão grande sofrimento revolteava em meu entorno?
E a verdade é que eu genuinamente não os via como seres humanos.
"Eles não são seres humanos, são lixo* kulak" — *era isso que
eu ouvia vezes sem conta, era o que as pessoas viviam repetindo...*

Vasily Grossman, *Everything Flows* [Tudo passa], 1961[1]

Muito antes de a coletivização ter começado, o fenômeno do expropriador violento — um homem que brandia uma arma, cuspia slogans e exigia alimentos — era familiar na Ucrânia soviética. Eles surgiram em 1918 e 1919, procurando por cereais para seus exércitos. Reapareceram em 1920, quando os bolcheviques retornaram ao poder. Vieram de novo em 1928 e 1929, quando teve início uma nova onda de escassez de alimentos. No inverno de 1932-33, lá estavam eles novamente, mas seu comportamento mudara.

Ao contrário de outras medidas dirigidas à Ucrânia em 1932-33, nenhuma instrução escrita orientando o comportamento dos ativistas jamais foi encontrada. Talvez não tivessem sido postas no papel, ou talvez tivessem sido

280 **A FOME VERMELHA**

destruídas com outros arquivos referentes ao período na Ucrânia, que, em níveis provincial e distrital, são bem mais esparsos que aqueles do mesmo período na Rússia. Não obstante, um registro de história oral extraordinariamente rico e consistente indica uma mudança no comportamento dos ativistas às vésperas da *Holodomor*.

Naquele inverno, as equipes que operavam nos vilarejos de toda a Ucrânia começaram a revistar não só à procura de cereais, mas de qualquer artigo comestível. Elas estavam particularmente equipadas para fazer isso com ferramentas especiais, longos bastões metálicos, por vezes com ganchos nas extremidades, capazes de pinçar qualquer superfície na coleta por grãos. Os camponeses deram diferentes nomes a essas ferramentas, chamando-as de fios de ferro, clavas, varas de metal, varas afiadas, vergas, lanças e arpões.[2] Milhares de testemunhas descreveram como elas eram utilizadas para revistar fornos, camas, berços, paredes, arcas, chaminés, sótãos, telhados e porões; para investigar por trás de ícones, no interior de barris, em troncos ocos de árvores, casinhas de cachorro, fundos de poços e pilhas de lixo. Os homens e mulheres que as usavam não poupavam nada, revirando cemitérios, celeiros, casas vazias, jardins e pomares.[3]

Como os coletores do passado, eles estavam à procura de grãos. Porém, além disso, tiravam frutos de árvores, catavam sementes e vegetais dos canteiros — beterrabas, abóboras, repolhos, tomates —, bem como mel e favos das colmeias, manteiga e leite, carnes e embutidos.[4] Olha Tsymbaliuk lembrou-se de que as brigadas levavam "farinha, cereais, tudo que estava em potes, roupas, gado. Era impossível esconder. Eles procuravam com bastões metálicos (...) cutucavam fornos, furavam assoalhos e quebravam paredes".[5] Anastasiia Pavlenko recordou-se de que eles arrancaram um colar de contas do pescoço de sua mãe, supondo que elas pudessem conter alimentos.[6] Larysa Shevchuk viu ativistas pegarem sementes de beterraba e de papoula que sua avó preparava para plantar em sua horta.[7]

Maria Bendryk, da província de Cherkasy, escreveu que "os ativistas chegavam e levavam tudo. Olhavam o que havia dentro das latas de armazenamento das cozinhas, pegavam todos os tipos de favas e até cascas ressecadas de vegetais. Sacudiam as latas e os levavam".[8] Na província de Kirovohrad, Leonid Vernydub viu a brigada pegar três espigas de milho

DECISÕES PARA A FOME, 1932: AS REVISTAS E OS ATIVISTAS   281

que haviam sido penduradas no teto para secar e serem plantadas no ano seguinte. Também levaram "feijões, cereais, farinha e até frutas secas para fazer compotas".[9]

Na província de Chernihiv, Mariia Kozhedub viu grupos de pessoas levando não só sopas de trigo-sarraceno, como também as panelas em que eram cozinhadas. Eles também pegaram "leite, ovos, batatas, galinhas (...) tinham bastões de ferro e os usavam para procurar alimentos escondidos. Os camponeses espertos escondiam os alimentos nos bosques, porque tudo que estivesse em casa ou no celeiro podia ser encontrado".[10]

Em muitos locais, os ativistas também levavam as vacas que as famílias haviam recebido permissão para manter, mesmo aquelas que viviam em fazendas coletivas, desde 1930. Às vezes, aquelas perdas eram muito mais lamentadas e sentidas do que mortes de pessoas. Uma camponesa adolescente chorou e se agarrou firmemente aos chifres da vaca da família enquanto ela era levada.[11] Pai e filho protegiam sua vaca com armas e forcados para evitar que fosse confiscada.[12] "Quem tivesse uma vaca poderia sobreviver", lembrou-se Hanna Maslianchuk, de Vinnytsia. A família conseguiu manter a sua, e viveu; os vizinhos não tinham nenhuma, incharam de fome e morreram.[13] Incapazes de conseguir feno, as famílias despendiam todos os esforços para manter as vacas vivas, alimentando-as até com a palha dos próprios tetos.[14]

Os ativistas levavam também todos os tipos de animais das fazendas, incluindo porcos e aves, e às vezes cães e gatos. Na província de Kiev, Mykola Patrynchuk testemunhou ativistas pegando "todos os nossos alimentos (...) chegaram até a matar nosso cão e a colocá-lo morto na carroça".[15] Muitos outros sobreviventes falaram de cachorros pegos ou mortos, de sorte que a caça aos cães — talvez para evitar que eles latissem ou mordessem — quase assumiu aspecto de esporte: "Jamais esquecerei, enquanto eu viver, como eles dirigiam seus veículos, carregando de oito a doze homens que viajavam com as pernas penduradas nas laterais, e com seus fuzis iam de quintal em quintal matando todos os cães. Depois de acabarem com todos os animais, começavam a coletar os alimentos..."[16]

Os ativistas tinham também instruções para retornar e surpreender as pessoas, pegando-as desprevenidas e com os alimentos desprotegidos. Em muitos lugares, as brigadas voltaram mais de uma vez. Famílias eram revistadas e depois novamente revistadas para garantir que não restasse nada. "Eles vieram três vezes", lembrou-se uma mulher, "até que não sobrou coisa alguma; aí não vieram mais".[17] As brigadas às vezes chegavam em diferentes horas do dia ou da noite para flagrar as pessoas comendo.[18] Se acontecesse de uma família estar fazendo uma parca refeição, os ativistas pegavam o pão da mesa.[19] Se uma sopa estivesse sendo preparada no fogão, eles pegavam a panela e jogavam fora o conteúdo. E então exigiam saber como era possível que a família ainda tivesse alguma coisa para colocar na sopa.[20]

As pessoas que pareciam ter possibilidade de continuar se alimentando eram revistadas com especial vigor; as que não demonstravam inanição eram, por definição, suspeitas. Uma sobrevivente se recordou que sua família havia conseguido, certa vez, determinada quantidade de farinha e a usara para fazer pão durante a noite. Sua casa logo recebeu a visita de uma brigada que detectou barulhos e sons de atividade na cozinha da casa. Eles entraram à força e pegaram o pão diretamente do forno.[21] Outro sobrevivente descreveu como as brigadas "observavam as chaminés do alto de uma colina: quando viam fumaça, iam até a casa e confiscavam o que quer que estivesse sendo cozinhado".[22] Uma outra família recebeu de parentes um embrulho que continha arroz, açúcar, grãos e sapatos. Poucas horas depois, a brigada chegou; levou tudo, menos os sapatos.[23]

Porém, os ativistas também aprenderam, com a experiência, a identificar os possíveis lugares em que os camponeses escondiam alimentos. Como muitas pessoas enterravam os cereais, as brigadas procuravam locais onde o solo havia sido recém-remexido e, então, usavam os bastões metálicos para cavar a terra.[24] Uma sobrevivente lembrou-se de que a mãe havia colocado alguns grãos em um saquinho, o escondera na chaminé e o cobrira com cimento, mas, com o cimento fresco, foi fácil descobrir o comestível. Uma vizinha, por sua vez, havia escondido farinha debaixo do berço do bebê, mas ela também foi descoberta: "Chorando, implorou que os homens deixassem a farinha, senão o bebê morreria de fome, mas os predadores não lhe deram atenção e levaram tudo."[25]

Mesmo quando não estavam em ação, as brigadas e seus líderes buscavam informações sobre artigos alimentícios e sobre quem poderia tê-los.

DECISÕES PARA A FOME, 1932: AS REVISTAS E OS ATIVISTAS   283

Informantes eram recrutados para ajudar os ativistas. Em alguns vilarejos, foram criadas caixas especiais onde as pessoas poderiam depositar denúncias anônimas ou informações sobre o paradeiro dos grãos ocultos dos vizinhos.[26] Hanna Sukhenko lembrou-se de que era bastante "popular" entregar os vizinhos, porque quando alimentos eram achados, um terço deles era dado ao informante como recompensa.[27] Esperava-se que os servidores civis locais também cooperassem. A família de Ihor Buhaievych sobreviveu na província de Poltava porque a mãe, que havia encontrado emprego em Leningrado, enviava regularmente pacotes com nacos de pão dormido. No entanto, os pacotes atraíram a atenção de um chefe dos correios, que foi à casa de Buhaievych acompanhado de um ativista para descobrir seu conteúdo. O ativista levou metade dos pedaços de pão.[28]

Outros eram pagos em segredo: Halyna Omelchenko lembrou-se de um homem local, designado como espião, que vigiava de perto sua família e dava informações sobre as atividades da casa às autoridades.[29] Mykola Mylov recordou-se de um vizinho que o visitou certo dia e observou atentamente o interior da residência. No dia seguinte, chegaram os ativistas e confiscaram sua comida. Mylov perguntou ao vizinho se ele dera informações a seu respeito: "Claro que fui eu, você pensa que tenho medo de confessar? Acabei de receber dois sacos de trigo; meus filhos não passarão fome."[30] Muitos foram os exemplos semelhantes em que o medo da inanição foi usado para transformar camponeses em cúmplices.

As brigadas também solicitavam dinheiro. Todos os camponeses ainda estavam sujeitos à lei de 1929, que os instruía a pagar multas de até cinco vezes o valor dos grãos que não conseguissem produzir. Os habitantes de vilarejos incluídos nas listas negras também tinham que entregar suas economias. Coletar essas quantias sempre havia sido um problema: no registro de seu diário em dezembro de 1932, Lazar Kaganovich, camarada próximo de Stalin na Ucrânia, observou que os fazendeiros individuais ucranianos haviam sido multados em 7,8 milhões de rublos, mas apenas 1,9 milhão fora recolhido. Vlas Chubar argumentou fracamente que isso acontecia porque eles não tinham "nada para vender".[31] Mas, no outono de 1932, leilões de móveis e outros bens foram promovidos, de modo que os camponeses pudessem saldar suas dívidas: "Quando um camponês pagava

284 A FOME VERMELHA

o imposto, e depois mais um, outro maior ainda era cobrado. Meu pai não conseguiu pagar o imposto adicional, então um leilão foi feito (...) um celeiro e um galpão foram vendidos."[32] Às vezes, essas exigências nada tinham a ver com pagamentos anteriores: em um vilarejo, a qualquer um que tivesse parentes nos Estados Unidos era solicitada a entrega do dinheiro que, presumivelmente, havia recebido do exterior.[33]

Durante as revistas por alimentos e dinheiro, a violência era empregada com frequência. Uma mulher da província de Chernihiv lembrou-se:

> Durante uma revista, os ativistas perguntaram onde estavam nosso ouro e nossos grãos. Minha mãe respondeu que não tinha nenhum dos dois. Ela foi torturada. Seus dedos foram colocados no vão de uma porta e ela foi fechada. Os dedos se quebraram, o sangue escorreu, e ela desmaiou. Água foi jogada sobre sua cabeça e ela foi torturada novamente. Eles a espancaram e enfiaram agulhas sob suas unhas...[34]

Duas irmãs da província de Zhytomyr presenciaram ataque semelhante ao pai delas:

> Nosso pai escondeu três baldes de cevada no sótão. Nossa mãe, furtivamente, fez mingau à noite para nos manter vivos. Então alguém deve ter-nos denunciado, porque os ativistas voltaram, pegaram tudo e espancaram brutalmente nosso pai por não ter entregado a cevada na revista (...) pegaram sua mão e fecharam a porta com força para quebrar-lhe os dedos, insultaram-no e ainda o chutaram enquanto estava prostrado no chão. Ficamos atônitas ao vê-lo assim, injuriado e agredido, porque éramos uma família decente, e sempre falávamos respeitosamente na presença de nosso pai...[35]

Na província de Vinnytsia, um ferreiro foi levado ante o comitê do vilarejo depois de ter furtado espiguetas de trigo para alimentar seus três filhos: "Eles deram-lhe uma surra, torturaram-no, giraram sua cabeça totalmente para trás e o jogaram escada abaixo."[36] Na província de Dnipropetrovsk, homens foram lançados dentro de fornos aquecidos até que confessassem ter escondido grãos.[37] A exemplo do que ocorreu na coletivização, fazendeiros

DECISÕES PARA A FOME, 1932: AS REVISTAS E OS ATIVISTAS 285

que escondiam alimentos tinham todo o restante de suas posses confiscado, eram expulsos de suas casas e jogados na neve completamente despidos.[38]

A prisão era outro instrumento. Em um vilarejo que não conseguiu produzir grão algum, seus fazendeiros foram lançados no "refrigerador" pelo *chairman* do soviete local. O "refrigerador" era simplesmente um cômodo nos fundos da prefeitura, sem camas, cadeiras ou bancos — e também sem comida. Eles ficavam ali sentados no chão, famintos, a menos que seus parentes conseguissem alimentá-los. "Homens e mulheres eram mantidos no mesmo recinto, e ficavam lado a lado estirados sobre palha."[39]

Alguns se lembraram de que, além de levarem os alimentos, as brigadas ainda se davam o trabalho de estragá-los. Em Horodyshche — vilarejo incluído na lista negra que recebeu particular atenção —, um sobrevivente recordou-se de que os ativistas jogaram água nas sementes, que ficaram pretas, germinaram e foram arremessadas em uma ravina local. Eles também lançaram ácido carbólico (fenol) sobre o peixe salgado, que os camponeses comeram mesmo assim.[40] Outra família percebeu que todos os alimentos retirados de sua casa se tornaram imprestáveis para o consumo humano: "Eles trouxeram um grande saco e colocaram tudo junto dentro dele — sementes, farinha, trigo. Só porcos poderiam comer aquela misturada."[41] Muitos acreditavam que tal comportamento era uma simples forma de sadismo: "Quando qualquer coisa era descoberta, os ativistas espalhavam tudo pelo chão e gargalhavam enquanto as crianças, soluçando, tentavam separar os grãos de lentilhas ou de feijão da terra suja."[42]

Para garantir que os camponeses famintos não "roubassem" nenhum tipo de cereal dos campos em que eram cultivados, os líderes das brigadas também enviavam guardas a cavalo — normalmente habitantes subornados com a promessa de comida para tomar conta dos campos — ou montavam torres de observação com vigias. Guardas armados — também moradores do vilarejo — eram postados nas portas dos celeiros e em outros locais onde se estocava grãos. À época, como quase já não restavam mais alimentos, a lei de 7 de agosto contra os catadores começou a fazer a diferença. No fim do outono de 1932, "continuamos catando as espiguetas de trigo dos campos já colhidos", lembrou-se um homem de Poltava. "Mas essa atividade era proibida, então éramos perseguidos e açoitados por homens a cavalo."[43] As

286   A FOME VERMELHA

pessoas eram punidas por roubarem beterrabas congeladas, grãos germinados e até as espiguetas de milho que sobravam em seus próprios campos.[44] No lado de fora de uma fábrica de açúcar de beterraba, na província de Kiev, corpos ensanguentados e insepultos jaziam inertes ao lado de pilhas de beterrabas ainda não processadas, como forma de alerta para outros que quisessem delas se apossar.[45]

Para evitar que as famílias morressem de fome, alguns camponeses mandavam seus filhos pequenos para os campos a fim de recolherem restos de grãos, na esperança de que não fossem percebidos. "Nós, as crianças, corríamos para os campos das fazendas coletivas para pegar os talos e qualquer grão que sobrasse", recordou-se Kostiantyn Mochulsky, então com 8 anos. "Patrulhas montadas nos perseguiam e nos davam golpes com um chicote de couro cru. Mas eu consegui recolher cerca de dez quilos de grãos."[46] Contudo, algumas não conseguiam escapar dos vigilantes. Uma menina da província de Kharkov certa vez conseguiu discretamente catar algumas espiguetas de trigo, mas no caminho de volta para casa deu de cara com três jovens membros do Komsomol. Eles tomaram o alimento da menina e bateram nela "com tanta força que fiquei com hematomas nos ombros e nas pernas por muito tempo".[47] Talvez tenha tido sorte: outro sobrevivente lembrou-se de uma menina que foi morta a tiros ao ser flagrada recolhendo algumas batatas que sobraram da colheita.[48]

A posse e o preparo de alimentos, mesmo a moagem de grãos, tornaram-se suspeitas. Na província de Cherkasy, ativistas quebraram todas as mós do vilarejo de Tymoshivka. Os moradores locais presumiram que tal comportamento fora adotado "para que não houvesse lugar para moer um punhado de grãos que, porventura, ainda existissse".[49] Eles também quebraram as mós em outro vilarejo de Cherkasy, Stari Babany. Os camponeses de lá acreditaram que as mós tivessem sido inutilizadas para tirar ainda mais dinheiro deles, pois teriam que levar seus grãos para as fazendas coletivas e pagar pela moagem.[50]

Com o passar das semanas, o simples fato de estar vivo bastava para gerar suspeitas; se uma família sobrevivia, isso significava que tinha alimentos. Mas se tivesse alimentos, era obrigatório que os tivesse entregado — e, se não o fizera, era porque se tratava de família de *kulaks*, *petliuristas*, agentes

DECISÕES PARA A FOME, 1932: AS REVISTAS E OS ATIVISTAS   287

poloneses, inimigos. Uma brigada que revistou a casa de Mykhailo Balano-vskyi, na província de Cherkasy, quis saber "como era possível que ninguém de sua família tivesse morrido?"[51] A brigada que investigou o teto de palha da casa de Hryhorii Moroz, na província de Sumy, não encontrou alimento algum e exigiu saber: "Com a ajuda de que vocês vivem?"[52] A cada dia que passava, as demandas iam ficando mais raivosas, e o linguajar, mais rude: "Por que você ainda não desapareceu? Por que ainda não caiu duro? *Como é possível que você ainda esteja vivo?*"[53]

Anos e décadas mais tarde, sobreviventes encontraram diferentes maneiras de descrever os grupos de homens e as poucas mulheres que iam às suas casas e levavam os alimentos, sabendo que passariam fome. Nas histórias orais, os grupos foram algumas vezes descritos como "ativistas", "Komsomol", "expropriadores" ou "assassinos"; também foram chamados de "brigada de ferro", "equipe vermelha", "caravana vermelha" ou "vassoura vermelha" que varria os vilarejos. Por vezes, eram nomeados *komnezamy*, palavra derivada dos "comitês de camponeses pobres" criados em 1919, e, muitas vezes, seus membros eram veteranos dos *komnezamy*. As brigadas especiais eram de-nominadas "rebocadores" — *buksyrnyky* —, pois puxavam e arrastavam os vilarejos para as cotas. Às vezes, eles eram lembrados simplesmente como "russos", "estrangeiros" ou "judeus".[54]

Na prática, as brigadas do outono de 1932 e do inverno de 1933 eram quase sempre heterogêneas. Como em 1930, elas muitas vezes incluíam mem-bros de diferentes organizações: da liderança partidária local e do governo provincial, do Komsomol, do funcionalismo público, da polícia secreta. E isso era algo deliberado. Se todas as instituições do campo participassem, então todas teriam alguma responsabilidade pelos resultados. Os membros, muitas vezes, se sobrepunham às equipes de coletas de grãos do passado, e frequentemente incluíam alguns dos mesmos ativistas que ajudaram a executar a coletivização, bem como pessoas que fizeram parte dos "comitês de camponeses pobres" de 1920.

Mas houve algumas diferenças. Os números eram maiores: em 11 de novembro de 1932, o Partido Comunista da Ucrânia pleiteou a criação de não menos do que 1.100 novas brigadas de ativistas para 1º de dezembro — isto é, no prazo de três semanas. Essa foi a primeira das diversas tentativas de aumentar o número de pessoas dedicadas à vigência da política de requisições. Com o passar do tempo, mão de obra extra se faria necessária não apenas para coletar alimentos, mas também para proteger os campos e as safras dos camponeses famintos, para evitar que eles invadissem os vagões ferroviários ou cruzassem fronteiras e, por fim, para enterrar os mortos.[55]

Suas tarefas também eram diferentes das de 1930. Essas brigadas recém--formadas não promoviam nova reforma agrária, nem mesmo fingiam realizá-la: o que faziam era retirar comida de pessoas famintas, bem como qualquer item de valor que pudesse ser trocado por alimentos e, em alguns casos, quaisquer implementos que pudessem ser utilizados para prepará--los. Por essa razão, suas características e suas motivações merecem exame mais acurado.

Muitas vezes, como no passado, existiam um ou dois elementos de fora em um grupo de ativistas, pessoas que não eram originárias do vilarejo, da província ou nem mesmo da república. Um punhado desses fizera parte dos "Vinte e Cinco Mil", dos quais cerca de um terço permaneceu no interior depois de 1930, trabalhando nas fazendas coletivas, nas estações de máquinas e tratores ou na burocracia do partido.[56] Todavia, ativistas novos também foram, dessa vez, deliberadamente enviados de fora da república. Em dezembro de 1932, Kaganovich visitou Voznesensk, no sul da Ucrânia, e disse a um grupo de militantes que eles não eram suficientemente duros: "Um ditado ucraniano diz que 'deve-se apertar, mas não apertar demais'." Contudo, eles haviam decidido "não apertar nada". O objetivo, explicou ele francamente, era provocar tal pânico nos vilarejos "que os próprios camponeses revelariam espontaneamente seus esconderijos".[57] Naquele mesmo mês, Kaganovich também mandou telegrama a Stalin reclamando da "falta de confiabilidade" dos membros ucranianos das brigadas de coleta de grãos e pedindo gente da República Russa para ajudar. Um mês depois, a ordem foi executada.[58] Um ex-ativista lembrou a primeira vez que encontrou "jovens falando russo" no vilarejo de Krupoderentsi. Eles estavam lá, disseram-lhe, porque "as autoridades não confiavam nos ativistas locais do partido para fazer o trabalho".[59]

DECISÕES PARA A FOME, 1932: AS REVISTAS E OS ATIVISTAS   289

Alguns dos forasteiros eram "estrangeiros" em um sentido diferente. Embora fossem ativistas, estudantes ou professores de universidades ucranianas, eles se assemelhavam, como havia ocorrido durante a coletivização, a estrangeiros para os camponeses. Alguns eram veteranos da coletivização, mas muitos deles foram ao interior pela primeira vez em 1932 e 1933, totalmente alienados do que encontrariam. Estudantes da Universidade de Kharkov foram mandados como "voluntários" para a missão de coleta de grãos em 1933 e ficaram chocados ao descobrirem a verdade. "Você parece que viu fantasmas", disse o estudante Viktor Kravchenko a um amigo que acabara de voltar da área de Poltava. "Eu vi", respondeu o homem, e desviou o olhar.[60]

O próprio Kravchenko foi para o campo logo depois — disseram-lhe que as autoridades do vilarejo precisavam de "uma injeção de ferro bolchevique" —, e rapidamente percebeu o abismo entre a propaganda e a realidade. Os *kulaks* não estavam ricos, estavam passando fome. O campo não era próspero, era terra arrasada: "Grandes quantidades de implementos e máquinas, que antes eram cuidados como joias por seus proprietários particulares, estavam agora espalhados a céu aberto, sujos, enferrujados e sem manutenção. Gado e cavalos magros, cobertos de excrementos, vagavam pelos pátios. Galinhas, gansos e patos bicavam todos juntos cereais não debulhados."[61]

Na época, Kravchenko não protestou. Como explicou anos mais tarde, ele havia, deliberadamente, como os "Vinte e Cinco Mil" antes dele, sucumbido a um tipo de cegueira intelectual. Kravchenko falou por muitos quando descreveu a situação: "Para poupar-se da agonia mental, deixa-se de ver certas verdades desagradáveis fechando-se um pouco os olhos — e a mente. Arruma-se, em pânico, muitas desculpas, e ignora-se o conhecimento com palavras como 'exagero' e 'histeria'."[62] A linguagem da propaganda também ajudava a mascarar a realidade:

> Nós, comunistas, entre nós mesmos, evitávamos enfrentar o assunto; lidávamos com ele com os dúbios eufemismos dos jargões do partido. Falávamos em "*front* camponês" e "ameaça *kulak*", "socialismo de vilarejo" e "resistência de classe". Para conseguirmos viver em paz com nós mesmos, era preciso untar a realidade com a camuflagem do linguajar.[63]

290 A FOME VERMELHA

Como Kravchenko, Lev Kopelev também se juntou a uma das brigadas de confisco de grãos em dezembro de 1932. Tendo participado da coletivização, ele estava mentalmente preparado. Na ocasião, ele era uma espécie de jornalista, escrevendo artigos para um periódico de fábrica em Kharkov. Ao chegar a Myrhorod, na província de Poltava, ele deu palestras noturnas aos camponeses, "homens bigodudos, protegidos com casacos de pele e cafetãs cinzentos, jovens sonhadoramente indiferentes ou carrancudos pelo desdém". Dia sim, dia não, ele e alguns colegas preparavam um boletim contendo "estatísticas sobre as entregas de grãos, censuras aos camponeses não conscientizados, insultos aos sabotadores descobertos". Mas a agitação rapidamente amainou, e as revistas continuaram.

Equipes formadas por diversos jovens fazendeiros coletivos, o soviete do vilarejo e o próprio Kopelev "revistavam cabanas, celeiros, quintais, levavam todos os estoques de sementes e arrebanhavam gado, cavalos e porcos". Tomavam também tudo que tivesse valor: ícones, casacos de inverno, tapetes, dinheiro. Apesar de as mulheres "uivarem histericamente" agarradas aos bens da família, as buscas prosseguiram. Entreguem os grãos, os ativistas lhes diziam, e, no fim, vocês os terão de volta. O próprio Kopelev considerou o trabalho "excruciante", mas também aprendeu que a constante repetição da propaganda de ódio ajudava-o a fortalecer-se para executar a missão: "Convenci a mim mesmo, justifiquei-me. Não devo ceder à compaixão debilitante. Estamos consumando uma necessidade revolucionária. Estamos conseguindo grãos para a pátria socialista. Para o bem do plano quinquenal."[64]

A propaganda serviu também para persuadir muitos ativistas a enxergarem os camponeses como cidadãos de segunda classe, até mesmo seres humanos de segunda classe — se é que eram de fato seres humanos. Os camponeses já pareciam alienígenas para a maioria dos citadinos. Sua imensa pobreza e até sua fome faziam com que fossem desagradáveis, desumanos. A ideologia bolchevique implicava seu iminente desaparecimento. Ao escritor francês Georges Simenon, que visitou Odessa na primavera de 1933, foi dito por um homem que os *malheureux*, os "desafortunados" que ele vira implorando por comida nas ruas, não mereciam piedade. "Eles são *kulaks*, camponeses que não se adaptaram ao regime (...) nada lhes resta a

DECISÕES PARA A FOME, 1932: AS REVISTAS E OS ATIVISTAS 291

não ser a morte." Não havia necessidade de misericórdia: eles logo seriam substituídos por tratores, que poderão fazer o trabalho de dez homens. O admirável mundo novo não teria espaço para tantas pessoas inúteis.[65]

Esse sentimento também encontrou eco na peça teatral absurdista de Andrey Platonov sobre a fome, *Fourteen Little Red Huts* [*Quatorze pequenas cabanas vermelhas*], 1933. "Que utilidade temos agora para um Estado como esse?", pergunta um personagem para outro. "O Estado estaria melhor se aqui existisse mar em vez de pessoas. No mar, ao menos, há peixes."[66] A linguagem de Platonov refletia o que ele encontrava na mídia oficial. Durante os dois anos anteriores, aqueles habitantes do campo — rudes, analfabetos, atrasados e absolutamente desnecessários — foram, firme e repetidamente, acusados de atravancarem o progresso do proletariado voltado para o futuro. Vezes sem conta, os jornais soviéticos haviam explicado que a escassez de alimentos não era provocada pela coletivização, mas sim pelos gananciosos camponeses, que guardavam seus produtos para si. Anos mais tarde, Kopelev esclareceu em entrevista:

> Eu estava entre aqueles que acreditavam que era preciso sacudir o vilarejo para que ele entregasse os grãos. (...) Que os moradores dos vilarejos não eram conscientizados nem atentos, eram simplesmente atrasados. Que se preocupavam apenas com seus bens, que não ligavam para os operários. Não davam atenção nenhuma aos problemas gerais da construção do socialismo e ao cumprimento do plano quinquenal...
>
> Foi isso que me ensinaram na escola e no Komsomol, foi isso que li nos jornais e ouvia nas reuniões. Todos os jovens pensavam assim.[67]

Assim como outros membros do partido, ele achava que os camponeses "escondiam pão e carne". Ao seu redor, as pessoas também eram hostis. Kopelev parafraseou o ponto de vista de sua geração da seguinte maneira: "Sou um proletário de verdade e não tenho pão suficiente. E você, seu caipira, semeador de trigo-sarraceno, você não sabe como trabalhar mas tem banha de porco guardada nos bolsos."[68]

Os chefes urbanos do partido, que recrutavam ativistas para ir aos vilarejos, confiavam exatamente nos mesmos sentimentos. Propagandas para

A FOME VERMELHA

que "soldados lutassem no *front* dos alimentos" surgiam em todos os cantos nos locais em que os alimentos escasseavam.[69] Ativistas repetiam o mesmo linguajar enquanto realizavam os confiscos: "Eles gritavam sem parar que tínhamos que cumprir nossas cotas: que morram todos, mas a Rússia será salva!"[70] Em seu livro de memórias, Kopelev descreveu como esse linguajar venenoso chegou a infectar até mesmo uma das moradoras: uma jovem camponesa, ela mesma passando fome, voluntariamente trouxe um quilo e meio de trigo para alimentar a brigada de coleta. "Aquele homem de cabelo preto disse que os operários estão famintos, que seus filhos não têm pão nenhum. Por isso, trouxe o que pude. Meus últimos grãos."[71]

Entretanto, a maioria dos membros das brigadas que revistavam os vilarejos em busca de alimentos em 1932-33 não era gente de fora. Tampouco seus membros eram motivados pelo ódio aos camponeses ucranianos, porque eram também camponeses ucranianos. Mais importante, eram vizinhos das pessoas das quais roubavam alimentos: chefes das fazendas coletivas locais, membros dos conselhos dos vilarejos, professores e médicos, funcionários civis, líderes do Komsomol, ex-membros dos "comitês dos camponeses pobres" de 1919, ex-participantes da deskulakização. Como em outros genocídios históricos, eles foram persuadidos a matar pessoas que conheciam muito bem.

Entre o alto escalão, os ativistas locais não eram considerados inteiramente confiáveis. Os forasteiros, enviados para ajudá-los, em parte estavam ali para garantir que eles realizariam a tarefa. Com frequência, lhes era dito que não revistassem seus próprios vilarejos, e sim outros nos arredores, onde não conheciam pessoalmente os camponeses que confiscariam.[72] O temor de que as brigadas de coleta se tornassem simpáticas demais às suas vítimas foi muitas vezes debatido entre a liderança ucraniana. "Há necessidade de fazer rodízio mais frequente entre os membros", observou Chubar a certa altura, "porque eles rapidamente se tornam íntimos dos habitantes locais e procuram acobertá-los".[73]

Evidências tanto documentais quanto de memórias mostram que muitos ativistas se recusaram a cumprir ordens que matariam seus vizinhos. Mykola Musiichuk, membro do Partido Comunista em Vinnytsia desde 1925, e

DECISÕES PARA A FOME, 1932: AS REVISTAS E OS ATIVISTAS 293

nomeado para um comitê de coleta de grãos em 1932, perdeu sua carteira de afiliação por se recusar a tomar grãos dos potes e jarras dos camponeses. Dois dias depois, ele se enforcou.[74] No vilarejo de Toporyshche, Dmytro Slyniuk, chefe da fazenda coletiva local, chegou a tomar grãos trazidos por ativistas que já os haviam confiscado, moeu tudo e depois distribuiu a farinha entre camponeses famintos. Perdeu o emprego por fazê-lo.[75] No vilarejo de Bashtanka, o pai de Vira Kyrychenko foi solicitado a se juntar à brigada, porém se recusou. Ficou preso por três dias e então partiu para a cidade de Mykolaiv em busca de emprego, mas não conseguiu. No fim, morreu de inanição. O irmão de Vira recebeu a mesma oferta; também recusou, foi preso e espancado tão seriamente que faleceu depois de ser libertado.[76] Anos mais tarde, camponeses contaram histórias de pais e irmãos que foram exilados, executados ou fisicamente maltratados por se recusarem a cooperar.[77]

Ainda assim, muitos colaboraram, de diferentes maneiras e em diferentes níveis, e de acordo com uma mescla de razões. Alguns não tiveram opção. Uma menina de 13 anos juntou-se diretamente a uma brigada quando saía da escola que frequentava: ativistas chegaram, ordenaram-lhe que os acompanhasse e a levaram para realizar revistas. Ela não teve nem a chance de avisar aos pais e passou uma semana cumprindo ordens e coletando grãos.[78]

Vira e outros como ela acreditavam não ter escolha e tinham medo de que a recusa significasse detenção ou mesmo morte. A maioria das longas sentenças de prisão impostas contra comunistas ucranianos naquela época eram para pessoas que haviam falhado, por vezes deliberadamente, em pressionar vizinhos a entregarem todos os alimentos. Ao tempo do confisco de grãos, o expurgo de Balytsky no Partido Comunista da Ucrânia havia começado, e líderes de todos os níveis sabiam que corriam o risco de serem presos ou executados. Os julgamentos no partido eram ampla e abertamente publicados nos jornais. Os nomes dos presos eram citados em boletins do partido distribuídos por todas as repartições partidárias dos distritos e vilarejos.[79] Os que tinham vínculos com o partido temiam partilhar o mesmo destino.

O medo foi reforçado pelas lembranças das violências passadas. Quase todos na Ucrânia haviam sido brutalizados por sucessivas ondas de mudanças políticas. Salvo os muitos jovens, todos se recordavam dos *pogroms* e dos assassinatos em massa durante a Guerra Civil, apenas treze anos antes. Lembravam-se também da recente crueldade da deskulakização.[80] Muitos já haviam exercido poder sobre os vizinhos e sabiam o que havia para se ganhar com isso. O líder da brigada de Kopelev, Bubyr, era o destruidor filho de um camponês sem terras, que ficara "órfão muito cedo". Bubyr participara das esquadras punitivas durante a revolução, trabalhara no Komsomol desde 1921, operara na coletivização e na deskulakização, e claramente gostava do poder que detinha para aterrorizar seus vizinhos. Matvii Havryliuk, membro do "comitê dos camponeses pobres" no vilarejo de Toporyshche, fora integrante de uma brigada em 1921, "confiscando grãos de *kulaks*", como depois revelou em um tribunal, e "organizando massas de camponeses pobres". Desempenhara papel ativo na deskulakização, fora agitador pela coletivização e participante entusiasta das buscas por grãos nas casas, que levaram à fome. Conhecia muito bem as pessoas que condenava à morte, mas não sentia empatia por elas: "Eu não tinha nada em comum com os *kulaks*, e a prova disso é que eles sempre foram contra mim."[81]

Quando os camponeses começaram a enfrentar a fome no inverno e na primavera de 1933, ela foi o motivador mais importante de todos. Em um mundo devastado, onde a comida era escassa e os bens, muito poucos, pessoas desesperadas confiscavam os alimentos dos vizinhos para poder comer. Muitas vezes, foi difícil fazer distinção entre o comportamento das brigadas e as ações das gangues criminosas. "Eles roubavam de todos e viviam bem", recordou-se Maryna Korobska, da província de Dnipropetrovsk: "Vestiam o que tomavam das pessoas e comiam nossos alimentos."[82]

Mesmo aqueles que não roubavam abertamente procuravam tirar alguma vantagem. Como mencionado, os informantes tinham expectativa de ganhar recompensas. Em alguns distritos, ativistas recebiam uma porcentagem daquilo que coletavam diretamente. A lei de 2 de dezembro sobre as listas negras continha ordem para "especificar uma diretriz quanto aos bônus dos ativistas que descobrissem grãos escondidos".[83] Uma decisão do conselho provincial de Dnipropetrovsk, de fevereiro de 1933, recomendava que os membros das brigadas recebessem de "10% a 15%" do que coletassem no total, e outras províncias exararam instruções semelhantes.[84] Todos sabiam que trabalhar com o partido podia valer-lhes acesso a alimentos ou a cartões de raciona-

DECISÕES PARA A FOME, 1932: AS REVISTAS E OS ATIVISTAS   295

mento, ou a outras pessoas que os tivessem. Kateryna Iaroshenko, também da província de Dnipropetrovsk, sobreviveu à fome porque o pai era líder do partido e podia fazer compras em uma loja especial do Partido Comunista que vendia cereais e açúcar.[85] Os funcionários do alto escalão também recebiam cartões de racionamento, que os permitia comprar alimentos não disponíveis para outros. Privilégios também foram estendidos aos seus filhos, como se lembraram os menos afortunados: "Existia uma escola especial para os filhos dos chefes. Com cantina própria (...) aromas estonteantes saíam da cozinha, e eu chorava ao senti-los, um monte de lágrimas!"[86]

Outros acreditavam que receberiam alimentos, mas eram enganados, como se recordou um homem de Poltava: "Dentre aqueles que revistavam com bastões metálicos e procuravam alimentos, metade padeceu de fome. A eles prometeram comida se fizessem boas revistas. Mas não receberam nada!"[87] Outro sobrevivente lembrou-se de que os membros das brigadas que confiscavam alimentos e os mantinham em suas casas ficaram horrorizados quando tiveram suas residências também revistadas. Ativistas de um vilarejo eram mandados revistar casas em outro, e não necessariamente poupavam seus colegas colaboradores.[88] Alguns dos perpetradores sofreram até violência dos vizinhos de quem haviam roubado. No espaço de apenas três semanas, em dezembro de 1932, nove funcionários locais foram assassinados só na província de Kiev; houve outras oito tentativas de assassinato e onze casos de incêndios criminosos, quando camponeses tentaram transformar em cinzas as casas de integrantes das brigadas.[89] Até as crianças executaram pequenos atos de vingança. O filho de um ativista em Novopokrovka, província de Dnipropetrovsk, escondeu seus pedaços de pão das outras crianças da escola, mas em vão. Foi espancado pelos colegas de turma.[90]

Na virada do inverno para a primavera, quando a escassez de comida cobrou seu preço, a maioria dos camponeses desistiu de lutar. Até os que se rebelaram em 1930 permaneceram calados. A razão de tal postura foi física, e não psicológica. Uma pessoa faminta raramente tem forças para revidar. A fome sobrepuja até a necessidade de fazer objeção.

Fossem locais ou de fora, todos aqueles que executaram ordens para confiscar alimentos o fizeram com um senso de impunidade. Podem ter sentido alguma culpa pessoal nos anos que se seguiram, ou talvez tivessem cons-

296 A FOME VERMELHA

ciência da ira e do desespero dos camponeses que deixaram passar fome. Mas eles também tinham certeza de que suas ações eram sancionadas pelos patamares mais elevados da hierarquia. Repetidas vezes lhes foi afirmado que seus vizinhos famintos eram agentes *kulaks*, elementos inimigos e perigosos. Em novembro de 1932, o Partido Comunista da Ucrânia instruiu que seus membros repetissem essas expressões. "Simultaneamente", enquanto empregavam a repressão física e legal, o partido e suas brigadas de coleta tinham que agir: "Contra ladrões, rufiões e surripiadores de pão, contra aqueles que enganam o Estado proletário e as fazendas coletivas (...) devemos despertar a ira das massas das fazendas coletivas, precisamos garantir que essas massas, como um todo, denigram tais pessoas como agentes *kulaks* e inimigos de classe."[91] Com essas instruções ecoando nos ouvidos, os coletores de grãos não só não receavam punições por seus comportamentos, como também aguardavam recompensas.

A história curiosa de Andrii Richytskyi ilustra muito bem o problema, porque ele foi uma das poucas exceções à regra. Richytskyi, quando se tornou plenipotenciário distrital, já havia participado de muitos dos movimentos intelectuais e políticos de seu tempo. Quando jovem, fizera parte do levante dos camponeses de 1919, operando em um dos grupos de *partisans*, ao menos segundo os registros policiais. Mais tarde, foi socialista-revolucionário (SR), antes de ver a luz e tornar-se ardente comunista, apesar de membro do Partido Comunista da Ucrânia, um dos partidos "comunistas nacionais" que inicialmente se opuseram aos bolcheviques. Ainda mais tarde, foi biógrafo do poeta Taras Shevchenko e o primeiro tradutor de Karl Marx para o ucraniano. Em 1931, Richytskyi participara do ataque orquestrado contra Mykhailo Hrushevsky, "desmascarando" o famoso historiador como burguês inimigo do socialismo.[92] A despeito desses esforços para insinuar-se ao regime, a história complicada do engajamento político de Richytskyi tornou-o figura suspeita na Ucrânia do início da década de 1930 e, em novembro de 1933, ele foi preso como partícipe do caso contra a fictícia "Organização Militar Ucraniana".[93]

O julgamento de Richytskyi, em março de 1934, centrou-se em sua curta carreira como coletor de grãos e como líder de uma brigada de ativistas em Arbuzynka, província de Mykolaiv, de dezembro de 1932 até o fim de feve-

DECISÕES PARA A FOME, 1932: AS REVISTAS E OS ATIVISTAS   297

reiro de 1933. A investigação de suas atividades durante esses três meses foi completa, abarcando centenas de páginas e mais de quarenta testemunhas. O tribunal acusou Richytskyi e outros líderes locais, mais notavelmente Ivan Kobzar — secretário do comitê distrital do partido —, de contrarrevolução, distorção da linha do partido e uso deliberado de violência excessiva de modo a criar "insatisfação".

Na verdade, a documentação mostra que Richytskyi, Kobzar e outros líderes locais não se comportaram de maneira diferente de outros milhares de servidores comunistas da Ucrânia na mesma ocasião. Richytskyi havia sido enviado para Arbuzynka precisamente porque já tinha um bem-sucedido histórico como coletor de grãos na província de Vinnytsia. Mesmo antes disso, em 1930, ele trabalhara em confisco de grãos na República Autônoma da Moldávia, integrante da Ucrânia à época — uma das regiões em que métodos brutais foram empregados muito cedo —, e até recebeu medalha por seus esforços. Assim que chegou ao seu novo local de trabalho, ele também começou de imediato a organizar uma brigada que forçaria os camponeses de Arbuzynka a cumprir suas cotas.

As intenções de Richytskyi ficaram claras logo na primeira noite, como um fazendeiro testemunhou. Ele reuniu os líderes do vilarejo em uma sala, fechou a porta e começou a "gritar que todos os fazendeiros coletivos eram *petliuristas* e que devíamos esmurrá-los até que todo o grão fosse colhido". Quando alguém protestou, ele gritou de novo: "Você sabe com quem está falando? Um membro do governo, um membro do Comitê Central, um candidato a membro do Politburo." Convocou então a criação de uma brigada, que agiria de modo diferente de todas as outras: "Cada casa, depois da entrada da brigada, vai precisar de mobiliário completamente novo. Não ficará com fogão nem com teto."

Diversos informantes e servidores da polícia secreta local se alistaram à brigada. Como também o fizeram dois renomados criminosos, prática comum à época; repita-se, a polícia selecionara tais pessoas por sua reconhecida crueldade. Um deles foi Spyrydon Velychko, que fora expulso por roubo de uma das fazendas coletivas em setembro de 1932. Velychko pôde juntar-se à brigada porque estava disposto a entregar seus colegas da fazenda e revelar onde escondiam os grãos. Ele compreendia que se tratava de um *quid pro quo*, e, no seu caso, funcionou: "Ele não foi esquecido durante a fome", segundo uma testemunha. Em outras palavras, Velychko não passou fome.

Nas semanas que se seguiram à chegada de Richytskyi, a nova brigada de Arbuzynka acrescentou algumas novidades aos métodos tradicionais de coletar grãos. Eles prendiam os camponeses recalcitrantes em um celeiro, às vezes por dois ou três dias, com pouca ou nenhuma comida. Espancavam--nos seguidamente até que revelassem o local do esconderijo. Sujeitavam outros a uma forma de humilhação pública: despidos de suas roupas, os camponeses eram colocados em barris e empurrados de vilarejo em vilarejo como "exemplos" a não serem seguidos pelos outros. Se nenhuma dessas medidas funcionasse, então a equipe de Richytskyi recorria a punição ainda mais espetacular. Depois de confiscar os bens dos camponeses — roupas de baixo, frigideiras, sapatos —, eles simplesmente demoliam as casas.

Empregavam também outros tipos de violência e tortura. Um homem local descreveu como os métodos de Richytskyi funcionavam em um caso:

> "Depois que descobri quatro esconderijos de grãos em determinado lugar da casa de um fazendeiro, levei o homem ao conselho do vilarejo. Richytskyi o espancou, gritando: "Você sabe que, por esconder grãos, será fuzilado?" O homem gritou em resposta: "Não me importo, vou morrer de qualquer maneira."

Em outra oportunidade, diversos membros da brigada jogaram querosene sobre um gato, riscaram um fósforo e arremessaram o animal em chamas em um celeiro onde estavam homens, mulheres e crianças. Coerção sexual também foi empregada como arma: um integrante da brigada disse a um grupo de mulheres que, em troca de sexo com ele, não confiscaria os grãos delas.

As acusações de abusos pareceram engendradas para jogar a culpa pela violência, em retrospecto, sobre elementos desonestos, para minimizar o papel do partido naqueles crimes. Mas Richytskyi tinha um argumento forte: ele obedecera às ordens claras que lhe foram dadas — e vinha sendo consistentemente condecorado por bem cumpri-las. Em seu depoimento, ele explicou que, quando chegou a Arbuzynka, descobriu que os decretos

DECISÕES PARA A FOME, 1932: AS REVISTAS E OS ATIVISTAS

do outono de 1932 não haviam sido postos em prática. Os comunistas locais não haviam começado a confiscar todos os alimentos dos camponeses nem obrigado os infratores a pagar "impostos" por não atingirem as cotas. Não haviam expulsado ninguém de suas casas. Esses foram precisamente os métodos que Richytskyi usara com sucesso em Vinnytsia, com aprovação das autoridades superiores; por conseguinte, desde sua chegada em Arbuzynka, decidira repeti-los.

Richytskyi também declarou que o próprio Kaganovich havia reiterado sua fé naqueles métodos. Em 24 de dezembro de 1932, Richytskyi e Kozbar, líder local do partido, compareceram a uma reunião com Kaganovich no vilarejo de Voznesensk. Os dois homens ouviram claramente aquela figura soviética destacada censurar a audiência de funcionários do partido por não serem rigorosos o suficiente. Eles até ouviram a ordem, antes mencionada, de que a tarefa dos ativistas era infundir tal pânico nos vilarejos "que os próprios camponeses revelariam espontaneamente seus esconderijos".[94] Naquela reunião — que terminara às 4 horas da manhã —, eles assinaram acordo para confiscar cerca de 12 mil toneladas de grãos até 1º de fevereiro de 1933. Richytskyi depôs que ficara motivado pelo discurso de Kaganovich. Ele o convencera de que o vilarejo deveria abandonar seus métodos antigos e "ineficazes" de confisco de cereais e adotar técnicas mais severas.

E Kaganovich não foi a única figura de alto nível do partido a insistir nesse ponto. Na segunda metade de janeiro, um líder do Politburo ucraniano, Volodymyr Zatonskyi, visitara Arbuzynka e ficara mais do que satisfeito com o trabalho brutal da brigada. Zatonskyi aprovara especificamente os "ataques concentrados" contra os camponeses, acompanhados de multas, expulsões e prisões. Tais medidas eram necessárias para "aterrorizar outros". Richytskyi admitiu às claras que fora inspirado por aquele palavreado para demolir as residências dos camponeses: "Considerei que, para provocar maior efeito, as casas que estavam prestes a ser revistadas deveriam ser destruídas. Assim, as pessoas veriam com seus próprios olhos que não estávamos brincando."

O julgamento de Richytskyi foi curioso, sobretudo pela veemência com que argumentou em sua defesa, por vezes sobrepujando até a voz do procurador que tentava descartar suas alegações. Não ficou claro quem ordenou a investigação, ou por que foi permitido que ela ocorresse; de um

300 A FOME VERMELHA

modo geral, era raro os perpetradores da fome enfrentarem qualquer tipo de retaliação.[95] Sem dúvida, isso aconteceu em razão da carreira cheia de retalhos e dúvidas de Richytskyi, que chamou a atenção dos servidores do OGPU, sempre em busca de nacionalistas secretos e contrarrevolucionários disfarçados. Richytskyi foi sentenciado à morte em 1934.

O testemunho dele, apesar de tudo, remove qualquer dúvida sobre a atmosfera moral que prevalecia naquele tempo. Longe de atípico ou criminoso, Richytskyi julgava-se navegando na direção favorável da corrente. Ele e outros membros de brigadas tinham fundadas razões para acreditar que a liderança do partido, em seus níveis mais altos, sancionava a crueldade extrema e apoiava a retirada dos alimentos e dos bens do campesinato. Não houve mal-entendido algum.

CAPÍTULO 11

Fome: primavera e verão, 1933

Como poderíamos resistir, se não tínhamos forças para sair de casa?

Mariia Dziuba, província de Poltava, 1933[1]

Nenhum deles foi culpado de nada; mas todos eram de uma classe que foi culpada de tudo.

Ilya Ehrenburg, 1934[2]

A fome em um ser humano, uma vez iniciada, sempre segue o mesmo curso. Na primeira fase, o corpo consome suas reservas de glicose. Sensações de fome extrema se instalam, acompanhadas de constantes pensamentos sobre comida. Na segunda fase, que pode durar algumas semanas, o corpo começa a consumir suas próprias gorduras, e o organismo se enfraquece drasticamente. Na terceira, o corpo devora suas próprias proteínas, canibalizando tecidos e músculos. No fim, a pele fica finíssima, os olhos esbugalham, as pernas e o abdome incham, já que extremos desequilíbrios levam o corpo a reter líquido. Por menores que sejam os esforços, a exaustão prevalece. Ao longo do processo, diferentes tipos de enfermidades podem acelerar a morte: escorbuto, kwashiorkor (desnutrição

302 A FOME VERMELHA

intermediária),* prostração (síndrome da falta de proteínas), pneumonia, tifo, difteria e ampla gama de infecções e doenças de pele causadas, direta ou indiretamente, pela falta de alimentos.

Os ucranianos rurais, privados de alimentos no outono e no inverno de 1932, começaram a experimentar todos esses estágios da fome na primavera de 1933 — caso já não os tivessem sentido mais cedo. Anos mais tarde, alguns dos sobreviventes procuraram descrever aqueles anos terríveis, em relatos escritos e milhares de entrevistas. Para outros que conseguiram superar esse período, a experiência foi tão horrenda que depois eles foram incapazes de se lembrar de qualquer detalhe a respeito da fome. Uma sobrevivente, criança de 11 anos na ocasião, conseguia se lembrar de coisas que causaram tristeza ou desapontamento antes da fome, até mesmo de coisas triviais, como um brinco perdido; porém, não guardava lembranças emotivas da fome em si, nenhum horror, nenhuma aflição: "Provavelmente, meus sentimentos ficaram atrofiados pela fome." Ela e outros especularam se o período da fome não teria sido de certa forma anestesiante, uma experiência que suprimia as emoções e até a memória mais tarde na vida. Para outros, pareceu que a fome havia "mutilado as almas imaturas das crianças".[3]

Alguns buscaram metáforas para descrever o que havia acontecido. Tetiana Pavlychka, que vivia na província de Kiev, recordou-se de que a irmã Tamara "tinha uma barriga grande e inchada, e seu pescoço era longo e fino como o de um pássaro. As pessoas não pareciam gente — assemelhavam-se mais a fantasmas famintos".[4] Outro sobrevivente lembrou de que sua mãe "parecia uma jarra cheia de água cristalina. Todas as partes de seu corpo à mostra (...) podiam ser perfuradas pelo olhar, como se fosse um saco plástico cheio de água".[5] Um terceiro descreveu seu irmão deitado, "vivo, mas completamente inchado, com o corpo brilhante como se fosse de vidro".[6] Vivíamos "zonzos", outro recordou: "Tudo parecia encoberto por nevoeiro. Nossas pernas doíam muito, como se alguém tentasse arrancar

---

* Tipo de doença decorrente da falta de proteínas e vitaminas. Seu nome tem origem num dos idiomas de Gana, país da África, e significa "mal do filho mais velho", pois costuma ocorrer quando a criança é desmamada e alimentada com muito carboidrato e pouca proteína. [N. do T.]

FOME: PRIMAVERA E VERÃO, 1933

os tendões delas."[7] Um último não conseguia tirar de sua mente a visão de uma criança sentada, balançando o corpo para a frente e para trás, para a frente e para trás, e entoando uma "canção" sem fim e à meia-voz: "Comer, comer, comer."[8]

Um ativista russo, daqueles enviados à Ucrânia para ajudar a pôr em prática o confisco de grãos, lembrou-se também das crianças:

> Todas iguais: cabeça como se fosse semente pesada, pescoço como o de cegonhas, cada movimento de osso era percebido através da pele de braços e pernas, a pele em si parecia gaze amarelada e enrolada em torno de seus esqueletos. O rosto delas era de gente idosa, exausta, como se já tivessem vivido na terra por uns setenta anos. E seus olhos, meu Deus![9]

Alguns sobreviventes rememoraram as muitas doenças da fome e seus diferentes efeitos físicos. O escorbuto fazia a pessoa sentir dores nas articulações e perder os dentes. Também levava à cegueira noturna: as pessoas não conseguiam enxergar no escuro e, assim, temiam sair de casa à noite.[10] Os acúmulos patológicos de líquidos — edemas — inchavam as pernas das vítimas e sua pele se tornava muito fina, até mesmo transparente. Nadia Malyshko, de um vilarejo na província de Dnipropetrovsk, recordou-se que sua mãe "ficou toda inchada, enfraquecida, e parecia idosa, embora só tivesse 37 anos. Suas pernas brilhavam e a pele rachava".[11] Hlafyra Ivanova, da província de Khmelnytskyi, relatou que as pessoas ficavam amarelas e pretas: "A pele das pessoas inchadas se tornava muito seca, e produzia fendas e feridas das quais escorria líquido fétido."[12]

Os indivíduos com pernas muito gordas, cobertas de feridas, não podiam sentar: "Quando um deles sentava, a pele rachava e o líquido começava a escorrer pernas abaixo, o fedor era horroroso e as pessoas sentiam dores insuportáveis."[13] A barriga das crianças inchava e a cabeça parecia pesada demais para ser sustentada pelo pescoço.[14] Uma mulher recordou-se de ter visto uma menina tão emaciada que "era possível ver seu coração batendo por baixo da pele".[15] M. Mishchenko descreu os estágios finais: "Aumentava a lassidão generalizada, e a vítima não conseguia se levantar da cama ou nela encontrar posição que não doesse. Ela ficava em um estado de tontura que podia durar uma semana, até que o coração parava de bater por exaustão."[16]

304 **A FOME VERMELHA**

Um ser humano macilento pode falecer de forma muito rápida e inesperada. E isso ocorreu com vários deles. A irmã de Volodymyr Slipchenko trabalhava em uma escola na qual testemunhou crianças morrendo durante as aulas — "A criança, sentada em sua carteira, de repente desmaiava e caía" —, ou no recreio, enquanto brincava sobre a grama do pátio.[17] Muitas morriam enquanto caminhavam, na tentativa de escapar. Outro sobrevivente recordou-se de que as estradas que levavam à Donbas ficaram repletas de cadáveres às suas margens: "Habitantes mortos de vilarejos jaziam nas estradas, ao longo delas ou nas trilhas. Havia mais corpos do que pessoas para recolhê-los."[18]

O indivíduo privado de alimentos pode falecer no próprio ato de comer, caso lhe seja dado algo para ingerir. Na primavera de 1933, Hryhorii Simia lembrou-se de sentir odor desagradável vindo do campo de trigo perto da estrada: pessoas famintas haviam entrado no campo coberto de talos para pegar espiguetas restantes da colheita, tentaram comê-las e, então, feneceram: seus estômagos vazios não digeriam mais coisa nenhuma.[19] O mesmo aconteceu nas filas de pão das cidades. "Houve casos de pessoas que conseguiram um pedaço de pão, comeram-no e morreram no ato, exauridas demais pela fome."[20] Um sobrevivente ficou atormentado com a lembrança de ter encontrado algumas beterrabas e tê-las levado para sua avó. Ela comeu duas delas cruas e cozinhou o restante. Poucas horas depois, estava morta, pois seu corpo não aguentou a digestão.[21]

Para os que permaneceram vivos, os sintomas físicos muitas vezes foram apenas o começo. As alterações psicológicas podiam ser igualmente dramáticas. Alguns falaram mais tarde sobre a "psicose da fome", embora, é claro, tal estado não pudesse ser definido ou mensurado.[22] "Em função da fome, as psiques dos indivíduos ficaram perturbadas. O senso comum desapareceu, os instintos naturais desvaneceram, lembrou-se Petro Boichuk.[23] Pitirim Sorokin, que já vivera a fome em 1921, recordou-se de que apenas com uma semana de privação de alimentos, "era muito difícil manter a concentração, nem sequer por um minuto, em qualquer coisa que não fosse a fome. Por curtos períodos de tempo e com muita força de vontade, eu me sentia capaz de afastar os 'pensamentos sobre a fome' da consciência, mas eles invariavelmente voltavam e se apossavam dela". No fim, noções sobre

FOME: PRIMAVERA E VERÃO, 1933

comida "começam a se multiplicar abundantemente na consciência, e adquirem uma diversidade e uma vivacidade sem precedentes, muitas vezes, atingindo o estágio de alucinações". Outros tipos de pensamentos "sumiam do campo da consciência, tornavam-se muito vagos e desinteressantes".[24]

Repetidas vezes, os sobreviventes escreveram e falaram sobre as mudanças de personalidade provocadas pela fome e sobre como o comportamento normal se transformava. A vontade de comer simplesmente sobrepujava tudo o mais — sobretudo os sentimentos familiares. Uma mulher, que sempre fora gentil e generosa, mudou quando os alimentos começaram a escassear. Ela expulsou a mãe de casa e mandou-a morar com outro parente: "Você viveu conosco por duas semanas", disse à mãe, "vá agora morar com ele e deixe de ser um estorvo para meus filhos."[25]

Outro sobrevivente lembrou-se de um jovem rapaz que procurava por grãos extras no campo. A irmã correu até ele para avisar-lhe que o pai havia morrido. O rapaz retorquiu: "Não estou nem aí. Quero é comer."[26] Uma mulher contou a um vizinho que a filha mais nova estava se esvaindo, e ela, portanto, não lhe dera mais nada para comer: "Tenho que tentar me ajudar, a menina vai morrer de qualquer maneira."[27] Um menino de 5 anos, cujo pai falecera, invadiu a casa do tio para procurar algo para comer. Furiosa, a família do tio trancou-o no celeiro, onde ele também acabou morrendo.[28]

Diante de opções terríveis, muitos tomaram desastrosas decisões, que antes não teriam sido capazes nem de imaginar. Uma mulher afirmou aos vizinhos que, embora fosse sempre possível ter mais filhos, ela só tinha um marido, e queria mantê-lo vivo. Ela então confiscou os alimentos que os filhos pequenos haviam recebido na escola, e as crianças morreram.[29] Um casal colocou os filhos em um poço fundo e lá os deixou, para não presenciar seus falecimentos. Vizinhos escutaram os gritos de crianças, e elas foram resgatadas e sobreviveram.[30] Outra sobrevivente recordou-se da mãe saindo de casa para não ouvir o choro dos filhos pequenos.[31]

Uliana Lytvyn, que já tinha 80 anos quando foi entrevistada, recordou-se dessas transformações emocionais, em especial da perda dos sentimentos familiares — acima de tudo, os amores maternal e paternal: "Acredite em mim, a fome cria animais irracionais, totalmente estupefatos, a partir de seres humanos bons e honestos. O intelecto e a consideração desaparecem, assim como a piedade e a consciência também deixam de existir; é isso que pode ser feito com fazendeiros camponeses gentis e honestos. Quando, algumas vezes, sonho com aquele horror, ainda choro em pleno sono."[32]

A desconfiança também aumentou, aliás, já vinha crescendo desde a coletivização e a deskulakização, poucos anos antes. "Vizinhos foram obrigados a espionar vizinhos", escreveu Miron Dolot: "Amigos foram forçados a trair amigos; crianças foram ensinadas a denunciar os pais; e até membros de uma mesma família evitaram encontrar-se uns com os outros. A tradicional e calorosa hospitalidade dos moradores de vilarejos desapareceu, para ser trocada pela desconfiança e pela suspeita. O medo passou a ser nossa constante companhia: havia imenso terror de se ficar sozinho e desamparado diante do monstruoso poder do Estado."[33]

Iaryna Mytsyk recordou-se de famílias que sempre haviam deixado suas portas abertas, mesmo durante a Guerra Civil e a revolução, e que passaram a trancá-las: "A sinceridade e a generosidade cultivadas por séculos não existiam mais; sumiram quando os estômagos ficaram vazios."[34] Pais alertavam os filhos a terem cuidado com vizinhos, mesmo aqueles que conheciam pela vida inteira: ninguém sabia quem podia se tornar ladrão, espião — ou até canibal. Ninguém queria também que os outros soubessem como tinham conseguido sobreviver. "A confiança desapareceu", escreveu Mariia Doronenko: "Qualquer um que tivesse alimentos em mãos, ou que descobrisse meios de conseguir comer, mantinha tudo em segredo, recusando-se a falar sobre eles mesmo com os parentes mais próximos."[35]

A empatia também acabou, e não apenas entre os mais famintos. O desespero e a histeria dos que passavam necessidades inspiraram terror e medo, até mesmo entre os que ainda tinham algo para ingerir. Uma carta anônima, que acabou chegando aos arquivos do Vaticano, descreveu os sentimentos de estar próximo aos famintos:

> À noite, ou mesmo com o dia claro, não era possível levar pão para casa sem escondê-lo. Os famintos paravam essas pessoas e tiravam o pão de suas mãos, e às vezes ainda as mordiam ou as feriam com facas. Nunca vi gente com faces tão esquálidas e selvagens, e corpos tão pequenos envoltos em farrapos. (...) É preciso viver aqui para entender e acreditar na extensão do

FOME: PRIMAVERA E VERÃO, 1933

desastre. Mesmo hoje, quando fui ao mercado, vi dois homens mortos pela fome, que os soldados jogaram em uma carroça, um sobre o outro. Como podemos viver?[36]

Assim como no Holocausto, as testemunhas do intenso sofrimento nem sempre sentiram — talvez nem pudessem sentir — compaixão. Em vez disso, depositavam sua raiva nos sofredores.[37] A propaganda encorajava esse tipo de sentimento: o Partido Comunista culpava, alto e bom som, os próprios camponeses por seus infortúnios, então outros também o faziam. Um habitante de Mariupol relatou uma cena particularmente cruel:

Certo dia, eu esperava na fila diante da loja para comprar pão, e vi uma menina camponesa, com cerca de 15 anos, vestida em trapos e com olhar suplicante. Ela esticava as mãos e ia passando pelos que compravam pão, pedindo apenas um naco, até que parou perto do dono da loja. O homem devia ser um estranho recém-chegado que não falava, ou não desejava falar, ucraniano. Ele começou a censurar a menina, dizendo-lhe que ela era preguiçosa demais para trabalhar na fazenda, e bateu com força na mão estendida da jovem, com o lado cego da faca que empunhava. Ela caiu no chão e deixou escorregar o naco de pão que segurava com a outra mão. Então o homem aproximou-se dela, chutou a garota e rosnou: "Levante-se! Volte para casa e vá trabalhar!" A menina gemeu, esticou-se toda e morreu. Alguns na fila começaram a chorar. O dono da loja, comunista, notou o choro e ameaçou: "Tem gente muito sentimental por aqui. É muito fácil identificar inimigos do povo."[38]

A fome também aumentou a suspeita de estranhos e forasteiros, até mesmo crianças. Os habitantes das cidades tornaram-se particularmente hostis em relação a qualquer camponês que conseguisse furar o bloqueio policial nas estradas e chegar às áreas urbanas para mendigar, ou até mesmo aos próprios habitantes da urbe que não conseguiam obter alimentos. Anastasiia Kh., uma criança em Kharkov durante a fome, foi diversas vezes levada pelo pai para a porta de uma cafeteria a fim de ganhar restos de comida — até que um "homem bem-vestido" gritou com os dois e ordenou que fossem embora.[39] Mas ela também teve a experiência reversa. Certa vez, tendo conseguido comprar uma fatia de pão, ela correu para casa com o alimento. Foi, então, parada por uma camponesa que carregava um bebê nos braços, pedindo-lhe um pedaço do pão. Pensando em sua família, Anastasia disparou para casa: "Tão logo virei as costas, a mulher se ajoelhou e faleceu. O medo tomou meu coração, porque parecia que os olhos abertos da mãe me acusavam de ter-lhe negado alimento. Chegaram pessoas e pegaram o bebê, que, mesmo morta, a mulher agarrava firmemente. A imagem daquela mulher estirada me aterrorizou por muito tempo. Eu não conseguia dormir porque continuava a vê-la diante de mim."[40]

Em tais circunstâncias, as regras comuns da moralidade não mais faziam sentido. Roubos de vizinhos, de primos, das fazendas coletivas, dos locais de trabalho tornaram-se corriqueiros. Entre aqueles que sofriam, o roubo era amplamente justificado. Vizinhos surrupiavam galinhas de outros, e depois se defendiam como podiam.[41] As pessoas trancavam as portas durante todo o tempo, dia ou noite; um autor de carta anônima queixou-se ao comitê distrital de Dnipropetrovsk: "Não há como garantir que alguém não vá arrombar sua casa, levar seus alimentos e ainda assassiná-lo. Onde buscar ajuda? Os milicianos também passam fome e estão com medo."[42]

Qualquer um que trabalhasse em instituição do Estado — uma fazenda coletiva, uma escola, uma repartição — também surrupiava o que pudesse. As pessoas colocavam grãos nos bolsos, ou os escondiam nos sapatos, antes de sair dos prédios públicos. Outras faziam buracos secretos em implementos de madeira e colocavam grãos em seu interior.[43] Também roubavam cavalos — até mesmo da sede da milícia —, além de vacas, ovelhas e porcos, abatiam-nos e comiam tudo. Em um só distrito da província de Dnipropetrovsk, trinta cavalos foram roubados de uma fazenda coletiva em abril e maio de 1933; em outro distrito, ladrões sumiram com cinquenta vacas. Em alguns locais, os camponeses escondiam o gado, se tivessem algum, dentro de casa à noite.[44]

As pessoas também levavam reservas de sementes, que haviam sido, evidentemente, confiscadas delas mesmas, e eram então mantidas em depósitos. Quase sempre as quantidades eram pequenas — trabalhadores das fazendas coletivas eram regularmente flagrados enchendo os bolsos. Mas o problema se tornou tão alastrado que, em março de 1933, as autoridades

FOME: PRIMAVERA E VERÃO, 1933

ucranianas emitiram decreto especial instruindo o OGPU, a milícia e as equipes de ativistas a proteger as sementes e punir os infratores segundo os termos rigorosos da lei de 7 de agosto. Tribunais especiais itinerantes foram criados para acelerar as sentenças.[45]

Ninguém se sentia mais culpado por roubar propriedade comunal. Sobre seus roubos durante o período da fome, um homem escreveu: "Naquele tempo, nós não achávamos que aquilo era um grande pecado, nem nos lembrávamos de que, provavelmente, havíamos matado pessoas privando-as de comida."[46] Ivan Brynza e seu amigo de infância, Volodia, permaneceram ao pé de um elevador de grãos e se juntaram ao aglomerado de pessoas que se engalfinhavam toda vez que alguns cereais caíam no chão:

> Os sacos se rasgavam, mas os olhos treinados das tropas da NKVD imediatamente cercavam o local e gritavam: "Não ousem tocar em propriedade socialista!" Os grãos derramados eram colocados em novos sacos, mas uns tantos eram sempre deixados para trás em meio à poeira. Crianças famintas se lançavam na poeira, tentando catar o máximo possível de grãos. Mas, naquelas "batalhas", algumas crianças eram pisoteadas, e saíam muito feridas; fracas pela fome, elas não se levantavam mais do chão.[47]

Por vezes, o roubo assumia escala bem maior. Em janeiro de 1933, uma inspeção nas fábricas de pão e padarias da Ucrânia revelou que trabalhadores em toda a república roubavam e acumulavam pão e farinha em escala maciça, fosse para uso próprio, fosse para o mercado negro. Em decorrência, virtualmente todo o pão disponível para venda nas lojas oficiais era de "má qualidade", contendo quantidade excessiva de ar e água, bem como "enchimentos" — serragem e outros cereais — no lugar do trigo. Em alguns casos, as fábricas eram controladas por "organizações criminosas" que trocavam o pão por outros tipos de produtos alimentícios. Livros de contabilidade eram também falsificados em enorme escala para esconder essas transações.[48]

Essa transformação de indivíduos honestos em ladrões foi só o início. Com o passar das semanas, a fome literalmente enlouqueceu as pessoas, provocando ira irracional e os mais extraordinários atos de agressão. "A fome foi horrível, mas não só ela. As pessoas se tornaram tão raivosas e selvagens

A FOME VERMELHA

que era assustador sair de casa", recordou-se um sobrevivente. Um menino, àquele tempo, lembrou-se de que o filho de um vizinho provocou outras crianças com um pedaço de pão com geleia que sua família conseguira adquirir. As outras crianças começaram a atirar pedras nele; foram tantas pedradas que ele acabou morrendo. Outro garoto faleceu na guerra que se seguiu por aquele pedaço de pão.[49] Os adultos não tiveram comportamento melhor em presença da fome: um sobrevivente lembrou-se do vizinho que ficou tão irritado com os gritos dos filhos por comida que sufocou seu bebê no berço e matou dois outros filhos arremessando-os de cabeça contra as paredes. Só um deles conseguiu fugir.[50]

História semelhante foi registrada pela polícia da província de Vinnytsia, onde um fazendeiro, incapaz de suportar a imagem de seus filhos morrendo de fome, "acendeu o fogão e tapou a chaminé" para matá-los. "As crianças começaram a sufocar com a fumaça e gritaram por socorro. Então ele as estrangulou com as próprias mãos e foi até o conselho do vilarejo para confessar os crimes..." O fazendeiro disse que cometera os assassinatos pois "não havia nada para comer". Durante a revista subsequente que foi feita em sua casa, de fato, não foi encontrado nenhum item comestível.[51]

A vigilância também se alastrou. Guardas armados atiravam em catadores assim que os viam, e quem se atrevesse a roubar dos depósitos ficava sujeito à mesma sorte. À medida que a fome piorava, pessoas comuns começavam também a se vingar dos que roubavam. Oleksii Lytvynskyi lembrou-se de ter visto um chefe de fazenda coletiva pegar um menino que roubara pão e jogá-lo com força de cabeça contra uma árvore — um assassinato pelo qual ele nunca foi responsabilizado.[52] Hanna Tsivka conheceu uma mulher que matou a sobrinha por ter roubado um pedaço de pão.[53] O irmão mais velho de Mykola Basha foi surpreendido procurando por batatas estragadas na horta do vizinho, que então o pegou e o colocou dentro de um silo com água na altura do peito.[54] A tia de outro sobrevivente foi morta a golpes de forcado por roubar salsinha do quintal do vizinho.[55]

Por vezes, a mania da vigilância tomava conta de grupos inteiros. Na fazenda coletiva "Nova União" da província de Dnipropetrovsk, um aglomerado — incluindo o *chairman* da fazenda, o veterinário local e o contador — espancou até a morte um fazendeiro coletivo que roubara

FOME: PRIMAVERA E VERÃO, 1933

uma jarra de leite e alguns biscoitos.[56] Quando camponeses de um vilarejo próximo roubaram uma ovelha da fazenda coletiva em Rashkova Sloboda, na província de Chernihiv, uma caçada humana foi organizada. Os fazendeiros acharam os culpados, cercaram-nos — e os fuzilaram no ato. Mykola Opanasenko foi testemunha desse ataque quando criança. Mais tarde, fez outra reflexão: "Resta uma questão amarga: quem imbuiu no coração dos camponeses tamanha ferocidade animal para que tratassem pessoas de forma tão impiedosa?"[57]

Algumas vezes, as multidões de linchamento torturavam as vítimas. Na província de Vinnytsia, um aglomerado de pessoas manteve uma mulher suspeita de roubo sem comida ou água em um celeiro por dois dias, antes de a enterrar viva. Em outro distrito de Vinnytsia, uma menina de 12 anos, Mariia Sokyrko, foi assassinada por roubar cebolas. Na província de Kiev, o chefe do conselho de um vilarejo "prendeu" duas adolescentes acusadas de roubo e lhes queimou os braços com fósforos acesos, espetou-as com agulhas e as espancou com tal crueldade que uma delas morreu e a outra teve que ser hospitalizada.[58] Tão comum era esse tipo de comportamento que, em junho de 1933, o governo ucraniano ordenou aos procuradores que tentassem evitar a "lei do linchamento" levando à Justiça Pública seus perpetradores. Dezenas de pequenas "farsas judiciais" foram promovidas em toda a Ucrânia entre junho e julho, mas os linchamentos continuaram sendo reportados por todo o país em 1934 e até mesmo em 1935.[59]

Essa "ferocidade animal" podia se desenvolver ainda mais. A insanidade autêntica de vários tipos — alucinações, psicoses, depressão — resultava da fome. Uma mulher, cujos seis filhos morreram no período de três dias, em maio de 1933, perdeu a cabeça, passou a andar nua, soltou o cabelo e começou a dizer a todos que a "vassoura vermelha" havia levado sua família.[60] Um sobrevivente recordou-se da terrível história de Varvara, uma vizinha deixada sozinha com dois filhos. No início de 1933, Varvara recolheu as roupas que restavam e viajou para uma cidade próxima na esperança de trocá-las por comida. Foi bem-sucedida e retornou para casa com um pão inteiro. Mas, quando cortou o pão, começou a berrar: não era pão de verdade, e sim disfarce de casca recheada com papel — o que significava que, mais uma vez, não havia nada para comer. Ela pegou a faca, virou-se, enterrou-a nas

312 A FOME VERMELHA

costas do filho e começou a rir histericamente; a filha, ao ver o ocorrido, disparou a correr para salvar sua vida.[61]

Com o tempo, todas essas emoções foram amainando — sendo substituídas pela total indiferença. Mais cedo ou mais tarde, a fome tornou as pessoas apáticas, incapazes de se mover ou pensar. Elas ficavam sentadas nos bancos de suas fazendas, à beira das estradas, em suas casas — e não se mexiam. Cidades agitadas se tornaram cada vez mais calmas, contou Mykola Proskovchenko, que superou a fome na província de Odessa. "Um silêncio estranho pairava por todos os cantos. Ninguém chorava, gemia ou se queixava. (...) A indiferença se espalhou: as pessoas ou estavam inchadas ou totalmente exaustas. (...) Até mesmo uma espécie de inveja dos mortos se instalou."[62] Na primavera de 1933, Oleksandra Radchenko registrou em seu diário no meio da noite: "Já são 3 da madrugada, o que significa que hoje é 27 de abril. Não tenho dormido. Os últimos dias foram repletos de terrível apatia..."[63]

"Ninguém sente pena de ninguém", escreveu a mulher que resistiu à fome, Halyna Budantseva. "Não se deseja nada, nem mesmo comer. Você caminha a esmo por seu quintal ou pela rua. Depois se deita e espera pela morte." Ela se recuperou porque um tio veio em seu socorro. Mas a irmã, Tania, faleceu a caminho do vilarejo do tio.[64]

Petro Hryhorenko, na época um estudante da academia militar, testemunhou essa indiferença quando, em dezembro de 1933, recebeu uma carta estranha de sua madrasta, aludindo à saúde abalada de seu pai. Alarmado, Petro voltou ao seu vilarejo. Lá, ele descobriu que o pai, defensor entusiasta da coletivização, agora passava fome. Petro foi ao escritório central da fazenda coletiva local para informar aos servidores que levaria seus pais embora:

> O contador era meu amigo dos tempos de Komsomol. Estava ali, sentado e sozinho. "Bom dia, Kolia!", cumprimentei-o. Ele continuou sentado, olhando fixamente para a mesa. Sem sequer levantar a cabeça, ele disse, como se não nos víssemos havia apenas cinco minutos: "Ah, Petro." Ele estava completamente apático. "Então você veio buscar seu pai? Sim, leve-o. Talvez ele sobreviva. Nós, não."[65]

FOME: PRIMAVERA E VERÃO, 1933

Vasily Grossman descreveu essa etapa da fome no *Forever Flowing* [*Para sempre fluindo*]:

> No início, a fome tira uma pessoa de casa. Em seu primeiro estágio, ela fica atormentada como se um incêndio queimasse suas entranhas e sua alma. Então, ela tenta escapar de casa. As pessoas cavoucam a terra por minhocas, pegam grama, e chegam a fazer esforço para vencer a apatia e ir até a cidade. Longe de casa, longe de casa! E então chega o dia em que ela se arrasta de volta para casa. Significado disso: a fome, a inanição, venceu. O ser humano não pode ser salvo. Ele deita na cama e lá fica. E não é só por falta de forças, mas também porque não mais se interessa pela vida. Fica deitado, quieto, e não deseja ser tocado. Não deseja nem comer (...) tudo que ele quer é ser deixado em paz e que as coisas se acalmem...[66]

Os governantes também ficaram assustados com a indiferença generalizada. Já em agosto de 1932, um informante da polícia dissera aos seus contatos que um bancário lhe havia confessado "o completo colapso de sua fé em um futuro melhor". Ele explicou: "A desesperança completa pode ser sentida por todos, rurais ou urbanos, jovens e idosos, membros ou não afiliados ao partido. Tanto os intelectuais quanto os representantes do trabalho braçal perdem a força dos músculos e a energia mental, e só pensam em como acabar com o sentimento de fome em si mesmos e em seus filhos."[67]

Em extenso relatório enviado a Kaganovich e Kosior, em junho de 1933, um servidor do partido que trabalhava em uma Estação de Máquinas e Tratores do distrito de Kamianskyi reportou que, em sua área, pessoas morriam de fome aos milhares. Ele listou exemplo atrás de exemplo de gente sucumbindo nos campos durante o trabalho, gente morrendo a caminho de casa, gente impossibilitada até mesmo de sair de casa. Mas também observou a crescente indiferença. "As pessoas se tornaram embotadas, simplesmente não reagem", escreveu. "Nem ao canibalismo, nem à mortalidade, nem a nada."[68]

A indiferença logo abrangeu a própria morte. Os tradicionais funerais ucranianos combinavam tradições folclóricas com religiosas, incluíam um coro, uma refeição, o canto de salmos, leituras bíblicas e, por vezes, carpideiras profissionais. Agora, todos esses ritos foram banidos.[69] Ninguém mais

314 A FOME VERMELHA

tinha forças para cavar uma sepultura, organizar uma cerimônia ou tocar música. As práticas religiosas desapareceram, assim como as igrejas e os sacerdotes. Para uma cultura que valorizava altamente seus rituais, a impossibilidade de fazer uma despedida adequada para os mortos tornou-se outra fonte de trauma: "Não havia velórios", lembrou-se Kateryna Marchenko. "Não havia sacerdotes, réquiens, lágrimas; nem mesmo força para chorar."[70]

Uma mulher contou que o avô foi enterrado sem caixão. Ele foi colocado em um buraco no chão, na companhia dos corpos de uma vizinha e de seus dois filhos: "Os filhos não choraram por ele, nem entoaram, segundo a tradição cristã, a canção, 'Lembrança eterna'."[71] Outro homem lembrou-se de como seus amigos trataram o pai à beira da morte:

> Fomos para o campo de manhã, em 1933, a fim de colher batatas congeladas. O que conseguimos foi levado para fazer "biscoitos" em casa. (...) Certa vez chamei meus amigos que esperavam por seus 'biscoitos' [ficarem prontos]. O pai deles jazia sobre um banco, inchado e incapaz de se levantar. Ele pediu aos filhos que lhe dessem apenas um pedaço, mas eles negaram. "Vá lá catar batatas você mesmo", responderam. O homem faleceu naquela noite.[72]

Outro menino simplesmente foi deixado desamparado:

> Minha mãe havia ido embora. Eu dormia em cima do fogão e acordei antes do amanhecer. "Pai, quero comer, pai!" A casa estava gelada. Papai não respondia. Comecei a gritar. Amanheceu; meu pai tinha uma espécie de espuma sob o nariz. Toquei sua testa — fria. Então chegou uma carroça carregada de corpos, molhos de gente. Dois homens entraram em nossa casa e jogaram o cadáver de meu pai em um carrinho de mão com um impulso só. (...) Depois disso, não consegui mais dormir naquela casa, passei a fazê-lo nos estábulos, sobre o feno; eu estava todo inchado e vestido em trapos.[73]

Em muitos casos não havia um só membro da família para tratar do enterro do morto. Prédios públicos foram rapidamente transformados em necrotérios primitivos. Em março de 1933, Anna S. soube que sua escola fora fechada por causa de "uma epidemia de disenteria e febre tifoide". As carteiras foram removidas das salas de aula, feno foi espalhado pelos assoalhos, e os

FOME: PRIMAVERA E VERÃO, 1933

enfermos famintos foram levados para lá a fim de fenecerem, pais e filhos, estirados lado a lado.[74] Casas individuais por vezes foram utilizadas com o mesmo fim. Na província de Zhytomyr, as autoridades locais invadiram duas residências quando os vizinhos reportaram que de suas chaminés não saía fumaça alguma havia muitos dias. No interior delas, os servidores encontraram idosos, adultos e crianças: "Corpos mortos sobre o fogão, sobre bancos e camas." Todos os cadáveres foram jogados dentro de um poço, que foi enchido de terra até a boca.[75] Os corpos nem sempre eram achados imediatamente. O inverno de 1933 foi extremamente frio e, em muitos casos, só foi possível enterrar os mortos depois de o degelo começar. Cães e lobos atacaram os corpos.[76] Naquela primavera, "a atmosfera ficou tomada pelo odor característico de corpos em decomposição. O vento espalhou aquele cheiro por toda a Ucrânia".[77]

Estações de trem, ferrovias e estradas começaram também a acumular cadáveres. Camponeses que tentavam escapar da fome morreram sentados, ou até mesmo de pé, sendo depois coletados "como lenha para fogões e levados embora".[78] Uma testemunha viajou na companhia da mãe através de uma região assolada pela fome, em março de 1933, e lembrou-se de ter visto corpos deitados, e às vezes sentados, ao longo do caminho. "O cocheiro cortava tiras de sacos de aniagem que levara e cobria com elas o rosto dos mortos."[79]

Outros nem ao menos se incomodavam com isso. Um ferroviário, Oleksandr Honcharenko, contou que ao "andar pelos trilhos todas as manhãs, a caminho do trabalho, eu encontrava invariavelmente dois ou três corpos por dia, mas passava por cima deles e seguia no mesmo ritmo. A fome roubou-me a consciência, a alma humana e os sentimentos. Quando pisava sobre os cadáveres, eu não sentia absolutamente nada; para mim, eram como troncos de árvores".[80] Petro Mostovyi recordou-se de pedintes que chegavam ao seu vilarejo "como fantasmas", sentavam-se à beira das estradas ou sob cercas — e ali mesmo sucumbiam. "Ninguém os sepultava; nossas agruras já bastavam." Para aumentar o horror, gatos e cães de rua comiam seus corpos. Criança àquele tempo, Mostovyi tinha medo de ir a uma pequena aldeia próxima porque todos os seus moradores haviam morrido, e não sobrara ninguém para os enterrar. Eles foram deixados

316 **A FOME VERMELHA**

como estavam, dentro das casas e dos celeiros, por muitas semanas.[81] O resultado foi epidemia de tifo e outras doenças.[82]

Nas cidades, onde as autoridades ainda procuravam encobrir os horrores que ocorriam no interior, os servidores do OGPU muitas vezes recolhiam os corpos à noite e os enterravam em segredo. Entre fevereiro e junho de 1933, por exemplo, o OGPU de Kharkov registrou que havia secretamente sepultado 2.785 corpos.[83] Poucos anos depois, durante o Grande Terror de 1937-38, esse sigilo foi ainda mais rigoroso. Covas coletivas para as vítimas da fome foram encobertas e camufladas, e tornou-se perigoso até mesmo saber onde elas estavam localizadas. Em 1938, toda a equipe do cemitério de Lukianivske, em Kiev, foi presa, julgada e fuzilada como insurgente contrarrevolucionária provavelmente para impedir que seus membros revelassem o que sabiam.[84]

Nas grandes cidades e vilas, os funcionários locais organizaram equipes para coletar os corpos. Por vezes, tais equipes eram compostas por membros do Komsomol.[85] No fim da primavera de 1933, alguns eram soldados enviados de fora, que ordenavam ao povo local que cooperasse para que o sigilo total fosse mantido sobre o assunto.[86] Outros eram simplesmente fortes o bastante para cavar valas coletivas, e faziam o trabalho em troca de comida. Uma das sobreviventes admitiu que venceu a fome porque foi empregada como coveira coletiva, e assim recebia uma fatia de pão e um arenque todos os dias.[87] Outro contou que essas brigadas ganhavam pão em troca de corpos. "Quando quarenta pessoas morriam durante o dia, a recompensa era muito boa."[88] Muitas vezes, especialmente em cidades como Kiev e Kharkov, as equipes de recolhimento de corpos trabalhavam à noite para disfarçar melhor a escala de sua tarefa.[89]

Enterros de grupos, apressadamente organizados, ocorriam sem qualquer tipo de cerimônia. "As pessoas eram sepultadas sem caixões, apenas lançadas em valas e cobertas com terra", narrou uma das testemunhas.[90] Era também alternativa para a equipe de sepultamento fazer um buraco onde o corpo jazia e enterrá-lo ali mesmo, sem tentar identificar o cadáver ou marcar o local de sua cova. "O pequeno monturo rapidamente desmoronava após algumas semanas de chuva forte, o capim crescia e os vestígios do enterro sumiam."[91] A avó de um sobrevivente conduzia uma

FOME: PRIMAVERA E VERÃO, 1933

carroça de porta em porta. Se via urubus, "significava que havia cadáveres insepultos". Quando encontrava pessoas semimortas, ela as puxava para perto das portas, "a fim de facilitar sua coleta" posterior.[92] As sepulturas coletivas, em geral, não eram marcadas. Em alguns lugares, gerações mais jovens, poucos anos depois, não mais puderam localizá-las.[93]

Muitas equipes de sepultamento talvez tenham extrapolado o limite da indiferença e chegado à crueldade. Diversos sobreviventes, de diferentes partes da Ucrânia, narraram repetidas histórias de pessoas muito doentes sendo enterradas ainda vivas: "Houve casos em que elas foram enterradas ainda meio-vivas: 'Por misericórdia, deixe-me em paz. Não estou morto', os cadáveres costumavam gritar. 'Vá pro inferno! Você quer que a gente volte aqui amanhã?', era a resposta."[94] Outra equipe também recolhia pessoas meio vivas, argumentando que no dia seguinte estariam em outra rua, então poderiam muito bem pegá-las agora, receber o devido "pagamento" por cada "corpo" e comer mais.[95] Muitos sentiram que, uma vez cavadas as covas coletivas, não importava o estado dos corpos. "Nem mesmo disparavam o tiro de misericórdia, para economizar munição, e arremessavam corpos ainda com vida na vala comum."[96] Até as famílias tratavam seus moribundos da mesma maneira. Uma avó ficou doente e perdeu a consciência. "Quando ficou prostrada, todos da casa julgaram que ela havia falecido. Durante o sepultamento, perceberam que ainda respirava, mas a enterraram assim mesmo, pois disseram que ela morreria de qualquer modo. Ninguém sentiu pena."[97]

Alguns, entretanto, conseguiram escapar daquela situação. Um homem, Denys Lebid, descreveu o momento em que foi lançado em uma cova coletiva. Tentou levantar-se e sair, mas percebeu que estava muito debilitado. Sentou-se e esperou pela morte, ou por outro corpo ser arremessado sobre o dele. Por fim, acabou resgatado pelo motorista do trator que ia cobrir a vala com terra.[98] Sua história foi parecida com a de uma mulher que foi salva da cova por outra, que ouvira seus gritos quando passava pelo local.[99] Histórias semelhantes foram narradas por pessoas das províncias de Cherkasy, Kiev, Zhytomyr e Vinnytsia, entre outras.[100]

Qualquer um que tenha presenciado cenas assim — ou pior, vivenciado — jamais se esqueceu. "Fiquei tão apavorada com o que vi que não consegui nem falar por diversos dias. Via cadáveres em meus sonhos. E gritei muito..."[101]

A FOME VERMELHA

O horror, a exaustão, a indiferença desumana pela vida e a constante pressão da linguagem do ódio deixaram suas marcas. Combinados com a total falta de alimentos, eles também produziram no campo ucraniano uma forma bem rara de loucura: no fim da primavera e durante o verão, o canibalismo alastrou-se. Mais extraordinário ainda, sua existência não era segredo, nem em Kiev, Kharkov ou Moscou.[102]

Muitos sobreviventes presenciaram tanto o canibalismo quanto, com mais frequência ainda, a necrofagia, consumo dos corpos das pessoas que haviam morrido de fome. Porém, apesar de o fenômeno ser difundido, ele jamais tornou-se "normal" e — apesar da afirmativa de um funcionário da Estação de Máquinas e Tratores de que as pessoas não eram afetadas pelo canibalismo — raramente foi tratado com indiferença. Lembranças de canibalismo quase sempre se dividiram entre aqueles que ouviram histórias que haviam ocorrido em outros vilarejos distantes e aqueles que se recordaram de incidentes reais. Os primeiros, distantes no tempo e no espaço, por vezes o descreveram como se fosse algo "comum". Dez anos após a fome, um viajante que visitava a Ucrânia ocupada pelos nazistas alegou ter conhecido "homens e mulheres que disseram abertamente ter comido carne humana (...) a população considera tais casos como resultado de necessidade extrema, sem condená-los".[103] Um relatório do chefe do OGPU na província de Kiev também menciona o canibalismo se tornando um "hábito". Em alguns vilarejos, "a ideia de que é possível consumir carne humana é mais forte a cada dia que passa. Essa opinião se espalha em particular entre crianças inchadas e famintas".[104]

Contudo, aqueles que de fato presenciaram um incidente de canibalismo quase sempre se lembravam dele de modo muito diferente. Tanto as memórias quanto os documentos sobre aquela época confirmam que o canibalismo provocava choque e horror, e algumas vezes levava à intervenção da polícia ou do conselho do vilarejo.

Larysa Venzhyk, da província de Kiev, recordou-se de que, no início, houve apenas rumores, histórias "de crianças que haviam desaparecido em algum local, de pais degenerados que comiam seus filhos. No fim das contas, não eram apenas rumores, e sim a horrível verdade". Em sua rua, duas meninas, filhas de um vizinho, sumiram. O irmão delas, Misha, de 6

FOME: PRIMAVERA E VERÃO, 1933

anos, fugiu de casa. Vagou pelo vilarejo, mendigando e roubando. Quando perguntado por que fugira de casa, Misha demonstrou medo: "Meu pai vai me cortar todo." A polícia investigou a casa, encontrou evidências e prendeu os pais. Quanto ao filho restante, "Misha foi largado à própria sorte".[105]

A polícia também prendeu um homem no vilarejo de Mariia Davydenko, na província de Sumy. Depois da morte da esposa, ele enlouquecera pela fome e comera a carne de sua filha — e, depois, a do filho. Um vizinho notou que o homem estava menos inchado e faminto do que os demais, e perguntou-lhe por quê. "Comi a carne de meus filhos", replicou ele, "e, se você falar demais, vou comer a sua também." Batendo em retirada e berrando que o homem era um monstro, o vizinho foi à polícia, que prendeu e sentenciou o homem.[106]

Na província de Vinnytsia, pessoas que escaparam da fome também relataram o destino de Iaryna, que esquartejara o próprio filho. Ela mesma contou a história: "Alguma coisa aconteceu comigo. Coloquei o menino dentro de uma pequena bacia e ele perguntou: 'O que você vai fazer, mamãe?' Respondi: 'Nada, nada'." Porém, um vizinho que tomava conta de suas batatas viu pela janela o que ocorria no interior da casa e denunciou a mulher ao conselho do vilarejo. Ela cumpriu uma sentença de três anos de prisão e voltou para casa. No fim, acabou se casando de novo — mas, quando contou ao novo marido o que fizera durante a fome, ele se separou dela.[107] Mesmo muitos anos depois, o estigma permaneceu.

Mykola Moskalenko também se lembrou do horror que sua própria família sentiu quando soube que os filhos de uma vizinha haviam desaparecido. Ele deu a notícia à mãe, que a repassou de imediato às autoridades locais. Um grupo de moradores se juntou em torno da fazenda da vizinha: "Entramos na casa e perguntamos pelas crianças. A mãe disse que elas haviam morrido e que as enterrara no campo. Fomos procurar e não encontramos nada. Os adultos começaram a revistar a casa: as crianças tinham sido esquartejadas (...) quando lhe perguntaram por que fizera aquilo, ela respondeu que "de qualquer jeito, elas não sobreviveriam, mas assim ela conseguiria". A mãe foi levada e, presumivelmente, condenada.[108]

Histórias como essas se espalharam com rapidez e só fizeram aumentar o clima de ameaça. Até nas cidades, pessoas repetiam os casos de crianças

A FOME VERMELHA

sendo comidas. Sergio Gradenigo, cônsul italiano, reportou que em Kharkov os pais levavam pessoalmente os filhos para a escola, e os acompanhavam durante todo o tempo, temerosos de que pessoas famintas os caçassem. "Filhos de líderes do partido e do OGPU são alvos preferidos, porque têm melhores roupas que outras crianças. O comércio de carne humana tornou-se mais ativo."[109]

As autoridades ucranianas tomaram conhecimento de muitos dos incidentes: os relatórios policiais eram bem detalhados. Balytsky, no entanto, despendia grandes esforços para evitar que as histórias se alastrassem. O chefe da polícia secreta ucraniana alertou, por escrito, seus subordinados quanto ao excesso de informação sobre a fome: "Deem informações sobre os problemas da fome apenas aos primeiros-secretários dos comitês provinciais do partido, e façam isso oralmente (...) para evitar que documentos escritos sobre o assunto circulem entre os demais servidores e possam criar boatos..."[110]

Não obstante, a polícia secreta, a polícia criminal comum e outros servidores locais mantiveram registros. Um relatório policial da província de Kiev, de abril de 1933, teve início com "Temos um caso extraordinário de canibalismo no distrito de Petrovskyi":

> Uma mulher *kulak* de 50 anos, vinda de Zelenky, distrito de Bohuslavskyi, escondida em Kuban desde 1932, retornou à cidade natal com a filha (adulta). Ao longo da estrada entre a estação de Horodyshchenska e Korsun, ela atraiu um garoto de 12 anos e cortou sua garganta. Os órgãos e outras partes do corpo foram colocados pela mãe em uma sacola. No vilarejo de Horodyshche, o cidadão Sherstiuk, morador local, deu guarida às mulheres para passarem a noite. De maneira desonesta, a mãe inventou que os órgãos eram de um bezerro e deu o coração ao ancião hospedeiro para cozinhar e grelhar. A carne foi comida por toda a família, inclusive pelo patriarca. Durante a noite, desejando pegar mais carne da sacola, o senhor descobriu as partes decepadas do garoto. As criminosas foram presas.[111]

Além do horror moral, muitos dos relatórios também demonstraram a preocupação da polícia de que as notícias poderiam se espalhar e ter um impacto político. Na província de Dnipropetrovsk, o OGPU reportou a história de

FOME: PRIMAVERA E VERÃO, 1933

um integrante de fazenda coletiva, Ivan Dudnyk, que matou o filho a machadadas. "A família é grande. E é difícil permanecer vivo, então o matei", declarou o assassino. Mas o relatório policial assinalou, com a aprovação superior, que os membros da fazenda coletiva se reuniram e tomaram a decisão em grupo de promoverem um julgamento público e "sentenciar Dudnyk à morte".[112] Também observou, com satisfação, que os moradores do vilarejo decidiram dobrar sua colheita e aumentar a produtividade em função do incidente.

De modo semelhante, quando um menino de 14 anos matou a irmã para comer sua carne no vilarejo de Novooleksandrivka, no sudeste da Ucrânia, o OGPU relatou, muito satisfeito, que o incidente não provocara "bate-papos insalubres". Todos os moradores acreditaram que o menino era mentalmente instável, e só temiam que ele voltasse ao vilarejo.[113] Na província de Dnipropetrovsk, uma mulher que assassinou a filha para comê-la era, ressaltou o OGPU, esposa de um homem que se recusara a ceder seus grãos. Como a mulher demonstrara sinais de ser um "perigo social", a polícia recomendou sua execução.[114]

A causa real daquelas "doenças mentais" e dos súbitos surtos de emoções "socialmente perigosas" era perfeitamente óbvia para a polícia também: as pessoas passavam fome. Em Penkivka, o OGPU de Vinnytsia reportou que um fazendeiro coletivo matara duas de suas filhas e usara a carne delas como alimento: "K. culpou o longo período de fome pelo assassinato de suas filhas. Nenhum comestível foi encontrado durante a revista." No vilarejo de Dubyny, outro fazendeiro também assassinara suas duas filhas, e "pôs a culpa dos crimes na fome". Houve, afirmaram os policiais, "outros incidentes análogos".[115]

Ao longo da primavera de 1933, cresceu o número de casos assim. Na província de Kharkov, o OGPU relatou diversos incidentes em que pais comeram a carne de filhos que haviam morrido de fome, bem como casos em que "membros famintos de famílias haviam matado os mais fracos, normalmente crianças, para se alimentarem com suas carnes". Nove de tais horrores foram reportados em março, 58 em abril, 132 em maio e 221 em junho.[116] Na província de Donetsk, um expressivo número de incidentes similares também foi observado, novamente com início em março. "Iryna

A FOME VERMELHA

Khrypunova estrangulou a neta de 9 anos e cozinhou seus órgãos internos. Anton Khrypunov removeu os órgãos internos da irmã morta, de 8 anos, e os ingeriu. O relatório concluiu quase que educadamente: "Ao levar tais fatos ao seu conhecimento, solicito-lhe as devidas instruções."[117]

Em março, o OGPU da província de Kiev recebia dez ou mais notificações de canibalismo todos os dias.[118] No mesmo mês, seus correspondentes da província de Vinnytsia reportaram seis incidentes de "canibalismo causado pela fome, em que pais assassinavam os filhos e usavam sua carne como alimento", ocorridos no mês anterior. Provavelmente, essas quantidades foram seriamente subestimadas. Em um de seus relatórios, o chefe do OGPU da província de Kiev escreveu que houve 69 casos de canibalismo entre 9 de janeiro e 12 de março. Entretanto, "tais números são, obviamente, inexatos, porque, na realidade, houve muitas outras ocorrências".[119]

As autoridades, por certo, tratavam a questão como crime, às vezes também rotulando os canibais como "inimigos". Hanna Bilorus foi condenada tanto por canibalismo quanto, por exemplo, por disseminar propaganda polonesa; ela morreu na prisão em 1933.[120] Os arquivos da polícia secreta contêm diversos registros de canibais que foram em seguida presos, executados ou linchados. Uma memorialista do *Gulag* muito incomum chegou a descrever um encontro, em 1935, com canibais no campo de prisioneiros da ilha de Solovetsky, no mar Branco. Olga Mane era uma jovem polonesa, presa ao atravessar a fronteira da União Soviética em 1935 (ela queria estudar medicina em Moscou) e sentenciada por espionagem. Depois de algum tempo no campo, ela foi enviada para Muksalma, uma das ilhas do arquipélago de Solovetsky. Olga resistiu, porque ouvira que lá existiam "canibais ucranianos", cerca de trezentos deles. Mas, quando finalmente os encontrou, mudou de ideia:

> O choque e o horror pelos canibais desapareceram rapidamente; bastou ver aqueles ucranianos infelizes, descalços e seminus. Eles eram mantidos em velhos prédios do mosteiro; muitos tinham estômago inchado de fome; e grande parte tinha algum distúrbio mental. Cuidei deles, ouvi suas confidências e reminiscências. Contaram como seus filhos morreram de fome e como eles mesmos, à beira da morte, cozinharam os corpos dos próprios

FOME: PRIMAVERA E VERÃO, 1933

filhos mortos e os comeram. Aquilo acontecera quando estavam em estado de choque causado pela fome. Mais tarde, quando se conscientizaram do que fizeram, enlouqueceram.

Senti compaixão por eles, tentei ser gentil e encontrei palavras de consolo para neutralizar os ataques de remorsos que os consumiam. Isso os ajudava por algum tempo. Acalmavam-se, começavam a chorar, e eu me debulhava em lágrimas junto com eles...[121]

As histórias de canibalismo eram do conhecimento da liderança ucraniana, como também da soviética em Moscou. Kaganovich, como já mencionado, decerto sabia; um grupo de trabalho do Comitê Central da Ucrânia, encarregado da campanha de semeadura na primavera de 1933, reportou ao partido que sua tarefa era especialmente difícil nas regiões com "canibalismo" e "crianças sem teto".[122] O OGPU continuou relatando casos de canibalismo 1934 adentro.[123]

No entanto, se Kharkov ou Moscou chegaram a providenciar instruções sobre como lidar com o canibalismo, ou mesmo refletiram com mais profundidade sobre suas causas, tais documentos não foram ainda encontrados. Não há provas de nenhuma medida tomada. Os relatórios foram feitos, os funcionários do partido os receberam, ou foram esquecidos ou jogados no lixo.

CAPÍTULO 12

Sobrevivência: primavera e verão, 1933

> *Eu ia à igreja no topo da colina e tirava*
> *pedaços da casca dos troncos de tílias.*
> *Em casa tínhamos palha de trigo-sarraceno.*
> *Mamãe coava a infusão, acrescentava folhas catadas*
> *e as cascas de tília e cozinhava biscoitos.*
> *Isso era o que ingeríamos.*
>
> Hryhorii Mazurenko, província de Kiev, 1933[1]

> *Enquanto as frutinhas vermelhas se desenvolviam,*
> *mesmo que não estivessem maduras, nós as colhíamos.*
> *Comíamos folhas de gerânio. A árvore de acácias crescia;*
> *sacudíamos os galhos para comer as flores.*
>
> Vira Tyshchenko, província de Kiev, 1933[2]

> *Roçávamos capim e fedegosa para comer, como gado.*
>
> Todos Hodun, província de Cherkasy, 1933[3]

Mesmo diante de alterações físicas e psicológicas, mesmo apesar da fome, da sede, da exaustão e da magreza, as pessoas fizeram de tudo pela sobrevivência. Para isso, por vezes foi necessária uma enorme capacidade para

A FOME VERMELHA

cometer maldades — muitos sobreviveram nas brigadas de ativistas — ou a habilidade de violar alguns dos mais fundamentais tabus humanos. No entanto, outros descobriram enormes reservas de talento e força de vontade — ou contaram com impressionante boa sorte para serem salvos por aqueles que tinham tais atributos.

Uma menina de 10 anos, da região de Poltava, percebendo a deterioração dos adultos ao seu redor, teve a extraordinária ideia de abandonar a família. Escreveu a um tio da província de Kharkov:

> Querido tio! Não temos pão nem outras coisas para comer. Meus pais estão cansados por causa da fome, deitam-se e não conseguem levantar. Minha mãe perdeu a visão com a fome e não enxerga nada. Eu é que costumo pegá-la pelo braço para sair de casa. Leve-me, tio, para Kharkov com você, senão morrerei de fome. Leve-me, porque ainda sou muito nova e quero viver; aqui vou morrer, porque todos morrem...[4]

Ela não escapou, mas o mesmo desejo de viver salvou muita gente.

Para sobreviver à fome, as pessoas comiam de tudo; qualquer alimento estragado ou sobras que as brigadas não haviam notado. Ingeriam carnes de cavalo, cães, gatos, ratos, tartarugas, até formigas. Cozinhavam sapos e rãs. Comiam esquilos. Grelhavam ouriços em fogueiras e fritavam ovos de pássaros.[5] Comiam cascas e bolotas de carvalhos, musgos e grama.[6] Folhas e dentes-de-leão eram consumidos, assim como malmequeres e ervas-armola, uma espécie de espinafre silvestre. Mataram corvos, pombos e pardais.[7] Nadiia Lutsyshyna contou que "os sapos não viviam muito tempo. As pessoas pegavam todos. A maioria dos gatos foi comida, os pombos, as rãs; ingeria-se qualquer coisa. Imaginei que comia deliciosos pratos enquanto mandava sementes e pedaços de beterraba para dentro".[8]

Mulheres faziam sopa com urtiga e assavam amaranto como pão. Trituravam bolotas de carvalho para fazer um sucedâneo de farinha, e com ela preparar panquecas.[9] Cozinhavam os brotos das árvores de tílias: "Eram gostosos, macios e não muito amargos", lembrou um sobrevivente.[10] Comiam campainha-branca, erva com raiz em forma de cebola e "cujo gosto era

SOBREVIVÊNCIA: PRIMAVERA E VERÃO, 1933

mais doce que o açúcar".[11] As pessoas faziam também panquecas de capim e folhas.[12] Outras misturavam folhas de acácia com batatas estragadas — quase sempre desprezadas pelas brigadas de coleta — e cozinhavam tudo junto para preparar imitação de *perepichky*, forma tradicional de salsicha enrolada em pão.[13] A fécula dura das batatas estragadas podia também ser retirada e fritada.[14] A tia de Nadiia Ovcharuk fazia biscoitos de folhas de tílias: "Ela secava as folhas no fogão, separava suas veias, e fazia os biscoitos com o que restava delas."[15]

As crianças se alimentavam com sementes de cânhamo.[16] As pessoas comiam a parte de baixo do junco de rio, "que, quando jovem e perto da raiz, é tão doce quanto o pepino", embora até isso lhes fosse negado quando as autoridades esmagavam e queimavam o junco.[17] Em um vilarejo, os moradores pegavam os restos de um abatedouro, até que seus administradores passaram a jogar ácido carbólico sobre ossos e peles. Oksana Zhyhadno e sua mãe caíram na tentação de comer os restos mesmo assim, e ficaram muito doentes. Apesar de a mãe ter falecido, Oksana superou a doença.[18] Muitos camponeses narraram que era costumeiro jogar bastante água nas tocas dos ratos do campo, de modo a lavar os grãos que os roedores estocavam. Outros cozinhavam cintos e sapatos para comer o couro.

Da mesma forma que sabiam dos casos de canibalismo, as autoridades também tinham conhecimento das coisas extraordinárias que as pessoas tentavam ingerir. Um relatório da polícia secreta de março de 1933 declarou, de maneira trivial, que as famílias famintas comiam "espigas e talos de milho, vagens de painço, palha seca, melancias e beterrabas podres, cascas de batatas e brotos de acácias", bem como gatos, cachorros e cavalos.[19] Muitos desses alimentos tornavam ainda mais doentes as pessoas já debilitadas.

Alguns escaparam com tipos de comestíveis menos extraordinários, em especial se moravam perto de lagos ou rios. Kateryna Butko, que vivia em um vilarejo próximo a um rio, reconheceu que "sem peixe, ninguém teria sobrevivido".[20] Aqueles que podiam usar redes pegavam moluscos; cozinhavam-nos e comiam os pequenos pedaços de alimento retirados de suas cascas e conchas.[21] Os camponeses que viviam nas proximidades de bosques podiam colher cogumelos e frutinhas silvestres, ou pegar pássaros e animais pequenos em arapucas.

328 **A FOME VERMELHA**

Incontável número de pessoas resistiu graças a uma razão mais trivial: conseguiram ficar com a vaca da família. Mesmo durante os bons tempos, as vacas eram importantes para as famílias camponesas, que normalmente tinham quatro ou mais filhos. Porém, durante a fome, a posse de uma vaca — fossem fazendeiros individuais, que evitaram a coletivização e o confisco, fossem fazendeiros coletivos, que tinham permissão, como alguns tiveram, para ficar com uma delas para uso particular — foi literalmente questão de vida ou morte. Em centenas de depoimentos orais, camponeses explicaram sua sobrevivência com uma única frase: "Fomos salvos por nossa vaca." A maioria viveu do leite; muitos, como uma família da província de Kiev, utilizaram o leite das vacas como uma espécie de escambo, trocando-o por cereais ou pão.[22]

Os sentimentos pelas vacas se tornaram enormes. Petro Mostovyi, da província de Poltava, contou que a vaca da família era tão valiosa que o pai e o irmão mais velho a protegiam portando armas e forcados.[23] Depois que um ladrão pegou a vaca de outra camponesa, na província de Cherkasy, a dona soube que o animal havia sido esquartejado e que sua carne fora estocada por um de seus vizinhos. Ela marchou, decidida, até o depósito e "arrancou com um ancinho os olhos do exausto inimigo".[24] Para alimentar sua vaca, a família de Mariia Pata teve que tirar palha do telhado da casa, cortá-la em pequenos pedaços e amolecê-los em água quente para que o animal pudesse ingeri-los.[25]

Os que não tinham uma vaca muitas vezes dependiam dos outros. Atos aleatórios de bondade salvaram algumas pessoas, bem como laços de amor ou de sangue que permaneceram firmes apesar da fome. Na província de Poltava, Sofiia Zalyvcha e dois de seus irmãos se apresentaram como trabalhadores voluntários diaristas em uma fazenda coletiva. Como pagamento, eles recebiam sopa rala e duzentos gramas de pão por dia. Tomavam a sopa e guardavam o pão. Todo fim de semana, um deles voltava para a casa da família — eles tinham mais sete irmãos — e dividiam o pão dormido com todos. Três das dez crianças faleceram durante a fome, mas, graças ao pão ou à sopa, o restante sobreviveu.[26]

Outras crianças resistiram porque foram adotadas por vizinhos ou por parentes. "A prima de meu pai e o marido dela estavam indo embora para

SOBREVIVÊNCIA: PRIMAVERA E VERÃO, 1933   329

Kharkov, e levaram minha irmã mais nova e eu com eles (...) por causa disso, sobrevivemos", lembrou-se uma menina. "Ainda hoje sou grata à minha tia Marfa por ter salvado minha vida naqueles anos da fome", disse outra.[27]

Parentes de fora da Ucrânia também conseguiam ajudar. A irmã de Anatolii Bakai, que se muda para os Urais, enviou para casa cinco quilos de farinha. Na carta que acompanhou a remessa, ela escreveu que não havia fome nos Urais, e que muitos não acreditavam nos infortúnios dos ucranianos. A farinha não foi suficiente para salvar a vida da mãe de Anatolii, mas ajudou-o a se manter vivo.[28] Ihor Buhaievych e sua avó sobreviviam na província de Chernihiv à base de cascas de pão que sua mãe despachava de Leningrado, onde conseguira achar emprego. As cascas mantiveram os dois vivos até que o correio local denunciou as entregas à brigada de ativistas, que começou a confiscar alguns dos pacotes. Mais tarde, a mãe de Ihor voltou para casa e conseguiu levá-lo com ela para Leningrado.[29]

Há depoimentos informais de que alguns camponeses ucranianos receberam ajuda de vizinhos judeus: repita-se, muitos dos judeus não eram fazendeiros e, portanto, não estavam sujeitos às mortais requisições, a não ser que morassem em vilarejo da lista negra. Mariia Havrysh, da província de Vinnytsia, lembrou-se de ter sido visitada por uma vizinha judia — "eles eram poupados por não serem donos de terras" — em uma ocasião em que estava muito doente, inchada e à beira da morte. A mulher entrou, preparou uma refeição, alimentou a família inteira e ainda deixou um pouco de pão e vodca, "salvando, assim, toda a família".[30] Em uma época na qual reinavam ódio e suspeita, o gesto foi bastante significativo.

Apesar das proibições das viagens e do comércio, os camponeses ucranianos, como já citado, tentaram ambos. Ultrapassavam cordões de isolamento e rastejavam sob cercas para chegar às cidades e implorar por comida. Tentavam entrar nas que tinham fábricas e nos complexos industriais. Esgueiravam-se pelas cidades mineiras da Donbas, onde havia necessidade de mão de obra, e o feitor podia fazer vista grossa. Procuravam, nas proximidades das fábricas, por resíduos que pudessem ser comestíveis, por exemplo, os detritos jogados fora por destilarias ou por fábricas de embalagens. Pegavam tudo que sobrava com algum valor e tentavam vendê-los. Arthur Koestler,

A FOME VERMELHA

o escritor germano-húngaro que na época era comunista fanático, deixou memorável retrato de um mercado que viu em Kharkov, em 1933:

> Aqueles que tinham alguma coisa para vender ficavam de cócoras na poeira com seus artigos à frente, sobre um lenço ou um xale. Os itens iam de um punhado de pregos enferrujados a uma colcha esfarrapada, ou a um pote de leite coalhado vendido às colheradas, moscas incluídas. Podia-se ver senhoras idosas sentadas por horas com um ovo de Páscoa pintado ou um pedaço enrugado de queijo de cabra diante delas. Ou um velho, com os pés descalços e cobertos de feridas, tentando trocar suas botas gastas por um quilo de pão preto e um pacote de tabaco *makhorka*. Chinelos de cânhamo e até saltos e solas arrancados de sapatos e substituídos por arranjos com trapos eram itens frequentes de barganha. Alguns anciãos, sem ter nada para vender ou trocar, cantavam baladas ucranianas e, ocasionalmente, ganhavam um copeque. Algumas das mulheres tinham crianças aos seus lados, deitadas sobre a calçada ou em seus braços; os lábios enxameados de moscas de um bebê estavam grudados em um seio murcho de onde parecia sair bílis em vez de leite.[31]

O fato de que um bazar — mesmo o mais simples deles — fosse permitido existir na Ucrânia urbana significava que havia, para algumas pessoas, uma tábua de salvação. No entanto, a razão verdadeira de as cidades estarem menos desesperadas era o racionamento: operários, servidores e burocratas recebiam cupões alimentícios, que não estavam disponíveis para todos. Segundo uma lei de 1931, todos os cidadãos soviéticos que trabalhassem para setores do Estado recebiam cartões de racionamento. A lei não incluía os camponeses e também omitia aqueles que não tinham empregos formais. Além disso, o tamanho das rações se baseava não só na importância do trabalhador, como também em seu local de trabalho. Prioridade era dada para as regiões-chave industriais, e a única delas na Ucrânia era a Donbas. Na prática, cerca de 40% da população ucraniana recebiam aproximadamente 80% de todos os suprimentos alimentícios.[32]

Para os que não estavam no topo da hierarquia, as rações podiam ser parcas. Em visita a Kiev em 1932, Andrew Cairns, especialista canadense em agricultura, viu duas mulheres recolhendo capim em um parque da cidade,

SOBREVIVÊNCIA: PRIMAVERA E VERÃO, 1933   331

para fazer sopa. Elas lhe disseram que tinham cartões, mas a comida não era suficiente: "Apontei para o rio e disse-lhes que ele era lindo; elas concordaram, contudo disseram que estavam com fome." Na realidade, as mulheres eram trabalhadoras de "terceira categoria", que recebiam 125 rublos por mês, mais duzentos gramas de pão por dia — cerca de quatro fatias.[33]

O gerente de uma loja cooperativa em Kiev, outro trabalhador de "terceira categoria", também disse a Cairns que recebia duzentos gramas de pão diariamente e mais duzentos para o filho, além de 180 rublos por mês. Um trabalhador de "segunda categoria" conseguia 525 gramas de pão por dia e 180 rublos mensais. Nada disso valia muito nos bazares municipais, que vendiam pouca coisa além de pão, tomates e, às vezes, galinhas e laticínios, tudo a preços muito elevados. O pão podia custar de cinco a seis rublos o quilo; um ovo, meio rublo ou mais; leite, dois rublos o litro.[34] Peter Egides, estudante em Kiev na ocasião, recebia um pagamento menor do que o preço de uma fatia de pão: "A situação chegou a tal ponto que, aos 17 anos, eu já precisava de bengala, por não ter forças para andar com minhas próprias pernas." A avó de Egides acabou morrendo de inanição, embora também vivesse em Kiev.[35]

Teoricamente, as lojas geridas pelo Estado deveriam vender seus produtos a preços mais baixos, mais acessíveis. Entretanto, tais lojas viviam com as prateleiras vazias. Heorhii Sambros, professor e funcionário estatal que manteve um diário naqueles tempos, deixou detalhada descrição das lojas de Kharkov. Em todas elas, "grandes espaços", antes repletos do chão ao teto com artigos, ou estavam totalmente vazios ou continham apenas álcool ("garrafas de vodca", como uma tempestade, inundaram a cidade inteira"). Muito ocasionalmente, elas vendiam produtos alimentícios, que provocavam engulhos só de olhar:

> Apenas em algumas lojas, e no balcão, ficavam os "produtos" usuais, cinco ou seis bandejas ou tigelas com pratos apressadamente preparados. Salada fria, parecendo forragem, de um chucrute podre e repugnante; um patê de restos de peixe com repolho ensopado e picles salgado e fatiado; raramente, pedaços de carne congelada com um molho que se assemelhava a graxa de sapato, tomates verdes com cheiro de barril podre; tomates congelados,

cozidos e recheados com demasiada pimenta, para que não fedessem; carne moída, preparada com restos de animais incertos; finalmente, e muito raras, iguarias como ovos cozidos, pequenas frutas etc. Todos esses pratos (Ah! Como me lembro deles!) eram postos em cima do balcão e, imediatamente, comprados pelos fregueses.[36]

Andrew Cairns também deu um jeito de entrar na fila de uma loja onde viu "pão pesado, quente e encharcado sendo vendido a dez rublos por fatia, e pequena quantidade de banha de porco a doze rublos cada meio quilo."[37]

Comida de melhor qualidade estava disponível nas cantinas do governo que existiam em todos os prédios públicos: sopas, *kasha* (cereais cozidos) e, às vezes, carne. Mas era necessária uma identificação especial — carteira de membro do partido ou de sindicato — para nelas comprar. Sambros, que não tinha nada disso, fez amizade com uma secretária do instituto educacional onde trabalhava, e ela lhe deu cupões alimentícios sem perguntar se ele tinha carteira de afiliação: "Naquele tempo, vivi, respirei e fiz refeições como um 'fora da lei', ilegalmente." Quando a escassez de alimentos se tornou pior, e o instituto passou a verificar quem poderia ganhar cupões, ele recorreu a um conhecido para ter acesso à Casa dos Escritores da Ucrânia:

> Eu tinha consciência dos riscos: eles poderiam se aproximar de minha mesa, pedir a carteira de escritor e humilhar-me com a expulsão do refeitório. Mas não havia outro jeito, eu tinha que arriscar, e comecei a frequentar a cantina dos escritores. Tive sorte: comi lá por cerca de um e meio a dois meses e ninguém perguntou quem eu era, nem uma vez...[38]

Mais tarde, Sambros conseguiu entrar clandestinamente na cantina da Academia Agrícola, e lá também fez refeições por algumas semanas. Em função disso, sobreviveu. Mas ele passava a maior parte das horas em que estava acordado pensando em comida: seu "salário inteiro era gasto, quase sem exceção, com alimentação".[39] E ele, é claro, teve melhor sorte que muitos outros.

Apesar de não ser camponês, a experiência de Sambros foi, em certo sentido, típica: paradoxalmente, a fonte mais importante de ajuda para os famintos

SOBREVIVÊNCIA: PRIMAVERA E VERÃO, 1933

veio da burocracia e dos burocratas soviéticos. O historiador Timothy Snyder descreveu como as instituições estatais da Europa ocupada pelos nazistas, enquanto ainda funcionavam, puderam resgatar os judeus do Holocausto, e a mesma história pode ser contada sobre a União Soviética de Stalin.[40] Ao mesmo tempo que os bolcheviques sistematicamente destruíram instituições independentes, incluindo igrejas, instituições de caridade e empresas privadas, as do Estado permaneceram — escolas, hospitais, orfanatos. Algumas delas estavam em posição de ajudar, pois, teoricamente, tinham até mandato para fazê-lo.

Em melhores condições para socorrer os famintos estavam os parentes, pais ou filhos que detinham empregos dentro do sistema. Petro Shelest, que muito mais tarde tornou-se primeiro-secretário do Partido Comunista da Ucrânia, escreveu um livro de memórias sobre aqueles anos — começara como um diário —, finalmente publicado pela família em 2004. A tragédia de 1933 foi clara para ele na ocasião: "Famílias inteiras, até mesmo vilarejos inteiros, passavam fome mortal. Houve numerosos casos de canibalismo. (...) Foi obviamente um crime cometido por nosso governo, embora o fato seja mantido, vergonhosamente, em sigilo." Naquele período, Shelest estudava e trabalhava como engenheiro em uma fábrica de armamentos. Mas também tinha boa posição como membro do Partido Comunista e a possibilidade de enviar alimentos para a mãe. Seu socorro a resgatou da fome na província de Kharkov.[41]

Contatos e amigos auxiliaram também: uma menina da província de Poltava superou a fome porque o pai frequentava um curso agrícola na companhia de um homem que, por sorte, acabou trabalhando no governo local. Na surdina, esse amigo conseguiu fazer arranjos para que a família da menina recebesse uma vaca substituta para a que fora confiscada — e, assim, eles sobreviveram.[42] Outra menina foi sortuda o bastante para ter uma tia casada com o *chairman* de fazenda coletiva: "Fui à sua procura porque ela tinha pão, banha de porco e leite em casa. Ela me deu tudo às escondidas, para que ninguém soubesse."[43] Por vezes, uma só pessoa, com emprego dentro do sistema, salvava uma família inteira. A mãe de Nadia Malyshko conseguiu emprego de arrumadeira em uma escola da província de Dnipropetrovsk, onde o diretor a ajudou a ganhar boa ração de comida·

um quarto de litro de óleo e oito quilos de farinha por mês.[44] Quatro das sete crianças da família de Varvara Horban, também da província de Dnipropetrovsk, escaparam da fome porque ela arranjou trabalho no elevador de grãos e recebia pequena fatia de pão diariamente.[45]

Aqueles que não conseguiam empregos no governo às vezes tentavam salvar os filhos entregando-os aos cuidados do Estado. Uma mulher levou suas quatro crianças ao escritório do chefe da fazenda coletiva local, declarou que não os podia alimentar, renunciou à responsabilidade maternal e disse aos líderes da fazenda que tal função passaria a ser deles.[46] A mãe de Halyna Tymoshchuk, na província de Vinnytsia, tomou a mesma decisão:

> Minha mãe foi até o chefe da coletiva (...) e disse: "Ao menos fique com minhas duas filhas. E morreremos, se é assim que tiver que ser." Ele era uma boa pessoa e eu sabia que gostava de minha mãe, portanto, disse: "Traga as duas crianças." E nos pegou. Sua esposa era encarregada da creche, e minha irmã passou a ser sua auxiliar. Mais tarde, minha mãe também trabalhou na cantina da creche como lavadora de pratos. Eu era muito nova na época, tinha apenas 8 anos. O chefe me levou para a casa dele. Foi dessa maneira que resistimos à fome enquanto outros faleciam, quase todos — muita, muita gente.[47]

Os orfanatos eram os destinos mais comuns. Durante um período de três semanas, em fevereiro de 1933, 105 crianças foram deixadas nas portas de orfanatos, somente na província de Vinnytsia.[48] Por vezes, funcionava: um menino superou a fome porque a mãe o levou secretamente para um orfanato no vilarejo de Dryzhyna. Ela disse ao menino para não falar a ninguém que estava viva, senão ele deixaria de receber comida por não ser órfão "de verdade". Uma funcionária do orfanato, entendendo a situação, também lhe disse para não mencionar a mãe. Ela o protegeu, ajudou-o a sobreviver à fome e, no fim, o menino conseguiu voltar para junto da família.[49] Uma mulher da província de Poltava também foi eternamente grata a uma professora da escola do vilarejo que arriscou sua carreira e seu status ao alimentar a ela e a seus irmãos às escondidas, apesar de serem "filhos de *kulaks*". Não havia muito — caldo de carne sem pão e sementes de trigo-sarraceno "do tamanho de feijões pequenos" —, mas o suficiente para mantê-las vivas.[50]

SOBREVIVÊNCIA: PRIMAVERA E VERÃO, 1933

Em toda a república, a visão de crianças famintas vagando pelas ruas levou alguns servidores de instituições soviéticas a uma ação mais sistemática. Aqueles que estavam verdadeiramente motivados eram, por vezes, capazes de ajudar, em especial prestando assistência às crianças. A prova de que era possível, ao menos a nível local, advogar em favor dos órfãos famintos é encontrada em uma série de cartas enviadas pelo chefe do comitê do partido em Pavlohrad aos seus superiores em Dnipropetrovsk. Na primeira delas, datada de 30 de março, ele descreveu, entre outros aspectos, o impacto da fome sobre as crianças:

> Massas de meninos e meninas sem teto apareceram em nosso vilarejo, abandonadas pelos pais ou deixadas para trás após a morte deles. De acordo com quantidades estimadas, existem pelo menos oitocentos de tais menores. Há necessidade de dois ou três orfanatos especiais que precisarão de recursos financeiros inexistentes em nosso orçamento. Enquanto isso, estamos organizando o suprimento de comida extra para alimentá-los. Em decorrência, careceremos de estoques adicionais de alimentos. Solicito, pois, que o senhor leve em consideração tais fatos e nos auxilie a conduzir a administração para o rumo correto da política soviética.[51]

Um mês depois, em 30 de abril, o secretário do comitê do partido em Pavlohrad mandou outro relatório. "Comparando-se ao último relato que fiz ao senhor, a cada dia aumenta consideravelmente o número de desabrigados." Só nos últimos dois dias, 65 crianças haviam sido recolhidas das ruas da cidade; as autoridades locais, explicou ele, organizaram "estações alimentícias" em sete regiões para suprir as necessidades de 710 menores. Mas tais medidas não bastavam: o distrito precisava de mais recursos financeiros, já que tudo que tinham era apenas o mínimo indispensável. Em vez disso, propuseram a criação de orfanatos para cerca de 1.500 crianças: "Esse problema tornou-se agora tão urgente, e para tantos jovens, que, quanto mais cedo pudermos resolvê-lo, melhores resultados alcançaremos para atingir o objetivo de liquidar o inchaço entre as crianças, já que deixá-las em tais condições por mais tempo as levará à morte."[52] A carta terminou com um apelo: "Não houve até agora reação, embora o problema seja extremamente severo e exija imediatas providências."[53] O município fez o que pôde, e talvez alguns jovens tenham sido salvos por essas medidas.

A situação era bem pior em Kharkov, uma das cidades em que os famintos mais tentaram entrar. Pelo menos no que dizia respeito às crianças, as autoridades da cidade, em teoria, tentaram ajudar — ou ao menos admitiram a escala do problema. Em 30 de maio, o departamento de saúde de Kharkov reportou ao governo da república ucraniana "um fluxo vasto, persistente e crescente de crianças órfãs, sem teto e famintas em Kharkov e em outras cidades grandes da província". O orçamento de 1933 proporcionava recursos para abrigar cerca de 10 mil crianças em orfanatos; o número real de menores era então mais do que o dobro, 24.475. Na semana seguinte, mais de 9 mil foram recolhidas das ruas, setecentas só na noite de 27 para 28 de maio. A província de Kharkov solicitou 6,4 milhões de rublos do Estado para cuidar delas, bem como 450 mil para os adultos famintos.

Na prática, esses tipos de medidas raramente eram bem-sucedidos. Um relatório especial, preparado pelo chefe da polícia secreta de Vinnytsia, descrevendo as condições de um dos orfanatos da cidade em maio de 1933 é comovente de se ler:

> O serviço de coleta de crianças do orfanato as pega nas ruas. Ele está preparado para acolher quarenta menores, no entanto, mais de cem estão lá agora. A falta de camas e lençóis obriga a acomodação de duas crianças por cama. O orfanato só tem 67 lençóis e 69 cobertores; alguns desses últimos não têm mais condições de uso. Há falta também de colheres, pratos e outros implementos. Os infantes normalmente são deixados sujos, com olhos remelentos e sem ar puro. Às vezes, crianças que chegam em condições satisfatórias morrem em dois ou três meses depois da entrada no orfanato. O nível de mortalidade está crescendo: em março, 32 crianças faleceram (do total de 115); em abril, 38 do total de 134; durante a primeira metade de maio, 16 faleceram do total de 135. Crianças doentes ficam deitadas ao lado de sadias, contaminando-as. Empregados roubam alimento. A eletricidade foi cortada, e não há água corrente.[54]

Em províncias mais distantes, a situação podia ser ainda pior. Na cidade de Velya Lepetykha, as condições dentro do orfanato eram tão precárias

SOBREVIVÊNCIA: PRIMAVERA E VERÃO, 1933

que as crianças fugiam durante o dia e perambulavam pelo mercado para mendigar comida ou roubá-la.[55] Os quatro orfanatos da cidade de Kherson estavam superlotados depois que o número de crianças quase dobrou nas três primeiras semanas de março, de 480 para 750, principalmente porque jovens sem teto foram recolhidos das ruas.[56] Em Kharkov, as repetidas solicitações de alimentos e ajuda significavam que eles não chegavam com a rapidez necessária. O departamento de saúde da cidade reportou, em maio, que a maior parte dos menores que inundavam os orfanatos estava esquálida de fome. Muitos pegaram sarampo e outras doenças contagiosas — e a taxa de mortalidade era de 30%.[57]

Existiam também "orfanatos" que não mereciam tal denominação. Em 1933, Liubov Drazhevska, na época estudante de geologia em Kharkov, foi ao seu instituto e lá descobriu que as aulas estavam suspensas. No dia seguinte, ela e cerca de outros quarenta foram levados de bonde para a estação ferroviária e viram vagões carregados de crianças. "Um homem vestindo uniforme [da polícia secreta], penso eu, se aproximou de nós e falou: 'Pelas próximas semanas, vocês trabalharão com essas crianças; vão supervisioná--las e alimentá-las.'"

Drazhevska entrou em um dos vagões. "Algumas crianças pareciam em estado normal, mais ou menos, porém a maioria estava muito pálida e muito magra e, muitas delas, inchadas pela fome." Ela e os outros começaram a servir mingau aos menores, embora não muito, porque a fome era tanta que elas poderiam ficar doentes com a ingestão exagerada. A maior parte delas não sabia explicar como havia chegado aos vagões: os pais as deixaram perto do trem, ou haviam sido recolhidas nas ruas, não se lembravam. Já no primeiro dia, algumas faleceram, lembrou-se Drazhevska: "Pela primeira vez na vida, vi gente morrendo e, é evidente, foi muito sofrido para mim." Outras mostravam-se desequilibradas. Uma menina começou a gritar: "Não me corte, não me corte!" Teve também alucinações, berrando: "Minha tia está plantando beterrabas bem ali!" No fim, ela teve que ser retirada do vagão, para não angustiar os outros pequenos.

Drazhevska achou a experiência insuportável: "De modo geral, eu era uma pessoa com razoável autocontrole, mas depois que voltei para casa naquele dia, tive um ataque de histeria. Eu não sabia antes disso

338   **A FOME VERMELHA**

o que histeria significava, mas então passei pela situação." Não tardou
para que ela se adaptasse à estranheza das circunstâncias, e até mesmo
às crianças. Começou a levar-lhes livros e papel. Tentou ensiná-las a ler.
Todos os dias, morria uma delas — mas outras sobreviviam. No fim, foi
encontrado um lugar para os infantes:

> Fomos de bonde até um dos distritos de Kharkov e, depois, atravessamos um
> bom pedaço a pé. Já anoitecera. As crianças tinham 5 ou 6 anos. Estavam
> cansadas e não paravam de me perguntar: "Tia, para onde vamos?" Mas eu
> não sabia. Só tinha conhecimento de que deveria levá-las até umas barracas
> e deixá-las lá. Isso foi tudo. Não sei o que aconteceu com elas.[58]

Mesmo com o sofrimento e as mortes, a história de Drazhevska demonstra
uma verdade brutal: sem policiais para organizar os "voluntários", sem os
orfanatos sujos e sem recursos — até mesmo aqueles com servidores desonestos e em condições deploráveis —, ainda mais crianças teriam morrido.
Mas a própria existência daquelas instituições salvou vidas.

A mesma observação paradoxal pode ser feita a respeito de outra instituição
soviética, menos popular: as lojas Torgsin de moedas fortes. Como visto
antes, essas lojas foram abertas em 1930 e eram, a princípio, destinadas aos
estrangeiros que não podiam comprar rublos legalmente. Em 1931, elas se
tornaram acessíveis aos cidadãos soviéticos, para permitir que eles trocassem
qualquer dinheiro estrangeiro e objetos de ouro que possuíssem. Durante
os anos da fome de 1932-33, elas se expandiram em quantidade, atividade e
significado, atingindo recordes de vendas e criando aquilo que foi lembrado
como "febre do ouro Torgsin". Em novembro de 1933, o Politburo soviético
decretou que as lojas podiam também comprar prata, além do ouro, fato
importante o suficiente para que o cônsul italiano o mencionasse em seu
relatório de janeiro de 1933: "Agora é dito que logo as joias serão também
aceitas."[59] No auge da "febre", em 1933, existiam 1.500 lojas Torgsin, normalmente em cidades destacadas: em Kiev, havia uma na rua Khreshchatyk,
no bairro comercial mais famoso da cidade.

   A expansão não foi acidental: o regime sabia que a fome traria ouro para
os cofres do Estado. Depois da alta rotatividade conseguida pelas Torgsin

SOBREVIVÊNCIA: PRIMAVERA E VERÃO, 1933   339

em 1932 — naquele ano as lojas arrecadaram 21 toneladas de ouro, uma vez e meia a quantia extraída pela indústria soviética —, o Estado, gananciosamente, fixou como meta quase o dobro desse número.[60] A receita da Torgsin rapidamente se tornou fator crucial para o comércio internacional soviético: durante os anos 1932-35, o ouro e outros objetos valiosos que o Estado obteve através das lojas Torgsin pagariam um quinto das despesas soviéticas de moedas fortes em maquinaria, matérias-primas e tecnologia.[61]

Para o povo faminto, as lojas Torgsin — muitas vezes, o único local nas cidades em que os alimentos estavam prontamente disponíveis — se tornaram foco de sonhos e obsessões. Atraíam olhares, espectadores curiosos e mendigos. Em 1933, o jornalista galês Gareth Jones visitou uma delas em Moscou. "Tem de tudo, e muito", registrou em seu bloco de notas.[62] Malcolm Muggeridge escreveu sobre os "grupos melancólicos" que circulavam pelo lado de fora das lojas, cravando os olhos "nas tentadoras pirâmides de frutas".[63] No romance de Bulgakov, *O mestre e Margarida*, dois demônios fazem memorável aparição em frente "às portas de vidro da Loja Torgsin do Mercado de Smolensk", antes de entrarem em salões repletos de "centenas de diferentes rolos de popelina estampada e ricamente colorida" e "prateleiras atulhadas de pares de sapatos ao longo de distantes paredes".[64]

Longe da capital, muitas das Torgsin eram escuras e sujas, como outras lojas soviéticas, e operadas por vendedores e gerentes grosseiros e nervosos.[65] Ainda assim, muitos camponeses, iludidos pelos bens de consumo e pela presença de moedas fortes, achavam que as lojas eram "americanas".[66] Rumores do que uma Torgsin poderia fornecer fizeram com que um homem voltasse de Rostov, na Rússia, para o local de onde havia fugido para escapar da coletivização. Tendo ouvido que na Ucrânia era possível trocar ouro por pão, ele decidiu, contou seu filho, que valia a pena correr o risco de voltar para casa levando consigo as moedas de ouro da era tsarista, que havia escondido, para trocá-las por vários quilos de trigo-sarraceno e algumas fatias de pão.[67]

Essas longas jornadas eram comuns. Embora houvesse lojas Torgsin itinerantes que rodavam pelo interior à espera de comprar ouro, camponeses sem acesso a elas faziam grandes expedições para alcançá-las em cidades e

340 A FOME VERMELHA

vilas. O pai de Nadiia Babenko reuniu as alianças de casamento, crucifixos batismais e brincos, tudo de ouro, e andou duzentos quilômetros de seu vilarejo, Pylypovychi, até a Torgsin de Kiev. Mas valeu a pena: ele recebeu um *pood* de farinha — dezesseis quilos —, um litro de óleo e dois quilos de trigo-sarraceno, os quais, junto com batatas congeladas, rúculas, cogumelos, frutas silvestres e bolotas de carvalhos, ajudaram a manter a família viva por algumas semanas posteriores.[68]

Nem todas essas viagens terminavam bem. Ladrões rondavam as lojas Torgsin e roubavam, chegando a assassinar, as pessoas que entravam e saíam delas. A equipe que trabalhava nas lojas costumava também enganar e maltratar camponeses. Ivan Klymenko e a mãe viajaram de Krasna Slobidka, vilarejo da província de Kiev, até a rua Khreshchatyk, em Kiev, para vender a aliança de casamento da avó por vários punhados de farinha. Ninguém se preocupou em pesar a aliança para saber se fariam um bom negócio; quando voltaram para casa, a mãe descobriu que a farinha estava misturada com cal. A família comeu mesmo assim.[69] Hryhorii Simia foi a uma Torgsin com o padrasto, que queria vender sua medalha do Exército, de prata. O atendente não quis aceitá-la, argumentando que aquela medalha, em especial, só era agraciada a "servidores do tsar" de altas patentes do corpo de oficiais. O padrasto de Simia protestou em vão, alegando que fora médico do Exército e que tratara ferimentos de guerra independentemente do posto ou da graduação dos feridos. O atendente replicou: "Você, então, tratou oficiais! Classe alta! Inimigos da Revolução! Não é? Cai fora, senão chamo a polícia!"[70]

Quando a fome se intensificou, alguns passaram a procurar desesperadamente por ouro. Durante séculos, os ucranianos vinham sendo sepultados com seus bens mais valiosos, incluindo joias, armas e crucifixos. A fome acabou com qualquer resquício de respeito, e mais de um dos antigos cemitérios foram roubados — de início só à noite, porém, depois, até à luz do dia. Como os cemitérios eram "cristãos", as autoridades soviéticas nem sempre se opunham aos saques — e, em algumas localidades, chegavam até mesmo a organizá-los.[71]

Ao mesmo tempo, o regime soviético começou também a usar as lojas Torgsin como maneira de encorajar amigos e parentes de cidadãos soviéti-

SOBREVIVÊNCIA: PRIMAVERA E VERÃO, 1933

cos a contribuir com moedas fortes do exterior. Nos anos posteriores, esses tipos de contatos com estrangeiros foram proibidos, e seriam perigosos, até mesmo letais, caso mantidos. Entretanto, em 1932-33, a gana do regime por moedas fortes era tanta que permitiu que os forasteiros enviassem "transferências alimentícias" para as pessoas necessitadas, por intermédio das lojas.[72] Os que tinham sorte o bastante de receber algo precisavam entregar para o Estado 25% do total e, por vezes, até 50%, mas recebiam cupões para comprar alimentos nas Torgsin. Transferências chegaram da Alemanha, Polônia, Lituânia, França, do Reino Unido e, sobretudo, dos Estados Unidos.[73] As comunidades de etnia germânica da Ucrânia, bem como de regiões do Volga, deslancharam campanhas por cartas destinadas aos seus irmãos de religião no estrangeiro — menonitas, batistas e católicos — clamando por alimentos. Até pequenas ajudas podiam causar enorme impacto. Oleksandra Radchenko, professora na região de Kharkov, recebeu uma transferência de três dólares. Com essa quantia, ela conseguiu comprar na Torgsin "seis quilos de farinha de trigo, dois quilos de açúcar, três ou quatro quilos de arroz e um quilo de pequenos grãos de trigo. Que grande ajuda para nós".[74]

Embora o comércio das Torgsin tenha salvado vidas, também criou grande amargor. Muitos enxergavam as lojas de forma categórica: elas existiam para extorquir dinheiro de camponeses famintos ou para acabar com a riqueza restante das famílias. Em Odessa, um informante denunciou ao OGPU que ouvira dois professores especulando que a riqueza dos camponeses talvez fosse o objetivo da fome: "Eles criaram a fome para conseguir mais ouro e prata para as Torgsin."[75] Os camponeses de Poltava pilheriaram com tristeza que o acrônimo TORGSIN realmente significava *Tovarishchi, Revoliutsiia Gibnet, Stalin Istrebliaet Narod!* ("Camaradas, a revolução está morrendo, Stalin extermina o povo!")[76]

Não havia maneira de protestar contra a exploração das Torgsin, salvo anonimamente. Os funcionários de uma das lojas chegaram certa manhã ao trabalho e encontram um cartaz na porta do estabelecimento com a seguinte frase: "Stalin é um carrasco!"[77]

Ainda assim, incontáveis famílias sobreviveram graças ao que tiveram possibilidade de vender. "Vendemos ouro para conseguir milho", contou um sobrevivente.[78] A família de Pavlo Chornyi desfez-se de medalhas de prata do bisavô, recebidas durante a guerra imperial russa no Cáucaso, nos anos 1830.[79] Outra mulher recordou-se de que a mãe tinha

> "algumas peças de ouro dos tempos pré-revolucionários: ela guardava o relógio de ouro de meu pai, diversos anéis, e assim por diante. Portanto, de tempos em tempos, ela ia a uma Torgsin. (...) Pelo ouro e pela prata, minha mãe recebeu em troca mingau de aveia, batatas e farinha. Todos esses artigos eram misturados com diversos tipos de capim, e ela nos servia o resultado uma vez ao dia. Dessa forma, resistimos à fome".[80]

Ainda outra relatou que a mãe trocara os brincos e a aliança de casamento por farinha, trocara saias e blusas por raízes de beterraba e cereais, e seu enxoval de casamento — "tecidos, toalhas bordadas e roupas de cama" — por farelo e painço.[81]

As duas mulheres resistiram à fome, mas perderam partes delas mesmas no processo. Objetos que podiam ter herdado das mães, artigos ligados ao passado, anéis e joias que poderiam ter sido investidos de outra maneira — foi tudo embora. História, cultura, família e identidade foram também destruídas pela fome, sacrifícios em nome da sobrevivência.

CAPÍTULO 13

Rescaldo

> *O milho começa a madurar*
> *Mas — e seu cabelo se eriça na extremidade —*
> *Poucos sobreviveram*
> *Para ver a nova safra.*
> *Ele não vai pegar no sono até amanhecer...*
> *Então sua mãe se aproxima*
> *E diz com tristeza*
> *"Meu filho, hora de acordar,*
> *O sol já se levantou sobre os campos*
> *Não podemos ficar em paz em nossas sepulturas*
> *A nós, os mortos, não cabe descansar.*
> *Quem vai cuidar dos preciosos cabelos das espigas*
> *Nos campos, querido filho?"*
>
> Mykola Rudenko, "The Cross" [A cruz], 1976[1]

Na primavera, o interior ucraniano é uma profusão de flores de cerejeira, pétalas de tulipas, grama fresca e lama negra. A apenas uma hora de carro de Kiev, os vilarejos parecem muito provincianos para terem testemunhado importantes eventos históricos. As estradas ficam cheias de poças; algumas das frágeis casinhas ainda têm telhados de palha. Cada uma delas dispõe

344 **A FOME VERMELHA**

de uma horta e muitas têm colmeias, galinheiros e barracões nos quintais, onde ficam as ferramentas.

Contudo, foi na primavera, no mesmo interior provinciano da Ucrânia, que a fome chegou ao seu auge em 1933. Hoje, a história pode ser revisitada, basta procurar por ela nos vastos campos que antes pertenceram às fazendas coletivas, nos cemitérios expandidos e nos monumentos erguidos desde a dissolução da União Soviética. Justamente nos limites do vilarejo de Kodaky, no ponto em que as casas dão lugar aos vastos campos, as pessoas locais ergueram uma peça de pedra negra. Ela tem um buraco em forma de cruz no centro e uma dedicatória: "Em memória das vítimas da *Holodomor*." Em Hrebinky, um monturo abandonado nas extremidades da vila — vala comum onde vítimas da fome foram enterradas em 1933, que foi esquecida e, depois, redescoberta — encontra-se hoje cercado por muro de tijolos e marcado, desde 1990, por uma simples cruz.

Em Barakhty, é difícil não encontrar o memorial da fome: uma enorme estátua de uma mãe enlutada, ajoelhada diante de uma cruz, em um destacado cruzamento de ruas no centro do vilarejo. Uma lista de vítimas esculpidas no granito negro por trás da estátua ao mesmo tempo revela e esconde. Sobrenomes são repetidos diversas vezes, demonstrando que a fome ceifou famílias inteiras, mas nomes cristãos muitas vezes se perderam, porque os registros não foram guardados de forma apropriada:

> Bondar, Overko
> Bondar, Iosyp
> Bondar, Mariia
> Bondar, Dois Filhos

Os nomes ausentes indicam um problema mais profundo. Mesmo em melhores circunstâncias, teria sido difícil manter registros acurados das vastas quantidades de homens e mulheres que faleceram à beira das estradas, nas estações de trens ou nas ruas de Kiev. Os registradores dos distritos teriam encontrado dificuldades para contabilizar todos aqueles que migraram ou escaparam, ou mesmo cada criança que sobreviveu, por milagre, em distante orfanato. Mas o regime tornou o problema ainda pior. Embora

RESCALDO

as estatísticas sobre a mortalidade tivessem sido apuradas com a maior exatidão possível em 1933, o regime, como será visto no capítulo seguinte, mais tarde alterou os registros de mortes em toda a Ucrânia para ocultar o número de mortos por inanição e, em 1937, deu fim a um censo inteiro em função do que ele revelava.

Por todas essas razões, as estimativas sobre o número de mortes variaram tremendamente no passado, de algumas dezenas de milhares a 2 milhões, 7 milhões e até 10 milhões. Porém, em tempos recentes, uma equipe ucraniana de demógrafos reavaliou as quantidades que foram tabuladas a nível distrital e provincial, depois passaram para Kharkov e Moscou, e acabaram chegando a melhores respostas.[2] Argumentando que "houve algumas falsificações nas causas da morte em atestados de óbito, mas o número de mortes registradas não foi adulterado", a equipe tentou estabelecer quantidades confiáveis de "mortes em excesso", que significa o número de pessoas que faleceram acima de uma esperada média. Eles investigaram também os "nascimentos perdidos", ou seja, a quantidade de nascimentos que não ocorreram — em comparação ao que teria sido esperado — em função da fome.[3] Graças ao trabalho dessa equipe, vai se formando agora uma conclusão a respeito de dois números: 3,9 milhões de mortes em excesso, ou perdas diretas, e 0,6 milhão de nascimentos perdidos, ou perdas indiretas. O que nos leva ao total de ucranianos faltantes de 4,5 milhões. Essas cifras incluem todas as vítimas, onde quer que tenham morrido — à beira de estradas, na prisão, em orfanatos — e se baseiam no número de pessoas que viviam na Ucrânia, antes e depois da fome.

A população total da república àquele tempo era de aproximadamente 31 milhões de habitantes; as perdas diretas a atingiram em cerca de 13%.[4] A maioria das baixas ocorreu no interior: de 3,9 milhões de perdas em excesso, 3,5 foram rurais, e cerca de 400 mil urbanas. Mais de 90% das mortes aconteceram em 1933, e a maioria delas na primeira metade do ano, com o maior número de perdas em maio, junho e julho.[5]

No entanto, dentro desses números, existem outras histórias. Por exemplo, as estatísticas mostram rápida e notável queda na expectativa de vida ao longo de 1932-34, em ampla variedade de grupos. Antes de 1932, os homens urbanos tinham expectativa entre 40 e 46 anos, e as mulheres urbanas,

346   **A FOME VERMELHA**

entre 47 e 52. Os homens rurais viviam entre 42 e 44 anos em média, e as mulheres rurais, entre 45 e 48.

Em contraste, os homens ucranianos nascidos em 1932, fosse nas cidades ou no interior, tiveram expectativa de vida de cerca de 30 anos. As mulheres nascidas no mesmo ano costumavam viver até os 40 anos em média. Para os nascidos em 1933, os números são ainda mais expressivos. As mulheres nascidas naquele ano na Ucrânia viveram, em média, oito anos; os homens, cinco.[6] Essas estatísticas extremas refletem, simplesmente, as muito elevadas taxas de mortalidade de crianças em 1933.

Os novos métodos estatísticos são também reveladores quando aplicados à Rússia. Eles mostram que a fome atingiu bem menos a Rússia do que a Ucrânia, com o total de 3% das "mortes em excesso" na Rússia rural, contra 14,9% na Ucrânia rural. Somente algumas poucas regiões da Rússia foram afetadas pelos mesmos padrões de fome da Ucrânia: a região germânica do Volga, a de Saratov, a de Krasnodar e a do norte do Cáucaso — todas tiveram taxas de mortalidade muito elevadas na primeira metade de 1933, correspondentes às decisões políticas tomadas naquele inverno. Entretanto, mesmo nos casos de "mortes em excesso", os totais foram mais baixos do que aqueles das piores regiões da Ucrânia.[7]

As estatísticas gerais não são capazes de revelar tudo. Por exemplo, elas escondem a história de grupos particulares dentro da Ucrânia, para os quais não foram feitas estatísticas específicas. Uma evidência anedótica sugere que, por exemplo, ao mesmo tempo que a comunidade de etnia germânica passou por enorme sofrimento na Ucrânia, bem como na região do Volga, alguns de seus membros conseguiram ajuda em alimentos de fontes germânicas. Andor Hencke, o cônsul alemão em Kiev de 1933 a 1936, passou a maior parte de seus primeiros meses na Ucrânia tentando conseguir alimentos para a comunidade minoritária germânica, a despeito do fato de que "as autoridades do partido e as instituições soviéticas tendem, na essência, a ser contra a campanha de ajuda". Ele aconselhou os alemães étnicos a serem discretos e evitar visitas pessoais ao consulado, a fim de não chamar a atenção, embora tenha se comunicado com eles via correio.[8] Da mesma forma, como foi visto, existem depoimentos informais que dizem que os judeus rurais também tiveram taxas mais altas de sobrevivência

RESCALDO

porque muitos deles não eram fazendeiros, logo, não estavam sujeitos nem à deskulakização nem à coletivização. Judeus, poloneses e alemães tinham também outra vantagem: não eram vistos como partícipes do movimento nacional ucraniano e, portanto, não se tornaram alvos preferenciais da onda repressiva de 1932-33 — embora tais grupos viessem a se tornar alvos mais tarde.

As estatísticas também revelaram algumas histórias inesperadas sobre a fome em diferentes regiões da Ucrânia. No passado — retrocedendo ao século XIX, ou até antes disso — a seca e a fome sempre atingiram com mais intensidade as regiões de estepe do sul e do leste da república, já que elas sempre dependeram mais dos cereais. Esse foi certamente o caso em 1921-23, bem como durante a fome menor de 1928; foi decerto o caso da fome pós--guerra de 1946-47. Em 1932-33, todavia, as maiores taxas de mortalidade incidiram sobre as províncias de Kiev e de Kharkov, onde os camponeses, tradicionalmente, colhiam vasta gama de safras, incluindo beterrabas, batatas e outros vegetais, e onde, historicamente, a fome era rara. Na província de Kiev, os níveis de mortalidade em 1932-33 foram cerca de 23% mais altos do que teriam sido sem a *Holodomor*; na província de Kharkov, eles foram 24% mais altos. Em Vinnytsia e na província "autônoma" da Moldávia, os níveis foram de 13%; em Dnipropetrovsk e Odessa, 13% e 14%, respectivamente. Na província de Donetsk, em contraste, o índice de mortalidade foi apenas 9% mais elevado nos anos de fome.[9]

Demógrafos ofereceram diversas hipóteses para explicar essas variações regionais e, em pelo menos três casos excepcionais, boas justificativas foram encontradas. Em teoria, por exemplo, os camponeses que viviam em áreas próximas a grandes bosques tiveram mais acesso a cogumelos, pequenos animais e outras fontes de alimentos. Esse fator ambiental pode explicar por que a província de Chernihiv, no norte da Ucrânia, sofreu menos do que outras partes da república. Porém, não esclarece as altas taxas de mortalidade em Kharkov e Kiev, situadas em áreas mistas de florestas e estepes, e abrangendo regiões cobertas por árvores e pântanos.[10]

A proximidade de fronteiras internacionais pode também ter afetado as taxas, que foram de fato mais baixas em Vinnytsia e na Moldávia, as duas províncias que fazem divisa com Polônia e Romênia, bem como nos distri-

A FOME VERMELHA

tos mais ocidentais da região de Kiev. As autoridades locais dessas áreas, preocupadas com o contrabando, o descontentamento e a sedição vindos de fora, pareceram ter hesitado na aplicação das políticas com o mesmo grau de crueldade. Camponeses que viviam nessas regiões podem também ter se valido das trocas por alimentos, dos contatos através das fronteiras e dos parentes que moravam do outro lado.[11]

A região de Donetsk, similarmente, parece ter sido um caso especial, já que, como foi visto, essa região foi uma das poucas na Ucrânia designadas como "prioridade" industrial pelo regime, mais alimentos foram alocados para os operários de lá. Mais comida — relativamente falando — pode ter chegado às áreas rurais também, provavelmente pelas ligações familiares com gente das cidades. A proximidade significou, igualmente, que camponeses dessas regiões tinham mais facilidade para escapar do interior faminto e juntar-se ao proletariado nas minas e fábricas.

A diferença mais intrigante, no entanto, é a que permanece entre Kiev e Kharkov, com perdas diretas muito altas, e Dnipropetrovsk e Odessa, onde o nível de tais perdas foi relativamente baixo. A melhor explicação parece ser política: tanto em 1918-20 quanto em 1930-31, as regiões de Kiev e Kharkov presenciaram as maiores resistências políticas, primeiro aos bolcheviques e, depois, à coletivização. A maior quantidade de "incidentes terroristas" teve lugar nessas regiões, bem como o maior número de intervenções da polícia secreta. Andrea Graziosi ponderou que a "impressionante continuidade geográfica, ideológica e até mesmo pessoal e 'familiar' entre as revoltas nacionais e sociais de 1918-20, baseadas nos camponeses, e aquelas contra as requisições da deskulakização e da coletivização, em 1930-31, foram mais fortes nos territórios em que a fome alcançou seus picos mais devastadores".[12] Embora essa correlação não seja exata — entre outros aspectos, os homens de Makhno foram bastante ativos no sul da Ucrânia —, é verdadeiro dizer que ambas as províncias, com sua proximidade das duas cidades culturalmente mais importantes da Ucrânia, tinham muitos vínculos com o movimento nacionalista. Isso pode explicar por que a repressão nelas foi a mais brutal, a ajuda alimentícia foi a mais escassa e as mortes chegaram às taxas mais elevadas.[13]

Em outras palavras, as regiões "normalmente" mais afetadas pela fome e pela seca foram menos atingidas em 1932-33 porque a fome desses anos

RESCALDO

não foi "normal". Foi uma fome política, criada com o objetivo expresso de enfraquecer a resistência camponesa e, por conseguinte, a identidade nacional. E nisso ela foi bem-sucedida.

A fome na Ucrânia atingiu seu ápice na primavera de 1933. A taxa de mortalidade cresceu em janeiro e continuou aumentando durante toda a primavera. Entretanto, em vez de terminar abruptamente naquele verão, a tragédia decresceu aos poucos. As "mortes em excesso" persistiram pelo restante de 1933 e entraram por 1934.

Em maio, o regime enfim decidiu aprovar significativa ajuda alimentícia para a Ucrânia — alimentos originalmente tomados, é claro, dos próprios camponeses —, apesar de tal ajuda ter sido especialmente dirigida às regiões fronteiriças (onde o receio de influência externa era maior) e às áreas onde não existiam pessoas saudáveis o suficiente para colher a safra.[14] Quando finalmente chegou, a colheita também fez diferença. Estudantes, operários e outros foram enviados às pressas para o interior a fim de compensar a falta de mão de obra, e mais alimentos se tornaram, de uma forma geral, disponíveis no campo e nas cidades. Teoricamente, a requisição de grãos também havia parado, de acordo com o decreto exarado pelo Conselho de Ministros em janeiro. A partir daquela primavera, deveria ser exigido um imposto — uma porcentagem da colheita —, em vez da requisição de quantidade fixa baseada em plano formulado por Moscou. Na prática, essa regra foi aplicada de forma desigual. Em alguns lugares, os camponeses foram taxados, mas em outros o confisco persistiu.[15]

O Comitê Central e o governo ucraniano também emitiram uma diretriz conjunta em maio, sobre "suspender o exílio em massa dos camponeses, reduzir o número de detenções e forçar o decréscimo da quantidade de prisões". Esse decreto sigiloso, que foi enviado a todos os servidores do partido, bem como ao OGPU, tribunais e repartições dos procuradores, refletiu a decisão de "acabar com o uso do exílio em massa e das rigorosas formas de repressão como regra geral" e introduzir um regime rural mais brando. Houve razões pragmáticas para a mudança: na época do decreto, cerca de 800 mil pessoas estavam encarceradas em toda a URSS; as cadeias, penitenciárias e os campos de concentração estavam superlotados, e o Estado

A FOME VERMELHA

mal conseguia administrar o sistema de prisões. Além disso, o regime reconheceu que precisaria de mais mão de obra para colher a safra. O decreto também sinalizou o fim do tratamento brutal infligido aos vilarejos e, em consequência, também o término da política de confisco de grãos.[16]

Como nos anos anteriores, houve uma campanha de aquisições no fim do verão de 1933. Também como nesses anos, registrou-se déficit, apesar de, em 1933, as conversas sobre o assunto terem sido bem mais discretas do que no passado. Em outubro de 1933, Stanislav Kosior, secretário-geral do Partido Comunista da Ucrânia, escreveu a Stalin elogiando a safra do outono, a qual, ressaltou ele, tivera uma "melhoria" em relação às anteriores. Reconheceu, não obstante, a persistente existência de "problemas". Os rendimentos previstos ainda não haviam se materializado.[17] Solicitou também uma redução no plano de aquisição de grãos para a Ucrânia.

Em 18 de outubro de 1933, o Politburo soviético aprovou a solicitação. A contribuição exigida da Ucrânia para 1934 foi reduzida em 415 mil toneladas. Poucas semanas mais tarde, Kosior, ex-chefe do partido em Kharkov e enviado de Stalin à Ucrânia, e Pavlo Postyshev encontraram-se com o líder soviético — dessa vez no cenário luxuoso de sua carruagem —, e ele confirmou uma redução adicional na contribuição da Ucrânia em 500 mil toneladas. Apesar de a república ainda ter tido que produzir enorme quantidade de cereais para o Estado, a mudança foi importante.

Em reconhecimento a tais concessões, os comunistas ucranianos também mudaram o tom. Deixaram de criticar a rígida política de requisições. Em vez disso, em numerosos discursos e artigos, gruparam-se em torno da guerra soviética contra o "nacionalismo", o flagelo que a liderança agora culpava por todos os "erros" da política rural. Em novembro, Kosior declarou em plenário que "em algumas repúblicas da URSS, em particular na Ucrânia, a resistência desesperada dos *kulaks* contra nossa vitoriosa ofensiva socialista resultara em crescimento do nacionalismo".

Essa alusão aos "erros", contudo, não foi forte o bastante para o líder. Stalin editou pessoalmente aquele discurso para torná-lo mais robusto: "Em algumas repúblicas da URSS, em particular na Ucrânia, a principal ameaça é agora o nacionalismo ucraniano, que se alia aos imperialistas intervencionistas."[18] Stalin enfatizou a questão pessoalmente em janeiro de 1934,

RESCALDO

no 17º Congresso do Partido, lembrado como Congresso dos Vitoriosos. Em longo e muito aplaudido discurso, ele assinalou o fim da pior fome na história soviética com um ataque perverso ao nacionalismo:

(...) Deve ser observado que a sobrevivência do capitalismo na mente das pessoas é agora muito mais tenaz na esfera da questão nacional do que em qualquer outra esfera. Também é mais tenaz por ser capaz de se disfarçar muito bem em trajes nacionais...

O desvio para o nacionalismo reflete as tentativas de "nossos próprios" burgueses "nacionais" de solapar o sistema soviético e restaurar o capitalismo. (...) Trata-se de um *desvio* do internacionalismo leninista... [*Estrondosos aplausos*][19]

No mesmo congresso, Postyshev, como comunista ucraniano mais graduado, assumiu total responsabilidade pelos "erros grosseiros e enganos" na agricultura da Ucrânia — sem mencionar a fome —, e culpou explicitamente o nacionalismo, os contrarrevolucionários e as forças estrangeiras ocultas:

O PC(B)U [Partido Comunista da Ucrânia] não levou em consideração todas as características distintivas da luta de classes na Ucrânia e as peculiaridades da situação interna do partido.

Que características são essas? (...)

A primeira é que, na Ucrânia, o inimigo de classe mascara sua atividade contra a construção socialista com a bandeira do nacionalismo e com slogans chauvinistas.

A segunda é que os *kulaks* ucranianos passaram por intenso estudo da luta contra o poder soviético, porque na Ucrânia a Guerra Civil foi particularmente árdua e demorada, dado que o sujo banditismo político estava no controle da república por um período especialmente longo.

A terceira característica é que os grupos separatistas de diversas organizações e partidos contrarrevolucionários se instalaram mais na Ucrânia do que em outras regiões, sendo atraídos para lá por conta de sua proximidade com as fronteiras ocidentais.

A quarta é que a Ucrânia prova ser objeto de atração para vários centros intervencionistas, e encontra-se sob sua observação especialmente diligente.

352 **A FOME VERMELHA**

E, finalmente, a quinta característica é que os desviacionistas no PC(B) U, em questões que afetam todo o partido, aliavam-se e continuam a se aliar aos elementos nacionalistas de suas fileiras, aos desviacionistas na questão da nacionalidade...

Infelizmente, o PC(B)U não tirou todas essas conclusões na íntegra. Aí está a explicação de seus erros e falhas, tanto na agricultura quanto na condução da política leninista das nacionalidades dentro da Ucrânia...[20]

Mais concessões foram feitas a seguir. Na primavera de 1934, não houve requisições de vegetais. Aos camponeses foi permitido ficar com os alimentos plantados dentro de seus lotes privados. A liderança ucraniana agora ousou informar a Stalin, abertamente, que alguns campos não seriam semeados — não havia gente para semeá-los —, e que faltavam sementes, inclusive de milho, linho e cânhamo, bem como de outros cereais. Dessa vez, Stalin concordou em "emprestar" sementes e alimentos à Ucrânia.[21]

A coletivização prosseguiu; na verdade, acelerou-se: os fazendeiros individuais que sobreviveram à fome se juntaram em massa às fazendas coletivas naquela primavera. Dessa vez, não houve conversas sobre rebelião, já que cerca de 151.700 famílias aterrorizadas abriram mão de suas casas e propriedades, a fim de trabalharem para o Estado. Outros 51.800 lares juntaram-se no outono. As demandas por grãos foram calmamente sendo amenizadas, e o número de prisões no interior caiu.[22]

A vida não voltou ao "normal"; jamais voltaria. Porém, lentamente, os ucranianos foram deixando de passar fome.

No fim da primavera de 1933, Max Harmash, especialista agrícola da região de Dnipropetrovsk, foi recrutado pelo governo provincial para ajudar na semeadura da safra em uma fazenda coletiva, a cerca de 25 quilômetros de sua casa. Em sua primeira noite no interior, um conselheiro do vilarejo guiou Harmash até uma casa, onde lhe foi dito que poderia dormir. Lá ele encontrou "um homem muito magro vestido em trapos", que não respondeu aos seus cumprimentos. Encontrou também "o corpo grotesco, inchado e seminu" de outra pessoa deitada em um catre. Pedaços sujos de tecidos estavam espalhados pelo chão; o fedor era insuportável. Harmash

RESCALDO 353

saiu imediatamente da casa, deixando um pouco de pão para os moradores, e correu para o prédio do conselho do vilarejo. Lá, um vigia lhe disse que quase não havia comida em lugar algum nas vizinhanças. Só poucos membros da fazenda coletiva ainda tinham minguadas reservas. Cerca de metade do vilarejo havia sido dizimada pela fome. O restante sobrevivia à base de carne de gatos, cães e pássaros.

Horrorizado e atônito pelo que vira, Harmash fugiu do vilarejo moribundo assim que pôde. Por muito tempo depois, ele ainda tinha "pesadelos" e aguardava punição por ter abandonado suas atribuições. Teve receio de contar para qualquer pessoa o que acontecera. Mas a punição nunca chegou. Anos mais tarde, ele avaliou que os funcionários que o haviam enviado ao vilarejo deviam saber que não havia sementes a serem semeadas nem ninguém para semeá-las, mas o mandaram assim mesmo. Alguém lhes dissera para fazer aquilo, e eles simplesmente cumpriam a missão. Ninguém teve coragem de dizer claramente que os habitantes do vilarejo morriam de fome.[23]

Mais ou menos na mesma época, Lidiia, estudante em Kharkov, foi também despachada para o interior a fim de integrar uma brigada de trabalho. Ela e seus companheiros receberam acomodações no prédio de uma escola vazia, foram alertados a não saírem à noite e lhes foi dito que não abrissem a porta. Durante o dia, eles saíram para capinar as plantações de beterraba. Não encontraram vivalma. Porém, passados alguns dias, sua tarefa foi abruptamente interrompida: "Retornamos para Kharkov ao amanhecer, mas não nos foi permitido ir para casa. Fomos levados a um prédio da administração, apesar de estarmos sujos e com fome. Quando chegaram funcionários, uma moça me disse que eu deveria ir a um departamento especial. O gerente me perguntou o que eu havia visto. Não disse nada. Então ele falou: 'Vá embora e não conte nada a ninguém.' Apavorada, jamais perguntei aos outros se também haviam sido convocados ao mesmo departamento."[24]

Lidiia e Max foram testemunhas de outra faceta da crise pós-fome: em 1933, o Estado soviético enfrentou, subitamente, drástica falta de mão de obra no interior ucraniano, que era particularmente extrema em alguns distritos. No distrito de Markivka, da província de Donetsk, por exemplo, uma reunião de líderes dos conselhos de vilarejo, em dezembro, avaliou que as perspectivas para o futuro eram sombrias. Aproximadamente 20

354 A FOME VERMELHA

mil pessoas, mais de metade da população, haviam perecido na fome. Mais de 60% dos cavalos locais e 70% do gado tinham sido mortos naquele ano. Os donos também haviam morrido, observou um deles: "Agora, quando se vai para o interior, é possível ver que os vilarejos estão tão vazios que lobos vivem nas casas." Os depósitos de grãos estavam em níveis tão baixos que era impossível suprir os trabalhadores das fazendas coletivas com a ração diária de grãos em troca do trabalho. A extensão da área semeada decrescia, de mais de 80 mil hectares em 1931 para 67 mil em 1933.[25]

As brigadas de estudantes, operários e servidores do partido enviadas das cidades para o interior ajudaram um pouco. Mas tal política implicava alguns riscos: os citadinos da URSS poderiam ver, em primeira mão, o que ocorrera nos vilarejos. Como Max, alguns fugiram; como Lidiia, alguns tiveram que ser monitorados. Era possível que eles voltassem e descrevessem as cenas de morte e devastação, com consequências imprevisíveis.

Estudantes e operários também não proporcionavam uma solução permanente. Para isso, o regime precisava de habitantes fixos, novas pessoas que pudessem viver no interior e lá continuar trabalhando como fazendeiros. Foi assim que, no fim de 1933, foi lançado um programa de reassentamento. Seu resultado prático, em muitas partes da Ucrânia, foi a substituição de ucranianos por russos, ao menos enquanto o programa — que não foi bem-sucedido — durou.

Por volta de 1933, a União Soviética já contava com alguma experiência em mover e reassentar pessoas. Centenas de milhares de *kulaks* foram deslocados para regiões ermas do norte e do leste do país, bem como para distritos mais pobres e mais vazios da própria Ucrânia. Durante a Segunda Guerra Mundial, uma série de deportações explicitamente étnicas resultaram no despejo de nacionalidades inteiras — os chechenos e os inguches, os carachais, os calmucos, os bálcaros, os meshketianos — como também os tártaros da Crimeia e os germânicos do Volga. Em seu famoso "Discurso Secreto" para a elite do partido em 1956, Nikita Kruschev denunciou a transferência em massa de populações, e brincou dizendo que "os ucranianos só tinham escapado desse destino porque eram muitos, e não havia espaço suficiente para que fossem deportados. Caso contrário, [Stalin] os teria transferido também". O funcionário que transcreveu o

RESCALDO

pronunciamento registrou que a piada provocou "gargalhadas e animação no grande salão".[26]

Oficialmente, o deslocamento de russos para dentro da Ucrânia começou como reação a uma clara necessidade. Aqueles que estavam na alta hierarquia do sistema tinham conhecimento da grande falta de mão de obra. Em telegrama enviado em agosto de 1933, Yakov Yakovlev, comissário soviético da Agricultura, descreveu uma fazenda coletiva em Melitopol, a sudeste da Ucrânia, onde "não mais que um terço dos lares ainda resta (...) menos de um quinto deles com cavalos". Lares individuais trabalhavam sob a responsabilidade de cultivar vinte hectares de terra fértil sozinhos. Na Rússia ocidental, em contraste, com mão de obra mais do que suficiente, lares assim só tinham um hectare de terra para cultivar. Stalin respondeu em nota para Molotov que "é necessário aumentar ao máximo a velocidade do 'reassentamento do campesinato'."[27]

A primeira fase do projeto foi iniciada com aproximadamente 117 mil camponeses russos — 21 mil lares — vindos da Rússia e da Bielorrússia. Eles começaram a chegar à Ucrânia no outono de 1933. Em janeiro e fevereiro de 1934, mais 20 mil entraram nos vilarejos despovoados do leste e do sul ucranianos, dessa vez vindos da Rússia e de outras regiões da própria Ucrânia.[28] Esses números podem ser uma subestimativa, uma vez que só abrangem aqueles que receberam assistência do Estado para realizar a viagem. Outros — uma quantidade desconhecida — simplesmente reuniram seus pertences e partiram da Rússia e de outras regiões por conta própria, a partir do momento em que souberam que havia mais espaço e terras sem dono na Ucrânia. Em geral, essa primeira onda foi em sua maioria constituída por voluntários — os assentados acreditavam que receberiam acomodações e boas rações de alimentos, bem como transporte —, apesar de alguns deles terem sido expulsos de suas casas como *kulaks* ou inimigos, portanto, sem outra escolha.

Muitos se decepcionaram. Esperavam encontrar acomodações e terra fértil. O Estado pagou o transporte, inclusive das ferramentas e do gado, ofereceu-lhes pratos quentes e rações durante a viagem, e chegou a prometer--lhes isenção de impostos. Mas a realidade foi muito diferente, como uma mulher da província de Zhytomyr, uma criança na época, relatou:

356 A FOME VERMELHA

Fomos expulsos de nossa casa também, porém mandados para Horo-dyshche, na província de Dnipropetrovsk. Aquele vilarejo havia morrido e fomos lá reassentá-lo. (...) Em Horodyshche, recebemos pequeno quarto em uma cabana, espalhamos um pouco de palha e dormimos no chão. Na fazenda coletiva, deram-nos um quilo de pão para dez dias. Muito nos foi prometido, mas não vimos nem a sombra de nada disso.[29]

Outras surpresas os aguardavam. Ao chegarem, muitos dos russos acharam a estepe ucraniana um lugar austero. Não sabiam fazer fogo com palha ou capim seco, como os ucranianos faziam. E não foram necessariamente bem-recebidos pelos vizinhos que, evidentemente, falavam uma língua que eles não conseguiam entender. Os vilarejos estavam vazios: até cães e gatos eram, então, muito raros, como planejadores ucranianos registraram no fim de 1933, o que resultou em uma infestação de ratos nas casas e nos campos.[30] Um dos assentados, em carta aos parentes na Rússia, disse que achava a atmosfera pesada e esquisita. Mas, se ele sabia que houvera fome na região, nada escreveu a respeito. "Muitas pessoas morreram por aqui", citou em vez disso, "houve epidemias em 1932. Restavam tão poucos habitantes que não conseguiam cultivar a terra por conta própria." Outro observou que "todas as casas estão destruídas ou abandonadas, e o caos é grande nos locais de trabalho. Os locais afirmam que não era assim antes, o vilarejo vivia em ordem. A vida era boa aqui (...) as batatas cresciam incrivelmente bem".[31] Outros começaram a temer que enfrentariam o mesmo destino dos pre-decessores, em particular quando, depois de uns poucos meses de residência, as coisas prometidas foram gradativamente desaparecendo. Em 1935, foi dito aos novos assentados que, assim como os moradores locais, eles teriam que pagar impostos sobre o leite e a carne: isso também deve ter sido um sinal ameaçador. Os registros do distrito de Markivka indicam que muitos assentados russos foram embora na primavera de 1935, e que os restantes estavam inquietos. Escreviam para casa, queixavam-se das condições locais, observavam que seus novos vizinhos pareciam apáticos, semimortos. Não usavam sapatos. Comiam o sabugo e a coberturas das espigas de milho.[32] Apesar de os registros serem provavelmente incompletos, muitos dos assentados que foram para a Ucrânia na primeira onda de reassentamento

RESCALDO

regressaram para casa no mesmo ano. Presumivelmente em consequência, seguiram-se novas ondas de deportação. Mas esse segundo grupo não era constituído por voluntários. De acordo com as ordens de deportação para os cerca de 39 mil "assentados" em fevereiro de 1935, eles eram pessoas "que não haviam provado seu valor no fortalecimento da fronteira e do sistema das fazendas coletivas", bem como "elementos nacionalistas e antissoviéticos". Muitos vinham de regiões do oeste da Ucrânia que faziam fronteira com países estrangeiros, incluindo grandes quantidades de alemães e poloneses étnicos. A "quinta-coluna", descrita muitas vezes pelo OGPU, fora então removida para sempre das fronteiras.

Dessa vez, o Estado despendeu maiores esforços para manter os novos assentados em seus lugares. Policiais secretos recrutaram locais para monitorar os recém-chegados e evitar que fugissem. Aqueles que fossem apanhados tentando escapar receberiam punições. Esse reassentamento relativamente "bem-sucedido" foi repetido em 1936, embora muitos dos deportados da Ucrânia ocidental tivessem sido, dessa vez, despachados para destinos bem distantes, além dos limites da Ucrânia oriental. Aproximadamente 15 mil famílias polonesas e alemãs — em outros cálculos, cerca de 70 mil pessoas — se viram destinadas ao Cazaquistão, onde a fome também havia devastado os campos.[33]

Mesmo na época, essas campanhas de reassentamento foram vistas como formas de russificação. Sergio Gradenigo, cônsul italiano em Kharkov, reportou para Roma a conversa com um conhecido não identificado que concordara que a "Russificação da Donbas" estava em andamento. Ele vinculou a política ao fechamento dos teatros em língua ucraniana, à restrição da ópera ucraniana a apenas três cidades, Kiev, Kharkov e Odessa, e ao fim da ucranização.[34] Pessoas comuns também sabiam que os vilarejos destruídos e vazios estavam sendo ocupados por russos. "Dizem que as autoridades querem exterminar a Ucrânia com a fome e ocupar a terra com população russa, de modo a ter a Rússia por aqui", relatou uma testemunha.[35] Uma carta anônima de um residente de Poltava ao jornal *Kommunist* tocou no mesmo assunto: "A exterminação física da nação ucraniana, histórica e sem precedentes (...) é um dos objetivos centrais do ilegal programa do centralismo bolchevique." Essa carta teve tal importância que foi tópico de um relatório enviado ao próprio Stalin.[36]

A FOME VERMELHA

Por mais drásticos que possam ter sido esses movimentos emergenciais entre 1933 e 1936, eles foram bem menos importantes, em termos de quantidade e influência, do que o movimento em câmera lenta de russos para dentro da despovoada Ucrânia e das desfalcadas instituições da república ucraniana, nos anos e décadas subsequentes. Alguns deles chegaram para fortalecer o Partido Comunista da Ucrânia, que nunca se recuperara das inúmeras prisões de 1933. Durante e após a fome, o Estado expurgou, prendeu e até mesmo executou dezenas de milhares de servidores do partido. Muitas vezes, seus substitutos vinham direto de Moscou. Somente em 1933, o Partido Comunista da União Soviética enviou milhares de membros de seus quadros políticos, de todos os níveis da hierarquia, da Rússia para a Ucrânia. Por volta de janeiro de 1934, apenas quatro dos doze membros do Politburo do Partido Comunista da Ucrânia eram ucranianos. Oito dos doze, em outras palavras, não falavam ucraniano, que ainda era a língua nativa da maioria da população da república.[37]

E os expurgos não pararam aí. Três anos mais tarde, a liderança comunista ucraniana se tornou alvo específico do Grande Terror, o ataque de âmbito nacional que Stalin deslanchou contra os membros mais antigos do Partido Comunista da União Soviética. O próprio Kruschev relembrou em suas memórias, de maneira notável, que, em 1937-38 o PC(B)U foi "imaculadamente expurgado".[38] Ele, por certo, tinha condições de saber, pois foi quem organizou os expurgos na república. Kruschev, nascido em vilarejo russo próximo à fronteira ucraniana, cresceu dentro da classe operária da Donbas. Como Kaganovich, ele se identificava com o proletariado, com a Ucrânia russófona, e não com o campesinato que falava ucraniano. A pedido de Stalin, Kruschev retornou a Kiev em 1937, acompanhado por uma série de tropas da polícia secreta. Depois de algum esforço — o PC(B)U de início resistiu —, ele supervisionou a prisão de toda a liderança, incluindo Kosior, Chubar e Postyshev. Meses depois, os três morreram; a maioria dos membros do governo ucraniano foi executada na primavera de 1938. Integrantes comuns do partido também desapareceram: entre janeiro de 1934 e maio de 1938, um terço do PC(B)U, 167 mil pessoas, estava na cadeia.[39] Nas palavras de Kruschev: "Parecia que nenhum secretário de comitê exe-

RESCALDO

cutivo ou regional, nenhum secretário de conselho de comissários do povo, nenhum dos vices, havia restado. Tivemos que começar a reconstrução partindo do zero."[40]

No fim da década, o expurgo estava completo: na época da eclosão da grande guerra de 1939, ninguém na liderança do Partido Comunista da Ucrânia tinha conexão ou simpatia pelo movimento nacional, nem mesmo pelo comunismo nacional. Quando a guerra terminou, em 1945, a ocupação nazista e o Holocausto devastaram ainda mais a república e suas instituições. Na era do pós-guerra, o partido continuou demonstrando falso apoio aos símbolos "ucranianos" e até à língua, porém, nos altos escalões, a maioria esmagadora falava russo. Os ucranianos nativos que permaneceram no partido foram muitas vezes pinçados dos grupos de ativistas que ajudaram nas revistas causadoras da fome — ou, nos anos seguintes, seus filhos e netos.[41] Ninguém no partido se lembrava de uma Ucrânia diferente.

Para onde o partido guiava, o povo seguia. Entre 1959 e 1970, mais de 1 milhão de russos migraram para a Ucrânia, atraídos pelas oportunidades que uma população desfalcada pela guerra, pela fome e pelos expurgos havia criado para os residentes novos e cheios de energia. À medida que a economia soviética se industrializava, uma rede de chefes empreendedores, falantes de russo, recrutava colegas vindos do Norte. Universidades, hospitais e outras instituições faziam o mesmo. Ao mesmo tempo, quase todas as outras minorias que ainda viviam na Ucrânia — os judeus que restaram, alemães, bielorrussos, búlgaros e gregos — se adaptaram à maioria que falava russo. Os camponeses que se mudaram do devastado interior para as cidades também trocaram o ucraniano pelo russo, para continuar vivendo. A exemplo do século XIX, a língua russa oferecia oportunidades e progresso. O ucraniano tornou-se apenas um idioma "atrasado" das províncias.[42]

Nos anos 1970 e 1980, a ideia de um movimento ucraniano de massa pareceu não só estar morta, mas também enterrada. Intelectuais mantiveram acesa a chama em diversas cidades. Entretanto, a maioria dos russos e muitos ucranianos enxergavam a Ucrânia como não mais do que uma província da Rússia. A maior parte dos estrangeiros não conseguia distinguir entre Rússia e Ucrânia, se é que se lembravam da palavra Ucrânia.

360 A FOME VERMELHA

Na primavera de 1933, Mikhail Sholokhov, na época já celebrado escritor, sentou em frente à máquina de escrever em Vyoshenskaya Vstanitsa, um *stanitsa* cossaco do norte do Cáucaso, e compôs uma carta a Stalin. Não foi a primeira de tais missivas. Como cidadão patriota e pró-soviético, Sholokhov vinha informando Stalin por muitos meses sobre o progresso da coletivização em Vyoshenskaya Vstanitsa. Talvez porque tivesse se encontrado com o líder soviético em Moscou, ele não temia as consequências. Suas primeiras cartas foram curtas e manuscritas, e muitas vezes se centravam em pequenas ocorrências que ele via indo mal. Em 1931, escreveu preocupado sobre gado e cavalos que viu em todo o interior morrendo de fome. Em 1932, inquietou-se com as fazendas coletivas, onde se roubava grão diretamente das máquinas de semear. Também disse ao chefe soviético que uma ordem para coletivizar o gado havia sido um tiro no pé. Em alguns vilarejos locais, "compradores" de gado espancavam camponeses e levavam à força seu gado. Os camponeses reagiram e, em um vilarejo, assassinaram o coletor.

No entanto, em 1933, o tom de Sholokhov de repente tornou-se mais urgente: Vyoshenskaya estava em crise. Stalin precisava saber que as pessoas morriam de fome:

> Neste distrito, como em outros, fazendeiros individuais e coletivos estão morrendo de fome; adultos e crianças estão inchados e comendo coisas que seres humanos não deveriam ingerir, a começar pela carniça e indo até cascas de árvores, ou raízes imundas.

Seguiram-se mais detalhes. Em linguajar literário e evocativo, Sholokhov descreveu camponeses que se recusavam a trabalhar porque "todo o nosso pão navega para fora". Pintou um retrato do comissário local do partido, Ovchinnikov, declarando que "o grão deve ser coletado a qualquer preço! Destruiremos tudo, mas vamos pegar os grãos!". Narrou a tática de Ovchinnikov, inclusive a extorsão de sementes de grãos, o confisco de vacas, batatas, alimentos em conservas — todas as artimanhas que os decretos de 1932 haviam estipulado para o norte do Cáucaso e para a Ucrânia.

Sholokhov também relatou o que ocorreu depois que o Partido Comunista expurgou os escalões mais baixos de suas fileiras. Aqueles que perderam

RESCALDO 361

suas carteiras de afiliação foram presos; suas famílias não tiveram mais acesso a cartões de racionamento, e também começaram a passar fome. O escritor implorou a Stalin que enviasse comunistas "autênticos" para Vyoshenskaya Vstanitsa, gente com coragem para barrar a crise. Usando linguagem stalinista, ele pediu ajuda ao líder soviético para "desmascarar" aqueles que batiam e atormentavam os camponeses, roubavam seus cereais e destruíam a economia agrícola da região.

A reação de Stalin foi seca. Em dois telegramas, bem como em carta manuscrita, ele disse a Sholokhov que lamentava o que ouvia sobre esses erros no trabalho do partido. Ofereceu o envio de ajuda material, tanto para Vyoshenskaya Vsatnitsa como para o distrito próximo de Verkhne--Donskii. Não se mostrou, contudo, totalmente compreensivo. Achou que a perspectiva do escritor estava incompleta. "Você vê apenas um dos lados da questão" disse a Sholokhov. "Os plantadores de cereais da sua região (e não apenas da sua) estão conduzindo sabotagens e deixando o Exército Vermelho sem alimentos." Esses homens podem parecer simples agricultores, explicou Stalin, mas estão, na verdade, travando uma "guerra contra o poder soviético" de forma calma e sem sangue, mas eficiente. Talvez o escritor estivesse com a impressão de que eles eram gente inofensiva. Se fosse assim, estava seriamente enganado.

A resposta de Stalin a Sholokhov na primavera de 1933, no auge da fome, fez eco para as expressões conspiratórias que ele empregava em sua correspondência pessoal, bem como nos discursos e debates no partido: aqueles que morriam de fome não eram inocentes. Pelo contrário, eram traidores, sabotadores e conspiravam para minar a revolução proletária. Estavam "em guerra contra o poder soviético".

Enquanto, em 1921, a liderança soviética considerara vítimas os camponeses famintos, em 1933, Stalin mudou o vocabulário. Aqueles que passavam fome não eram vítimas; eram, isso sim, perpetradores. Não eram sofredores, mas responsáveis por seu terrível destino. Causaram a fome e, por conseguinte, mereciam a morte. De tal avaliação vinha a conclusão lógica: o Estado estava certo em recusar ajuda para mantê-los vivos.

Esse era o argumento que Stalin usaria por toda a sua vida. Ele nunca negou, nem para Sholokhov, nem para mais ninguém, que camponeses morreram de uma fome causada pela política do Estado em 1933, e, certamente, nunca se desculpou. É evidente que leu as cartas de Sholokhov e as levou suficientemente a sério para respondê-las. Porém, jamais admitiu que qualquer elemento importante de sua política — nem a coletivização, nem a expropriação de grãos, tampouco as revistas e buscas minuciosas que intensificaram a fome na Ucrânia — estivesse equivocado. Em vez disso, pôs a culpa pela falta de alimentos e pelas mortes em massa sobre os ombros dos que feneciam.[43]

Foi isso, decerto, o que ele disse ao seu partido. Durante o Congresso dos Vitoriosos, no início de 1934, no qual Stalin denunciou o nacionalismo, ele também previu mais violência. "Derrotamos os *kulaks*", declarou, mas o extermínio ainda não estava completo. Agentes do antigo regime — "ex--pessoas", como costumava chamá-los — podiam fazer ainda grandes estragos. Mais precisamente, o partido deveria esperar mais resistência daquelas "classes moribundas": "É justo porque estão morrendo e seus dias estão contados que continuarão fazendo ataques e mais ataques, cada vez mais astutos, apelando para parcelas atrasadas da população e mobilizando--as contra o regime soviético."[44]

Tal posição estava alinhada com o pensamento marxista: o aguçamento das contradições, a criação de maior tensão — eram esses os precursores da mudança revolucionária. As mortes de milhões não eram, em outras palavras, sinal de que a política de Stalin havia fracassado. Ao contrário, era indício de sucesso. A vitória fora conquistada, o inimigo estava derrotado. Enquanto a União Soviética perdurasse, essa opinião nunca seria contestada.

CAPÍTULO 14

Dissimulação

*Não há fome de verdade nem mortes por inanição,
o que existe é alastrada mortalidade por conta de
doenças ligadas à má nutrição.*

Walter Duranty, *The New York Times*, 31 de março de 1933

*Sou semianalfabeto e escrevo de modo bem simples,
mas o que escrevo é verdadeiro, e a verdade, eles dizem,
é maior que a maldade.*

Petro Drobylko, província de Sumy, 1933[1]

Em 1933, as cidades sabiam que os vilarejos estavam morrendo. Os líderes e administradores do Partido Comunista e o governo tinham conhecimento de que os vilarejos estavam morrendo. As provas estavam diante dos olhos de qualquer um: os camponeses nas estações ferroviárias, os relatórios que partiam do interior, as cenas nos cemitérios e nos necrotérios. Não havia dúvida de que a liderança soviética conhecia também a situação. Em março de 1933, Kosior escreveu carta a Stalin na qual falou explicitamente sobre a fome — as províncias ucranianas suplicavam por ajuda do Comitê Central — e previu coisas piores, realçando que "nem mesmo a inanição ensinou o

364 A FOME VERMELHA

bom senso aos camponeses", que seguiam lentos demais na semeadura da primavera.[2] Em abril, ele escreveu de novo, ressaltando o grande número de pessoas que se juntavam agora às fazendas coletivas: "A fome desempenhou grande papel, tendo, em primeira instância, atingido os fazendeiros individuais."[3]

Mas no mundo oficial soviético, a fome ucraniana, bem como a fome soviética mais ampla, não existiu. Não existia nos jornais, não existia nos pronunciamentos públicos. Nem os líderes nacionais nem os locais a mencionaram — e jamais o fariam. Enquanto, na fome de 1921, houve apelo destacado e amplamente aceito por ajuda internacional, a reação à fome de 1933 foi a negação total, tanto dentro da União Soviética quanto no exterior, de qualquer escassez séria de alimentos. O objetivo foi fazer a fome desaparecer, como se nunca tivesse ocorrido. Em uma era anterior à televisão e à internet, anos antes das fronteiras abertas e de inúmeras viagens ao exterior, era bem mais fácil esconder os fatos do que no século XXI. Porém, mesmo em 1933, a dissimulação exigiu esforço extraordinário por parte de muitas pessoas, e por período de tempo prolongado.

A negação organizada da fome teve início cedo, antes mesmo de a pior inanição ter começado. Desde o início, seus facilitadores tiveram diferentes propósitos. Dentro da URSS, o disfarce era apenas parcialmente projetado para iludir o público soviético, ou pelo menos aqueles que não sabiam muito sobre a fome, embora nisso eles não tenham sido bem-sucedidos. Os rumores eram impossíveis de controlar, e chegavam a ser repetidos, como Stalin bem sabia, dentro das famílias da elite bolchevique. Contudo, as cartas de protesto, que eram frequentemente enviadas por todos os tipos de pessoas — camponeses, servidores, burocratas — nos anos que levaram à fome, logo cessaram. Existe evidência anedótica dentro da União Soviética de esforços para controlar a correspondência do Exército Vermelho. O irmão de Mariia Bondarenko, soldado do exército que servia no Cáucaso, disse à irmã que nenhum dos soldados ucranianos recebeu cartas de casa em 1933. Os integrantes de sua unidade finalmente encontraram as cartas retidas. Só então souberam a verdade sobre o que acontecia com suas famílias.[4] Outros soldados não receberam correspondência alguma de casa

DISSIMULAÇÃO

em 1932 e 1933; alguns contaram que era como se seus parentes tivessem simplesmente desaparecido.[5]

Esforços ainda maiores foram direcionados ao controle dos pronunciamentos públicos. Um soldado ucraniano do Exército Vermelho começou a servir em 1934, após ter sobrevivido à fome. Durante uma das "instruções políticas", aulas a que todos os soldados eram obrigados a comparecer, ele perguntou ao oficial instrutor sobre a fome. A resposta foi incisiva: "Não houve fome, e não pode haver. Você ficará preso por dez anos se continuar falando sobre o assunto."[6] Estudantes e operários mandados ao interior para ajudar a colher a safra de 1933 eram coagidos de maneira clara para não falarem sobre o que haviam visto. Por medo, muitos obedeceram. Foi-nos dito que "costurássemos nossa boca", lembrou-se um deles.[7] O código do silêncio era entendido por todos:

> No trabalho, ninguém falava sobre a fome ou sobre os corpos estendidos nas ruas, como se fizéssemos parte de uma conspiração do silêncio. Apenas com nossos amigos mais chegados e confiáveis falávamos sobre o que de horrível ocorria nos vilarejos. (...) Os rumores foram confirmados quando pessoas das cidades foram despachadas para o interior a fim de ajudar na colheita e viram com os próprios olhos de onde vinham os esqueletos vivos que assombravam as ruas das cidades.[8]

O tabu de falar em público sobre a fome afetou também os trabalhos médicos. Os doutores e enfermeiros foram instruídos a "inventar alguma coisa" para os atestados de óbito, ou registrar todos os casos de inanição como se fossem "doenças infecciosas" ou "ataques cardíacos".[9]

O temor também influenciou a correspondência entre servidores. Em março, o secretário do governo local de Dnipropetrovsk escreveu carta ao Comitê Central do Partido Comunista da Ucrânia reclamando que diversos casos de inanição, inchaços e mortes decorrentes da fome não receberam atenção oficial porque os níveis inferiores não os reportaram. "Era considerado antipartidário e repreensível até mesmo reagir a eles." Em um caso, o secretário do partido do vilarejo, ele mesmo inchado pela fome, não comunicou coisa alguma, temeroso de ser censurado.[10]

A FOME VERMELHA

Quando a emergência abrandou, a vigilância oficial estendeu-se aos registradores. Em abril de 1934, a liderança provincial de Odessa enviou memorando a todos os comitês partidários locais, alertando-os sobre a "maneira criminosa e ultrajante" com que os nascimentos e mortes estavam sendo registrados: "Em diversos conselhos de vilarejos, esse trabalho está sendo de fato delegado a inimigos de classe — *kulaks*, escudeiros *petliuristas*, deportados especiais etc." Supostamente para fortalecer a vigilância, os chefes de Odessa retiraram os livros de registros de mortes de todos os conselhos de vilarejos, a partir de 1933 "sem exceções", e de 1932, também em algumas regiões.[11] Ordens semelhantes foram dadas na província de Kharkov, onde servidores do partido também exigiram todos os registros de mortes a partir de novembro de 1932 até o fim de 1933, alegando que estavam em mãos de "elementos hostis às classes", como *kulaks*, *petliuristas* e deportados especiais.[12]

Na realidade, os dois tipos de documento tinham formato idêntico, provavelmente resultante de ordem das autoridades ucranianas, e ambos pretendiam destruir evidências da fome.[13] Apesar de as quantidades de mortes compiladas em nível provincial e nacional terem permanecido nos arquivos estatísticos, ao nível do vilarejo muitos registros foram fisicamente destruídos. Testemunhas oculares das províncias de Zhytomyr e Chernihiv relataram o desaparecimento dos registros de mortes de seus vilarejos em 1933-34.[14] Em Vinnytsia, Stephan Podolian lembrou-se de que o pai fora ordenado a queimar os livros de registro do vilarejo e a reescrevê-los, eliminando as referências à fome.[15]

Nos níveis mais elevados da hierarquia, a dissimulação funcionou como forma de disciplina partidária: foi um meio de controlar servidores e até de testar sua lealdade. Para provar dedicação, membros do partido tiveram que aceitar e endossar falsidades oficiais. Roman Terekhov, um dos chefes do partido em Kharkov, ousou falar a palavra "fome" na presença de Stalin e em público, durante o outono de 1932, conforme contou o próprio Terekhov mais tarde. A reação do líder soviético foi áspera: "Você inventa essa história de fome pensando que nos intimidará, mas não vai funcionar!" E Stalin emendou: "Vá para o Sindicato dos Escritores e escreva esses contos de fada para que idiotas os leiam."[16] Terekhov perdeu o emprego duas semanas depois.

DISSIMULAÇÃO

Reflexos desse incidente ocorreram em pronunciamentos nas conferências do partido no ano subsequente. Em muitos deles, comunistas ucranianos se referiram a "problemas" ou "dificuldades", mas muito raramente à "fome". É claro que eles sabiam o que acontecia, contudo, para sobreviver, precisaram observar os tabus do Kremlin. Na vida privada, a palavra continuava sendo empregada, como foi visto nas cartas de Kosior a Stalin. Porém, apesar de não haver registros escritos de uma ordem para que não se usasse a palavra "fome" em público, surpreende quão raramente o termo foi usado.[17] Em vez disso, as autoridades soviéticas empregavam eufemismos. Quando o cônsul japonês em Odessa fez uma investigação oficial sobre a fome, por exemplo, até a ele foi dito que "houve escassez de alimentos, mas não fome".[18]

As vítimas foram mais difíceis de sumir. Mesmo depois do enterro de corpos em valas coletivas sem identificação, e até após as alterações nos registros das mortes, restou o problema das estatísticas soviéticas. Em 1937, o escritório soviético de recenseamento se pôs a contar a população soviética, enorme tarefa tornada urgente pela necessidade de coordenar o planejamento central. No entanto, mesmo começado o complexo processo, que envolveu solicitar a milhões de pessoas que preenchessem formulários, a liderança soviética foi ficando angustiada com o possível resultado. *"Nem um algarismo* do censo pode ser publicado", foi dito em dezembro de 1936 aos funcionários das agências locais de estatística. Também *"não* haveria processamento preliminar dos dados crus colhidos".[19]

O resultado final do recenseamento de 1937, não obstante, foi chocante. Jornais fizeram especulações antecipadas de crescimento da natalidade e do *boom* populacional, "evidência do grande aumento no padrão de vida de nossos trabalhadores" depois "de dez anos de nossa luta heroica pelo socialismo".[20] Estatísticos, não querendo levar a culpa pelo anúncio de uma mensagem negativa, passaram a inchar os relatórios periódicos de crescimento também. Um relatório preliminar cautelosamente sinalizou que os níveis populacionais poderiam ser menores do que o previsto na Ucrânia, no norte do Cáucaso e na região do Volga — "regiões em que a resistência dos *kulaks* à coletivização foi particularmente determinada e amarga" —, mas dedicou pequeno espaço ao problema. No todo, as projeções foram

A FOME VERMELHA

otimistas. No censo de 1934, funcionários estimaram que a população soviética era de 168 milhões de habitantes. A estimativa para 1937 ficou entre 170 e 172 milhões.

Os números reais, quando finalmente saíram, foram bem diferentes. A população total da URSS chegou a 162 milhões de habitantes — significando que (para aqueles que esperavam 170 milhões) cerca de 8 milhões de pessoas estavam "faltando". Essa diferença incluía as vítimas da fome e seus filhos não nascidos. Também refletia o caos genuíno da época da fome. Os camponeses que morreram à beira das estradas, as migrações em massa, as deportações, a impossibilidade de se manter estatísticas acuradas nos vilarejos em que todos passavam fome, inclusive os servidores — todos esses fatores tornaram a tarefa dos recenseadores mais difícil.[21] Na verdade, ninguém tinha muita certeza sobre quantas pessoas haviam realmente morrido e quantas viveram, contabilizadas ou não. Os estatísticos preferiram errar para o lado da cautela.

Em vez de aceitar o resultado, Stalin aboliu-o. Reuniões foram agendadas; painéis de especialistas foram organizados. Uma resolução especial do Comitê Central declarou que o censo fora mal planejado e executado, não era um trabalho profissional e resultara em "grosseira violação dos fundamentos básicos da ciência estatística".[22] O jornal *Bolshevik* declarou que o censo fora "prejudicado por desprezíveis inimigos do povo — espiões trotskistas-bukharinistas e traidores da pátria mãe, que haviam se imiscuído naquela ocasião, no Diretório Central do Povo de Contabilidade Econômica. (...) Inimigos do povo com o objetivo de distorcer o número real de habitantes".[23]

A publicação do censo de 1937 foi suspensa imediatamente, e o resultado jamais apareceu. Os próprios estatísticos pagaram o preço. O chefe do escritório, Ivan Kraval, que na época morava na House on the Embankment (Casa no Aterro, em tradução literal), o mais exclusivo bloco de apartamentos residenciais em Moscou, foi preso e executado por pelotão de fuzilamento em setembro. Seus colegas mais próximos também foram mortos. A represália tomou a forma de cascata e desceu até o Cazaquistão e a Ucrânia, bem como as províncias russas, onde centenas de servidores dos níveis inferiores foram destituídos dos cargos e, por vezes, também presos e executados. A

DISSIMULAÇÃO

lista da repressão incluiu não apenas os diretamente ligados ao censo, mas enquadrou também estatísticos que pudessem ter tido acesso aos números originais. Mykhailo Avdiienko, editor em Kiev da *Estatística Soviética*, foi detido em agosto e executado em setembro. Oleksandr Asktin, chefe do Departamento de Economia da Academia de Ciências da Ucrânia, teve o mesmo destino.[24]

Em novembro, um quadro totalmente novo de funcionários substituiu esses homens, todos agora cientes de que era extremamente perigoso produzir quantidades exatas.[25] Um novo censo foi devidamente encomendado. Dessa vez, Stalin não esperou pelo resultado. Mesmo antes do início dos trabalhos, ele declarou vitória:

> Sob o sol da Grande Revolução Socialista, um aumento incrivelmente rápido da população, antes nunca visto, vem ocorrendo. A poderosa indústria soviética trouxe à luz novas profissões. Dezenas de milhares de pessoas, que ontem eram trabalhadores não qualificados, hoje dominam especializações em todos os ramos da produção. Os *stakhanovitas* de ontem transformaram-se em técnicos e engenheiros. Milhões de pequenos camponeses, escapando de vida miserável, tornaram-se prósperos fazendeiros coletivos, criadores de safras socialistas. (...) O recenseamento de toda a União deve mostrar todas as grandes mudanças que aconteceram na vida do povo, o crescimento do nível cultural e material das massas, o aumento das qualificações dos operários das fábricas e dos funcionários dos escritórios...[26]

Stalin conseguiu o que determinou: no 18º Congresso do Partido, em março de 1939, antes mesmo de o censo estar completo, ele anunciou com grande fanfarra que a população da União Soviética havia atingido, de fato, 170 milhões de habitantes.[27]

No devido tempo, os estatísticos encontraram maneiras de fazer os números coincidirem com a retórica. Manipularam os dados para mascarar as grandes quantidades de prisioneiros no norte e no leste da URSS — os anos de 1937-39 foram os das maiores expansões do *Gulag* — e, é claro, para esconder os estragos da fome. Formulários de recenseamento com mais de 350 mil pessoas que residiam em outros lugares foram atribuídos à Ucrânia.

370 A FOME VERMELHA

Outros 375 mortos foram alocados para o Cazaquistão. Além de alterar os totais, os recenseadores apagaram alguns pequenos grupos nacionais e étnicos, e mudaram o equilíbrio da população em regiões etnicamente divididas para satisfazer à política soviética. No geral, eles inflaram a população em pelo menos 1%. E pelas décadas posteriores, o censo de 1939 seria exaltado como modelo de pesquisa estatística.[28]

Com a publicação do resultado do recenseamento, a grande fome desapareceu não só dos jornais, como também da demografia, da política e da burocracia soviética. O Estado soviético jamais manteve qualquer registro das vítimas, de suas vidas e mortes. Por toda sua existência, ele nunca aceitou que elas haviam morrido.

A violência, a repressão e as falsificações do censo suprimiram com sucesso os debates sobre a fome dentro da URSS. Porém, a dissimulação dela no exterior exigiu tática diferente. A informação não era tão facilmente controlada fora da União Soviética. Ela cruzava fronteiras, assim como as pessoas. Em maio de 1933, um jornal ucraniano de Lviv (à época, cidade polonesa) publicou artigo denunciando a fome como ataque ao movimento nacional da Ucrânia:

> O lado leste do rio Zbruch [a fronteira] agora parece verdadeiro acampamento militar que dificulta a passagem de qualquer cidadão, mesmo à noite, como se estivéssemos em tempos de guerra. Isso nos é dito pelos refugiados que conseguiram atravessar o Zbruch (...) chegaram como esqueletos, porque a fome por lá é terrível. Até cachorros estão sendo mortos, e os escravos das fazendas coletivas de hoje estão sendo alimentados com carne de cães, pois não se tem pão nem batatas na fértil Ucrânia.[29]

Notícias também provinham de servidores e cônsules que cruzavam legalmente as fronteiras, bem como de cartas despachadas pelos portos, levadas pelos viajantes, ou que conseguiam driblar os censores. Os alemães étnicos escreviam para pessoas nos Estados Unidos e na Alemanha, às vezes para parentes e outras para líderes desconhecidos de suas comunidades religiosas: "Queridos Pais e Irmãos na distante Alemanha, um pedido da

DISSIMULAÇÃO

Rússia enviado por mim, que tenho nome alemão. (...) Clamo por aconselhamento e ajuda, e lhes digo o que se passa em meu triste coração."[30] Cartas conseguiram também chegar ao Canadá.

As missivas criaram impacto, como o fizeram alguns refugiados. Mesmo enquanto a fome se desenvolvia, os ucranianos do exterior começaram a protestar contra ela, pacificamente ou não. Políticos ucranianos étnicos levantaram a questão da fome em sessões do Parlamento polonês, e a descreveram na mídia de língua ucraniana.[31] Em outubro de 1933, Mykola Lemyk, membro de uma organização nacionalista ucraniana na Polônia, assassinou o secretário do cônsul soviético em Lviv. Durante seu julgamento em tribunal polonês, Lemyk, que esperava matar o próprio cônsul, descreveu o assassinato como vingança pela fome.[32] No fim daquele mês, a comunidade ucraniana na Polônia tentou organizar uma manifestação pública contra a fome, mas foi impedida pelo governo polonês, receoso de mais violência.[33]

Mais ou menos na mesma época, no outro lado do mundo, o Conselho Nacional Ucraniano, organização criada em maio de 1933, planejou e executou protestos de rua em Winnipeg, Canadá, e enviou carta ao presidente Roosevelt, adicionando depoimento de testemunha ocular da fome.[34] Em reunião promovida na igreja ucraniana de Winnipeg, líderes da diáspora leram em voz alta cartas da Ucrânia exortando o povo a ajudá-la "a se separar" da URSS.[35] Os ucranianos em Bruxelas, Praga, Bucareste, Genebra, Paris, Londres e Sófia, entre outras cidades, criaram comitês de ação que procuraram, sem muita sorte, divulgar a fome e enviar ajuda aos famintos.[36]

Notícias filtraram também através da Igreja Católica. Na Polônia, padres greco-católicos conseguiram listas de vítimas da fome de 1933, promoveram um dia de preces e penduraram bandeiras negras nas fachadas das igrejas ucranianas e nos prédios da Prosvita, instituto cultural ucraniano.[37] Diplomatas poloneses e italianos, bem como sacerdotes com contatos dentro da URSS, também alertaram a hierarquia da Igreja. O Vaticano primeiro recebeu uma descrição escrita sobre a fome em abril de 1933, via carta anônima contrabandeada através do porto russo de Novorossiisk. Uma segunda carta anônima chegou a Roma vinda do norte do Cáucaso, em agosto. O papa Pio

372 A FOME VERMELHA

XI ordenou que as duas missivas fossem publicadas no jornal do Vaticano, *L'Osservatore Romano*.[38] Naquele mesmo mês, o arcebispo de Viena, cardeal Innitzer, emitiu um apelo alarmado. Denunciou as condições da fome na Rússia e nos "distritos ucranianos" da União Soviética:

> [Elas são] acompanhadas de fenômenos cruéis da inanição em massa, tais como o infanticídio e o canibalismo. (...) Já está certo que a catástrofe continuará mesmo ao tempo da nova safra. Em quatro meses, ela alcançará seu ápice. Mais uma vez, milhões de vidas serão perdidas. (...) Simplesmente observar uma situação assim seria aumentar a responsabilidade de todo o mundo civilizado pelas mortes em massa na Rússia. Significaria carregar a culpa pelo fato de que, enquanto seções inteiras do mundo quase sufocam com os excedentes de trigo e de alimentos, outras passam fome na Rússia.[39]

Mais tarde, Innitzer seria o destinatário de formas incomuns de evidências: uma coleção de duas dezenas de fotos tiradas por Alexander Wienerberger, engenheiro austríaco que trabalhava em uma fábrica de Kharkov, e as contrabandeou pela fronteira. Preservadas no arquivo da diocese da igreja em Viena, elas são ainda os únicos registros fotográficos comprovados das vítimas da fome na Ucrânia em 1933.[40] Elas mostram pessoas famintas à beira de estradas, casas vazias e covas coletivas. E não deixam dúvidas em relação à escala da tragédia. Mas, em 1933, o problema da igreja não era conseguir evidências, e sim político. Um debate emergiu dentro do Vaticano — uma facção desejava enviar missão de alívio da fome para a URSS, outra recomendava prudência diplomática. Venceu o argumento da cautela. Embora o Vaticano continuasse recebendo relatórios sobre a fome, a Santa Sé, na maioria das vezes, manteve o silêncio público. Entre outros fatos, a vitória eleitoral de Hitler, em janeiro de 1933, criara uma armadilha política: a hierarquia da Igreja temia que uma linguagem forte contra a fome soviética desse a impressão de que o papa era favorável à Alemanha nazista.[41]

Argumentos similares espocaram por todos os lados, moldados pelos mesmos condicionantes políticos. Muitos ministérios europeus do exterior

DISSIMULAÇÃO 373

tinham informações soberbas sobre a fome, e a acompanharam em tempo real enquanto ocorria. De fato, em 1933, a Ucrânia foi abençoada com diversos residentes estrangeiros extraordinariamente atentos. Gradenigo, o cônsul italiano que viveu em Kharkov entre 1930 e 1934, percebeu tanto a escala da fome quanto seu impacto sobre o movimento nacional ucraniano. Ele não duvidou de que "a fome é principalmente resultado de medida organizada para dar uma lição nos camponeses":

> (...) O desastre presente levará à colonização da Ucrânia pelos russos. Transformará o caráter da Ucrânia. No futuro próximo, não haverá motivo para falar da Ucrânia ou dos ucranianos, simplesmente porque não existirá mais o "problema ucraniano" quando a república se tornar indiscernível parte da Rússia..."[42]

O cônsul alemão em Odessa em 1933 não foi menos enfático sobre as origens da fome:

> Os mandantes comunistas não deixam os camponeses se lembrarem das agruras por muito tempo, fazendo isso pela sucessão imediata de um infortúnio atrás do outro, e assim, queiramos ou não, os antigos temores são esquecidos. No passado, quando algum vilarejo era assaltado por dificuldades, gerações inteiras lembravam-se.[43]

Gustav Hilger, diplomata alemão em Moscou, mais tarde importante assessor de Hitler sobre política soviética (e, depois disso, da CIA), também acreditou na época que a fome era artificial:

> Foi nossa impressão, então, que as autoridades deliberadamente decidiram não ajudar a população aflita, exceto aqueles que se organizavam em fazendas coletivas, de modo a demonstrar aos camponeses recalcitrantes que a morte por inanição era a única alternativa à coletivização.[44]

Contudo, tanto na Itália quanto na Alemanha — uma já Estado fascista, a outra no mesmo caminho — a fome não impactara a política oficial. Benito

374 A FOME VERMELHA

Mussolini leu pessoalmente e assinalou trechos dos relatórios chegados da Ucrânia, mas jamais revelou coisa alguma publicamente, talvez porque não fosse da natureza de seu regime demonstrar compaixão, ou talvez porque os italianos, que concluíram um tratado de não agressão com a URSS em setembro de 1933, estivessem mais interessados no comércio.[45] E os alemães, afora o esforço deliberadamente discreto para ajudar os alemães étnicos e, mais tarde, o uso da fome na propaganda nazista, não fizeram tentativa na época nem de protestar nem de oferecer ajuda.

Nem todos os relatórios foram levados a sério. Os diplomatas poloneses ficaram profundamente chocados com a fome — a tal ponto que seus relatos eram descartados. Stanislaw Kosnicki, chefe do consulado em Kiev, foi censurado em janeiro de 1934 por incluir demasiada "informação sobre fome, miséria, perseguição das pessoas, luta contra a ucranização etc.". Assim como seus colegas, os diplomatas poloneses não tinham, entretanto, nenhuma dúvida de que a fome e as repressões faziam parte de um plano: "Prisões em massa e perseguições não podem ser explicadas ou justificadas pelo perigo por parte do movimento nacional ucraniano (...) a causa real da ação está na política dos líderes de Moscou, planejada, de largo horizonte e de longo prazo, que está se tornando cada vez mais imperialista, fortalecendo o sistema político e as fronteiras do Estado."[46]

Os diplomatas ingleses, por outro lado, não tinham problemas para acreditar nas piores histórias que ouviam. Havia a seu favor uma rede completa de informantes, inclusive o especialista agrícola canadense Andrew Cairns, que viajou pela Ucrânia e pelo norte do Cáucaso em 1932, em nome do Empire Marketing Board. Cairns reportou ter visto "camponeses famintos e vestidos em farrapos, alguns mendigando por comida, a maioria aguardando, quase sempre em vão, por passagens, e muitos subindo as escadas para se juntar aos aglomerados de pessoas em cima dos vagões ferroviários; todos sujos e miseráveis, sem sinal de sorriso em face alguma".[47] Ele também concluiu que o plano do governo de exportação de grãos era "ridículo" e que não poderia ser alcançado.[48]

Mas o governo britânico não só não ofereceu ajuda, como desencorajou ativamente os diversos esforços independentes para conseguir alimentos

DISSIMULAÇÃO 375

para os famintos em 1933, alegando que o governo soviético se opunha a tais esforços e, por conseguinte, era ingênuo fazê-los. Laurence Collier, chefe do Foreign Office Northern Department naquela época, também se opôs à presença de ucranianos da diáspora em diversos movimentos beneficentes: "Qualquer coisa que tivesse a ver com os nacionalistas ucranianos era o equivalente a sacudir capa vermelha diante de um touro para as autoridades soviéticas." Collier compreendia o que estava acontecendo — sobre o relatório de Cairns, ele escreveu: "Raramente li documento mais convincente" —, mas achou melhor não provocar intrigas.[49]

O silêncio diplomático era bom para a liderança soviética, que tinha boas razões para impedir que notícias sobre a fome se espalhassem. Apesar de o objetivo bolchevique de revolução mundial ter sido empurrado para longe, ele jamais foi totalmente abandonado. Por volta de 1933, mudanças políticas radicais na Europa pareceram, mais uma vez, plausíveis. O continente foi tomado pela crise econômica; Hitler acabara de se tornar chanceler da Alemanha. A piora da situação internacional significava, para as mentes marxistas-leninistas, que a crise final do capitalismo tinha que estar próxima. Nesse contexto, as percepções sobre a URSS no exterior eram bastante importantes aos líderes soviéticos, que esperavam tirar proveito da crise para promover a União Soviética como civilização superior.

A liderança soviética também se importava com a opinião pública estrangeira por motivos domésticos. Desde 1917, estrangeiros, do comunista americano John Reed ao escritor francês Anatole France, tinham sido implantados na URSS como lastro à propaganda do regime. Os escritos de estrangeiros que cantavam loas às conquistas da revolução eram publicados e intensamente difundidos no interior do país, bem como as observações laudatórias de visitantes entusiasmados — comunistas, escritores, intelectuais — que eram levados a ver escolas, fazendas e fábricas soviéticas. Na sequência da fome, a liderança soviética encorajou esses companheiros viajantes a dispensarem quaisquer conversas sobre falta de alimentos — e alguns deles o fizeram.

Seus motivos foram diversos. Alguns, como os socialistas britânicos Beatrice e Sidney Webb, eram "crentes ferrenhos", que desejavam alguma forma de revolução socialista em seus próprios países e procuravam usar o exemplo da URSS em proveito próprio. Os Webb tinham consciência da fome, mas a minimizavam para exaltar a coletivização: "A experiência das três últimas colheitas parece justificar a alegação do governo soviético de que as dificuldades iniciais daquela gigantesca transformação foram superadas", escreveram eles em 1936. "Existe, de fato, pouca razão para duvidar de que a produção agregada de comestíveis cresce em ótimo ritmo."[50]

Outros visitantes pareciam ter sido motivados pela vaidade, atiçada pela imensa pompa e favores que a URSS despejava sobre celebridades. O escritor George Bernard Shaw, acompanhado da parlamentar Nancy Astor, celebrou seu 75º aniversário com um banquete em Moscou — vegetariano, para satisfazer seu gosto — em 1931. Tendo sido cumprimentado por festas de boas-vindas e serenatas entoadas por bandas de metais, Shaw estava extremamente bem-humorado quando se dirigiu ao público composto de funcionários soviéticos e estrangeiros de destaque.[51] Agradecendo aos seus anfitriões, declarou-se inimigo dos difusores de boatos antissoviéticos. Quando amigos souberam que ele viajaria à Rússia, contou Shaw para a plateia, mandaram-lhe potes com comida para a viagem: "Pensavam que a Rússia passava fome. Mas joguei todos aqueles alimentos pela janela, na Polônia, antes de chegar à fronteira soviética."

A plateia "ficou ofegante", lembrou-se um jornalista presente. "Sentados, eles sentiram reações convulsivas no estômago. Um pote com bife inglês faria a festa na casa de qualquer um dos operários ou dos intelectuais que ouviam o pronunciamento."[52] Um exemplo do cansaço cínico, com que pelo menos alguns da *intelligentsia* soviética recebiam aqueles pomposos estrangeiros, pode ser deduzido da peça de Andrey Platonov, *Fourteen Little Red Huts* [*quatorze pequenas cabanas vermelhas*]. Platonov encena um intelectual visitante estrangeiro que demanda saber: "Onde eu posso ver o socialismo? Mostre-me de imediato. O capitalismo me irrita."[53]

No verão da fome, a mais importante versão na vida real do anti-herói de Platonov foi Édouard Herriot, político radical francês e ex-primeiro--ministro, que foi convidado à Ucrânia, em agosto de 1933, exatamente para repudiar os crescentes rumores sobre a fome. A motivação de Herriot parece ter sido política. Como outros estadistas "realistas" que existiam

DISSIMULAÇÃO

em muitas capitais ocidentais, ele desejava fomentar as relações comerciais entre seu país e a URSS, e não mostrava preocupação com a natureza do governo que visitaria. Durante sua estada de duas semanas, ele visitou uma escola-modelo, viu lojas cujas prateleiras haviam sido estocadas de antemão, desceu o rio Dnieper de barco e conheceu camponeses entusiasmados e operários especialmente treinados para a ocasião. Antes de sua chegada, o hotel de Herriot foi reformado às pressas, e a equipe recebeu novos uniformes.

O destaque da visita do francês foi a ida a uma fazenda coletiva. Mais tarde, ele se recordou dos campos de vegetais "admiravelmente irrigados e cultivados". "Viajei por toda a Ucrânia", declarou Herriot, "e posso assegurar aos senhores que vi um verdadeiro jardim em pleno florescer".[54] De acordo com relatórios do OGPU, preparados posteriormente, Herriot chegou a perguntar sobre a fome, mas recebeu a garantia de que os problemas do passado haviam sido equacionados e resolvidos.[55] O *Pravda* tirou imediata vantagem da visita com o propósito de propaganda interna, e publicou orgulhosamente que Herriot "contradisse categoricamente as mentiras da imprensa burguesa em conexão com a fome na URSS", caso algum cidadão soviético tenha de alguma forma conseguido ouvi-los.[56]

Na verdade, os diplomatas e os visitantes ocasionais não foram grande desafio para as autoridades soviéticas. Os mandarins do Ministério dos Negócios Estrangeiros eram discretos demais para verbalizar suas opiniões. Homens como Herriot e Shaw não falavam russo nem podiam controlar seus itinerários; era relativamente fácil monitorar o que eles viam e com quem falavam. Por outro lado, a manipulação da imprensa estrangeira em Moscou requeria grau bem maior de sofisticação. Seus deslocamentos e conversas não podiam ser totalmente controlados — e eles não recebiam ordens sobre o que escrever.

Em 1933, o regime já tivera más experiências com membros mais independentes da imprensa. Uma delas foi Rhea Clyman, canadense extraordinária que passara quatro anos em Moscou antes de decidir atravessar toda a URSS na companhia de duas americanas de Atlanta, discutindo com funcionários vezes sem conta. Clyman finalmente foi

A FOME VERMELHA

barrada em Tbilisi no verão de 1932 e, depois, deportada à força (as outras duas mulheres conseguiram chegar a Tashkent antes de enfrentarem o mesmo destino).[57] O resultado foi uma enorme manchete no *Toronto Evening Telegram*:

> Escritora do *Telegram* expulsa da Rússia
> Rhea Clyman expõe as condições do campo de prisioneiros
> Ditadores soviéticos enraivecidos.[58]

Quando soube que nunca mais poderia retornar à URSS, Clyman publicou uma série de histórias escritas em tom alarmante, porém precisas, que descreviam famílias *kulaks* enviadas para o Norte distante, crescente escassez de alimentos na Ucrânia e os primeiros campos do *Gulag* na Carélia, próxima da fronteira finlandesa. Ela também escreveu sobre os efeitos posteriores à coletivização na Ucrânia:

> Os vilarejos estavam estranhamente abandonados e vazios. De início, não entendi. As casas estavam desocupadas, as portas escancaradas, os tetos começavam a desabar. Senti que talvez seguíssemos a onda de alguma horda de fome que ia varrendo o terreno à nossa frente e desnudando todos aqueles lares. (...) Depois de passarmos por dez, quinze desses vilarejos, comecei a compreender. Aquelas eram as casas dos milhares de camponeses expropriados — os *kulaks* — que eu tinha visto trabalhando na mineração e abatendo árvores no Norte. Aumentamos a velocidade, levantando espessa nuvem de poeira à frente e na retaguarda do carro, mas ainda assim as imóveis casas vazias cravavam em nós seus olhos que nada viam e estavam sempre na nossa dianteira.[59]

Apesar de as publicações de Clyman serem embaraçosas para o governo soviético, nem ela nem o jornal tinham suficiente prestígio para criar qualquer tipo de alvoroço no alto escalão. Sua expulsão ajudou o Estado soviético a manter a ordem. Passava um recado: os jornalistas mais influentes estabelecidos em Moscou precisavam ser cautelosos se quisessem manter seus empregos.

DISSIMULAÇÃO

De fato, eles precisavam ser cautelosos se quisessem até mesmo fazer seus trabalhos. Naquele tempo, os correspondentes em Moscou necessitavam de permissão do Estado não só para continuar residindo, mas também para arquivar seus artigos. Sem a assinatura e o carimbo oficiais do departamento de imprensa, o escritório central dos telégrafos não enviava despacho algum para o exterior. Para conseguir essa permissão, os jornalistas normalmente negociavam com os censores do Ministério de Exterior sobre quais palavras poderiam empregar, e mantinham boas relações com Konstantin Umanskii, servidor soviético responsável pela imprensa estrangeira.[60] William Henry Chamberlin, então correspondente em Moscou da *Christian Science Monitor*, escreveu que o jornalista estrangeiro que se recusa a abrandar seu discurso "trabalha sob uma Espada de Dâmocles — a ameaça de expulsão do país ou a de recusa de permissão para reentrar nele, o que, na realidade, dá na mesma".[61]

Gratificações extras estavam sempre disponíveis para aqueles que soubessem jogar de acordo com as regras, como o caso de Walter Duranty ilustra muito bem. Ele foi correspondente do *New York Times* em Moscou entre 1922 e 1936, função que, por algum tempo, tornou-o relativamente rico e famoso. Duranty, inglês de nascimento, não tinha ligação ideológica com a esquerda, adotando, ao contrário, a posição de "realista" obstinado e cético, tentando ouvir os dois lados da história. "Pode-se fazer objeção à vivissecção de animais vivos como ato triste e horroroso, e é verdade que muitos *kulaks* e outros que fazem oposição ao experimento soviético não se sentem muito felizes", escreveu ele em 1935. Porém, "em ambos os casos, o sofrimento infligido é realizado com objetivo nobre".[62]

Essa postura tornou Duranty extremamente útil ao regime, que fez de tudo para que ele vivesse muito bem em Moscou. Tinha um amplo apartamento, mantinha carro e amante, contava com melhor acesso às autoridades do que qualquer outro correspondente estrangeiro, e foi por duas vezes, invejosamente, agendado para entrevistas exclusivas com Stalin. Todavia, a atenção a ele dispensada por suas reportagens parece ter sido a principal motivação de Duranty para a cobertura lisonjeira que fez da URSS. Enquanto os escritos de Clyman foram pouco impactantes,

380 A FOME VERMELHA

os despachos de Duranty a partir de Moscou tornaram-no um dos mais influentes jornalistas de seu tempo. Muitos dos homens que comporiam o "Brains Trust" de Franklin Roosevelt procuravam por novas ideias econômicas e dedicavam grande interesse pelo experimento soviético; diversos deles visitaram Moscou em 1927, onde lhes foi oferecida uma entrevista de seis horas com Stalin. Os relatos de Duranty coincidiam com a visão geral que aqueles homens tinham do mundo, e despertaram ampla atenção: em 1932, sua série de artigos sobre o sucesso da coletivização e sobre o Plano Quinquenal valeram-lhe o Prêmio Pulitzer. Pouco depois, Roosevelt, então governador do estado de Nova York, convidou Duranty à mansão do governador em Albany, onde o candidato democrata à presidência crivou-lhe de perguntas. "Fiz todas as perguntas desta vez. Foi fascinante", disse Roosevelt a outro repórter.[63]

No entanto, à medida que a fome se agravava, os controles passavam a ser cada vez mais rígidos. Em 1933, os responsáveis pelo Ministério dos Negócios Estrangeiros, uma vez aprendida a lição de Clyman e de suas colegas, começaram a exigir que os correspondentes obtivessem permissão e submetessem proposta de itinerários antes que qualquer viagem fosse realizada. Todas as solicitações de visitas à Ucrânia e ao norte do Cáucaso foram recusadas. O único correspondente francês em Moscou recebeu aprovação para cobrir a visita de Herriot no verão de 1933, mas só depois de ter concordado com a condição de permanecer colado à comitiva do ex-primeiro-ministro, ater-se ao itinerário previsto e não escrever sobre nada além dos eventos cuidadosamente planejados pelo Estado soviético. Os censores começaram também a acompanhar os despachos com menções disfarçadas sobre a fome. Algumas frases e expressões eram aceitas: "aguda escassez de alimentos", "restrição alimentar", "déficit de comestíveis", "doenças devidas à má nutrição", mas nada além disso.[64] No fim de 1932, servidores soviéticos chegaram até a visitar Duranty em sua residência, deixando-o nervoso.[65]

Naquela atmosfera, poucos correspondentes sentiam-se inclinados a escrever sobre a fome, embora todos soubessem dela. "Oficialmente, não há fome" escreveu Chamberlin. Porém, "para qualquer um que vivesse na Rússia em 1933 e que mantivesse olhos abertos e ouvidos atentos, a historicidade da fome era inquestionável".[66] O próprio Duranty debateu a fome com William

DISSIMULAÇÃO

Strang, diplomata da embaixada britânica em Moscou, no fim de 1932. Strang relatou secamente que o correspondente do *New York Times* havia "despertado para a verdade por algum tempo", embora "não tivesse revelado o segredo para o grande público americano". Duranty também disse a Strang imaginar "ser bastante possível que cerca de 10 milhões tenham morrido, direta ou indiretamente, por falta de alimentos", embora esse número nunca tenha aparecido em qualquer um de seus relatos.[67] A relutância de Duranty em escrever sobre a fome pode ter sido particularmente aguda: a história lançou dúvidas sobre sua prévia e positiva reportagem (vencedora de prêmio). Mas ele não foi o único. Eugene Lyons, correspondente da United Press e, ao mesmo tempo, marxista entusiasmado, escreveu anos depois que todos os estrangeiros na cidade tinham consciência do que acontecia na Ucrânia, bem como no Cazaquistão e na região do Volga:

> A verdade é que não procuramos confirmação pela simples razão de não alimentarmos dúvidas quanto ao assunto. Existem fatos tão evidentes que não exigem corroboração de testemunhas oculares. (...) Não houve necessidade de mais investigação para confirmar a mera existência da fome russa, da mesma forma que não foi requerida investigação para provar que houve a depressão americana. Dentro da Rússia, o assunto não entrou em questionamento. A fome era aceita como coisa natural em nossas conversas casuais em hotéis e em nossas casas. Nas estimativas da colônia de estrangeiros, as mortes pela fome ultrapassavam 1 milhão de pessoas; entre os russos, de 3 milhões para cima...[68]

Todos sabiam — embora ninguém a mencionasse. Daí a extraordinária reação tanto do *establishment* soviético quanto da imprensa em Moscou à escapada jornalística de Gareth Jones.

Jones era um jovem galês, com apenas 27 anos ao tempo de sua viagem pela Rússia em 1933. Possivelmente inspirado pela mãe — quando jovem, ela fora governanta da residência de John Hughes, o empreendedor galês que fundou a cidade de Donetsk —, Jones estudou russo, bem como francês e alemão, na Universidade de Cambridge. Depois conseguiu o emprego de secretário

382 A FOME VERMELHA

particular de David Lloyd George, o ex-primeiro-ministro britânico. Ao mesmo tempo, ele começou a escrever como freelancer sobre as políticas europeia e soviética, fazendo breves viagens dentro e fora da URSS, o que o tornava diferente dos outros correspondentes, necessitados de permissão do regime para estabelecer residência em Moscou. Em uma dessas viagens, no início de 1932 e antes do banimento imposto a elas, Jones partiu para o interior (acompanhado por Jack Heinz II, herdeiro do império do ketchup), onde dormiu em "assoalhos infestados de insetos" nos vilarejos soviéticos, e testemunhou o início da fome. Meses depois, ele viajou para Frankfurt-am--Main na comitiva de Adolf Hitler — o primeiro correspondente estrangeiro a ter acesso ao recém-eleito chanceler da Alemanha.[69]

Na primavera de 1933, Jones retornou a Moscou, dessa vez com um visto que lhe foi concedido em grande parte porque ele trabalhava para Lloyd George (nele estava estampado *Besplatno* ou *Gratis*, como sinal de deferência do Estado soviético). Ivan Maisky, embaixador soviético em Londres, estava particularmente interessado em impressionar Lloyd George e fez lobby em favor de Jones. Assim que chegou, Jones percorreu a capital soviética, encontrando-se com outros correspondentes e servidores do regime. Lyons se recordou dele como "homenzinho determinado e meticuloso (...) o tipo de pessoa que carrega bloco de notas e registra, com a maior naturalidade, todas as suas palavras enquanto vocês conversam".[70] Jones conheceu Umanskii, mostrou-lhe convite para fazer uma visita ao cônsul-geral alemão em Kharkov, esboçou um plano para visitar uma fábrica alemã de tratores e pediu para ir até a Ucrânia. Umanskii concordou. Com esse carimbo oficial de aprovação, Jones partiu para o Sul.[71]

Embarcou em um trem em Moscou no dia 10 de março. Porém, em vez de ir diretamente para Kharkov, Jones desembarcou a cerca de sessenta quilômetros ao norte da cidade. Carregando uma mochila com "muitas fatias de pão com manteiga, queijo, carne e chocolate comprados com moeda estrangeira em loja Torgsin", começou a caminhar pelos trilhos na direção da grande cidade, então capital ucraniana.[72] Por três dias, sem acompanhante ou escolta oficial, passou a pé por mais de vinte vilarejos e fazendas coletivas, vendo a Ucrânia rural no auge da fome, e registrando seus pensamentos e impressões em blocos que foram mais tarde preservados pela irmã:

DISSIMULAÇÃO 383

Cruzei a fronteira da Grande Rússia e entrei na Ucrânia. Em todos os lugares, conversei com camponeses que passavam por mim. Todos contavam a mesma história.

"Não há pão. Não temos pão há mais de dois meses. Muitos estão morrendo." No primeiro vilarejo, não restavam mais batatas e o estoque de *buriak* [beterraba] estava se esgotando. Todos disseram: "O gado está morrendo, *nechem kormit* [não há nada para alimentá-lo]. Costumávamos alimentar o mundo e agora passamos fome. Como podemos semear se quase não sobraram cavalos? Como trabalhar nos campos quando estamos fracos pela inanição?"

Então apertei o passo para alcançar um camponês barbudo que por mim passou. Seus pés estavam cobertos por tiras de sacos de aniagem. Ele falava em russo-ucraniano. Dei-lhe um pedaço de pão e um de queijo. "Você não conseguiria comprar isso aqui em lugar nenhum por vinte rublos. Simplesmente não há comida."

Fomos andando e conversando. "Antes da guerra, tudo aqui era ouro. Tínhamos cavalos e vacas, porcos e galinhas. Agora estamos arruinados. (...) Estamos condenados."[73]

Jones dormiu no chão de cabanas de camponeses. Partilhou comida com as pessoas e ouviu suas histórias. "Eles tentaram levar meus ícones, mas eu disse que era um camponês, não um cachorro", contaram a ele. "Quando acreditávamos em Deus, éramos felizes e vivíamos bem. Agora que eles tentam acabar com nosso Deus, passamos fome." Outro homem lhe disse que não comia carne havia um ano.

Jones viu uma mulher tentando fazer tecido em tear caseiro para costurar alguma roupa e um vilarejo em que as pessoas ingeriam carne de cavalo.[74] No fim, ele foi confrontado por um "miliciano", que lhe pediu os documentos, depois policiais à paisana, sem dúvidas do OGPU, insistiram em acompanhá-lo no próximo trem para Kharkov e em levá-lo até a porta do consulado alemão. Jones, "regozijado com minha liberdade, dei-lhes um educado adeus — um anticlímax, mas bem-vindo".[75]

Em Kharkov, ele continuou tomando notas. Observou milhares de pessoas nas filas do pão: "Eles começam a fazer filas entre 3 e 4 horas da tarde para conseguir pão às 7 da manhã do dia seguinte. E o frio está de rachar:

384   A FOME VERMELHA

muitos graus abaixo de zero."[76] Jones foi uma noite ao teatro — "Plateia.
muitos batons, mas nada de pão" — e conversou com as pessoas sobre a
repressão política e as prisões em massa que ocorriam em toda a Ucrânia
ao mesmo tempo que a fome:

> "Eles são agora cruelmente rigorosos nas fábricas. Se você falta um dia, é
> despedido, tem o cartão de racionamento confiscado e não consegue um
> passaporte."
>
> "A vida é um pesadelo. Não posso entrar em um bonde, fico estressado."
>
> "Está mais terrível do que nunca. Caso se dê um pio dentro da fábrica,
> logo vem a demissão. Não há liberdade..."
>
> "Por todos os cantos, repressão. Aonde se vá, terror. Um homem que
> conheci disse: 'Meu irmão faleceu, ainda está lá e não sabemos quando o
> enterraremos, pois há fila para os sepultamentos'."
>
> "Não há esperanças para o futuro."[77]

Ele parece ter tentado contatar um colega de Umanskii em Kharkov, mas
não conseguiu falar com ele. Em sigilo, Jones escapuliu da União Soviética.
Poucos dias depois, em 30 de março, ele apareceu em Berlim para uma coletiva de imprensa, provavelmente organizada por Paul Scheffer, jornalista
do *Berliner Tageblatt* que fora expulso da Rússia em 1929. Jones declarou
que uma grande fome se desenvolvia na União Soviética, e emitiu uma
declaração:

> Por todos os lados, ouve-se o brado: "Não há pão. Estamos morrendo." E
> esses brados partem de todos os rincões da Rússia, do Volga, da Sibéria,
> Rússia Branca, do norte do Cáucaso, da Ásia Central...
>
> No trem, um comunista negou-me haver fome. Joguei na direção de uma
> escarradeira uma casca do pão que eu levava comigo e estava comendo. Um
> camponês que viajava conosco logo a pegou e comeu vorazmente. Joguei uma
> casca de laranja na mesma escarradeira, e o mesmo camponês se apressou em
> pegá-la e devorá-la. O comunista se encolheu. Passei a noite em um vilarejo
> que costumava ter duzentas cabeças de gado, e agora havia apenas seis. Os
> camponeses comiam feno dos animais e só tinham um mês de estoque desse
> alimento. Eles me disseram que muitos já haviam morrido de fome. Dois

DISSIMULAÇÃO

385

soldados chegaram para prender um ladrão. Alertaram-me para não viajar de noite porque havia muitos homens "famintos" e desesperados.

"Estamos à espera da morte", foi a mensagem de boas-vindas que recebi. "Veja, ainda temos esse feno para o gado. Vá mais para o sul. Lá eles não têm coisa alguma. Muitas casas estão vazias porque os moradores já faleceram", lamentaram.

A coletiva de imprensa de Jones foi selecionada por dois jornalistas americanos do *New York Evening Post* baseados em Berlim ("A fome toma conta da Rússia, milhões morrem, a ociosidade prevalece, diz britânico") e do *Chicago Daily News* ("Fome russa é agora tão grande quanto a de 1921, diz secretário de Lloyd George").[78] As notícias se espalharam por outras publicações britânicas; elas esclareciam que Jones fizera "longa peregrinação pela Ucrânia", citavam seu comunicado à imprensa e acrescentavam detalhes da fome em massa. Realçavam, como Jones o fizera, que ele violara as regras que restringiam outros jornalistas: "Percorri a região da terra negra", escreveu ele, "porque ela outrora havia sido a terra mais rica e fértil da Rússia, e porque os correspondentes foram proibidos de ir lá para ver com os próprios olhos o que ocorria."[79] Jones publicou em seguida mais uma dezena de artigos no *London Evening Standard*, no *Daily Express* e no *Cardiff Western Mail*.[80]

As autoridades, que haviam despejado favores sobre Jones, ficaram furiosas. Maxim Litvinov, o ministro soviético do Exterior, queixou-se raivosamente ao embaixador, fazendo alusão literária ácida à famosa peça de Gogol sobre um burocrata fraudulento:

> É espantoso que Gareth Johnson [*sic*] tenha desempenhado o papel de Khlestakov e conseguido que todos vocês personificassem os personagens do governador local e diversos outros da peça *O inspetor geral*. Na verdade, ele é apenas cidadão comum, que se diz secretário de Lloyd George e, aparentemente, a mando deste último, solicitou visto. E vocês da missão diplomática, sem fazer quaisquer verificações, insistiram para que o [OGPU] agisse logo para satisfazer seu requerimento. Demos a esse indivíduo todos os tipos de suporte, ajudamos a realizar seu trabalho, cheguei a concordar em conceder-lhe uma audiência, e ele se revelou um impostor.

A FOME VERMELHA

Imediatamente depois da coletiva de imprensa de Jones, Litvinov proclamou banimento ainda mais rígido para jornalistas que viajassem para fora de Moscou. Mais tarde, Maisky queixou-se a Lloyd George, o qual, segundo o relatório do embaixador soviético, distanciou-se de Jones, declarou que não havia patrocinado a viagem e que não enviara Jones como seu representante. Não se sabe em que Lloyd George realmente acreditava, mas o fato é que ele nunca mais viu Jones de novo.[81]

A imprensa de Moscou ficou ainda mais enfurecida. Evidentemente, todos os seus membros sabiam que o relato de Jones era verdadeiro, e muitos já estavam providenciando meios para contar a mesma história. Malcolm Muggeridge, então correspondente do *Manchester Guardian* — substituindo Chamberlin, que estava viajando —, acabara de contrabandear três artigos para fora do país via malote diplomático. O *Guardian* publicou-os anonimamente, com grandes cortes feitos pelos editores, que desaprovaram suas críticas à URSS, e os artigos passaram quase em branco: eles competiram com histórias maiores sobre Hitler e a Alemanha. O restante da imprensa, entretanto, dependente das graças de Umanskii e Litvinov, uniu-se contra Jones. Lyons descreveu meticulosamente o que ocorreu:

> Derrubar Jones foi tarefa tão desagradável quanto tantas outras que eram submetidas a nós em anos de malabarismo de fatos para agradar regimes ditatoriais — mas nós o derrubamos, unanimemente, e em quase idênticas formulações de equívocos. O pobre Gareth Jones deve ter sido o mais surpreso dos seres humanos quando os fatos saídos de nossas bocas, que ele penosamente coligiu, acabaram encobertos por nossas refutações. (...) Houve muita barganha, em um espírito de cavalheiresco leve-e-tome, sob o esplendor do sorriso dourado de Umanskii, antes que uma negação formal fosse acordada. Admitimos o bastante para aliviar nossas consciências, mas em frases floreadas para condenar Jones como mentiroso. Resolvido o negócio sujo, alguém ordenou que fossem servidos vodca e *zakuski*.[82]

Tenha ou não realmente ocorrido tal reunião, o fato é que ela sintetiza, metaforicamente, o que aconteceu em seguida. Em 31 de março, apenas um dia depois do pronunciamento de Jones em Berlim, o próprio Duranty reagiu.

DISSIMULAÇÃO 387

"Os russos têm fome, mas não estão famintos" foi a manchete do *New York Times*. O artigo de Duranty fez o que pôde para ridicularizar Jones:

> Parece que, de uma fonte inglesa, uma história escabrosa sobre fome na União Soviética surgiu na imprensa norte-americana, com "milhares já mortos e milhões ameaçados de morte e inanição". Seu autor é Gareth Jones, ex-secretário de David Lloyd George, que, recentemente, passou três semanas na União Soviética e chegou à conclusão de que o país está "à beira de terrível desastre", como ele disse ao escritor. O Sr. Jones é um homem com mente arguta e ativa, e se deu ao trabalho de aprender russo, idioma que fala com considerável fluência, mas o escritor achou o julgamento do Sr. Jones um tanto precipitado, e perguntou-lhe no que ele se baseava. Parece que ele fez uma caminhada de uns sessenta quilômetros pelos vilarejos das vizinhanças de Kharkov e considerou as condições tristes.
>
> Sugeri que essa era uma seção transversal bastante inadequada de um país gigantesco, mas nada conseguiu balançar sua convicção de iminente caos.[83]

Duranty prosseguiu, usando uma expressão que se tornaria notória: "Colocando de modo mais brutal: não se pode fazer omelete sem quebrar ovos." Ele se dispôs a explicar que fizera "investigações exaustivas" e concluiu que "as condições são ruins, mas não há fome".

Indignado, Jones escreveu carta ao editor do *Times*, listando pacientemente suas fontes — ampla gama de entrevistados, incluindo mais de vinte cônsules e diplomatas — e atacando a imprensa de Moscou:

> A censura transformou-os em mestres do eufemismo e das meias verdades. Com tais premissas, eles qualificam a "fome" com o polido nome de "escassez de alimentos", e a expressão "morte por inanição" é atenuada para ser lida como "mortalidade generalizada por doenças causadas pela má nutrição".

E o assunto passou para segundo plano. Duranty ofuscou Jones: ele era mais famoso, mais amplamente lido, mais confiável. E também foi incontestado. Mais tarde, Lyons, Chamberlin e outros arrependeram-se de não terem lutado com mais vigor contra ele. Porém, naquela época, ninguém se apresentou em defesa de Jones, nem mesmo Muggeridge, um

388   **A FOME VERMELHA**

dos poucos correspondentes em Moscou que se atreveram a expressar pontos de vista semelhantes. Quanto ao próprio Jones, ele foi sequestrado e assassinado por bandidos chineses, enquanto fazia reportagens na Mongólia, em 1935.[84]

"Os russos têm fome, mas não estão famintos" passou a ser a sabedoria aceita. A manchete encaixou-se também perfeitamente com as considerações políticas e diplomáticas daquele momento. Quando 1933 virou 1934 e, depois, 1935, os europeus ficaram ainda mais preocupados com Hitler. Édouard Herriot foi apenas um dos diversos políticos franceses, incluindo os primeiros-ministros Jean-Louis Barthou e Pierre Laval, que acreditavam que o crescimento do nazismo exigia uma aliança franco-soviética.[85] No Foreign Office britânico, Laurence Collier julgava que uma aliança anglo-soviética seria igualmente necessária. Em resposta à indagação de um membro do Parlamento, ele explicou:

> A verdade é que, evidentemente, temos certa dose de informações sobre as condições da fome (...) e isso não nos obriga a tornar o fato público. Não queremos que ele se torne público, no entanto, porque o governo soviético se ressentiria, e nossas relações com eles ficariam prejudicadas.[86]

Os poloneses, que tinham informações detalhadas sobre a fome, provindas de diversas fontes, também permaneceram em silêncio. Eles haviam assinado tratado de não agressão com a URSS em julho de 1932; suas políticas de trégua e paz fria com os vizinhos soviéticos se voltariam contra eles em 1939.[87]

No fim de 1933, o novo governo Roosevelt procurava ativamente por motivos para atenuar quaisquer notícias ruins sobre a União Soviética. A equipe do presidente concluíra que os desenvolvimentos na Alemanha e a necessidade de conter os japoneses significavam que era hora de, finalmente, os Estados Unidos abrirem relações diplomáticas completas com Moscou. Os interesses de Roosevelt no planejamento centralizado e no que ele acreditava ser o grande sucesso econômico da URSS — o presidente lia atentamente as reportagens de Duranty — encorajaram-no a acreditar que também poderia existir uma lucrativa relação comercial.[88] No fim, um acordo foi conseguido. Litvinov chegou a Nova York para assiná-lo — acompanhado por Duranty.

DISSIMULAÇÃO

No decorrer de farto e suntuoso banquete para o ministro soviético do Exterior, no Waldorf Astoria, Duranty foi apresentado aos cerca de 1.500 convivas. Ele se levantou e curvou-se em deferência.

Ruidosos aplausos se seguiram. O nome de Duranty, a *New Yorker* mais tarde publicou, provocou "o único pandemônio realmente prolongado" daquela noite. "De fato, ficou-se com a impressão de que a América, em um espasmo de discernimento, reconhecia tanto a União Soviética quanto Walter Duranty."[89] Com isso, a dissimulação pareceu completa.

CAPÍTULO 15

A Holodomor *na história e na memória*

Deus meu, calamidade de novo!...
Tudo estava tão em paz, tão sereno;
Mal tínhamos partido os grilhões
O vínculo de nosso povo à escravidão...
Quando vai parar!... Mais uma vez o sangue do povo
Está correndo!

Taras Shevchenko, "Calamity Again" ["Calamidade de novo"], 1859[1]

Nos anos que se seguiram à fome, os ucranianos foram proibidos de falar sobre o que ocorrera. Eles tinham medo de prantear em público. Mesmo que ousassem fazer isso, não existiam igrejas para orar nem sepulturas para decorar com flores. Quando o Estado destruiu as instituições do interior ucraniano, desferiu também poderoso golpe contra a memória pública.

Na vida privada, entretanto, os sobreviventes se lembravam de tudo. Fizeram anotações reais e mentais sobre o que ocorrera. Alguns mantiveram diários, "trancados em baús de madeira", como um deles recordou, e escondidos embaixo de assoalhos ou enterrados no chão.[2] Nos vilarejos, no seio de suas famílias, as pessoas também contavam aos filhos o que havia acontecido. Volodymyr Chepur tinha 5 anos quando a mãe lhe explicou que

392 A FOME VERMELHA

ela e o pai dariam ao menino tudo o que tinham para comer. Mesmo que não sobrevivessem, eles desejavam que Volodymyr resistisse, de modo a poder fazer um testemunho: "Eu não posso morrer, e quando crescer, devo contar a todas as pessoas como nós e nossa Ucrânia perecemos em tormento."[3] Elida Zolotoverkha, filha de Oleksandra Radchenko, que fez um diário, também disse aos filhos, aos netos e, depois, aos bisnetos que o lessem para relembrar "o horror pelo qual a Ucrânia havia passado".[4]

Essas palavras, repetidas por tantas pessoas privadamente, deixaram sua marca. O silêncio oficial conferiu-lhes quase um poder secreto. A partir de 1933, essas histórias se tornaram narrativa alternativa, "história verdadeira" e emocionalmente poderosa da fome, uma tradição oral que cresceu e se desenvolveu com as negativas oficiais.

Embora vivessem em um Estado propagandista, em que o partido controlava a discussão pública, milhões de ucranianos dentro da república conheciam a narrativa alternativa. Esse sentimento de dissociação, o fosso entre a memória pública e a particular, o enorme vazio em que deveria estar o pesar nacional — tudo isso afligiu os ucranianos por décadas. Depois que os pais morreram de inanição na província de Dnipropetrovsk, Havrylo Prokopenko não conseguia parar de pensar na fome. Escreveu na escola uma história sobre ela, acompanhada de ilustração. A professora elogiou o trabalho, porém pediu-lhe que o destruísse, temerosa de complicar a vida dela e a dele. Tal atitude deixou-lhe a impressão de que algo estava errado. Por que a fome não podia ser mencionada? O que o Estado soviético tentava esconder? Três décadas mais tarde, Prokopenko conseguiu ler um poema em uma emissora local de televisão, incluindo um verso sobre "pessoas negras de fome". Em seguida, ele recebeu a visita ameaçadora das autoridades locais, fato que o convenceu de que a URSS era responsável pela tragédia.[5]

A ausência de homenagens também incomodou Volodymyr Samoiliuk. Apesar de ele ter sobrevivido à ocupação nazista e combatido na Segunda Guerra Mundial, nada lhe parecia mais trágico do que a experiência da fome. A memória permaneceu com ele por décadas, e Samoiliuk continuou à espera de que ela aparecesse na história oficial. Em 1967, assistiu a um programa soviético na TV sobre 1933; cravou os olhos na tela, aguardando um reflexo do horror do qual se lembrava. Porém, viu curtas-metragens de

A *HOLODOMOR* NA HISTÓRIA E NA MEMÓRIA 393

entusiasmados heróis do primeiro Plano Quinquenal, o desfile de Primeiro de Maio, e até jogos de futebol daquele ano, "nem uma palavra sobre a horrenda fome".[6]

De 1933 até o fim da década de 1980, o silêncio dentro da Ucrânia foi total — com uma gritante, penosa e complicada exceção.

Hitler invadiu a União Soviética em 22 de junho de 1941. Em novembro, a Wehrmacht já havia ocupado a maior parte da Ucrânia soviética. Sem saber o que viria a seguir, muitos ucranianos, mesmo judeus-ucranianos, de início deram boas-vindas às tropas germânicas. "Moças ofereciam rosas aos soldados alemães, e pessoas davam-lhes pão", lembrou-se uma mulher. "Estávamos muito felizes por vê-los. Eles nos salvariam dos comunistas, que haviam tomado tudo o que tínhamos e nos deixavam passando fome."[7]

Uma recepção semelhante saudara a chegada do exército alemão aos Estados Bálticos, que foram ocupados pela URSS de 1939 a 1941. O Cáucaso e a Crimeia receberam também as tropas germânicas com entusiasmo, mas não porque seus habitantes fossem nazistas. A deskulakização, a coletivização, o terror em massa e os ataques bolcheviques contra a Igreja encorajaram ingênuas e otimistas opiniões sobre o que a Wehrmacht poderia trazer.[8] Em muitas regiões da Ucrânia, a chegada dos alemães inspirou descoletivizações espontâneas. Camponeses não só pegaram suas terras de volta, como também destruíram tratores e os colhedores coletivos de safras, em uma fúria que muito se assemelhou à dos ludistas.[9]

A animação logo se esvaiu — e aqueles que esperavam vida melhor sob a ocupação germânica rapidamente se decepcionaram. O relato completo do que aconteceu a seguir foge ao escopo deste livro, pois a catástrofe infligida pelos nazistas à Ucrânia foi generalizada, violenta e brutal, em escala quase incompreensível. Quando chegaram à URSS, os alemães já tinham vasta experiência na destruição de outros Estados e, na Ucrânia, eles sabiam o que desejavam fazer. O Holocausto teve início de imediato, desenvolvendo-se em público, não em campos distantes. No lugar da deportação, a Wehrmacht organizou execuções em massa tanto de judeus quanto de ciganos, na frente dos vizinhos, nos limites dos vilarejos e nos bosques. Dois em cada três judeus ucranianos morreram no curso da

394   A FOME VERMELHA

guerra — entre 800 mil e 1 milhão de pessoas —, parcela significativa dos milhões que pereceram em todo o continente.

As vítimas soviéticas de Hitler também incluíram mais de 2 milhões de prisioneiros de guerra, muitos dos quais morreram de inanição ou de doenças, a maioria em território ucraniano. O canibalismo aterrorizou de novo a Ucrânia: na Stalag 306, em Kirovohrad, guardas testemunharam prisioneiros comendo a carne de camaradas mortos. Um depoimento da Stalag 365, em Volodymyr Volynskyi, reportou o mesmo.[10] Soldados nazistas roubaram, espancaram e assassinaram arbitrariamente outros ucranianos, em particular servidores públicos. Os eslavos, na hierarquia nazista, eram sub-humanos, *untermenschen*, talvez um degrau acima dos judeus, porém igualmente fadados à eliminação. Muitos dos que haviam saudado a Wehrmacht logo entenderam que haviam simplesmente trocado uma ditadura por outra, em particular quando os alemães deslancharam uma nova onda de deportações. No decorrer da guerra, as tropas nazistas enviaram mais de 2 milhões de ucranianos para campos de trabalhos forçados na Alemanha.[11]

Como cada potência que ocupava a Ucrânia, os nazistas, em síntese, tinham um só interesse: os grãos. Hitler já vinha alegando por algum tempo que "a ocupação da Ucrânia nos livrará de qualquer preocupação econômica", e que o território ucraniano a eles garantiria "que ninguém mais passaria fome, como na última guerra". Desde os últimos anos da década de 1930, seu governo vinha planejando transformar aquela aspiração em realidade. Herbert Backe, sinistro oficial nazista encarregado da alimentação e da agricultura, concebeu um "Plano da Fome", cujos objetivos eram claros: "A guerra só pode ser vencida se toda a Wehrmacht for alimentada pela Rússia no terceiro ano do conflito armado." Mas ele também concluiu que toda a Wehrmacht, assim como a própria Alemanha, só poderiam ser alimentadas se a população soviética fosse totalmente privada de alimentos. Como Backe explicou em suas "Diretrizes para a Política Econômica", emitidas em maio, bem como no memorando que circulou entre mil funcionários germânicos, em junho de 1941, "fome inimaginável" em breve tomaria conta da Rússia, da Bielorrússia e das cidades industriais da URSS: Moscou e Leningrado, além de Kiev e Kharkov. Essa fome não seria acidental: o objetivo era que cerca de 30 milhões de pessoas "fossem extintas".[12] As linhas de ação para

A *HOLODOMOR* NA HISTÓRIA E NA MEMÓRIA 395

a Equipe Econômica do Leste, responsável pela exploração dos territórios conquistados, deixaram bem explícito:

> Muitas dezenas de milhões de pessoas neste território se tornarão supérfluas e terão que morrer ou emigrar para a Sibéria. *Tentativas de resgatar essa população da morte por inanição pela obtenção de excedentes da zona de terra negra só poderão ser feitas às expensas do abastecimento da Europa. Elas evitam que a Alemanha perdure na guerra; elas evitam que Alemanha e Europa resistam ao bloqueio. Em relação a isso, deve imperar a absoluta clareza.*[13] [itálico no original]

Essa era a política de Stalin multiplicada por mil: a eliminação de nações inteiras pela morte por inanição.

Os alemães jamais tiveram a oportunidade de implementar por completo o "Plano da Fome" na Ucrânia. Mas sua influência pôde ser sentida na política de ocupação. A descoletivização espontânea foi logo interrompida, com o argumento de que seria mais fácil requisitar grãos de fazendas coletivas. Backe, supostamente, teria explicado que "os alemães teriam tido que introduzir a política da coletivização se os soviéticos já não a tivessem adotado".[14] Em 1941, as fazendas deveriam ser transformadas em "cooperativas", mas isso nunca ocorreu.[15]

A fome voltou também. A política de "terra arrasada" de Stalin significou que muitos dos ativos econômicos já haviam sido destruídos pelo Exército Vermelho em retirada. A ocupação tornou a situação pior para os que restaram. Pouco antes de Kiev ser conquistada, em setembro, Hermann Göring, ministro da Economia do Reich, teve um encontro com Backe. Os dois concordaram que não deveria ser permitido que a população da cidade "devorasse" alimentos: "Mesmo que se quisesse alimentar todos os habitantes dos recém-conquistados territórios, haveria incapacidade de fazê--lo." Poucos dias mais tarde, Heinrich Himmler, chefe da SS, disse a Hitler que os habitantes de Kiev eram de raça inferior e podiam ser descartados: "Podemos facilmente descartar cerca de 80% a 90% deles."[16]

No inverno de 1941, os alemães interromperam o suprimento de alimentos para a cidade. Contrariando o estereótipo, as autoridades alemãs

396 A FOME VERMELHA

foram menos eficientes que seus correspondentes soviéticos: mercadores camponeses se infiltraram por baixo dos improvisados cordões de isolamento — eles tiveram dificuldades para fazer isso em 1933 — e milhares de pessoas foram novamente para as estradas e ferrovias à procura de comida. A escassez, apesar disso, multiplicou-se por toda a zona de ocupação. Mais uma vez, as pessoas começaram a inchar, desacelerar os movimentos, fixar o olhar no horizonte e perecer. Pelo menos 50 mil pessoas morreram de fome naquele inverno em Kiev. Em Kharkov, isolada da república por um comandante nazista, 1.202 pessoas sucumbiram pela fome nas primeiras duas semanas de maio de 1942. O total de mortes por inanição durante a ocupação chegou a aproximadamente 20 mil.[17]

Foi nesse contexto — de infortúnios e caos, sob brutal ocupação, e com nova fome pairando sobre a república — que se tornou possível, pela primeira vez, falar abertamente sobre a fome de 1933 na Ucrânia. As circunstâncias moldaram a maneira com que a história foi contada. Durante a ocupação, o objetivo dos debates não era ajudar sobreviventes em seu pesar, recuperar, criar um registro honesto ou aprender lições para o futuro. Aqueles que esperaram alguma espécie de reconhecimento pelo que haviam passado ficaram desapontados: muitos dos camponeses que mantiveram diários secretos sobre a fome desenterraram-nos e os levaram aos escritórios dos jornais provinciais. Todavia, "infelizmente, a maioria dos editores não estava, então, interessada naqueles anos decorridos, e aquelas valiosas histórias não receberam publicidade".[18] Em vez disso, os editores — que deviam agora seus empregos, e suas vidas, à nova ditadura —, em sua maior parte, publicaram artigos a serviço da propaganda nazista. O propósito do debate passou a ser a justificativa do novo regime.

Os nazistas, de fato, sabiam bastante sobre a fome soviética. Diplomatas alemães a tinham descrito, enquanto ela ainda ocorria, em seus relatórios detalhados para Berlim; Joseph Goebbels fizera referência à fome em um discurso em congresso do Partido Nazista em 1935, no qual falou sobre 5 milhões de mortes.[19] A partir do momento em que chegaram, os ocupantes alemães da Ucrânia usaram a fome em seu "trabalho ideológico". Esperavam fomentar o ódio contra Moscou e lembrar ao povo as consequências do mando bolchevique. Tinham especial interesse nos ucranianos rurais,

A *HOLODOMOR* NA HISTÓRIA E NA MEMÓRIA   397

cujos esforços eram necessários para produzir os alimentos requeridos pela Wehrmacht. Pôsteres de propaganda, folhas de jornais presas às paredes e histórias em quadrinhos retratavam camponeses infelizes e semifamintos. Em um deles, uma mulher emaciada e o filho são vistos em uma cidade arruinada, acima do slogan "Foi isso que Stalin deu à Ucrânia". Em outro, uma família empobrecida sentada à mesa e sem comida, abaixo de outro slogan: "A vida tornou-se melhor, camaradas, a vida tornou-se mais feliz" — famosa citação de Stalin.[20]

Para marcar o décimo aniversário da fome, em 1942-43 — coincidentemente, o ponto mais alto do poder nazista na Ucrânia —, muitos jornais publicaram matérias com o objetivo de conquistar o apoio dos camponeses. Em julho de 1942, o *Ukraïnskiy Khliborob*, semanário agrícola que alcançava cerca de 250 mil leitores, publicou importante artigo sobre "um ano sem os judeus-bolcheviques":

> Todos os camponeses se lembram muito bem do ano de 1933, quando a fome ceifou pessoas como grama. Em duas décadas, os soviéticos transformaram a terra da abundância em terra da fome, onde nela pereceram milhões. O soldado alemão acabou com essa afronta, os camponeses saudaram o exército germânico com pão e sal, o exército que lutou para que os camponeses ucranianos trabalhassem livremente.[21]

Outros artigos seguiram-se e despertaram certa atenção. Um autor de diário da época registrou que a propaganda nazista resultou em forte impacto porque algumas delas eram verdadeiras:

> (...) só em olhar nosso povo, nossos cavalos, nossos quintais, nossos assoalhos, nossos sanitários, nossos conselhos de vilarejos, as ruínas de nossas igrejas, os arquivos, o lixo — tudo aquilo que horroriza os europeus, mas é ignorado por nossos líderes e seus auxiliares, que se distanciaram das pessoas comuns e do padrão de vida europeu contemporâneo.[22]

Um refugiado de Poltava contou a um entrevistador, imediatamente depois da guerra, que houve muitos debates sobre a fome durante a ocupação.

Também lembrou-se de que, a certa altura, quando pareceu que o Exército Vermelho ia retornar, as pessoas perguntavam: "E o que esses nossos 'Vermelhos' vão trazer? Uma nova fome de 1933?"[23]

Como tudo o mais na imprensa nazista, esses relatos de tempos de guerra eram infestados de antissemitismo. A fome — como também a pobreza e a repressão — foi repetidamente atribuída aos judeus, uma ideia que já tivera valor antes, mas que agora era consagrada na ideologia dos ocupantes. Um jornal publicou que os judeus foram a única parcela da população que não passou fome porque compravam tudo nas lojas Torgsin: "Não faltaram ouro nem dólares aos judeus." Outros falavam do próprio bolchevismo de "produto judeu".[24] Um memorialista lembrou-se de que lhe foi mostrado um filme de propaganda antissemita sobre a fome em Kiev durante a guerra. Ele exibia corpos insepultos e terminava com o assassinato de um policial secreto judeu.[25]

A mídia dos tempos de guerra chegou a publicar um pequeno número de artigos sobre a fome que não foram especificamente projetados para se encaixar na moldura da propaganda nazista. Em novembro de 1942, S. Sosnovyi, economista agrícola, publicou estudo que pode ser classificado como o primeiro quase acadêmico sobre a fome, em jornal de Kharkov, *Nova Ukraïna*. O artigo de Sosnovyi não continha jargão nazista, oferecendo um relato direto do que ocorrera. A fome, escreveu ele, teve o objetivo de destruir a oposição camponesa ucraniana ao poder soviético. Ela não foi resultado de "causas naturais": "Na realidade, as condições climáticas de 1932 não foram extraordinárias como as de, por exemplo, 1921." Sosnovyi também produziu a primeira estimativa séria das baixas. Fazendo referência aos censos de 1926 e 1939 e a outras publicações estatísticas soviéticas (não ao censo suprimido de 1937, apesar de, provavelmente, ter conhecimento dele), ele concluiu que 1,5 milhão de pessoas haviam morrido de fome na Ucrânia em 1932, e que 3,3 milhões sucumbiram em 1933 — quantidades ligeiramente maiores do que as amplamente aceitas agora, mas não muito disparatadas.

Sosnovyi também descreveu, com exatidão, como a fome surgira, provando que a verdadeira história, a "narrativa alternativa", ainda estava muito viva uma década depois do fato:

A *HOLODOMOR* NA HISTÓRIA E NA MEMÓRIA 399

Primeiro, eles tiraram tudo dos depósitos das fazendas coletivas — tudo o que os fazendeiros haviam ganhado pelos seus "dias de trabalho" (*trudodni*). Depois, eles pegaram forragem, sementes, e então foram para as cabanas e se apossaram do restante dos grãos que os camponeses tinham ganhado como adiantamento. (...) Eles sabiam que a área semeada havia sido menor, que a safra colhida também havia sido menor em 1932 na Ucrânia. Entretanto, o plano de aquisição de grãos era extremamente elevado. Não seria esse o primeiro passo para que se organize uma fome? Durante a coleta, os bolcheviques viram que a quantidade restante de grãos era absolutamente pequena, ainda assim prosseguiram e levaram tudo — este é, de fato, o caminho para organizar a fome.[26]

Mais tarde, ideias semelhantes formariam a base da argumentação de que a fome fora um genocídio, plano intencional para destruir a Ucrânia como nação. No entanto, em 1942, esse termo ainda não era empregado, e mesmo seu conceito não interessava a ninguém na Ucrânia ocupada pelos nazistas.

O artigo de Sosnovyi foi seco e analítico, mas o poema que o acompanhou é prova de que o luto, embora reprimido em público, ainda persistia. Composto por Oleska Veretenchenko, "Somewhere in the Distant Wild North" ["Em algum lugar do norte distante e selvagem"] fazia parte do ciclo *1933*, uma série de poemas que apareceu no *Nova Ukraïna* ao longo de 1943. Cada um deles expressou sentimentos diferentes de dor e nostalgia:

O que aconteceu com o riso,
Com as fogueiras que as moças acendiam às vésperas das celebrações de verão?
Onde estão os vilarejos ucranianos
E os pomares de frutas das residências?
Tudo desapareceu num fogo voraz
Mães devoram os filhos;
Loucos andam vendendo carne humana
Nos mercados.[27]

Um eco dessas emoções podia ser também ouvido na privacidade dos lares. Pelo fato de as invasões soviética e alemã terem efetivamente unificado a Ucrânia Ocidental (Galícia, Bucovina e Volhynia Ocidental) ao restante

A FOME VERMELHA

do país, muitos ucranianos ocidentais conseguiram viajar pela primeira vez para o leste, gravando em suas mentes o que viam e ouviam. Embora a fome tivesse sido amplamente debatida em 1933, ainda foi uma surpresa para Bohdan Liubomyrenko, visitante no centro da Ucrânia durante a guerra, ouvir histórias sobre o assunto, uma atrás da outra: "Sempre que visitávamos pessoas, todas as conversas abordavam como algo muito terrível os dias de fome que elas viveram." Por vezes, os anfitriões falavam "a noite toda sobre a terrível experiência":

> Os anos aterrorizantes da fome artificial, que o governo planejou com gosto infernal contra a Ucrânia em 1932-33, penetrou profundamente nas lembranças das pessoas. Dez longos anos foram insuficientes para apagar essas características assassinas e para dispersar os sons agonizantes de crianças inocentes, mulheres e homens, dos jovens que pereciam debilitados pela fome. As tristes lembranças ainda pairam como uma névoa negra acima das cidades e dos vilarejos, e produzem ternor mortal entre as testemunhas que escaparam da inanição.[28]

Os ucranianos também começaram a falar abertamente sobre a coletivização, a resistência e a milícia armada que chegou para reprimi-los em 1930. Muitos tinham clareza quanto às causas políticas da fome, explicando "como os camponeses foram roubados; como tudo foi confiscado, nada deixado para as famílias, mesmo as que tinham filhos pequenos. Eles se apossaram de tudo, e exportaram a pilhagem para a Rússia".[29] Ucranianos de outros locais da URSS também fizeram o mesmo. Nos anos 1980, a escritora Svetlana Aleksievich conheceu uma veterana russa, que servira na companhia de uma ucraniana durante a guerra. Essa última, sobrevivente da fome que perdera a família inteira, disse à veterana russa que só resistiu porque comeu esterco de cavalo: "Quero defender a mãe-pátria, mas não desejo defender Stalin, aquele traidor da revolução."[30]

Assim como fariam mais tarde — e exatamente como hoje —, nem todos os ouvintes acreditaram nessas histórias. A veterana russa ficou com medo de que sua camarada pudesse ser uma "inimiga" ou uma "espiã". Até mesmo os ucranianos nacionalistas da Galícia julgaram difícil engolir a

A *HOLODOMOR* NA HISTÓRIA E NA MEMÓRIA   401

ideia de uma fome patrocinada pelo Estado: "Sinceramente, era difícil de acreditar que o governo possa ter feito uma coisa dessa."[31] A noção de que Stalin, deliberadamente, permitiu que o povo passasse fome era horrível e monstruosa demais até para aqueles que o odiavam.

O fim da Segunda Guerra Mundial não trouxe exatamente um retorno ao *status quo*. Dentro da Ucrânia, a guerra alterou o linguajar do regime. Os críticos da URSS não eram mais simplesmente inimigos, mas "fascistas" ou "nazistas". Qualquer conversa sobre a fome era considerada "propaganda hitlerista". Memórias sobre a fome foram soterradas ainda mais fundo em gavetas e armários, e o debate quanto a ela se tornou traição. Em 1945, uma das autoras de diário mais eloquentes sobre a *Holodomor*, Oleksandra Radchenko, foi literalmente perseguida por conta de seus registros. Durante uma revista em seu apartamento, a polícia secreta encontrou e confiscou o diário dela. Depois de seis meses de interrogatórios, ela foi acusada de "escrever diário com conteúdo contrarrevolucionário". Ao longo do julgamento de Oleksandra, ela declarou aos juízes que "o objetivo principal de meus escritos era devotá-los aos meus filhos. Escrevi porque, dentro de vinte anos, os jovens não vão mais acreditar nos métodos violentos empregados na construção do socialismo. O povo ucraniano enfrentou horrores em 1930-33...". Seu apelo foi ignorado, e ela permaneceu por uma década no *Gulag*, retornando à Ucrânia somente em 1955. [32]

A lembrança dos novos infortúnios sobrepôs-se também à de 1933. A morte dos judeus de Kiev na ravina de Babi Yar em 1941; as batalhas por Kursk, Stalingrado, Berlim, todas travadas por soldados ucranianos; os campos de prisioneiros de guerra, o *Gulag*, os campos de triagem para deportados que retornavam, os massacres e as prisões em massa, os vilarejos reduzidos a cinzas e os campos devastados — tudo isso agora também era parte da história da Ucrânia. Na historiografia oficial soviética, a "Grande Guerra Patriótica", como a Segunda Guerra Mundial passou a ser chamada, se tornou foco central de pesquisa e homenagens, enquanto a repressão dos anos 1930 nunca foi debatida. O ano de 1933 foi encoberto pelos de 1941, 1942, 1943, 1944 e 1945.

402   A FOME VERMELHA

Até o ano de 1946 foi amargo, quando o caos do pós-guerra, o retorno das duras requisições, uma grande seca — e, mais uma vez, a necessidade de exportações, dessa vez para alimentar a Europa Central ocupada pelos soviéticos — levaram a interrupções no suprimento de alimentos. Em 1946-47, aproximadamente 2,5 milhões de toneladas de grãos soviéticos foram despachados para a Bulgária, Romênia, Polônia, Tchecoslováquia, Iugoslávia e até para a França. Os ucranianos, mais uma vez, passaram fome, tanto no campo quanto nas cidades, assim como outros em toda a URSS. As taxas de mortalidade relacionadas à privação de alimentos foram muito elevadas, com centenas de milhares de pessoas sofrendo de má nutrição.[33]

Fora da Ucrânia, a situação também se alterou, e em direção radicalmente diferente. Quando a guerra na Europa terminou, em maio de 1945, centenas de milhares de ucranianos viram-se, como outros cidadãos soviéticos, fora das fronteiras da URSS. Muitos eram trabalhadores forçados, enviados à Alemanha para trabalhar em fábricas e fazendas. Muitos se retiraram acompanhando a Wehrmacht, ou então fugiram para Alemanha antes do retorno do Exército Vermelho: tendo experimentado a fome, eles sabiam que não tinham nada a ganhar com a volta do poder soviético. Olexa Woropay, especialista agrícola de Odessa que testemunhou a fome, viu-se então em um "campo de pessoas deslocadas", próximo à cidade alemã de Munster, onde ele e seus compatriotas viviam em comprido alojamento adaptado de uma garagem militar". No inverno de 1948, enquanto esperavam serem enviados para o Canadá ou para a Inglaterra, "não havia nada para fazer, e as noites eram longas e tediosas. Para passar o tempo, as pessoas contavam histórias de suas vidas". Woropay as escreveu.[34] Poucos anos depois, elas apareceram em Londres, em um pequeno livro intitulado *The Ninth Circle* [*O Nono Círculo*].

Apesar de não ter feito sucesso na ocasião, *The Ninth Circle* é, hoje em dia, uma leitura fascinante. Ele reflete opiniões de pessoas que eram adultas durante a fome, que ainda se lembravam perfeitamente dela e que tiveram tempo suficiente para ponderar suas causas e consequências. Woropay, a exemplo de Sosnovyi alguns anos antes, argumentou que a fome havia sido organizada de propósito, que Stalin a planejou cuidadosamente, e que ela teve, desde o início, a intenção de subjugar e "sovietizar" a Ucrânia. Ele descreveu as rebeliões que se seguiram à coletivização, e explicou o que elas significaram:

A *HOLODOMOR* NA HISTÓRIA E NA MEMÓRIA   403

Moscou entendeu que tudo aquilo assinalava o início de mais uma guerra ucraniana, e ficou nervosa, lembrando-se da luta pela libertação de 1918-21. Ela também conhecia a considerável dimensão da ameaça que uma Ucrânia economicamente independente representaria para o comunismo — em especial porque ainda havia nos vilarejos ucranianos elementos poderosos que eram nacionalmente conscientes e moralmente fortes o suficiente para alimentar a ideia de uma Ucrânia unificada e independente. (...) A Moscou Vermelha, portanto, adotou o mais infame plano para acabar com o poder de resistência dos 35 milhões de habitantes da nação ucraniana. A força da Ucrânia seria solapada pela fome.[35]

Outros membros da diáspora colaboraram. Onde quer que se encontrassem, eles começaram, espontaneamente, a se organizar em torno da fome, para assinalá-la e homenageá-la como um divisor de águas da história da Ucrânia. Em 1948, os ucranianos na Alemanha, muitos em campos de pessoas deslocadas, marcaram o 15º aniversário da fome. Em Hannover, eles organizaram uma manifestação e distribuíram panfletos que descreviam a fome como "assassinato em massa".[36] Em 1950, um jornal ucraniano da Baviera republicou o artigo de Sosnovyi, publicado pela primeira vez na Kharkov ocupada, e repetiu sua conclusão: a fome fora "organizada" pelo regime soviético.[37]

Em 1953, um *émigrée* ucraniano chamado Semen Pidhainy deu um passo adiante. Nascido no seio de família cossaca do Kuban, Pidhainy foi um veterano do *Gulag*. Detido e encarcerado no campo de concentração da ilha de Solovetsky, ele foi libertado antes da invasão nazista e passou a guerra trabalhando na administração da cidade de Kharkov. Acabou indo parar em Toronto em 1949, onde se dedicou ao estudo e à divulgação da história da Ucrânia. Assim como os ucranianos na Alemanha, suas motivações eram tanto políticas quanto morais: desejava relembrar, prantear, mas também despertar a atenção do Ocidente para a natureza brutal e repressiva do regime soviético. Naqueles primeiros anos da Guerra Fria, ainda havia um forte espírito pró-soviético em diversas partes da América do Norte e da Europa. Pidhainy e a diáspora ucraniana se dedicaram à luta contra ele.

A FOME VERMELHA

No Canadá, Pidhainy iniciou a fundação da Associação Ucraniana das Vítimas do Terror Comunista Russo. Também se tornou proeminente organizador emigrado e, muitas vezes, falou para grupos de outros emigrados, encorajando-os a escrever suas memórias, não apenas sobre a fome, mas também sobre a vida na URSS. Outras instituições de emigrados fizeram, ou já tinham feito, o mesmo. O Centro Cultural e Educacional Ucraniano em Winnipeg, fundado em 1944, promoveu uma competição de memórias escritas em 1947. Embora visassem coletar material sobre a Segunda Guerra Mundial, muitos dos textos enviados diziam respeito à fome, e a instituição finalmente acumulou uma coleção substancial.[38] A comunidade ucraniana de todo o mundo também reagiu ao apelo feito por um jornal da diáspora em Munique por memórias que "serviriam como acusação severa contra as arbitrariedades bolcheviques na Ucrânia".[39]

Um dos resultados desses esforços foi *The Black Deeds of the Kremlin* [*Os atos negros do Kremlin*], livro editado por Pidhainy. Compreendendo dois volumes — o primeiro foi publicado em 1953, ano do vigésimo aniversário da fome —, o *Black Deeds* contém dezenas de memórias, bem como análises da fome e outros aspectos repressivos do regime soviético. Entre os autores está Sosnovyi. Dessa vez, seus argumentos foram encurtados e traduzidos para o inglês. Intitulado "A verdade sobre a fome", seu ensaio começa sem rodeios: "A fome de 1932-33 foi necessária para a União Soviética a fim de quebrar a espinha dorsal da oposição ucraniana à dominação total da Rússia. Assim, foi ato político, e não resultado de causas naturais."[40]

Outros descreveram experiências próprias. Curtas e emotivas memórias misturaram-se a recordações mais longas e mais literárias, bem como desenhos e fotografias dos mortos. G. Sova, que fora economista em Poltava, lembrou-se de que: "Em muitas ocasiões, vi os últimos punhados de grãos, de farinha e mesmo de ervilhas e feijões serem levados dos fazendeiros."[41] I. Kh-ko descreveu como o pai "conseguiu esconder alguns grãos nas perneiras de suas botas", durante uma revista em sua casa, mas acabou morrendo de qualquer maneira: "Ninguém o sepultou, pois os mortos jaziam por todos os cantos."[42]

Os editores enviaram o *Black Deeds* para bibliotecas em todo o país. Porém, assim como aconteceu com *The Ninth Circle*, com os artigos de jornais no Canadá e com os panfletos na Alemanha, ele foi diligentemente

A *HOLODOMOR* NA HISTÓRIA E NA MEMÓRIA   405

ignorado pela maioria dos estudiosos soviéticos e pelas revistas acadêmicas tradicionais.[43] A mistura de memórias emotivas de camponeses e ensaios semiacadêmicos não atraiu os historiadores profissionais americanos. Paradoxalmente, a Guerra Fria também não ajudou a causa dos emigrados ucranianos. O linguajar que muitos deles usavam — "atos negros" ou "a fome como arma política" — soou demasiadamente político nos anos 1950, 60 e 70. Os autores eram facilmente desqualificados como "Guerreiros Frios" contando histórias.

A supressão ativa da história da fome pelas autoridades soviéticas também teve, inevitavelmente, poderoso impacto sobre os historiadores e escritores ocidentais. A completa ausência de qualquer informação concreta sobre a fome fez com que as reivindicações ucranianas parecessem, no mínimo, altamente exageradas, até mesmo inverossímeis. Por certo, se tivesse havido tal fome na Ucrânia, o governo soviético não teria reagido? Nenhum governo, seguramente, ficaria inerte se seu povo passasse fome, não é verdade?

A diáspora ucraniana foi também minada pelo status da própria Ucrânia. Até mesmo para sérios acadêmicos da história russa, a noção de "Ucrânia" parecia, na era pós-guerra, mais duvidosa do que nunca. A maior parte dos forasteiros sabia muito pouco sobre o curto momento de independência pós-revolucionária da Ucrânia, e menos ainda sobre as rebeliões dos camponeses em 1919 e 1930. Das prisões e repressões de 1933, eles não conheciam absolutamente nada. O governo soviético encorajava os estrangeiros, bem como seus próprios cidadãos, a pensarem na URSS como entidade única. Os representantes oficiais da Ucrânia no cenário mundial eram porta-vozes da União Soviética e, no Ocidente pós-guerra, a Ucrânia era quase universalmente considerada província da Rússia. As pessoas que se chamavam de "ucranianas" não eram muito levadas a sério, quase da mesma forma com que os defensores da independência escocesa e catalã outrora já pareceram insensatos.

Nos anos 1970, a diáspora ucraniana na Europa, no Canadá e nos Estados Unidos era vasta o suficiente para produzir seus próprios historiadores e periódicos, e também bastante próspera para criar tanto o Instituto de Pesquisa Ucraniana em Harvard quanto o Instituto Canadense de Estudos Ucranianos da Universidade de Alberta, em Edmonton. Mas tais esforços não bastaram para moldar as narrativas históricas convencionais. Frank

406 A FOME VERMELHA

Sysyn, importante acadêmico da diáspora, escreveu que a "etnicização" do assunto pode até ter alienado o restante da comunidade acadêmica, porque fez a história ucraniana se assemelhar a um objetivo secundário, dispensável.[44] A lembrança da ocupação nazista e da cooperação de alguns ucranianos com os ocupantes também significou que foi fácil, mesmo décadas depois, qualificar como "fascista" qualquer medida que defendesse a independência da Ucrânia. A insistência da diáspora ucraniana por sua identidade também deu a muitos norte-americanos e europeus a impressão de ser atitude "nacionalista" e, portanto, suspeita.

Os *émigrés* podiam ser descartados como "notoriamente tendenciosos"; seus relatos, "contos duvidosos de atrocidades". A compilação do *Black Deeds* seria, por fim, descrita por conceituado acadêmico da história russa como "obra de época" da Guerra Fria, sem valor acadêmico.[45] Mas, então, eventos começaram a se desenrolar na própria Ucrânia.

Em 1980, quando o quinquagésimo aniversário da fome se aproximava, grupos da diáspora ucraniana em toda a América do Norte, mais uma vez, planejaram assinalar a ocasião. Em Toronto, o Comitê de Pesquisa sobre a Fome Ucraniana começou a filmar entrevistas com sobreviventes e testemunhas da fome por toda a Europa e América do Norte.[46] Em Nova York, o Fundo de Estudos Ucranianos comissionou James Mace, jovem acadêmico cuja tese de doutorado abordara a Ucrânia, para lançar um grande projeto de pesquisa no Instituto Ucraniano de Harvard.[47] Como no passado, conferências foram agendadas, manifestações foram organizadas, e reuniões, programadas em igrejas e salões de conferências em Chicago e Winnipeg. Porém, dessa vez, o impacto seria diferente. Pierre Rigoulot, historiador francês do comunismo, escrevera que "o conhecimento humano não se acumula como tijolos de uma parede, que cresce regularmente, de acordo com o trabalho do pedreiro. Seu desenvolvimento, como também sua estagnação e seu retrocesso, dependem da estrutura social, cultural e política".[48] Para a Ucrânia, essa estrutura começou a mudar nos anos 1980, e continuaria mudando ao longo da década. .

Em parte, a mudança nas percepções do Ocidente ocorreu graças a eventos dentro da União Soviética, embora fossem demorar a chegar. A

A *HOLODOMOR* NA HISTÓRIA E NA MEMÓRIA   407

morte de Stalin em 1953 não levou a uma reavaliação oficial da fome. Em seu importante "Discurso Secreto" de 1956, Nikita Kruschev, sucessor de Stalin, atacou o "culto à personalidade" que cercou o ditador soviético, e denunciou-o pela morte de centenas de milhares de pessoas, inclusive de muitos líderes do partido, em 1937-38. Kruschev, no entanto, que assumira o Partido Comunista Ucraniano em 1939, manteve-se em silêncio a respeito da fome e da coletivização. Sua recusa em tocar nesses assuntos significou que o destino dos camponeses permaneceu difícil de discernir, até mesmo para os intelectuais dissidentes, nos anos seguintes. Em 1969, Roy Medvedev, membro do alto escalão do partido, mencionou a coletivização no *Let History Judge* [*Deixem a história julgar*], a primeira história "dissidente" do stalinismo. Medvedev descreveu "dezenas de milhares" de camponeses morrendo por inanição, porém reconheceu que pouco sabia.

Não obstante, o "degelo" de Kruschev produziu algumas rachaduras no sistema. Embora os historiadores não pudessem tocar em determinados assuntos, os escritores, por vezes, podiam. Em 1962, uma revista literária soviética publicou *A Day in the Life of Ivan Denisovich* [*Um dia na vida de Ivan Denisovich*], de Alexander Soljenitsyn, a primeira representação honesta do *Gulag*. Em 1968, outra revista publicou curto romance de autor russo bem menos conhecido, Vladimir Tendriakov, no qual ele escreveu sobre os "*kulaks* ucranianos, expropriados e exilados da mãe-pátria", morrendo na praça de cidade provincial: "Fica-se acostumado a ver mortos por lá de manhã, e o servente do hospital, Abram, passar com sua carroça e nela empilhar os corpos. Nem todos estão mortos. Muitos perambulam pelas vielas poeirentas e sórdidas, arrastando as pernas inchadas e azuladas pela elefantíase, tocando os passantes e mendigando com olhos chorosos."[49]

Na própria Ucrânia, a rejeição intelectual e literária ao stalinismo teve um claro caráter nacional. Na atmosfera menos repressiva do fim dos anos 1950 e início dos 60, os intelectuais ucranianos — em Kiev, Kharkov e, agora, também em Lviv, outrora território polonês incorporado à Ucrânia soviética em 1939 — mais uma vez começaram a se reunir, a escrever e a debater a possibilidade de um novo despertar nacional. Muitos haviam estudado em escolas primárias que ainda ensinavam às crianças em ucraniano, e muitos cresceram escutando versões da "história alternativa" de seu país, contadas

A FOME VERMELHA

por pais e avós. Alguns começaram a falar abertamente sobre a promoção da língua ucraniana, da literatura ucraniana e da história ucraniana, que diferia da história russa.

Essas tentativas silenciosas de ressuscitar a sombra de uma identidade nacional alarmaram Moscou. Em 1961, sete acadêmicos ucranianos foram presos e julgados em Lviv, entre eles Stepan Virun, que ajudara a escrever o panfleto criticando "a injustificada repressão acompanhada de acusações de nacionalismo e de aniquilação de centenas de personalidades culturais e do partido".[50] Outras duas dezenas foram julgadas em Lviv em 1966. Entre outros "crimes", um deles foi acusado de ter um livro que continha poema "antissoviético"; por ter sido impresso sem o nome do autor, a polícia não foi capaz de identificar a obra de Taras Shevchenko (cujos trabalhos, na época, eram perfeitamente legais).[51] Shelest, líder do Partido Comunista da Ucrânia, presidiu aquelas prisões. No entanto, depois de ter perdido sua posição de primeiro-secretário, em 1973, ele também foi atacado pelo fato de *O Ukraine, Our Soviet Land* [Oh! Ucrânia, nossa terra soviética] "devotar muito espaço ao passado ucraniano, à sua história pré-outubro, enquanto não glorificava adequadamente eventos históricos, tais como o triunfo do Grande Outubro, a batalha para construir o socialismo". O livro foi banido, e Shelest permaneceu em desgraça até 1991.[52]

Porém, nos anos 1970, a URSS não estava mais tão isolada do mundo quanto em outros tempos e, dessa vez, as prisões encontraram eco. Os prisioneiros ucranianos conseguiram contrabandear notícias de seus casos até Kiev; dissidentes na capital ucraniana aprenderam como entrar em contato com a Radio Liberty da BBC. Em 1971, tanto material havia vazado da URSS que foi possível publicar uma coleção editada de depoimentos sobre a Ucrânia, inclusive apaixonados testemunhos de ativistas nacionais ucranianos enjaulados. Em 1974, dissidentes publicaram um jornal clandestino que dedicou várias páginas à coletivização e à fome de 1932-33. Uma tradução para o inglês do jornal surgiu também, com o título "Etnocídio de ucranianos na URSS".[53] Observadores e analistas soviéticos no Ocidente gradualmente tomaram conhecimento de que os dissidentes ucranianos tinham um conjunto separado e distinto de queixas. Quando a invasão do Afeganistão pelos soviéticos, em 1979, e a eleição de Ronald Reagan, em

A *HOLODOMOR* NA HISTÓRIA E NA MEMÓRIA   409

1981, deram um fim repentino à era da *détente*, uma parcela bem maior do público ocidental também voltou a se concentrar na história da repressão soviética, inclusive a que ocorreu dentro da Ucrânia.

No início dos anos 1980, a diáspora ucraniana também havia mudado. Mais estabilizadas e contando com melhores condições financeiras — seus integrantes não eram mais pobres refugiados, e sim membros estabelecidos das classes médias norte-americana e europeia —, as organizações da diáspora podiam patrocinar projetos mais substanciais e transformar material disperso em livros e filmes. O projeto canadense de entrevistas transformou-se em importante documentário: *Harvest of Despair* [*Safra do desespero*] ganhou prêmios em festivais de cinema e apareceu na televisão pública canadense na primavera de 1985.

Nos Estados Unidos, a relutância inicial das emissoras públicas em exibir o filme — havia o temor de que fosse muito "de direita" — tornou-se controversa. A PBS finalmente exibiu o filme em setembro de 1986, como episódio especial da "Firing Line", programa produzido pelo colunista conservador e editor da *National Review* William Buckley, e depois da transmissão houve um debate também televisionado entre Buckley, o historiador Robert Conquest e os jornalistas Harrison Salisbury, do *New York Times*, e Christopher Hitchens, então do *Nation*. Grande parte do debate nada teve a ver com a fome. Hitchens levantou o tópico do antissemitismo ucraniano. Salisbury concentrou grande parte de suas observações em Duranty.[54] Mas, depois do filme, houve uma cascata de resenhas e artigos.

Uma onda de interesse ainda maior acompanhou a publicação de *Harvest of Sorrow* de Conquest, o mais visível fruto do projeto documental de Harvard, poucos meses mais tarde. O livro (como este aqui) foi escrito em colaboração com o Instituto de Pesquisa Ucraniana de Harvard. Conquest não teve acesso aos arquivos hoje disponíveis; porém, trabalhou com Mace para coligir as fontes existentes: documentos soviéticos oficiais, memórias, testemunhos orais de sobreviventes na diáspora. *Harvest of Sorrow* foi finalmente publicado em 1986, e recebeu críticas em todos os jornais britânicos e americanos mais importantes, bem como em muitas revistas acadêmicas — fato sem precedentes, na época, para um livro sobre a Ucrânia. Muitos críticos expressaram espanto por saberem tão pouco

410 A FOME VERMELHA

sobre uma tragédia tão mortal. No *Times Literary Suplement* o acadêmico soviético Geoffrey Hosking ficou chocado ao descobrir "quanto material havia se acumulado ao longo dos anos, a maioria do qual perfeitamente acessível às bibliotecas britânicas": "Quase inacreditavelmente, o livro do dr. Conquest é o primeiro estudo histórico daquilo que tem que ter sido o maior dos horrores provocados pelo homem, em um século repleto deles." Frank Sysyn observou simplesmente: "Nenhum livro que enfoque a Ucrânia já despertou tamanha atenção."[55]

Nem toda essa atenção foi positiva: vasta gama de periódicos profissionais não publicou resenha alguma sobre o livro de Conquest, enquanto alguns historiadores norte-americanos, que viam o escritor tanto como representante da mais tradicional escola soviética de história quanto como membro da direita política, denunciaram o livro em termos inequívocos. J. Arch Getty queixou-se no *London Review of Books* de que as opiniões de Conquest tinham sido promovidas pelo Instituto do Empreendimento Americano, um "grupo de reflexão" conservador, e descartou suas fontes como "partisans" por serem ligadas aos "emigrados ucranianos no Ocidente". Getty concluiu que "no clima político conservador da atualidade, com seu discurso do 'império demoníaco', tenho certeza de que o livro fará muito sucesso". Na época, como agora, a argumentação histórica sobre a Ucrânia era moldada por argumentos inerentes à política americana. Embora não exista razão objetiva para que o estudo sobre a fome tenha sido considerado "de direita" ou "de esquerda", a política da academia da Guerra Fria significou que qualquer acadêmico que escrevesse sobre atrocidades soviéticas era facilmente rotulado.[56]

Harvest of Sorrow finalmente repercutiria dentro da própria Ucrânia, embora as autoridades tenham tentado impedir. Assim que o projeto de pesquisa de Harvard foi lançado, em 1981, uma delegação da Missão da ONU da República Socialista Soviética da Ucrânia visitou a universidade e solicitou ao Instituto de Pesquisa Ucraniana que abandonasse o projeto. Em troca, foi-lhe oferecido acesso aos arquivos soviéticos, uma enorme raridade na época. Harvard recusou. Depois que trechos do livro de Conquest surgiram no *Globe and Mail* de Toronto, o primeiro-secretário da embaixada soviética escreveu carta raivosa ao editor: sim, alguns passaram fome, ponderou ele, mas foram vítimas da seca e da sabotagem *kulak*.[57] Uma vez publicado o

A *HOLODOMOR* NA HISTÓRIA E NA MEMÓRIA   411

livro, tornou-se também impossível afastá-lo dos ucranianos. No outono de 1986, ele foi lido em voz alta na Radio Liberty, estação de rádio apoiada pelos americanos e com sede em Munique, para os ouvintes de dentro da URSS.

Uma reação soviética mais elaborada ocorreu em 1987, com a publicação do *Fraud, Famine and Fascism: The Ukrainian Genocide Myth from Hitler to Harvard* [Fraude, fome e fascismo: O mito do genocídio ucraniano de Hitler a Harvard]. O pretenso autor, Douglas Tottle, era militante trabalhista canadense. Seu livro descreveu a fome como uma farsa inventada e propagada por fascistas ucranianos e grupos antissoviéticos do Ocidente. Embora Tottle reconhecesse que o clima ruim e o caos pós-coletivização tivessem causado escassez de alimentos naqueles anos, ele se recusou a reconhecer que um Estado maligno tivesse desempenhado qualquer papel para alastrar a fome. Seu livro não só descreveu a fome ucraniana como "mito", mas também acusou quaisquer relatos sobre o assunto, por definição, de propaganda nazista. O livro de Tottle afirmou, entre outras coisas, que a diáspora ucraniana era toda "nazista"; que os livros e monografias sobre a fome constituíam esforço de propaganda nazista e antissoviética, que tinha também vínculos com a inteligência ocidental; que a Universidade Harvard "vinha, por muito tempo, sendo um antro de pesquisa, estudos e programas anticomunistas", e era ligada à CIA; que os escritos de Malcolm Muggeridge estavam contaminados porque os nazistas tiraram proveito deles; e que o próprio Muggeridge era um agente britânico.[58]

O Instituto de História do Partido, tanto em Moscou quanto em Kiev, contribuiu para o manuscrito de Tottle; versões não assinadas foram enviadas de um lado para o outro entre os escritórios daqueles dois comitês centrais do partido, a fim de serem corrigidas e comentadas. Diplomatas soviéticos acompanharam a publicação e o progresso do livro, e o promoveram de todas as formas possíveis.[59] O livro, no fim das contas, despertou poucas resenhas: em janeiro de 1988, o *Village Voice* publicou um artigo, "Em busca de um Holocausto soviético: uma fome com 55 anos de idade alimenta a direita", que se valeu do livro de Tottle de forma não crítica.[60]

Em retrospecto, o livro de Tottle tem importância, em grande parte, por ser precursor do que estava por vir quase três décadas mais tarde. Sua

412　　　　A FOME VERMELHA

ideia central foi construída em torno do suposto elo entre o "nacionalismo" ucraniano — definido como qualquer debate sobre a repressão na Ucrânia, ou qualquer comentário sobre a independência ou soberania ucranianas — e o fascismo, bem como com as inteligências americana e britânica. Muito depois, esses mesmos vínculos — Ucrânia, fascismo e CIA — seriam empregados na campanha russa de informações contra a independência da Ucrânia e o movimento anticorrupção de 2014. Em um sentido muito real, as fundações da campanha foram estabelecidas em 1987.

Fraud, Famine and Fascism, como outras desculpas soviéticas daquele tempo, concedeu que houve alguma fome na Ucrânia e na Rússia em 1932-33, porém atribuiu a inanição em massa às demandas da "modernização", à sabotagem *kulak* e ao suposto clima ruim. Como todas as mais sofisticadas campanhas de difamação, elementos da verdade foram combinados com falsidades e exageros. O livro de Tottle realçou, com exatidão, que algumas das fotos identificadas naquele tempo como relativas à fome de 1933 foram, na verdade, tiradas durante a fome de 1921. O autor também identificou corretamente alguns relatórios ruins ou enganadores dos anos 1930. Por fim, Tottle escreveu, com propriedade, que alguns ucranianos haviam colaborado com os nazistas, e que esses últimos, durante a ocupação da Ucrânia, tinham escrito e falado muito sobre a fome.

Embora tais fatos não minimizem a tragédia de 1932-33 nem alterem suas causas, as associações entre "nacionalistas" e "nazistas" tinham simplesmente o propósito de difamar quem quer que escrevesse algo sobre a fome. Até certo ponto, a estratégia funcionou: a campanha soviética contra a memória ucraniana sobre a fome — e contra os historiadores da fome — deixou um rastro de incerteza. Até Hitchens se sentiu obrigado a mencionar os colaboradores ucranianos dos nazistas no debate sobre o *Harvest of Despair*, e parte da comunidade acadêmica sempre abordaria a obra de Conquest com certa cautela.[61] Sem acesso aos arquivos, era ainda impossível, nos anos 1980, descrever a série de decisões deliberadas que levaram à fome da primavera de 1933. Era igualmente impossível relatar em minúcias o rescaldo, a dissimulação, ou o censo suprimido de 1937.

Os projetos de pesquisa que conduziram tanto ao *Harvest of Despair* quanto ao *Harvest of Sorrow*, entretanto, tiveram mais repercussão. Em

A *HOLODOMOR* NA HISTÓRIA E NA MEMÓRIA

1985, o Congresso dos Estados Unidos criou uma comissão bipartidária para investigar a fome ucraniana e nomeou Mace como chefe da comissão. Seu objetivo era "conduzir estudo sobre a fome ucraniana de 1932-33 de forma a expandir o conhecimento mundial sobre a fome e proporcionar ao povo americano melhor entendimento do sistema soviético, revelando o papel soviético" nela.[62] A comissão levou três anos para preparar seu relatório, uma coleção de depoimentos orais e escritos de sobreviventes na diáspora, que continua sendo um dos maiores já publicados em língua inglesa. Quando a comissão apresentou seu trabalho, em 1988, a conclusão foi de encontro à linha soviética: "Não há dúvida", concluiu a comissão, de que "grande quantidade de habitantes da República Socialista da Ucrânia e do Território do norte do Cáucaso morreram por inanição em uma fome fabricada pelo homem, em 1932-33, e causada pelo confisco da safra de 1932 por parte das autoridades soviéticas."

Além disso, a comissão descobriu que "as alegações soviéticas oficiais de 'sabotagem *kulak*', sobre a qual foram imputadas todas as dificuldades durante a fome, são falsas"; que a "fome não foi, como suposto, relacionada à seca; e que "tentativas foram feitas para evitar que famintos viajassem para áreas em que os alimentos fossem mais acessíveis". A comissão concluiu que "a fome ucraniana de 1932-33 foi causada pela extração de produtos agrícolas da população rural", e não, em outras palavras, pelo "mau tempo" ou "sabotagem *kulak*".[63]

As conclusões refletiram as de Conquest. Também confirmaram a autoridade de Mace e propiciaram uma montanha de novos materiais para que outros acadêmicos os usassem nos anos seguintes. Mas, no momento em que a comissão fez sua declaração final em 1988, os mais importantes debates sobre a fome ucraniana finalmente haviam começado, não na Europa ou na América do Norte, mas dentro da própria Ucrânia.

Em 26 de abril de 1986, algumas medições estranhas e fora do padrão surgiram nos equipamentos detectores de radiação na Escandinávia. Cientistas nucleares de toda a Europa, de início, suspeitaram de mau funcionamento dos medidores, mas deram o alarme. Os números não tinham surgido ao acaso. Em poucos dias, fotos de satélites indicaram com

414   A FOME VERMELHA

grande precisão a fonte da radiação: o complexo nuclear de Chernobyl, no norte da Ucrânia. Investigações foram feitas, mas o governo soviético não ofereceu explicação nem diretrizes. Cinco dias depois da explosão, um desfile de Primeiro de Maio ocorreu em Kiev, a menos de 120 quilômetros de distância de Chernobyl. Milhares de pessoas caminharam pelas ruas de Kiev, absolutamente inconscientes da nuvem radioativa invisível que pairava na atmosfera da cidade. O governo sabia do perigo. O líder do Partido Comunista da Ucrânia, Volodymyr Shcherbytskyi, chegou atrasado ao desfile, obviamente angustiado: o secretário-geral soviético havia pessoalmente ordenado ao líder que não cancelasse o evento. "Você colocará sua carteira de afiliado do partido sobre a mesa", Gorbachev alertara Shcherbytskyi, "caso prejudique o desfile."[64]

Dezoito dias após o acidente, Gorbachev, de repente, deu uma guinada de 180 graus em sua política. Apareceu na televisão soviética e anunciou que o povo tinha o direito de saber o que ocorrera. Equipes soviéticas de filmagens chegaram ao local e entrevistaram médicos e habitantes locais; Gorbachev afirmou então que uma decisão equivocada fora tomada; o teste de uma turbina dera errado; um reator nuclear derretera-se por completo. Soldados de toda a União Soviética despejaram concreto sobre os restos fumegantes. As pessoas que viviam em um raio de trinta quilômetros de Chernobyl haviam sido evacuadas de suas casas e fazendas, por tempo indefinido. O número de mortes, oficialmente listado como 31 pessoas, na realidade chegou aos milhares, quando todos os homens que haviam jogado concreto ou os que voaram de helicóptero sobre o reator destruído começaram a falecer de doenças causadas pela radiação em outras regiões da URSS.

O impacto psicológico do acidente não foi menos profundo. Chernobyl destruiu o mito da competência técnica soviética — um dos poucos em que ainda se acreditava. Se a URSS havia prometido aos seus cidadãos que o comunismo os guiaria ao futuro *high-tech*, Chernobyl levou-os a questionar se a URSS poderia pelo menos ser confiável. Mais importante ainda, Chernobyl relembrou à URSS, e ao mundo, as drásticas consequências do sigilo soviético, chegando mesmo a fazer com que o próprio Gorbachev reconsiderasse a recusa de seu partido em discutir o passado, bem como o presente. Abalado com o acidente, o líder soviético lançou a política

A *HOLODOMOR* NA HISTÓRIA E NA MEMÓRIA

da *glasnost*. Literalmente traduzida como "abertura" ou "transparência", a *glasnost* encorajou os servidores públicos e todos os indivíduos a revelarem a verdade sobre as instituições soviéticas e a história soviética, inclusive a de 1932-33. Em decorrência dessa decisão, a rede de mentiras tecida para esconder a fome — a manipulação de estatísticas, a destruição dos registros de mortes, a prisão dos autores de diários — finalmente seria descosturada.[65]

Dentro da Ucrânia, o acidente despertou lembranças de traições passadas e de catástrofes históricas, levando os ucranianos a desafiar o Estado sigiloso. Em 5 de junho, apenas seis semanas depois da a explosão de Chernobyl, o poeta Ivan Drach ergueu-se para falar em reunião da União dos Escritores Ucranianos. Suas palavras tiveram um viés emocional incomum: o filho de Drach era um dos soldados enviados para a área do acidente sem as vestes protetoras adequadas, e agora sentia os efeitos da venenosa radiação. O próprio Drach havia sido um dos defensores do poder nuclear, tendo em vista que ele ajudaria a modernizar a Ucrânia.[66] Agora, ele acusava o sistema soviético pelo derretimento do reator, pelo manto do segredo que esconde-ra as explosões e pelo caos que se seguiu. Drach foi a primeira pessoa que comparou Chernobyl à fome. Discursando longamente, ele declarou que "um raio nuclear se abateu sobre a constituição genética da nação":

> Por que a geração mais nova se distanciou de nós? Porque não aprendemos a falar abertamente, a dizer a verdade sobre como nós vivíamos, e sobre como nós agora vivemos. Nos acostumamos com a falsidade. (...) Quando vemos Reagan à frente de uma comissão sobre a fome de 1933, me pergunto, onde está o Instituto de História no que se refere à verdade de 1933?[67]

As autoridades do partido mais tarde descartaram as palavras de Drach como "explosão emocional", e censuraram até a transcrição interna do discurso. A referência ao "raio nuclear" desabando "sobre a constituição genética da nação" — frase que viria a ser, ampla e equivocadamente, interpretada como referência direta a genocídio — foi substituída por "se abateu dolorosamente".[68]

Mas não havia como retroceder: os comentários de Drach impactaram aqueles que os ouviram na época e aqueles que os repetiram depois. Os

416 A FOME VERMELHA

eventos foram ganhando ritmo; muito rapidamente, a *glasnost* se tornou real. Gorbachev pretendia que a política revelasse os malfeitos das instituições soviéticas, com a esperança de que isso as fizesse funcionar melhor. Outros interpretaram a *glasnost* em sentido mais amplo. Histórias verdadeiras e histórias factuais começaram a surgir na mídia soviética. As obras de Alexander Soljenitsyn e de outros cronistas sobre o *Gulag* foram impressas pela primeira vez. Gorbachev tornou-se o segundo chefe soviético, depois de Kruschev, a falar ostensivamente sobre "espaços vazios" na história soviética. E, diferentemente de seu antecessor, Gorbachev expôs seus pontos de vista na televisão:

> (...) a falta de democratização apropriada na sociedade soviética foi exatamente o que tornou possível tanto o culto à personalidade quanto as violações da lei, as arbitrariedades e as repressões dos anos 1930 — para ser direto, crimes baseados no abuso do poder. Muitos milhares de membros e não membros do partido ficaram sujeitos às repressões em massa. Esta, camaradas, é a dura verdade.[69]

Com igual velocidade, a *glasnost* começou a parecer insuficiente para os ucranianos. Em agosto de 1987, Vyacheslav Chornovil, importante intelectual dissidente, escreveu carta aberta de trinta páginas a Gorbachev, acusando-o de ter lançado uma *glasnost* "superficial", uma que preservava a "soberania fictícia" da Ucrânia e de outras repúblicas não russas, mas que suprimia suas línguas, suas memórias, suas verdadeiras histórias. Chornovil providenciou sua própria lista de "espaços vazios" na história ucraniana, nomeando as pessoas e os incidentes que ainda estavam de fora dos relatos oficiais: Hrushevsky, Skrypnyk, Khvylovyi, a prisão em massa de intelectuais, a destruição da cultura nacional, a supressão da língua ucraniana e, é evidente, a grande fome "genocida" de 1932-33.[70]

Outros seguiram o exemplo. O comitê ucraniano da Memorial, sociedade soviética para homenagear as vítimas de Stalin, começou coletar abertamente testemunhos e lembranças pela primeira vez. Em junho de 1988, outro poeta, Borys Oliinyk, levantou-se no 19º Congresso do Partido em Moscou — a mais aberta e argumentativa das reuniões na história do partido, e a

A *HOLODOMOR* NA HISTÓRIA E NA MEMÓRIA

primeira a ser televisionada ao vivo. Ele propôs três questões: o status da língua ucraniana, os perigos do poder nuclear e a fome: "As razões para a fome de 1933, que extinguiu as vidas de milhões de ucranianos, precisam ser tornadas públicas, e os responsáveis por tal tragédia [devem] ter seus nomes identificados."[71]

Nesse contexto, o Partido Comunista da Ucrânia preparou uma resposta ao Relatório do Congresso dos EUA. Preso em um dilema, o partido decidiu, como era muito frequente nos anos finais da URSS, criar um comitê. Shcherbytskyi encarregou acadêmicos da Academia de Ciências da Ucrânia e do Instituto da História do Partido — as organizações que estavam por trás da publicação do *Fraud, Famine and Fascism* — de refutar as acusações gerais e, em particular, de se contrapor a conclusões tiradas pelo Relatório do Congresso dos EUA. Os integrantes do comitê pretendiam, mais uma vez, produzir uma negação oficial. Para garantir seu sucesso, os historiadores tiveram acesso às fontes dos arquivos.[72]

O resultado foi uma surpresa. Para muitos dos acadêmicos, os documentos foram uma revelação. Eles continham relatos precisos das decisões políticas, dos confiscos de grãos, dos protestos dos ativistas, dos cadáveres nas ruas das cidades, das tragédias dos órfãos, do terror e do canibalismo. Não houve fraude, concluiu o relatório. O "mito da fome" também não era uma "trama fascista". A fome fora verdadeira, ela ocorrera, e não podia mais ser negada.

O sexagésimo aniversário da fome, no outono de 1993, foi diferente de todos os outros que o precederam. Dois anos antes, a Ucrânia havia eleito seu primeiro presidente e votou, em esmagadora maioria, pela independência; a recusa subsequente do governo em assinar o tratado da nova união antecipara a dissolução da União Soviética. O Partido Comunista da Ucrânia, em um de seus últimos e memoráveis atos antes de deixar o poder, aprovou uma resolução jogando a culpa pela fome de 1932-33 sobre o "comportamento criminoso perseguido por Stalin e por sua comitiva mais próxima".[73] Drach e Oliinyk juntaram-se a outros intelectuais para fundar o Rukh, partido político independente e primeira manifestação legal do movimento nacional desde as repressões do início dos anos 1930. Pela primeira vez na

418 A FOME VERMELHA

história, a Ucrânia era um Estado soberano, e reconhecido como tal pela maior parte do mundo.

Como Estado soberano, a Ucrânia era livre, no outono de 1993, para debater e celebrar sua própria história. Por razões variadas, ex-comunistas e ex-dissidentes estavam ansiosos por dizer alguma coisa. Em Kiev, o governo organizou uma série de eventos públicos. Em 9 de setembro, o vice-primeiro-ministro abriu uma conferência de acadêmicos, realçando o significado político das homenagens à fome. "Só uma Ucrânia independente pode garantir que tal tragédia nunca se repita", afirmou ele para a plateia. James Mace, então figura amplamente conhecida e admirada na Ucrânia, estava lá. Ele também chegou a conclusões políticas: "Eu espero que essas homenagens ajudem os ucranianos a relembrarem os perigos do caos político e da dependência política a potências vizinhas." O presidente Leonid Kravchuk, ex-membro do *apparatchik* comunista, também discursou: "Uma forma democrática de governo protege o povo de tais infortúnios", disse ele. "Se perdermos nossa independência, estaremos condenados para sempre ao atraso econômico, político e cultural. Se isso acontecer, mais importante ainda, sempre faremos face à possibilidade de repetir essas horrendas páginas de nossa história, incluindo a fome, que foi planejada por uma potência estrangeira."[74]

Ivan Drach, líder do Rukh, conclamou por um reconhecimento mais amplo do significado da fome: exigiu que os russos "se arrependessem", e que seguissem o exemplo dos alemães na admissão de sua culpa. Referiu-se diretamente ao Holocausto, ressaltando que os judeus "haviam forçado todo o mundo a reconhecer a culpa coletiva diante deles". Apesar de não afirmar que todos os ucranianos foram vítimas — "saqueadores bolcheviques na Ucrânia mobilizaram também ucranianos" —, seu tom foi nacionalista: "A primeira lição que começa a fazer parte da conscientização ucraniana é que a Rússia jamais teve, e jamais terá, qualquer outro interesse na república que não seja a total destruição da nação ucraniana."[75]

As solenidades continuaram por todo o fim de semana. Flâmulas negras foram penduradas em todos os prédios governamentais; milhares de pessoas se reuniram para uma cerimônia memorial no lado de fora da Catedral de Santa Sofia. Porém, as mais tocantes celebrações foram espontâneas. Mul-

A *HOLODOMOR* NA HISTÓRIA E NA MEMÓRIA 419

tidões se concentraram na rua Khreshchatyk, o bulevar central de Kiev, onde pessoas de todos os lugares pregaram fotos e documentos pessoais em quadros de avisos existentes em três pontos ao longo da rua. Um altar foi erguido na metade do bulevar; visitantes deixaram flores e pão ao seu lado. Líderes cívicos e políticos de toda a Ucrânia colocaram coroas de flores aos pés do novo monumento. Alguns trouxeram jarras com terra — parte do solo das valas coletivas com os corpos das vítimas da fome.[76]

Para os que estavam lá, o momento pareceria definitivo. A fome havia sido publicamente reconhecida e lembrada. Mais do que isso: depois de séculos de colonização imperial russa e décadas de repressão soviética, ela havia sido reconhecida e lembrada em uma Ucrânia soberana. Para o bem ou para o mal, a história da fome se tornara parte da política ucraniana e da cultura contemporânea da Ucrânia. Crianças agora a estudariam nas escolas; acadêmicos juntariam as partes existentes nos arquivos e fariam a narrativa completa. Monumentos seriam erguidos e livros, escritos. O longo processo de entendimento, interpretação, perdão, argumentação e pesar estava prestes a se iniciar.

EPÍLOGO

A questão ucraniana revista

O assassinato em massa de pessoas e nações, que caracterizou o avanço da União Soviética na Europa, não é característica nova de sua política de expansionismo. (...) Em vez disso, ele foi, por longo tempo, aspecto peculiar da própria política interna do Kremlin — política da qual os atuais mandantes têm amplos antecedentes nas operações da Rússia tsarista. Na realidade, trata-se de passo indispensável no processo de "união" com a qual os líderes soviéticos ansiosamente esperam produzir o "Homem Soviético", a "Nação Soviética" e, para a consecução de tal objetivo da nação unificada, os líderes do Kremlin, com satisfação, destruirão as nações e as culturas que por muito tempo habitaram a Europa Oriental.

Raphael Lemkin, "Genocídio Soviético na Ucrânia", 1953[1]

Ще не вмерла Україні і Слава, і Воля
(A glória e a liberdade da Ucrânia ainda não morreram)

Hino nacional ucraniano

Aqueles que viveram a fome ucraniana sempre a descreveram, quando puderam fazê-lo, como ato de agressão do Estado. Os camponeses que passaram pelas revistas e pelas listas negras se lembram delas como ataque coletivo a eles e à sua cultura. Os ucranianos que presenciaram as prisões e assassinatos de intelectuais, acadêmicos, escritores e artistas se recordam deles da mesma forma, como ataque deliberado à sua elite cultural nacional.

Os registros dos arquivos dão suporte aos depoimentos dos sobreviventes. Não foi o fracasso na safra, tampouco o clima ruim, que provocou a fome ucraniana. Apesar de o caos da coletivização ter ajudado a criar as condições que levaram à fome, o alto índice de mortes na Ucrânia entre 1932 e 1934, e especialmente seu auge na primavera de 1933, também não foi provocado diretamente pela coletivização. A inanição foi o resultado, isso sim, da retirada à força dos alimentos das casas das pessoas; dos bloqueios nas estradas que impediram que os camponeses achassem emprego ou comida; das regras rígidas das listas negras, impostas aos fazendeiros e aos vilarejos; das restrições ao escambo e ao comércio; e da maldosa campanha de propaganda projetada para persuadir os ucranianos a observar, inertes, enquanto seus vizinhos morriam de fome.

Como vimos, Stalin não procurou matar *todos* os ucranianos, e nem todos os ucranianos resistiram. Ao contrário, alguns deles colaboraram, tanto ativa quanto passivamente, com o projeto soviético. Este livro inclui muitos relatos de ataques perpetrados por vizinhos contra vizinhos, fenômeno familiar em outras matanças em massa, em outros lugares e em outros tempos. Porém, Stalin procurou eliminar fisicamente os ucranianos mais ativos e engajados, rurais e citadinos. Ele compreendeu as consequências da fome e das simultâneas ondas de prisões em massa na Ucrânia enquanto elas ocorriam. O mesmo aconteceu com os mais próximos a ele, inclusive os líderes comunistas ucranianos.

Na época em que tudo aconteceu, não havia uma palavra que pudesse ter sido empregada para descrever o ataque patrocinado pelo Estado contra um grupo étnico ou nação, nem lei internacional alguma para defini-lo como um tipo específico de crime. Todavia, a partir do momento em que o termo "genocídio" passou a ser usado no fim da década de 1940, muitos procuraram aplicá-lo à fome e aos expurgos que a acompanharam na Ucrânia. Seus esforços foram complicados naquele tempo, e ainda o são, pelas diversas interpretações da palavra "genocídio" — na acepção legal e moral, em vez da histórica —, bem como pela política complicada e em constante mudança na Rússia e na Ucrânia.

EPÍLOGO

Em sentido bastante literal, o conceito de "genocídio" tem suas origens na Ucrânia, especificamente na polonesa-judia-ucraniana cidade de Lviv. Raphael Lemkin, acadêmico que inventou a palavra — combinando o grego "genos", que significa raça ou nação, com o sufixo "cídio", derivado do latim e relativo a matar —, estudou Direito na Universidade de Lviv, então chamada Lwów, na década de 1920.[2] A cidade, anteriormente, havia sido polonesa até o século XVIII, depois fizera parte do Império Austro-Húngaro. Tornou--se polonesa após a Primeira Guerra Mundial; soviética, depois da invasão do Exército Vermelho em 1939; alemã, entre 1941 e 1944; parte da Ucrânia soviética até 1991; e parte da Ucrânia independente depois disso. Cada uma dessas mudanças foi acompanhada por sublevação e, algumas vezes, por violência em massa, quando os novos mandantes impuseram alterações na língua, na cultura, na burocracia e na lei.

Embora tivesse deixado Lviv, mudando-se para Varsóvia, em 1929, Lemkin escreveu em sua autobiografia que foi inspirado a pensar sobre o genocídio pela história de sua região, como também pelas brutais emoções que acometeram a cidade durante a Primeira Guerra Mundial. "Comecei a ler mais história, a fim de estudar se os grupos nacionais, religiosos ou raciais, como tais, estavam sendo destruídos", escreveu ele. O ataque turco contra os armênios, "assassinados pelo simples fato de serem cristãos", motivou-o em particular a pensar mais profundamente sobre o Direito Internacional e a questionar como ele poderia ser empregado para impedir tais tragédias.[3] Seu trabalho tornou-se ainda mais urgente com a invasão nazista de Varsóvia em 1939, a qual ele logo percebeu que envolveria ataques contra os judeus como grupo, assim como outros. Lemkin finalmente articulou suas ideias em *Axis Rule in Occupied Europe: Laws of Occupation — Analysis of Government — Proposals for Redress* [*Mando do eixo na Europa ocupada: Leis da ocupação — Análises de governo — Propostas de reparação*], livro publicado por ele nos Estados Unidos em 1944, ano em que fugiu da Polônia ocupada. Lemkin definiu "genocídio" no *Axis Rule* não como mero ato, e sim como processo:

> Falando de modo geral, o genocídio não significa necessariamente a ime-
> diata destruição de uma nação, salvo quando acompanhada de matança em

massa de todos os integrantes dela. Ele pretende, antes, significar um plano coordenado de diferentes ações, visando a destruição dos fundamentos da vida de grupos nacionais, com o propósito de aniquilar os grupos em si. Os objetivos de tal plano seriam a desintegração das instituições políticas e sociais, da cultura, língua, sentimentos nacionais, religião, e a existência econômica de grupos nacionais, a destruição da segurança, liberdade, saúde e dignidade pessoais, e até mesmo da vida dos indivíduos que pertençam a esses grupos. O genocídio é direcionado contra o grupo nacional como entidade, e as ações envolvidas são direcionadas contra indivíduos, não em sua qualidade individual, mas como membros de um grupo nacional.[4]

Em *Axis Rule*, Lemkin falou sobre diferentes tipos de genocídio — político, social, cultural, econômico, biológico e físico. Separadamente, em um esboço para a história do genocídio que ele jamais completou ou publicou, também listou as técnicas que poderiam ser empregadas para cometer o genocídio, incluindo, entre elas, a profanação de símbolos culturais e a destruição de centros culturais, tais como igrejas e escolas.[5] Como amplamente definido nos trabalhos publicados ou não de Lemkin nos anos 1940, em outras palavras, o "genocídio" seguramente incluiu a sovietização da Ucrânia e a fome ucraniana. Ele, mais tarde, argumentou explicitamente que isso era verdade. Em um ensaio de 1953, intitulado "Genocídio Soviético na Ucrânia", Lemkin escreveu que a URSS atacou as elites ucranianas precisamente porque elas eram "pequenas e fáceis de serem eliminadas, e, desse modo, foi particularmente sobre esses grupos que se abateu a plena força do machado soviético, com suas familiares ferramentas de matanças em massa, deportações e trabalhos forçados, exílios e inanição".[6]

Se o conceito de genocídio permanecesse simplesmente como uma ideia na mente e nos escritos dos acadêmicos, não haveria o debate de hoje: segundo a definição de Lemkin, a *Holodomor* foi um genocídio — como se depreende dos mais intuitivos entendimentos da palavra. Mas o conceito de genocídio se tornou parte integrante do Direito Internacional em contextos totalmente diferentes: nos dos julgamentos de Nuremberg e nas discussões jurídicas que se seguiram.

EPÍLOGO

Lemkin trabalhou como assessor do advogado-geral em Nuremberg, o juiz da Corte Suprema Robert Jackson, e, graças à sua defesa, o termo foi empregado nos julgamentos, embora não tenha sido mencionado em nenhum dos veredictos. Após o término dos julgamentos de Nuremberg, muitos sentiram, em razão tanto da moralidade como da *Realpolitik*, que a palavra deveria ser consagrada nos documentos básicos da ONU. No entanto, como Norman Naimark e outros ponderaram, a política internacional, e mais especificamente a política da Guerra Fria, moldaram a formulação da Convenção da ONU sobre genocídio bem mais do que os estudos jurídicos de Lemkin ou de qualquer outro.[7]

Inicialmente, uma resolução da Assembleia Geral da ONU, em dezembro de 1946, condenou o genocídio em uma linguagem que refletia o entendimento amplo de Lemkin. O genocídio foi identificado como "um crime sob a lei internacional (...) fosse cometido por razões religiosas, raciais, políticas, fosse por quaisquer outras". Minutas anteriores daquilo que se tornaria a Convenção da ONU para a Prevenção e a Repressão do Crime de Genocídio também incluíram "grupos políticos" como potenciais vítimas do genocídio. A Rússia, entretanto, sabendo que poderia ser culpada por perpetrar genocídio contra "grupos políticos" — os *kulaks*, por exemplo —, resistiu a essa definição mais ampla. Em vez disso, a delegação soviética argumentou que grupos políticos "estavam totalmente fora de lugar na definição científica de genocídio, e que sua inclusão enfraqueceria a convenção e prejudicaria a luta contra ele". Os soviéticos procuraram então garantir que a definição de "genocídio" estivesse "organicamente vinculada ao nazifascismo e a outras teorias raciais similares". O próprio Lemkin passou a fazer lobby pela definição mais enxuta, como também o fizeram tantos outros que esperavam ansiosamente a aprovação da medida, e que temiam que a URSS, caso contrário, a bloqueasse.[8]

A Convenção, por fim, foi aprovada em 1948, triunfo pessoal de Lemkin e de muitos outros que tinham feito lobby a seu favor. No entanto, a definição legal era restrita, e foi interpretada cada vez mais restritamente nos anos seguintes. Na prática, "genocídio" passou a ser definido nos documentos oficiais da ONU como extermínio físico de um grupo étnico inteiro, de maneira semelhante ao Holocausto.

426 A FOME VERMELHA

A *Holodomor* não se encaixava nesse critério. A fome ucraniana não teve o objetivo de eliminar todos os ucranianos vivos; ela também foi barrada, no verão de 1933, bem antes de poder devastar toda a nação. Apesar de Lemkin, mais tarde, argumentar e mesmo descrever a sovietização da Ucrânia como "exemplo clássico de genocídio soviético", é agora difícil categorizá-la, ou qualquer outro crime soviético, como tal no Direito Internacional.[9] Isso dificilmente surpreende, tendo em vista que foi a própria União Soviética que ajudou a moldar o fraseado exatamente para evitar que crimes soviéticos, inclusive a *Holodomor*, fossem classificados como "genocídio".

A dificuldade em enquadrar a *Holodomor* como genocídio no Direito Internacional não impediu que uma série de governos ucranianos tentasse. A primeira tentativa seguiu-se à Revolução Laranja de 2004 — uma série de manifestações de rua em Kiev contra a fraude eleitoral, corrupção e a percebida influência russa na política ucraniana. Tais protestos levaram à eleição de Viktor Yushchenko, o primeiro presidente da Ucrânia sem vínculo com o Partido Comunista. Yushchenko governou com forte mandato apoiado pelo movimento nacional ucraniano, e o usou para promover o estudo da fome. Ele fez referências à *Holodomor* em seu discurso de posse e criou o Instituto da Memória Nacional, com a pesquisa sobre a fome ucraniana em seu âmago. Também fez lobby nas Nações Unidas, na Organização para a Segurança e Cooperação na Europa e em outras instituições internacionais para que reconhecessem a *Holodomor* como genocídio. Sob o governo Yushchenko, o financiamento para a pesquisa da fome se expandiu vertiginosamente. Dezenas de grupos locais — professores, estudantes, bibliotecários — fizeram esforço nacional conjunto para criar o Livro da Memória, por exemplo, uma lista completa das vítimas da fome.[10] Em janeiro de 2010, um tribunal ucraniano julgou Stalin, Kaganovich, Postyshev, Kosior e outros culpados por "perpetrarem o genocídio". O tribunal encerrou o caso em razão de todos os acusados já terem morrido.[11]

Yushchenko compreendeu o poder da fome como unificador da memória nacional para os ucranianos, em especial por ter sido ela negada por tanto tempo. Sem dúvidas ele a "politizou", no sentido de tê-la usado como ferramenta para atrair mais atenção para a história. Algumas de suas

EPÍLOGO

427

próprias declarações sobre a fome, em particular as quantidades de baixas mencionadas, foram exageradas. Mas ele não chegou a usar a fome para antagonizar os vizinhos russos da Ucrânia, e não a descreveu como crime "russo" contra os ucranianos. De fato, na cerimônia de celebração do septuagésimo quinto aniversário da *Holodomor*, em 2008, bem como em outras ocasiões, Yushchenko fez o que pôde para evitar que a culpa pela tragédia fosse lançada sobre a nação russa:

> Fazemos um apelo a todos, sobretudo à Federação Russa, para que sejam verdadeiros, honestos e puros ante seus irmãos ao denunciarem os crimes do stalinismo e do totalitarismo da União Soviética. (...) Estávamos juntos no mesmo inferno. Rejeitamos a injuriosa mentira de que culpamos qualquer povo por nossa tragédia. Isso não é verdade. Só existe um criminoso: o imperial e comunista regime soviético.[12]

As palavras de Yushchenko nem sempre receberam a devida atenção de seus compatriotas. É evidente que ele estava certo em culpar o Partido Comunista da União Soviética pela fome, e não a política russa: Não havia "Rússia", ou ao menos um Estado russo soberano, em 1933. Não obstante, pelo fato de que a sede do Partido Comunista em 1933 tenha sido em Moscou, e de que a cidade, capital da Rússia pós-soviética, assumira muitos dos ativos da URSS após 1991, alguns ucranianos culpam a "Rússia" pela fome.

O *establishment* político russo, que, por meados dos anos 2000, recuperava suas próprias ambições imperiais na região, complicou ainda mais a situação ao considerar a campanha de Yushchenko um ataque à Rússia, e não à URSS. Grupos pró-russos dentro da Ucrânia seguiram a linha do Estado russo: em 2006, um bando de truculentos nacionalistas russos, chefiado por um membro do Partido Comunista local, invadiu o gabinete de Volodymyr Kalinichenko, historiador que escrevera sobre a fome na região de Kharkov, chutou portas trancadas e berrou ameaças.[13] Em 2008, a imprensa russa denunciou as celebrações da *Holodomor* como "russofóbicas", e o então presidente russo, Dmitry Medvedev, recusou o convite para comparecer, rejeitando as conversas sobre a "chamada *Holodomor*" como "imorais".[14] Nos bastidores, Medvedev ameaçava os líderes na região, alertando-os para

428　　A FOME VERMELHA

que não votassem a moção nas Nações Unidas que designava a *Holodomor* como "genocídio". Segundo o príncipe Andrew do Reino Unido, Medvedev disse ao presidente do Azerbaijão que ele podia "esquecer sobre Nagorno--Karabakh", uma região disputada por Azerbaijão e Armênia, a menos que votasse contra a referida moção.[15]

A campanha não foi apenas diplomática. Viu-se também acompanhada pelo surgimento de uma narrativa histórica russa que não negava a fome, porém a minimizava enfaticamente. Quase não há celebração na Rússia da fome ucraniana, e pouquíssimo debate público. Para não se dizer que não há qualquer menção, a fome faz normalmente parte de uma argumentação que nega claramente qualquer sofrimento particular ucraniano. Em 2008, o acadêmico russo Viktor Kondrashin publicou a mais eloquente versão dessa contranarrativa. *The Famine of 1932-33: The Tragedy of the Russian Village* [A fome de 1932-33: A tragédia do vilarejo russo] mostra detalhes dos horrores daqueles anos na província russa de Penza, na região do Volga. Kondrashin não negou que houve fome em massa na Ucrânia. Pelo contrário, a obra mostrou que Stalin lançara seu brutal processo de coletivização e confirmou que ele ordenara o impensado "confisco" de grãos em 1932-33, sabendo muito bem que milhões de camponeses pereceriam. Contudo, Kondrashin também ponderou que as estimativas ucranianas sobre o número de mortes foram muito exageradas, ao passo que as mortes pela fome na região do Volga geralmente foram reduzidas demais, e que a política de Stalin afetou igualmente a todos. O "mecanismo de criação da fome foi o mesmo", na Rússia e na Ucrânia, disse Kondrashin a um entrevistador. "Não houve diferenças nacionais."[16]

Os pressupostos de Kondrashin são parcialmente corretos. O presidente Yushchenko é uma das muitas figuras de destaque que, às vezes, cita quantidades muito elevadas de mortes na *Holodomor*. Embora a comunidade acadêmica ucraniana esteja agora convergindo, com algumas exceções, para uma quantidade aproximada de 4 milhões de mortes, ainda é possível ouvir-se números que chegam a 10 milhões.[17] Kondrashin pode também estar certo sobre a província de Penza — como a Ucrânia, região famosa por uma rebelião camponesa na era da Guerra Civil, que enfureceu Lenin em 1918 —, que foi um alvo específico do Estado soviético.[18]

EPÍLOGO   429

Fica patente que há um caso para investigação mais acurada sobre a fome "especial" de Penza. E há um caso ainda mais urgente, que merece exame rigoroso, da fome no Cazaquistão, onde a elevada taxa de mortalidade sinaliza algo mais sinistro do que a negligência. Todavia, esses casos não negam a necessidade de reconhecimento das circunstâncias especiais da fome na Ucrânia. Como este livro mostrou, o registro histórico inclui decretos unicamente dirigidos às suas fazendas coletivas, como o que fechou as fronteiras da república, a inclusão de dezenas de fazendas coletivas e vilarejos ucranianos nas listas negras, e a implícita vinculação da ucranização ao fracasso na coleta de grãos. O registro demográfico também revela que a Ucrânia teve uma taxa de mortalidade mais alta naqueles anos do que qualquer outra parte da União Soviética.

Em um debate público com o historiador ucraniano Stanislav Kulchytsky, o próprio Kondrashin escreveu que Stalin encarava a crise alimentícia de 1932 como uma "oportunidade":

> A fome de 1932-33 e a crise econômica geral na Ucrânia deram ao regime de Stalin uma desculpa para a adoção de medidas preventivas contra o movimento nacional ucraniano e também, com a perspectiva de longo prazo, contra sua possível base social (os intelectuais, os burocratas, os camponeses).[19]

Como esse é, em linhas gerais, o argumento da maioria dos historiadores ucranianos — e deste livro —, a lacuna entre as interpretações acadêmicas "russa" e "ucraniana" sobre a fome não parece ser tão grande como algumas vezes se proclama.

Entretanto, a politização do debate sobre a fome significou que as diferenças entre os entendimentos públicos ucraniano e russo se tornaram significativas, tanto no contexto russo-ucraniano como também dento da própria Ucrânia. Yushchenko falou com frequência sobre a fome, e pensou cuidadosamente sobre a maneira de homenageá-la. Entretanto, seu oponente e sucessor, Viktor Yanukovych — um presidente "pró-russo", que foi eleito com ostensivo apoio financeiro e político da Rússia —, reverteu abruptamente essa política. Yanukovych retirou as referências à *Holodomor* do site

430 A FOME VERMELHA

oficial da presidência, substituiu o chefe do Instituto da Memória Nacional por um historiador ex-comunista e parou de empregar a palavra "genocídio" para descrever a fome.

Yanukovych continuou a se referir sobre a fome como uma "tragédia" e até mesmo como "Armagedom", e diversas vezes usou a palavra "*Holodomor*", que implica fome artificialmente criada. Também continuou a promover as cerimônias anuais e não interrompeu, nem ameaçou, o trabalho dos pesquisadores nos arquivos, como o presidente Vladimir Putin fez na Rússia mais ou menos na mesma época, embora muitos temessem que ele o fizesse.[20] Não obstante, a mudança do tom e da ênfase do presidente aborreceu muitos oponentes políticos. Em particular, sua recusa em usar a palavra "genocídio" foi qualificada por muitos como gesto de deferência à Rússia (deve ser ressaltado que o presidente Medvedev fez, finalmente, uma visita ao memorial da *Holodomor* em Kiev, em 2010, durante a presidência de Yanukovych, talvez em "reconhecimento" pelo abrandamento do tom). Um grupo de cidadãos chegou a tentar processar Yanukovych por "negação do genocídio".[21] Sua desastrosa presidência desacreditou ainda mais todas as suas políticas, inclusive a amenização da fome. Ele minou, sistematicamente, as instituições políticas ucranianas e se envolveu com corrupção em escala extraordinária. Yanukovych fugiu do país em fevereiro de 2014, depois que a polícia atirou e matou cerca de cem manifestantes na praça Maidan de Kiev, durante enorme protesto de rua contra seu governo.

Inevitavelmente, a desgraça de Yanukovych deixou sua marca no debate histórico público. Graças à política que girava em torno da palavra "genocídio", ela se tornou uma espécie de etiqueta de identificação da política ucraniana, um termo que poderia marcar aqueles que o usavam como partidários de determinado partido e os que não o faziam como partidários de outro. O problema piorou na primavera de 2014, quando o governo russo produziu uma caricatura do termo "genocídio" para justificar seu próprio comportamento. Durante a invasão russa da Crimeia e do leste da Ucrânia, os separatistas apoiados pelos russos e os políticos russos afirmaram que as intervenções ilegais eram uma "defesa contra o genocídio" — referindo-se ao "genocídio cultural" que os "ucranianos nazistas" supostamente perpetravam contra os falantes de russo na Ucrânia.

EPÍLOGO 431

Quando o conflito entre Rússia e Ucrânia se intensificou, os ataques contra a história e contra a historiografia também pioraram. Em agosto de 2015, os separatistas apoiados pelos russos deliberadamente destruíram um monumento às vítimas da fome na cidade ocupada de Snizhne, no leste da Ucrânia — o mesmo local de onde os separatistas lançaram o míssil BUK, um ano antes, que derrubara o voo 17 da Malaysian Airlines, matando todos que estavam a bordo.[22] Também em agosto de 2015, o Sputnik News, site de propaganda russa na internet, publicou um artigo em inglês intitulado "Holodomor Hoax". O artigo apresentava opiniões reminiscentes da antiga era da dissimulação, qualificando a fome como "um dos mais famosos mitos do século XX e peça sarcástica de propaganda antissoviética", chegando a citar o livro de Douglas Tottle, *Fraud, Famine and Fascism*, por muito tempo desacreditado.[23] Os elos que Tottle acusou entre historiadores da fome, supostos ucranianos nazistas e supostas forças antissoviéticas no Ocidente provaram ser novamente úteis para uma Rússia que uma vez mais procurava depreciar os ucranianos como "nazistas".[24]

Por volta de 2016, a argumentação retornou ao ponto de partida. O Estado russo pós-soviético estava mais uma vez em completa negação: a *Holodomor* não aconteceu, e só "nazistas" diriam o contrário. Todas essas alegações confundiram a aplicação do termo "genocídio" de modo tão bem-sucedido que o emprego da palavra em qualquer contexto, russo ou ucraniano, se transformou em cansativa controvérsia. As pessoas ficaram exaustas com o debate — o que, talvez, tenha sido exatamente a intenção dos russos em seu ataque à historiografia.

Mas o debate sobre o genocídio, tão feroz na década passada, amainou também por outras razões. O acúmulo de provas significa que, nos dias de hoje, não interessa se a fome de 1932-33 foi genocídio, crime contra a humanidade ou, simplesmente, ato de terror em massa. Qualquer que seja a definição, o fato é que ela foi um ataque horrendo, levado a cabo por um governo contra seu próprio povo. Tratou-se de um dos muitos ataques do tipo no século XX, e nem todos se ajustam perfeitamente às definições jurídicas. Que a fome ocorreu, que foi deliberada e que foi parte de um plano proposital para solapar a identidade ucraniana são fatos que têm se tornado mais amplamente aceitos, tanto na Ucrânia quanto no Ocidente, independentemente de o tribunal internacional a confirmar ou não.

432 A FOME VERMELHA

Lentamente, a contenda vem se tornando cada vez menos importante para a Ucrânia. Na verdade, os argumentos legais sobre a fome e o genocídio podem ter sido substitutos para discussões sobre o país, sua soberania e seu direito de existir. O debate sobre a fome foi um modo de insistir no direito ucraniano a uma história nacional separada e a sua própria memória nacional. Mas agora — depois de mais de um quarto de século de independência, de duas revoluções nas ruas e da invasão russa finalmente barrada pelo exército ucraniano —, a soberania é um fato, não uma teoria que necessite de justificativa histórica ou de qualquer outra justificativa.

Por ter sido tão devastadora, por ter sido tão totalmente silenciada e por ter causado tão profundo impacto na demografia, na psicologia e na política ucranianas, a fome continua moldando os pensamentos de ucranianos e russos, em suas reflexões pessoais ou de uns sobre os outros, de maneira óbvia ou sutil. A geração que viveu a fome e que a ela sobreviveu levou para sempre as lembranças da catástrofe. Mesmo os filhos e os netos dos sobreviventes e dos perpetradores continuam sendo influenciados pela tragédia.

Seguramente, a eliminação da elite ucraniana nos anos 1930 — os melhores acadêmicos, escritores e líderes políticos, bem como seus mais enérgicos fazendeiros — continua sendo importante. Mesmo três gerações depois, muitos dos problemas políticos contemporâneos da Ucrânia, incluindo a desconfiança generalizada no Estado, as fracas instituições nacionais e a classe política corrupta, podem remontar diretamente à perda daquela primeira, patriótica e pós-revolucionária elite. Em 1933, os homens e mulheres que poderiam ter liderado o país, as pessoas que eles poderiam ter influenciado, e vice-versa, foram abruptamente removidas do cenário. Aqueles que os substituíram foram aterrorizados, obrigados ao silêncio e à obediência, ensinados a ser prudentes, cuidadosos, acovardados. Nos anos subsequentes, o Estado se transformou em algo a ser temido, não admirado; os políticos e os burocratas nunca mais foram vistos como pessoas que estavam em seus postos para servir. A passividade política na Ucrânia, a tolerância à corrupção e o cansaço geral com as instituições estatais, até mesmo as democráticas — todas essas patologias políticas da Ucrânia contemporânea datam de 1933.

EPÍLOGO

A russificação que se seguiu à fome também deixou seu rastro. Graças à sistemática destruição da cultura e da memória ucranianas por parte da URSS, muitos russos ainda não encaram a Ucrânia como nação separada e com história distinta. Muitos europeus têm uma vaga noção de que a Ucrânia existe. Até os ucranianos têm lealdades mistas e confusas. A ambiguidade pode ser traduzida como cinismo e apatia. Aqueles que não ligam ou não dão muita atenção ao seu país provavelmente não se esforçarão para torná-lo um lugar melhor. Aqueles que não têm nenhum senso de responsabilidade cívica são menos interessados em acabar com a corrupção.

As batalhas linguísticas na Ucrânia atual também datam dos anos 1930. Paradoxalmente, Stalin reforçou as ligações entre a língua ucraniana e a identidade nacional da república quando tentou destruir as duas. Em consequência, as controvérsias linguísticas continuam a refletir, ainda hoje, profundas discussões sobre identidade. A Ucrânia é um país totalmente bilíngue — a maioria das pessoas fala russo e ucraniano —, embora aqueles que prefiram uma língua ou a outra ainda reclamem regularmente da discriminação. Levantes ocorreram em 2012, quando o Estado ucraniano reconheceu o russo como língua "oficial" em diversas províncias, significando que ele poderia ser empregado em tribunais e repartições do governo. Em 2014, o governo ucraniano pós-Maidan tentou revogar essa lei e, embora tal decisão tivesse sido rapidamente revertida, os "separatistas" apoiados pela Rússia usaram tal proposta de mudança como pretexto para a invasão da Ucrânia. O desafio da Rússia, tanto para a língua quanto para a soberania ucranianas, também criou um tipo de movimento popular na direção contrária. Em 2005, menos da metade dos ucranianos usava sua língua como principal forma de comunicação. Dez anos depois, dois terços preferiam o ucraniano ao russo.[25] Graças à pressão russa, a nação ucraniana vem se unificando por meio da língua, como não o fazia desde os anos 1920.

Se o estudo da fome ajuda a entender a Ucrânia dos dias de hoje, ele também oferece orientação para algumas das atitudes da Rússia contemporânea, muitas das quais seguem padrões antigos. Desde a época da revolução, os bolcheviques sabiam que eram minoria na Ucrânia. Para subjugar a maioria, eles se valeram não só da extrema violência, como também de virulentas formas de propaganda raivosa. A *Holodomor* foi precedida por uma década

434   **A FOME VERMELHA**

do que podemos agora qualificar como "discurso de ódio" polarizador, um linguajar que designava alguns como "leais" cidadãos soviéticos e outros como "inimigos *kulaks*", uma classe privilegiada que precisava ser destruída, de modo a abrir caminho para a revolução do povo. Essa linguagem ideológica justificou o comportamento de homens e mulheres que promoveram a fome, pessoas que confiscaram alimentos de famílias famintas, policiais que prenderam e assassinaram concidadãos. Ela também lhes propiciou um senso de justificativa moral e política. Poucos dos que organizaram a fome se sentiram culpados por isso: eles foram convencidos de que os camponeses que morriam eram "inimigos do povo", criminosos perigosos que precisavam ser eliminados em nome do progresso.

Oitenta anos mais tarde, a FSB russa, sucessora institucional da KGB (ela mesma, sucessora da OGPU), continua a demonizar seus oponentes com o uso da propaganda e da desinformação. A natureza e a forma do discurso de ódio na Ucrânia mudaram, mas o mesmo não aconteceu com as intenções daqueles que o usaram. A exemplo do passado, o Kremlin emprega linguagem que joga pessoas umas contra as outras para criar cidadãos de primeira e segunda categoria, para dividir e confundir. Em 1932-33, a mídia estatal soviética descreveu os servidores do OGPU, que trabalhavam com colaboradores locais, como "patriotas soviéticos" que combatiam os "petliuristas", os "*kulaks*", os "traidores" e os "contrarrevolucionários". Em 2014, a mídia estatal russa qualificou suas forças especiais, que executaram a invasão da Crimeia e do leste da Ucrânia, como "patriotas separatistas" que lutavam contra os "fascistas" e "nazistas" de Kiev. Seguiu-se uma campanha extraordinária de desinformação, com histórias falsas — como a dos nacionalistas ucranianos que crucificavam bebês, por exemplo — e fotos adulteradas, não apenas dentro da Rússia, mas também na imprensa patrocinada pelo Estado russo de todo o mundo. Apesar de bem mais sofisticada do que qualquer coisa que Stalin pudesse ter maquinado em uma era pré-internet, o espírito dessa campanha de desinformação foi extremamente parecido.

Passados oitenta anos, ainda se pode ouvir o eco do temor de Stalin pela Ucrânia — ou melhor, seu receio de que a inquietação na Ucrânia se alastrasse para a Rússia. Stalin falou, obsessivamente, sobre a perda do controle na Ucrânia e sobre os complôs poloneses e de outros países para subverter a

EPÍLOGO 435

república. Ele sabia que os ucranianos suspeitavam do mando centralizado, que a coletivização seria impopular entre os camponeses profundamente apegados às suas terras e às suas tradições, e que o nacionalismo ucraniano seria tremenda força galvanizadora, capaz de desafiar o bolchevismo e até de destruí-lo. Uma Ucrânia soberana poderia frustrar o projeto soviético, não só privando a URSS de seus grãos, como também acabando com sua legitimidade. A Ucrânia havia sido colônia russa por séculos, as culturas russa e ucraniana permaneceram intrinsecamente entrelaçadas, as línguas russa e ucraniana sempre foram intimamente relacionadas. Se a Ucrânia rejeitasse tanto o sistema soviético quanto sua ideologia, poderia ser lançada dúvida sobre todo o projeto soviético. Em 1991, foi precisamente isso que ocorreu.

A atual liderança russa tem muita familiaridade com essa história. Da mesma forma que, em 1932, Stalin disse a Kaganovich que a "perda" da Ucrânia era sua principal preocupação, o governo russo de hoje também acredita que uma Ucrânia soberana, democrática e estável, ligada ao restante da Europa por laços culturais e comerciais, é uma ameaça aos interesses dos líderes russos. Afinal, se a Ucrânia se tornar europeia demais — se conseguir algo parecido com uma integração bem-sucedida com o Ocidente — talvez os russos se perguntem: por que não nós? A revolução nas ruas da Ucrânia em 2014 foi o pior pesadelo para a liderança russa: jovens exigindo o Estado de direito, denunciando a corrupção e agitando bandeiras europeias. Um movimento assim poderia ser contagioso — e, por conseguinte, deveria ser barrado por todos os meios possíveis. O governo russo atual usa a desinformação, a corrupção e a força militar para minar a soberania ucraniana, exatamente como os governos soviéticos fizeram no passado. A exemplo de 1932, o constante falatório sobre "guerra" e "inimigos" na Ucrânia também é útil para os líderes russos, que não conseguem explicar a estagnação dos padrões de vida nem justificar seus próprios privilégios, riqueza e poder.

A história oferece esperança, mas também tragédia. No fim, a Ucrânia não foi destruída. A língua ucraniana não desapareceu. O desejo de independência também não sumiu — nem o fervor pela democracia ou por uma sociedade mais justa, ou ainda por um Estado ucraniano que

436 A FOME VERMELHA

verdadeiramente representasse os ucranianos. Quando foi possível, os ucranianos expressaram essas aspirações. Quando foi permitido fazê-lo, em 1991, eles votaram em sua esmagadora maioria pela independência. A Ucrânia, como proclama seu hino nacional, não morreu.

No fim, Stalin também fracassou. Uma geração de intelectuais e políticos ucranianos foi assassinada nas décadas de anos 1930, mas seu legado resistiu. A aspiração nacional, que, como no passado, era ligada ao desejo de liberdade, foi revivida nos anos 1960; continuou submersa nas décadas de 1970 e 1980; abriu-se de novo nos anos 1990. Nova geração de intelectuais e ativistas reapareceu nos anos 2000.

A história da fome foi uma tragédia sem final feliz. Contudo, a história da Ucrânia não é uma tragédia. Milhões de pessoas pereceram, mas a nação continuou no mapa. A memória foi suprimida, porém os ucranianos de hoje discutem e debatem o passado. Os registros dos censos foram destruídos, mas os arquivos estão, na atualidade, disponíveis.

A fome e seu rescaldo deixaram uma marca terrível. Entretanto, apesar de algumas feridas ainda estarem abertas, milhões de ucranianos estão, pela primeira vez desde 1933, tentando sará-las. Como nação, os ucranianos sabem o que aconteceu no século XX, e esse conhecimento pode ajudá-los a moldar o futuro.

NOTAS

PREFÁCIO

1. V. V. Kondrashin et al., eds., *Golod v SSSR: 1929-1934*, Rossiia XX vek, vol. 1 (Moscou: Mezhdunarodnyi fond "Demokratiia", 2011), 163-65, citando V. S. Lozyts'kyi, *Holodomor 1932-1933 rokiv: zlochyn vlady - trahediia narodu: dokumenty i materialy* (Kiev: Heneza, 2008), 37-40.
2. TsDAHOU 1/20/5254 (1932), 1-16, em R.Ia. Pyrih, ed., *Holodomor 1932-1933 rokiv v Ukraïni: Dokumenty i materialy* (Kiev: Kyievo-Mohylians'ka Akademiia, 2007), 130.
3. *Ibid.*, 134.
4. A palavra "Haladamor" aparece nas publicações tchecas da diáspora ucraniana dos anos 1930. "*Holodomor*" foi provavelmente usada publicamente pela primeira vez na Ucrânia por Oleksy Musiyenko, durante discurso na União dos Escritores, que foi citado na "Literaturna Ukraïna" de 18 de fevereiro de 1988.
5. Hennadi Boriak, "Sources and Resources on the Famine in Ukraine's Archival System", *Harvard Ukrainian Studies* 27 (2004-05), 117-47.
6. Andrea Graziosi, "The Soviet 1931-1933 Famines and the Ukrainian Holodomor: Is a New Interpretation Possible, and What Would Its Consequences Be?", *Harvard Ukrainian Studies* 27, nº 1/4 (2004), 100.
7. Tetiana Boriak sintetizou o significado deles em *1933: "I Choho Vyshche Zhyvi?"* (Kiev: Clio, 2016).
8. Boriak, "Sources and Resources", 117-47.

438 A FOME VERMELHA

INTRODUÇÃO: A QUESTÃO UCRANIANA

1. Taras Shevchenko, "Zapovit" ("Testamento"), em *Selected Poetry*, trad. John Weir (Kiev: Ukraine, 1977), 198, disponível em http://www. infoukes.com/shevchenkomuseum/poetry.htm, acessado em 2017.

2. Nikolai Gogol, *Arabesques*, trad. Alexander Tulloch (Ann Arbor, MI: Ardis, 1982), 104.

3. I. M. Dolgorukov, "Slavny bubny za gorami, ili moe puteshestvie koekuda, 1810 goda: Sochinenie Kniazia Ivana Mikhailovicha Dolgorukago c predisloviem O. M. Bodianskago", *Chteniia v Imperatorskom Obshchestve Istorii i Drevnostei Rossiiskikh pri Moskovskom Universitete* 2 (abril-junho de 1869): glava II "Materiialy otechestvennye", 46.

4. Serhiy Bilenky, *Romantic Nationalism in Eastern Europe: Russian, Polish and Ukrainian Political Imaginations* (Stanford, CA: Stanford University Press, 2012), 96-97.

5. *Ibid.*, 244, citando a resenha de Belinskii do Mykola Markevych, *Istoriia Malorossii*, encontrado em Belinskii, *Polnoe sobranie sochinenii*, vol. 7 (Moscou: Izdatel'stvo Akademii nauk, 1953), 60.

6. Aleksandra Efimenko, *Iuzhnaia Rus: Ocherki, issledovaniia i zametki*, vol. 2 (São Petersburgo: [editor desconhecido] 1905), 219.

7. George Y. Shevelov, *The Ukrainian Language in the First Half of the Twentieth Century, 1900-1941: Its State and Status* (Cambridge, MA: Instituto de Pesquisa Ucraniana de Harvard, 1989), 54.

8. Paul Robert Magocsi, *A History of Ukraine: The Land and its Peoples*, 2ª Ed. (Toronto: University of Toronto Press, 2010), 17.

9. As descrições físicas em Henryk Sienkiewicz, *Trilogy*, uma série de romances do século XIX, passados no que agora é Ucrânia, são na verdade baseadas na jornada do autor pelos Estados Unidos.

10. Serhii Plokhy, *The Gates of Europe: A History of Ukraine* (Nova York: Basic Books, 2015), 9.

11. *Ibid.*, 69

12. Voltaire, *Histoire de Charles XII rey de Suède*, vol. 1 (Basileia: Revis, 1756), 171.

13. Shevchenko, "Zapovit", 198. Também disponível no *website* de Taras H. Shevchenko Museum and Memorial Park Foundation, em Toronto, Canadá, acessado em 2016, http://www.infoukes.com/shevchenkomuseum/poetry.htm#link3.

NOTAS 439

14. Magocsi, *A History of Ukraine*, 364.
15. Hennadii Boriak, ed., *Ukraïns'ka identychnist' i movne pytannia v Rosiis'kii imperii: sproba derzhavnoho rehuliuvannia (1847-1914): Zbirnyk dokumentiv i materialiv* (Kiev: Instytut Istoriï Ukraïny NAN Ukraïny, 2013), 3.
16. Bohdan Krawchenko, *Social Change and National Consciousness in Twentieth-Century Ukraine* (Edmonton, Alberta: Instituto Canadense de Estudos Ucranianos, 1987), 24.
17. Francis William Wcislo, "*Soslovie* or Class? Bureaucratic Reformers and Provincial Gentry in Conflict, 1906-1908", *Russian Review* 47, n° 1 (1988), 1-24, esp. p. 4; citado em Andrea Graziosi, *Stalinism, Collectivization and the Great Famine*, em *Holodomor Series* (Cambridge, MA: Ukrainian Studies Fund, 2009), 9-10.
18. Existem bons relatos do renascimento do nacionalismo ucraniano em Orest Subtelny, *Ukrayne: A History* (Toronto: University of Toronto Press, 1988), 221-42; Magocsi, *A History of Ukraine*, 467-88; e Plokhy, *The Gates of Europe*, 147-98.
19. Andrea Graziosı, *Bol'sheviki i krest'iane na Ukraine, 1918-1919 gody: Ocherk o bol'shevizmakh, natsional-sotsializmakh i krest'ianskikh dvizheniiakh* (Moscou: AIRO-XX, 1997), 19-21.
20. Hiroaki Kuromiya, *Freedom and Terror in the Donbas: A Ukrainian- Russian Borderland, 1870s-1990s* (Cambridge: Cambridge University Press, 1998), 43.
21. Graziosi, *Stalinism, Collectivization and the Great Famine*, 9-10; Plokhy, *The Gates of Europe*, 192-93.
22. Richard Pipes, "Introdução", em, Taras Hunczak, ed., *The Ukraine, 1917-1921: A Study in Revolution* (Cambridge, MA: Harvard University Press, 1977), 3.

1. A REVOLUÇÃO UCRANIANA, 1917

1. Robert Paul Browder e Alexander F. Kerensky, eds., *The Russian Provisional Government, 1917: Documents* (Stanford, CA: Stanford University Press, 1961), 383-35.
2. Leon Trotski, *Sochineniia, Seriia 1: Istoricheskoe podgotovlenie Oktiabria*, vol. 3:2 (Moscou: Gosidat, 1925), 202. Essa é a tradução de E. H. Carr de *A History of Soviet Russia: The Bolshevik Revolution, 1917-1923*, vol. 1 (Londres: Macmillan, 1950).

A FOME VERMELHA

3. Victor Chernov, *The Great Russian Revolution*, trad. Philip Mosely (New Haven, CT: Yale University Press, 1936, reimpr. Nova York: Russell & Russell, 1966), 266-67; Thomas M. Prymak, *Mykhailo Hrushevsky: The Politics of National Culture* (Toronto: University of Toronto Press, 1987), 128-29; Serhii Plokhy, *Unmaking Imperial Russia: Mykhailo Hrushevsky and the Writing of Ukrainian History* (Toronto: University of Toronto Press, 2005), 17-91.

4. Prymak, *Mykhailo Hrushevksy*, 129.

5. Plokhy, *Unmaking Imperial Russia*, 80.

6. Plokhy, *The Gates of Europe*, 207

7. Todas as datas desse capítulo estão de acordo com o calendário "Novo Estilo" (gregoriano), adotado em fevereiro de 1918.

8. Subtelny, *Ukraine: A History*, 340.

9. Plokhy, *The Gates of Europe*, 206.

10. "First Universal of the Ukrainian Central Rada", citado em Magocsi, *A History of Ukraine*, 473.

11. "Third Universal of the Ukrainian Central Rada", citado em *ibid.*, 480.

12. Orlando Figes, *A People's Tragedy: The Russian Revolution, 1891-1924* (Londres: Pimlico, 1997), 79.

13. Shevelov, *The Ukrainian Language in the First Half of the Twentieth Century*, 78-79.

14. MarkMark von Hagen, "The Entangled Eastern Front and the Making of the Ukrainian State: A Forgotten Peace, a Forgotten War and Nation Building, 1917-1918" (artigo não publicado), 9; George Brinkley, "Allied Policy and French Intervention in the Ukraine, 1917-1920", em Hunczak, ed., *The Ukraine*, 323-51.

15. Von Hagen, "The Entangled Eastern Front", 18.

16. Mikhail Bulgakov, *The White Guard*, trad. Marian Schwartz (New Haven, CT: Yale University Press, 2008), 54.

17. *Ibid.*, 67

18. Arthur E. Adams, *Bolsheviks in the Ukraine: The Second Campaign, 1918-1919* (New Haven, CT: Yale University Press, 1963), 11

19. Bulgakov, *The White Guard*, 76.

20. Serhii Efremov, *Shchodennyky, 1923-1929* (Kiev: Hazeta Central Rada, 1997), 379-80.

21. Yuri Shapoval, "The Symon Petliura Whom We Still Do Not Understand", *Den* 18, por último modificado em 6 de junho de 2006, acessado em 2017, http:// www.ukemonde.com/petlyura/petlyura_notunder.html.

NOTAS 441

22. Aleksei Aleksandrovich Gol'denveizer, "Iz Kievskikh vospominanii, 1917-21", em Iosif Vladimirovich Gessen, ed., *Arkhiv russkoi revoliutsii*, vol. 6 (Berlin: s/ed., 1922), 161-303.

23. Adams, *Bolsheviks in the Ukaine*, 81.

24. Gol'denveizer, "Iz Kievskikh vospominanii", 230-34.

25. *Ibid.*, 232.

26. Bulgakov, *The White Guard*, 59.

27. Richard Pipes, *The Formation of the Soviet Union*, ed. rev. (Cambridge, MA: Harvard University Press, 1997), 137.

28. Prymak, *Mykhailo Hrushevksy*, 163.

29. Gol'denveizer, "Iz Kievskikh vospominanii", 234.

30. Valerii Vasyl'ev, *Politychne kerivnyctvo URSR i SRSR: Dynamika vidnosyn tsentr-subtsentr vlady, 1917-1938* (Kiev: Instytut Istoriï Ukraïny NAN Ukraïny, 2014), 53-93; Jurij Borys, *The Sovietization of Ukraine 1917-1923: The Communist Doctrine and Practice of National Self-Determination* (Edmonton, Alberta: Instituto Canadense de Estudos Ucranianos, 1980), 129.

31. Graziosi, *Bol'sheviki i krest'iane na Ukrainea*, 20-21.

32. Isso é discutido em Anna Procyk, *Russian Nationalism and Ukraine: The Nationality Policy of the Volunteer Army During the Civil War* (Edmonton, Alberta: Instituto Canadense de Estudos Ucranianos, 1995).

33. Karl Marx, "The 18th Brumaire of Louis Bonaparte", em *Karl Marx and Friedrich Engels: Selected Works*, vol. 1 (Moscou: Progress Publishers, 1968), 394-488.

34. V. I. Lenin, *Collected Works*, vol. 10 (Moscou: Progress Publishers, 1965), 40-43.

35. Karl Marx, *The Communist Manifesto* (Charleston, SC: Filiquarian Publishing, 2005), 32.

36. Borys, *The Sovietization of Ukraine*, 30-31.

37. Ibid., 121-38.

38. Iosef Stalin, Works, vol. 2 (Moscou: Foreign Languages Publishing House, 1954), 303, https://www.marxists.org/reference/archive/stalin/works/1933/01/07. htm. Originalmente publicado como "Natsional'nyi vopros i sotisal' demokratiia", Prosveshchenie 3-5 (março-maio de 1913).

39. De seu discurso "Concerning the National Question in Yugoslavia", pronunciado na Comissão Iugoslava ECCI em 30 de março de 1925, Stalin, Works, vol. 7, 71-72.

442 **A FOME VERMELHA**

40. Steven Kotkin, Stalin: Paradoxes of Power, vol. 1 (Nova York: Penguin Press, 2014), 117.

41. 25 de outubro, segundo o calendário juliano utilizado na Rússia czarista; 7 de novembro, de acordo com o calendário gregoriano, adotado na Rússia em 1918.

42. Borys, *The Sovietization of Ukraine*, 174-75; Yaroslav Bilinsky, "The Communist Takeover of Ukraine', em Hunczak, ed., *The Ukraine*, 113. Eles citam artigo do *Pravda* de 18 de dezembro de 1917 (novo calendário).

43. Essa política sinalizou um presságio do que seria perseguido pelo governo russo em 2014; Bilinsky, "The Communist Takeover of Ukraine", 113.

44. Borys, *The Sovietization of Ukraine*, 183; John Reshetar, The Communist Party of Ukraine and its Role in the Ukrainian Revolution", em Hunczak, ed., *The Ukraine*, 170-71.

45. Borys, *The Sovietization of Ukraine*, 79; Reshetar, "The Communist Party of Ukraine", 173-74; James Mace, *Communism and the Dilemmas of National Liberation: National Communism in Soviet Ukraine, 1918-1933* (Cambridge, MA: Instituto de Pesquisa Ucraniana de Harvard, 1983), 27.

46. Plokhy, *Unmaking Imperial Russia*, 84-85.

47. Mace, *Communism and the Dilemmas of National Liberation*, 26.

48. N. I. Suprunenko, *Ocherki Istorii Grazhdanskoi Voiny i inostrannoi voennoi interventsii na Ukraine* (Moscou: Nauka, 1966), 16.

49. Telegrama para Antonov Ovsienko e Ordzhonikidze, em V. I. Lenin, *Polnoe Sobranie Sochinenii*, vol. 50 (Moscou: Politizdat, 1970), 30. Existe uma tradução alternativa na versão oficial em inglês em Lenin, *Collected Works*, vol. 44, 57-58.

50. Roy A. Medvedev, *Let History Judge: The Origins and Consequences of Stalinism*, publicado pela primeira vez em 1969, ed. revista e ampliada, ed. e trad. George Shriver (Oxford: Oxford University Press, 1989), 50.

51. Suprunenko, *Ocherki Istorii Grazhdanskoi Voiny*, 34-35.

52. Borys, *The Sovietization of Ukraine*, 205-06.

53. *Ibid.*, 215.

54. Adams, *Bolsheviks in the Ukraine*, 100.

55. Borys, *The Sovietization of Ukraine*, 221.

56. Como isso ocorreu é explicado à exaustão em Peter Holquist, *Making War, Forging Revolution: Russia's Continuum of Crisis, 1914-1921* (Cambridge, MA: Harvard University Press, 2002), 16-46.

NOTAS · 443

57. M. Philips Price, *My Reminiscences of the Russian Revolution* (Londres: George Allen & Unwin, 1921), 12-16.
58. *Ibid.*, 78.
59. *Ibid.*, 12-16.
60. George Seldes, *You Can't Print That: The Truth Behind the News, 1918-1928* (Nova York: Payson & Clark, 1929), 230.
61. Francis Conte, *Christian Rakovski, 1873-1941: A Political Biography* (Boulder, CO: East European Monographs, 1989), 109, citando *Protokoly VIII Konferentsii RKP(b): 3 December 1919* (Moscou: s/ed., 1919).
62. Aleksandr Shlikhter, "Bor'ba za khleb na Ukraine v 1919 godu", *Litopys revoliutsiï: Zhurnal istoriï KP(b)U ta zhovtnevoï revoliutsiï na Ukraini* 2, nº 29 (Berezen"—Kviten", 1928), 97.
63. Holquist, *Making War, Forging Revolution*, 96.
64. *Ibid.*, 248.
65. Alan M. Ball, *Russia's Last Capitalists: The Nepmen, 1921-29* (Berkeley, CA: University of California Press, 1987), 6.
66. Boris Pasternak, *Doutor Jivago*, trad. Richard Pevear e Larissa Volokhonsky (Nova York: Pantheon Books, 2010), 175.
67. Bertrand Patenaude, *The Big Show in Bololand: The American Relief Expedition to Soviet Russia in the Famine of 1921* (Stanford, CA: Stanford University Press, 2002), 18-19.
68. Ball, *Russia's Last Capitalists*, 4.
69. Isaac Deutscher, *Stalin: A Political Biography* (Londres: Oxford University Press, 1949), 195.
70. Price, *My Reminiscences of the Russian Revolution*, 224.
71. *Ibid.*, 260 e 308.
72. Gennadii Bordyugov, "The Policy and Regime of Extraordinary Measures in Russia under Lenin and Stalin", em *Europe-Asia Studies* 47, nº 4 (junho de 1995), 617.
73. Vasyl'ev, *Politychne kerivnytstvo URSR i SRSR*, 64-69. Vasyl'ev também realça o significado de Tsaritsyn para as políticas posteriores de Stalin.
74. Oleg V. Khlevniuk, *Stalin: New Biography of a Dictator*, trad. Nora Seligman Favorov (New Haven, CT: Yale University Press, 2015), 55-57.
75. *Ibid.*, 57-59.
76. Deutscher, *Stalin*, 204.

A FOME VERMELHA

77. Pavlo Khrystiuk, *Ukraïns'ka Revoliutsiia: zamitky i materialy do istoriï Ukraïnskoï revoliutsiï, 1917-1920*, vol. 2 (Vienna: s/ed., 1921), 136.
78. V. M. Lytvyn et al., *Istoriia ukraïns'koho selianstva: Narysy v 2-kh tomakh*, vol. 2 (Kiev: Nauvoka Dumka, 2006), 57.
79. O. S. Rubl'ov e O. P. Reint, *Ukraïns'ki vizvol'ni zmahannia, 1917-1921 rr.*, vol. 10 (Kiev: Alternatyvy, 1999), 199-205.
80. Borys, *The Sovietization of Ukraine*, 235.
81. Adams, *Bolsheviks in the Ukraine*, 131-32.
82. Volodymyr Serhiichuk et al., *Ukraïns'kyi khlib na eksport, 1932-1933* (Kiev: PP Serhiichuk M.I., 2006), 3.
83. Shlikhter, "Bor'ba za khleb na Ukraine", 135.
84. Elias Heifetz, *The Slaughter of the Jews in the Ukraine in 1919* (Nova York: Thomas Seltzer, 1921), 58.
85. Leon Trotski, *History of the Russian Revolution*, 3 vols., trad. Max Eastman (Chicago, IL: Haymarket Books, 2008), 229.
86. Vil'iam Noll (William Noll), *Transformatsiia hromadians'koho suspil'stva: Usna istoriia ukraïns'koï selans'koï kul'tury, 1920-30 rokiv* (Kiev: Rodovid, 1999), 115.
87. *Ibid.*
88. James Mace, "The *Komitety Nezamozhnykh Selyan* and the Structure of Soviet Rule in the Ukrainian Countryside, 1920-1933", *Soviet Studies* 35, nº 4 (outubro de 1983), 487-503.
89. Iosyp Nyzhnyk, "Poka Reserv", COIM Al-1726/2.
90. Shlikhter, "Bor'ba za khleb na Ukraine", 98.
91. Graziosi, *Bol'sheviki i krest'iane*, 135.
92. Price, *My Reminiscences of the Russian Revolution*, 309-10.
93. Orland Figes, *Peasant Russia, Civil War: The Volga Countryside in Revolution, 1917-1921* (Oxford: Clarendon Press, 1989), 187.
94. Adams, *Bolsheviks in the Ukraine*, 125-27; Rubl'ov e Reient, *Ukraïns'ki vizvol'ni zmahannia*, 199-205.
95. Shlikhter, "Bor'ba za khleb na Ukranie", 135.
96. Holquist, *Making War, Forging Revolution*, 175-80.
97. *Ibid.*, 185.
98. Holquist, "'Conduct Merciless Mass Terror': Decossackization on the Don, 1919", *Cahiers du monde russe* 38, nº 1-2 (janeiro a junho de 1997), 127-62.
99. Shlikhter, "Bor'ba za khleb na Ukranie", 135.

NOTAS

2. REBELIÃO, 1919

1. Citado em Adams, *Bolsheviks in the Ukraine*, 299-300.
2. Bulgakov, *The White Guard*, 301.
3. N. Sukhogorskaya, "Gulyai-Polye in 1918", Arquivo de Nestor Makhno, acessado em 2016, http://www.nestormakhno.info/english/personal/personal2.htm.
4. Leon Trotski, "Report to the Plenum of the Kharkov Soviet of Workers', Cossacks' and Peasants' Deputies, 14 June 1919", em *How the Revolution Armed: The Military Writings and Speeches of Leon Trotski*, vol. 2 (Londres: New Park Publications, 1979), 278.
5. Peter Arshinov, *The History of the Makhnovist Movement (1918-1921)*, trad. Fredy e Lorraine Perlman (Londres: Freedom Press, 1974), 87-88.
6. *Ibid.*, 273, citando o panfleto, "Camaradas do Exército Vermelho!", de junho de 1920.
7. Stephen Velychenko, *Painting Imperialism and Nationalism Red: The Ukrainian Marxist Critique of Russian Communist Rule in Ukraine* (Toronto: University of Toronto Press, 2015), 177, citando TsDAHOU 57/2/398/12.
8. Heifetz, *The Slaughter of the Jews in the Ukraine*, 59.
9. Adams, *Bolsheviks in the Ukraine*, 149-51.
10. M. Kubanin, *Makhnovshchina: Krest'ianskoe dvizhenie v stepnoi Ukraine v gody grazhdanskoi voiny* (Leningrado: Priboi, 1927), 65-66; ver também Adams, *Bolsheviks in the Ukraine*, 151-52.
11. Kubanin, *Makhnovshchina*, 68-69.
12. Adams, *Bolsheviks in the Ukraine*, 299-300.
13. Graziosi, *Bol'sheviki i krest'iane*, 148.
14. Shlikhter, "Bor'ba za khleb na Ukraine", 106.
15. Rubl'ov e Reint, *Ukraïns'ki vyzvol'ni zmahannia*, 199-210; Graziosi, *Stalinism, Collectivization and the Great Famine*, 21-24.
16. Richard Pipes, *The Formation of the Soviet Union, 1917-1923* (Cambridge, MA: Harvard University Press, 1964), 137.
17. Heinrich Epp, "The Day the World Ended: December 7, 1919, Steinbach, Russia", trad. D. F. Plett, *Preservings: Newsletter of the Hanover Steinbach Historical Society*, nº 8, parte 2 (junho de 1996), 5-7. Disponível em http://www.plettfoundation.org/preservings/past issues, acessado em 2017.

A FOME VERMELHA

18. Michael Palij, *The Anarchism of Nestor Makhno, 1918-1921: An Aspect of the Ukrainian Revolution* (Seattle, WA: University of Washington Press, 1976), 187; Rubl'ov e Reint, *Ukraïns'ki vyzvol'ni zmahannia*, 211-12.

19. Graziosi, *Bol'sheviki i krest'iane*, 147.

20. John Ernest Hodgson, *With Denikin's Armies, Being a Description of the Cossack Counter-Revolution in South Russia, 1918-1920* (Londres: Temple Bar, 1932), 54-55.

21. Rubl'ov e Reint, *Ukraïns'ki vyzvol'ni zmahannia*, 214-18.

22. Epp, "The Day the World Ended", 5-7.

23. Hodgson, *With Denikin's Armies*, 54-55.

24. Nizhnik, "Poka Reserv".

25. *Ibid.*

26. Graziosi, *Stalinism, Collectivization and the Great Famine*, 24.

27. Volodymyr Serhiichuk et al., *Pohromy v Ukraïni 1914-1920: vid shtuchnykh stereotypiv do hirkoï pravdy, prykhovuvanoï v radians'kykh* arkhivakh (Kiev: Vydvo im. Oleny Telihy, 1998), 62-63, citando TsDIAUK 1439/1/1552/226.

28. Simon Sebag Montefiore, *The Romanovs* (Londres: Weidenfeld e Nicolson, 2016), 530.

29. Oleg Budnitskii, *Russian Jews Between the Reds and the Whites, 1917-1920* (Filadélfia, PA: University of Pennsylvania Press, 2012), 225.

30. Serhiichuk, *Pohromy v Ukraïni*, 20-21.

31. Hodgson, *With Denikin's Armies*, 54-55.

32. Henry Abramson, *A Prayer for the Government: Ukrainians and Jews in Revolutionary Times, 1917-1920* (Cambridge, MA: Harvard University Press, 1999), 157.

33. Heifetz, *The Slaughter of the Jews in the Ukraine*, 37.

34. *Ibid.*, 49; para uma análise das atitudes da Rada Central e do Diretório para com os judeus, ver T. P. Makarenko, "Evreis'ki pohromy v dobu Ukraïns'koï Revoliutsii", *Naukovi Pratsi Istorychnoho fakul'tetu Zaporiz'koho Natsional'noho Universytetu* XXXV (2013), 116-19.

35. Serhiichuk, *Pohromy v Ukraïni*, 26-30; Richard Pipes, ed., *The Unknown Lenin: From the Secret Archive* (New Haven: Yale University Press, 1996), 177.

36. Nahum Gergel, "The Pogroms in Ukraine in 1918-1921", *YIVO Annual of Jewish Social Science* 6 (1951), 245.

37. Heifetz, *The Slaughter of the Jews in the Ukraine*, 235-36.

NOTAS

38. Sergei Ivanovich Gusev-Orenburgskii, *Kniga o Evreiskikh pogramkh na Ukraine v 1919 g.* (Petrogrado: Z. I. Grzhebina, 1920), 118-21.
39. *Ibid.*, 119-20.
40. Serhiichuk, *Pohromy v Ukraïni*, 118-19.
41. Le Comité Commémoratif Simon Petliura, *Documents sur les Pogroms en Ukraine et l'Assassinat de Simon Petliura à Paris* (Paris: Librairie du Trident, 1927); Henry Abramson, *A Prayer for the Government: Ukrainians and Jews in Revolutionary Times, 1917-1920* (Cambridge, MA: Harvard University Press, 1999), 157.
42. Jan Borkowski, ed., *Rok 1920: Wojna Polsko-Radziecka we wspomnieniach i innych dokumentach* (Varsóvia: Pan´stwowy Instytut Wydawniczy, 1990), 128-29.
43. Jozef Piłsudski e Mikhail Nikolaevich Tukhachevskii, *Year 1920 and its Climax: Battle of Warsaw During the Polish-Soviet War, 1919-1920* (Londres: Piłsudski Institute of London, 1972), 13.
44. Para um relato completo, ver Adam Zamoyski, *Warsaw 1920: Lenin's Failed Conquest of Europe* (Londres: Harper Perennial, 2009).
45. Borys, *The Sovietization of Soviet Ukraine*, 293-95.
46. Graziosi, *Stalinism, Collectivization and the Great Famine*, 22-23.
47. As palavras de Grigorii Petrovskii, citadas em Terry Martin, *Affirmative Action Empire: Nations and Nationalism in the Soviet Union, 1923-1939* (Ithaca, NY: Cornell University Press), 78.

3. FOME E TRÉGUA: OS ANOS 1920

1. "Letter to Molotov", 19 de março de 1922, em Richard Pipes, ed., *The Unknown Lenin: From the Secret Archive* (New Haven, CT: Yale University Press, 1999), 152-53.
2. Citado em George Luckyj, "Mykola Khvylovy, a Defiant Ukrainian Communist", em Katherine Bliss Eaton, ed., *Enemies of the People: The Destruction of Soviet Literary, Theater, and Film Arts in the 1930s* (Evanston, IL: Northwestern University Press, 2002), 170.
3. Stanislav Kul'chyts'kyi, *Holodomor 1932-1933 rr. iak henotsyd: trudnoshchi usvidomlennia* (Kiev: Naukova Dumka, 2008), 51
4. Vladyslav Verstiuk, "*Novyi etap revoliutsiino-viis'kovoho protyborstva v Ukraïni*", em Volodymyr Lytvyn, ed., *Ukraïna: Politychna Istoria XX pochatok-XXI*

448   **A FOME VERMELHA**

stolittia (Kiev: Parlaments'ke vydavnytstvo, 2007), 392-430; Iurii Shapoval, "Vsevolod Balickij, bourreau et victime", *Cahiers du monde russe*, vol. 44, nº 2-3 (2003), 375.

5. Lyudmyla Hrynevych, *Holod 1928-1929 rr. v radians'kii Ukraïni* (Kiev: Instytut Istoriï Ukraïny NAN Ukraïny, 2013), 307-08, citando TsDAVOU 2/2/40 (1921), 33, e RDVA 40442/3/2 (1920), 16, 25.

6. H. H. Fisher, *The Famine in Soviet Russia, 1919-1923: The Operations of the American Relief Administration* (Nova York: Macmillan, 1927), 497.

7. Andrea Graziosi, *A New, Peculiar State: Explorations in Soviet History* (Westport, CT: Praeger, 2000), 75.

8. Stalin, *Works*, vol. 4, 311.

9. S. V. Iarov, "Krest'ianskie volneniia na Severo-Zapade Sovetskoi Rossii v 1918-1919 gg.", em V. P. Danilov e T. Shanin, eds., *Krest'ianovedenie. Teoriia. Istoriia. Sovremennost', Ezhegodnik 1996* (Moscou: Aspekt Press, 1996), 134-59.

10. Ambas as citações em Mace, *Communism and the Dilemmas of National Liberation*, 67.

11. Graziosi, *A New, Peculiar State*, 78, citando V. Danilov e T. Shanin, eds., *Krest'ianskoe vosstanie v Tambovskoi gubernii v 1919-1921 gg. Antonovshchina: Dokumenty i materialy* (Tambov: Aspekt Press, 1994), 52-55.

12. DAZhO (Zhytomyr) F. R-1520/4828 (1931), 9-16.

13. Richard Pipes, *Russia under the Bolshevik Regime* (Nova York: Vintage Books, 1995), 390.

14. TsDAVOU 337/1/8085 (1929), 26.

15. Fisher, *The Famine in Soviet Russia*, 497.

16. Vitalii Petrovych Kyrylenko, "Holod 1921-1923 rokiv u pivdennii Ukraïni" (dissertação, Mykolaivs'kyi Natsional'nyi Universytet imeni. V. O. Sukhomlyns'koho, 2015), 158-60.

17. Pipes, *Russia under the Bolshevik Regime*, 411.

18. *Ibid.*, 412.

19. R. G. Tukudzh'ian, T. V. Pankova-Kozochkina, "Golod 1921-1922 gg. i 1932-1933 gg. na iuge Rossii: sravnitel'no-istoricheskii analiz", em N. I. Bondar e O. V. Matveev, eds., *Istoricheskaia pamiat' naseleniia juga Rossii o golode 1932-33: materialy nauchno-praktisheskoi konferentsii* (Krasnodar: Isd-vo Traditsiia, 2009), 84.

20. TsDAVOU 337/1/8085 (1929), 27-28.

21. T. O. Hryhorenko, "Holod 1921-1923 rokiv na Cherkashchyni", in *Holod v Ukraïni u pershii polovyni XX stolittia: prychyny ta naslidky (1921-1923, 1932-1933, 1946-*

NOTAS 449

1947) Materialy mizhnarodnoï naukovoï konferentsiï (Kiev: 20-21 de novembro de 2013), 38-39; Kyrylenko, "Holod 1921-1923 rokiv u pivdennii Ukraïni", 101.

22. TsDAVOU 337/1/8085 (1929), 38-40.

23. Donald S. Day, "Woman Reveals Vast Horror of Russian Famine", *Chicago Tribune* (15 de agosto de 1921), 5.

24. Patenaude, *The Big Show in Bololand*, 55.

25. *Ibid.*, 59.

26. No norte do Cáucaso, por exemplo, ver Tukudzh'ian, Pankova-Kozochkina, "Golod 1921-1922 gg. i 1932-1933 gg. na iuge Rossii", 85.

27. Essa é a observação de Bertrand Patenaude em *The Big Show in Bololand*, 27.

28. TsDAHOU 1/6/29 (1922), 30.

29. *Ibid.*, 27-30.

30. *Ibid.*, 39-41.

31. Pipes, *Russia under the Bolshevik Regime*, 416.

32. Patenaude, *The Big Show in Bololand*, 55.

33. Pipes, *Russia under the Bolshevik Regime*, 417.

34. *Ibid.*, 418-19.

35. Fisher, *The Famine in Soviet Russia*, 535.

36. Na verdade, houve dois comitês ucranianos da fome. O primeiro foi criado na primavera de 1921, sendo composto por diversos políticos não bolcheviques. Ele foi rapidamente dissolvido e substituído por um comitê da fome mais confiável e pró-soviético. Ver O. M. Movchan, "Komisii ta komitety dopomohy holuduiuchym v USRR", em *Entsyklopediia istoriï Ukraïny*, V. A. Smolii et al., eds., vol. 4 (Kiev: Naukova Dumka, 2003-13), 471-73.

37. Stanislav Kul'chyts'kyi e O. M. Movchan, *Nevidomi storinky holodu 1921-1923 rr. v Ukraïni* (Kiev: Instytut Istoriï Ukraïny NAN Ukraïny, 1993), 26.

38. Lênin, *Collected Works*, vol. 45, 302-03.

39. TsDAHOU 1/20/397 (1929), 1-2.

40. G. V. Zhurbelyuk, "Metodyka istoryko-pravovykh doslidzhen problemy holodu 1921-23 rr v Ukraïni: Rozvinchannia Mifiv", em Hryhorenko, *Holod v Ukraïni u pershii polovyni XX stolittia*, 53.

41. Fisher, *The Famine in Soviet Russia*, 263.

42. Patenaude, *The Big Show in Bololand*, 96-99; Fisher, *The Famine in Soviet Russia*, 250.

43. TsDAHOU 1/6/29/ (1929), 56.

450 A FOME VERMELHA

44. O. I. Syrota, "Holod 1921-1923 rokiv v Ukraïni ta ioho ruinivni naslidky dlia ukraïns'koho narodu", em *Holod v Ukraïni u pershii polovyni XX stolittia: prychyny ta naslidky (1921-1923, 1932-1933, 1946-1947)*, 146.

45 TsDAHOU 1/6/29 (1929), 6; ver também Patenaude, *The Big Show in Bololand*, 101.

46. Os arquivos on-line do American Joint Distribution Committee, *Records of the American Jewish Joint Distribution Committee of the Years 1921-1932*, Pasta 76, Reg. NY_AR2132_00855, Minutas da Reunião do Conselho Executivo Europeu, 12 de novembro de 1921.

47. *Ibid.*, Pasta 49, Reg. NY_AR2132_04249, Carta em nome de J. H. Cohen.

48. Fisher, *The Famine in Soviet Russia*, 271-75.

49. *Ibid.*, 266.

50. Ver, por exemplo, Zhurbeliuk, "Metodyka istoryko-pravovykh doslidzhen' problemy holodu 1921-1923 rr. v Ukraïni", 51-58; também, Kul'chyts'kyi, *Holodomor 1932-1933 rr. iak henotsyd*, 140-70.

51. Kyrylenko, "Holod 1921-1923 rokiv u pivdennii Ukraïni", 118-29.

52. TsDAHOU 1/6/29 (1929), 36-39.

53. *Ibid.*, 16-17.

54. Pipes, ed., *The Unknown Lenin*, 152-53.

55. *Ibid.*

56. Pipes, *Russia under the Bolshevik Regime*, 411.

57. Kyrylenko, "Holod 1921-1923 rokiv u pivdennii Ukraïni", 130-39.

58. Patenaude, *The Big Show in Bololand*, 197-98.

59. Iurii Mytsyk et al., eds., *Ukrains'kyi holokost 1932-1933: svidchennia tykh, khto vyzhyv*, vol. 6 (Kiev: Kyievo-Mohylians'ka Akademiia, 2008), 599.

60. V. A. Smolii et al., *"Ukraïnizatsiia" 1920-1930-kh rokiv: peredumovy, zdobutky, uroky* (Kiev: Instytut Istoriï Ukraïny NAN Ukraïny, 2003), 15.

61. Pipes, *Russia under the Bolshevik Regime*, 369.

62. Lênin, *Collected Works*, vol. 33, 62.

63. Martin, *The Affirmative Action Empire*, 78-79.

64. Hennadii Yefimenko, "Bolshevik Language Policy as a Reflection of the Ideas and Practice of Communist Construction, 1919-1933", *The Battle for Ukrainian: A Comparative Perspective*, eds. Michael S. Flier e Andrea Graziosi (Cambridge, MA: Instituto de Pesquisa Ucraniana de Harvard, 2017), 173.

65. Yefimenko, "Bolshevik Language Policy", 170.

66. *Ibid.*

67. Ball, *Russia's Last Capitalists*, 45-48.

NOTAS 451

68. Borys, *The Sovietization of Soviet Ukraine*, 249-50.
69. Shevelov, *The Ukrainian Language in the First Half of the Twentieth Century*, 86.
70. Mace, *Communism and the Dilemmas of National Liberation*, 197-98.
71. Smolii, *"Ukraïnizatsiia" 1920-1930-kh rokiv*, 28, citando *Desiatyi s'ezd RKP(b): Stenog. Ochtet.—M.* (1963), 202-03.
72. O *Borotbysty*, partido de esquerda dos socialistas-revolucionários, juntou-se ao Partido Comunista (Bolcheviques) da Ucrânia, o PC(B)U. Os social-democratas remanescentes se juntaram a outro grupo, o Partido Comunista, que existiu até 1924.
73. Mace, *Communism and the Dilemmas of National Liberation*, 89, citando A. I. Bychkova et al., eds., *Kulturne budivnytstvo v Ukraïnskii RSR, cherven 1941-1950: zbirnyk dokumentiv i materialiv*, vol. 1 (Kiev: Naukova Dumka, 1989), 229-32, 242-47.
74. Plokhy, *Unmaking Imperial Russia*, 225.
75. *Ibid.*, 216-31; Prymak, *Mykhailo Hrushevsky*, 208-12.
76. Plokhy, *Unmaking Imperial Russia*, 234; Prymak, *Mykhailo Hrushevsky*, 208-12.
77. Iurii I. Shapoval, "The Mechanisms of the Informational Activity of the GPUNKVD", *Cahiers du monde russe* 22 (abril-dezembro de 2001), 207-30.
78. Plokhy, *Unmaking Imperial Russia*, 266.
79. *Ibid.*, 233; Prymak, *Mykhailo Hrushevsky*, 208-12.
80. Prymak, *Mykhailo Hrushevsky*, 212.
81. Natella Voiskounski, "A Renaissance Assassinated", *Galeriya* 2 (2012) (35), acessado em 23 de abril de 2017, http://www.tretyakovgallerymagazine.com/articles/2201235 /renaissanceassassinated.
82. George S. Luckyj, *Literary Politics in the Soviet Ukraine, 1917-1934* (Nova York: Columbia University Press, 1990), 47-49.
83. *Ibid.*, 46.
84. Olga Bertelsen, "The House of Writers in Ukraine, the 1930s: Conceived, Lived, Perceived", *The Carl Beck Papers in Russian and East European Studies* 2302 (2013), 13-14.
85. Shevelov, *The Ukrainian Language in the First Half of the Twentieth Century*, 131-36.
86. Martin, *The Affirmative Action Empire*, 213, 281
87. *Ibid.*, 282-85.

452 **A FOME VERMELHA**

88. Matthew Pauly, *Breaking the Tongue: Language, Education, and Power in Soviet Ukraine, 1923-1934* (Toronto: University of Toronto Press, 2014), 66-67.
89. Smolii et al., *"Ukraïnizatsiia" 1920-1930-kh rokiv*, 7-8.
90. Pauly, *Breaking the Tongue*, 4.
91. Petro G. Grigorenko, *Memoirs*, trad. Thomas R. Whitney (Nova York: W. W. Norton, 1982), 14.
92. *Ibid.*, 15-16.
93. Hiroaki Kuramiya, *The Voices of the Dead: Stalin's Great Terror in the 1930s* (New Haven, CT: Yale University Press, 2007) 108-09.
94. Pauly, *Breaking the Tongue*, 60-61.
95. *Ibid.*, 259-63.
96. *Ibid.*, 146.
97. *Ibid.*, 229-30.
98. As fontes dessa seção são Shapoval, "Vsevolod Balickij, bourreau et victim", e Iurii Shapoval, Volodymyr Prystaiko e Vadym Zolotar'ov, *ChK-GPU-NKVD v Ukraïni: osoby, fakty, dokumenty* (Kiev: Abrys, 1997), 25-43.
99. Shapoval, "Vsevolod Balickij, bourreau et victim", 373.
100. *Ibid.*, 376.
101. De fato, o GPU (Diretório Político do Estado) foi o nome das forças da polícia secreta a partir de fevereiro de 1922, quando ele era parte do Comissariado do Povo das Questões Internas. A partir de novembro de 1923, ele se tornou o OGPU (Diretório Conjunto, ou de Toda a União, Político do Estado) sob o controle direto do Conselho dos Comissários do Povo. Mas os dois nomes eram, e ainda são, intercambiáveis para descrever a polícia naquele tempo, antes de serem novamente renomeados em 1934. Para simplificar e facilitar o entendimento, este livro emprega apenas OGPU.

4. A CRISE DUPLA: 1927-29

1. Citado em Lynne Viola, V. P. Danilov, N. A. Ivnitskii e Denis Kozlov, *The War Against the Peasantry, 1927-1930: The Tragedy of the Soviet Countryside*, trad. Steven Shabad (New Haven, CT: Yale University Press, 2005), 22-23.
2. Elena Osokina, *Our Daily Bread: Socialist Distribution and the Art of Survival in Stalin's Russia, 1927-1941*, trad. Kate Transchel e Greta Bucher (Londres e Nova York: Routledge, 2005), 16.
3. TsDAVOU 337/1/8085 (1929), 61-76.

NOTAS 453

4. E. H. Carr e R. W. Davies, *A History of Soviet Russia: Foundations of a Planned Economy, 1926-1929*, vol. 1 (Londres: Macmillan, 1978), 943, tabela 7; Kotkin, *Stalin: Paradoxes of Power*, 662.

5. TsA FSB RF 2/5/386 (1928), 1-3, 15-45, reproduzido em Viola et al., eds., *The War Against the Peasantry*, 34-44.

6. Paul Scheffer, *Seven Years in Soviet Russia*, trad. Arthur Livingstone (Nova York: Macmillan, 1932), 64.

7. Eugene Lyons, *Assignment in Utopia* (Nova York: Harcourt, Brace, 1937), 97.

8. TsA FSB RF 66/1/174 (1927), 162, em Viola et al., eds., *The War Against the Peasantry*, 22-23.

9. Christopher Andrew e Vasili Mitrokhin, *The Mitrokhin Archive: The KGB in Europe and the West* (Londres: Allen Lane, 1999), 48-49, citando Christopher Andrew e Oleg Gordievsky, KGB: *The Inside Story of its Foreign Operations from Lenin to Gorbachev* (Londres: Sceptre, 1991), 126, e Roger Faligot e Rémi Kauffer, *As-tu vu Crémet?* (Paris: Seuil, 1991).

10. Timothy Snyder, *Sketches from a Secret War: A Polish Artist's Mission to Liberate Soviet Ukraine* (New Haven, CT: Yale University Press, 2005), 45-48.

11. James Harris, *The Great Fear: Stalin's Terror of the 1930s* (Oxford: Oxford University Press, 2016) 106-07.

12. Robert Tucker, *Stalin in Power: The Revolution from Above, 1928-1941* (Nova York: W. W. Norton, 1992), 75.

13. Liudmyla Hrynevych, "The Price of Stalin's 'Revolution from Above': Anticipation of War among the Ukrainian Peasantry", trad. Marta Olynyk, *Key Articles on the Holodomor Translated from Ukrainian into English*, Holodomor Research and Education Consortium, http://holodomor.ca/translated-articles-on-the-holodomor.

14. TsA FSB RF 2/6/567 (1927), 1-5, em Viola et al., eds., *The War Against the Peasantry*, 32.

15. RGASPI, 17/3/666 (1927), 10-12, em *ibid.*, 32-34.

16. RTsKhIDNI, 17/3/667 (1928), 10-12, reproduzido em V. Danilov, R. Manning e L. Viola, eds., *Tragediia sovetskoi derevni. Kollektivizatsiia i raskulachivanie: dokumenty i materialy v 5 tomakh, 1927-1930*, vol. 1 (Moscou: Rossiiskaia polit. Entisklopediia, 1999), 136-37.

17. V. M. Lytvyn et al., *Ekonomichna istoriia Ukraïny: Istoryko-ekonomichne doslidzhennia*, vol. 2 (Kiev: Instytut Istoriï Ukraïny NAN Ukraïny, 2011), 223-24.

18. *Izvestiia* TsK KPSS, 1991, nº 5 (1928), 195-96, em Danilov et al., eds., *Tragediia sovetskoi derevni*, vol. 1, 147.

454 **A FOME VERMELHA**

19. TsA FSB RF 2/6/53 (1928), 87-94, em A. Berelovich e V. Danilov, eds., *Sovetskaia derevnia glazami VChK-OGPU-NKVD, 1918-1939: Dokumenty i materialy v 4-kh tomakh*, vol. 2 (Moscou: ROSSP'EN, 1998-2005), 655-56.
20. TsA FSB RF 2/6/567 (1928), 109-13, em *ibid.*, vol. 2, 653-54.
21. *Izvestiia* TsK KPSS, 1991, n° 5 (1928), 201-02, em Danilov et al., eds., *Tragediia sovetskoi derevni*, vol. 1, 156-57.
22. TsA FSB RF 2/6/596 (1928), 150-51, em Berelovich e Danilov, eds., *Sovetskaia derevnia glazami VChK-OGPU-NKVD*, vol. 2, 661-63.
23. Maurice Hindus, *Red Bread: Collectivization in a Russian Village* (Bloomington, IN: Indiana University Press, 1988), 60.
24. *Ibid.*, 159.
25. Mikhail Sholokhov, *Virgin Soil Upturned*, trad. Stephen Garry (Londres: W. & J. Mackay, 1977), 23.
26. Kotkin, *Stalin: Paradoxes of Power*, 672, citando *Izvestiia* TsK KPSS, 1991, n° 6, 203-05, e RGASPI, 558/11/118, 23-26.
27. R. W. Davies, *The Soviet Collective Farm, 1929-1930* (Cambridge, MA: Harvard University Press, 1980), 71.
28. Harris, *The Great Fear*, 86.
29. Khlevniuk, *Stalin: New Biography of a Dictator*, 103.
30. *Izvestiia* TsK KPSS, 1991, n° 7 (1928), 179, em Danilov et al., eds., *Tragediia sovetskoi derevni*, vol. 1, 158.
31. J. Arch Getty e Oleg V. Naumov, *The Road to Terror: Stalin and the Self--Destruction of the Bolsheviks, 1932-1939* (New Haven, CT: Yale University Press, 2002), 41.
32. RTsKhIDNI 17/2/375 chast' II (1928), 50 ob.-66 ob., em Danilov et al., eds., *Tragediia sovetskoi derevni*, vol. 1, 272-355, esp. 319-54.
33. V. P. Danilov, "Bukharin and the Countryside", em A. Kemp-Welch, ed., *The Ideas of Nikolai Bukharin* (Oxford: Oxford University Press, 1992), 76.
34. Esse é o argumento de Martin em *The Affirmative Action Empire*, 23, 75-124.
35. Mykola Khvylovyi, *The Cultural Renaissance in Ukraine: Polemical Pamphlets, 1925-1926*, trad. e ed. Myroslav Shkandrij (Edmonton, Alberta: Instituto Canadense de Estudos Ucranianos, 1986), 222; também citado em Martin, *The Affirmative Action Empire*, 215.
36. Bertelsen, "The House of Writers in Ukraine", 4.
37. Martin, *The Affirmative Action Empire*, 288; TsA FSB RF 2/7/525 (1928), 126-27, em Berelovich e Danilov, eds., *Sovetskaia derevnia glazami VChK--OGPU-NKVD*, vol. 2, 817.

NOTAS

38. Martin, *The Affirmative Action Empire*, 212, 215-16, 224.
39. Stalin, *Works*, vol. 8, 162.
40. Shapoval, "Vsevolod Balickij, bourreau et victim", 379-80, 392.
41. Vasyl' Danylenko, ed., *Ukraïns'ka intelihentsiia i vlada: zvedennia sektrenoho viddilu DPU USRR 1927-1929 rr.* (Kiev: Tempora, 2012), 25-28.
42. Iurii Shapoval, "Zhittia ta smert" Mikoly Khvyl'ovoho: u svitli rozsekrechenykh dokumentiv HPU", em *Z arkhiviv VUChK, HPU, NKVD, KHB* 2, n° 30/31 (2008): 316-17.
43. Martin, *The Affirmative Action Empire*, 224.
44. *Ibid.*, 225.
45. Shapoval, "Vsevolod Balickij, bourreau et victim", 383, citando HDA SBU, Kiev, FPI, 1.2.
46. Plokhy, *Unmaking Imperial Russia*, 262-63.
47. Shapoval, "The Mechanisms of the Informational Activity of the GPU-NKVD", 207-08.
48. Danylenko, *Ukraïns'ka intelihentsiia i vlada*, 61, 63, 68-69, 97.
49. Mace, *Communism and the Dilemmas of National Liberation*, 114.
50. Lyons, *Assignment in Utopia*, 115.
51. *Ibid.*, 116-17.
52. Stephen Kotkin's *Stalin: Paradoxes of Power* tem um resumo muito bom da farsa judicial de Shakhty, 687-704.
53. Sheila Fitzpatrick, *Education and Social Mobility in the Soviet Union, 1921-1934* (Cambridge: Cambridge University Press, 1979, 2002), 113.
54. Todas as vítimas foram reabilitadas em 1989, depois que um tribunal descobriu que o caso fora armação. Ver Iurii Shapoval, "The Case of the 'Union for the Liberation of Ukraine': A Prelude to the Holodomor", *Holodomor Studies* 2, n° 2 (verão-outono de 2010), 163; sobre o primeiro "SVU", ver Alexander Motyl, *The Turn to the Right: The Ideological Origins and Development of Ukrainian Nationalism, 1919-1929* (Nova York: Columbia University Press, 1980), 10-11.
55. Olga Bertelsen e Myroslav Shkandrij, "The Secret Police and the Campaign against Galicians in Soviet Ukraine, 1929-1934", *Nationalities Papers: The Journal of Nationalism and Ethnicity* 42, n° 1 (2014), 37-62.
56. Shapoval, "The Case of the 'Union for the Liberation of Ukraine'", 158-60.
57. Mace, *Communism and the Dilemmas of National Liberation*, 275.
58. Pauly, *Breaking the Tongue*, 261-63.

456 **A FOME VERMELHA**

59. HDA SBU 13/370/9/142-55, reproduzido em Danylenko, *Ukraïns'ka inte-lihentsiia i vlada*, 470-71.

60. I. M. Prelovs'ka, *Dzherela z istoriï Ukraïns'koi Aftokefal'noï Pravoslavnoï Tserkvy, 1921-1930—Ukraïns'koï Pravoslavnoï Tserkvy, 1930-1939* (Kiev: Institut Ukraïns'koï Arkheohrafiï ta Dzhereloznavstva im. M. C. Hrushevs'koho, 2013), 498-99.

61. Shapoval, "The Case of the 'Union for the Liberation of Ukraine'", 157-58.

62. *Ibid.*, 172.

63. *Ibid.*, 166-67.

64. Kost Turkalo, "The SVU Trial", em S. O. Pidhainy, ed., *The Black Deeds of the Kremlin: A White Book*, vol. 1 (Toronto: Basilian Press, 1953), 309-14.

65. Myroslav Shkandrij e Olga Bertelsen, "The Soviet Regime's National Operations in Ukraine, 1929-1934", *Canadian Slavonic Papers* 55, nº 3/4 (setembro--dezembro de 2013), 420.

66. A. H. Korolev, "Institut nauchnoi i prakticheskoi veterinarii narkomzema USSR v gody repressii", *Istoriia nauky i biohrafistyka: Elektronne naukove fakhove vydannia — mizhvidomchyi tematychnyi zbirnyk*: Natsional'na Akademiia Ahrarnykh Nauk, Natsional'na Naukova Sil's'kohospodars'ka Biblioteka 3 (2007), http://inb.dnsgb.com.ua.

67. Shkandrij e Bertelsen, "The Soviet Regime's National Operations in Ukraine", 437-47.

68. Stalin, "Concerning the National Question in Yugoslavia", discurso pronunciado na Comissão Iugoslava da ECCI, 30 de março de 1925, em Stalin, *Works*, vol. 7, 71-72.

69. Martin, *The Affirmative Action Empire*, 147.

70. Andrea Graziosi, "Collectivisation, révoltes paysannes et politiques gouvernementales (à travers les rapports du GPU d'Ukraine de février-mars 1930)", *Cahiers du monde russe* 35, nº 3 (julho-setembro de 1994), 439-40.

71. HDA SBU 13/370/1 (1927), 15-26, em Danylenko, *Ukraïns'ka intelihentsiia i vlada*, 46.

72. HDA SBU 13/370/2 (1927), 106-18, em *ibid.*, 119-20.

73. HDA SBU 13/370/1 (1927), 107-21, em *ibid.*, 78-79.

74. HDA SBU 13/370/4 (1927), 55-74, em *ibid.*, 213-14.

75. Hrynevych, "The Price of Stalin's 'Revolution from Above'", 4.

76. *Ibid.*, 4-5.

NOTAS

77. TsA FSB RF 2/6/25 (1928), 1-66, em Berelovich e Danilov, eds., *Sovetskaia derevnia glazami VChK-OGPU-NKVD*, vol. 2, p. 816; ver também vol. 2, 780-817.
78. Citado em V. M. Danylenko et al., eds., *Pavlohrads'ke povstannia, 1930: dokumenty i materialy* (Kiev: Ukraïns'kyi Pys'mennyk, 2009), 14-15.
79. Lyons, *Assignment in Utopia*, 99.
80. TsA FSB RF 2/6/597 (1928), 22-27, em Danilov, *Tragediia sovetskoi derevni*, vol. 1, 195-200.
81. Hrynevych, *Holod 1928-1929 rr. u radians'kii Ukraïni*, 238-39
82. *Ibid.*, 90, 232-36, 238-40.
83. TsA FSB RF 2/6/597 (1928), 6-20, em Berelovich and Danilov, eds., *Sovetskaia derevnia glazami VChK-OGPU-NKVD*, vol. 2, 666.
84. Hrynevych, "The Price of Stalin's 'Revolution from Above'", 5.
85. *Ibid.*, 6.
86. Shkandrij e Bertelsen, "The Soviet Regime's National Operations in Ukraine", 425.
87. RTsKhIDNI 82/2/136 (1928), 1-55, em Danilov, *Tragediia sovetskoi derevni*, vol. 1, 172-92.
88. TsA FSB RF 2/6/599 (1928), 292-99, em Berelovich e Danilov, eds., *Sovetskaia derevnia glazami VChK-OGPU-NKVD*, vol. 2, 723-31.
89. Citado em Danylenko, *Pavlohrads'ke povstannia*, 14-15
90. *Ibid.*, 318.
91. TsA FSB RF 2/6/597 (1928), 126-35, em Berelovich e Danilov, eds., *Sovetskaia derevnia glazami VChK-OGPU-NKVD*, vol. 2, 672-82.

5. COLETIVIZAÇÃO: REVOLUÇÃO NO CAMPO, 1930

1. P. V., "Collective Farming", em Pidhaïny, *The Black Deeds of the Kremlin*, 213.
2. Lyons, *Assignment in Utopia*, 283.
3. Miron Dolot, *Execution by Hunger: The Hidden Holocaust* (Nova York: W. W. Norton, 1984), 1-2. Dolot é pseudônimo: o nome real do escritor é Simon Starow.
4. "Agenda A, vol. 37, Caso 622/(NY)1719 (entrevistador W. T., tipo A4). Mulher, 53, ucraniana, *Kolkhoznik*", julho de 1951, Projeto de Harvard sobre o Serviço Social Soviético, Divisão Eslava, Widener Library, Harvard University, 52.
5. "Agenda B, vol. 7, Caso 67 (entrevistador J. R.)", Projeto de Harvard sobre o Serviço Social Soviético, Divisão Eslava, Widener Library, Harvard University, 12.

458   **A FOME VERMELHA**

6. Stanislav Kul'chyts'kyi, ed., *Narysy povsiakdennoho zhyttia radians'koi Ukraïny v dobu NEPu (1921-1928 rr.) kolektyvna monohrafiia v 2-kh chastynakh*, vol. 2 (Kiev: Instytut Istoriï Ukraïny NAN Ukraïny, 2010), 183.

7. Kotkin, *Stalin: Paradoxes of Power*, 672, citando *Izvestiia TsK KPSS*, 1991, nº 6, 203-05, e RGASPI, 558/11/118, 23-26.

8. Existiam três tipos de fazendas coletivas (*kolkhoz*): a comuna, o cartel e a associação para o cultivo comum da terra (TOZ ou SOZ). Além dessas, existiam as fazendas de propriedade do Estado (*sovkhoz*). R. W. Davies, *The Soviet Collective Farm* (Cambridge, MA: Harvard University Press, 1980), 68.

9. Para uma descrição geral da vida na fazenda coletiva, ver Sheila Fitzpatrick, *Stalin's Peasants: Resistance and Survival in the Russian Village after Collectivization* (Oxford: Oxford University Press, 1994), 128-51.

10. Stalin, "God velikogo pereloma", *Pravda* (7 de novembro de 1929), em Danilov et al., eds., *Tragediia sovetskoi derevni*, vol. 1, 741-42.

11. RtsKhIDNI 17/2/441, vols. 1 e 2; sintetizados em Robert Conquest, *The Harvest of Sorrow: Soviet Collectivization and the Terror-Famine* (Nova York: Oxford University Press, 1986), 112-14; e Lynne Viola, *Peasant Rebels under Stalin: Collectivization and the Culture of Peasant Resistance* (Oxford: Oxford University Press, 1996), 24-26.

12. Dolot, *Execution by Hunger*, 6.

13. Lynne Viola, *The Best Sons of the Fatherland: Workers in the Vanguard of Soviet Collectivization* (Nova York: Oxford University Press, 1987), 31, 62.

14. *Ibid.*, 64.

15. Lev Kopelev, *To Be Preserved Forever*, trad. Anthony Austin (Nova York: Lippincott 1977), 11.

16. Hindus, *Red Bread*, 1.

17. Sholokhov, *Virgin Soil Upturned*, 84.

18. Viola, *The Best Sons of the Fatherland*, 76.

19. Antonina Solovieva, "Sent by the Komsomol", em Sheila Fitzpatrick e Yuri Slezkine, eds., *In the Shadow of Revolution: Life Stories of Russian Women from 1917 to the Second World War* (Princeton, NJ: Princeton University Press, 2000), 237.

20. Tracy McDonald, "A Peasant Rebellion in Stalin's Russia: The Pitelinskii Uprising, Riazan 1930", *Journal of Social History* 35, nº 1 (outono de 2001), 125-46.

21. Noll, *Transformatsiia hromadians'koho suspil'stva*, 180.

NOTAS

22. "Case History LH38: Oleksandr Honcharenko, Cherkasy oblast", em U.S. Congress, *Investigation of the Ukrainian Famine, 1932-1933*, Relatório ao Congresso/Comissão sobre a Fome Ucraniana, adotado pela Comissão em 19 de abril de 1988, submetido ao Congresso em 22 de abril de 1988, James E. Mace, ed. (Washington, D.C.: U.S. G.P.O., 1988), 317.

23. TsA FSB RF 2/9/21 (1930), 393-94, em Lynne Viola e V. P. Danilov, eds., *The War Against the Peasantry, 1927-1930: The Tragedy of the Soviet Countryside*, trad. Steven Shabad (New Haven, CT: Yale University Press, 2005), 219.

24. Solovieva, "Sent by the Komsomol", em Fitzpatrick e Slezkine, eds., *In the Shadow of Revolution*, 236-37.

25. Pasha Angelina, "The Most Important Thing", em Fitzpatrick e Slezkine, eds., *In the Shadow of Revolution*, 310.

26. RTsKhIDNI 85/1/118 (1930), 1-13, reproduzido em Graziosi, "Collectivisation, révoltes paysannes et politiques gouvernementales", 476.

27. DAZhO (Zhytomyr) 1520/4828 (1931), 9-16.

28. Graziosi, "Collectivisation, révoltes paysannes et politiques gouvernementales", 450. Esse uso de "elementos criminosos" não só teve precedente em 1919-20, como permaneceu sendo tática do arsenal soviético: a NKVD recorreria a redes de criminosos quando criou novas forças da polícia secreta na ocupada Europa Central, depois de 1945.

29. *Ibid.*, 449, citando "Sergo Ordzhonikidze, 'Stenogramma' (Sténogramme) du rapport au noyau militant restraint (aktiv) du parti du district de Herson, 24 mars 1930"; e R. W. Davies, *The Socialist Offensive: The Collectivization of Agriculture 1929-30* (Londres: Macmillan, 1980), 225.

30. Noll, *Transformatsiia hromadians'koho suspil'stva*, 126.

31. TsA FSB RF 2/8/344 (1930), 344-56, em Danilov, *Tragediia sovetskoi derevni*, vol. 2, 336-42.

32. Depoimento de Stepanyda Melentiïivna Khyria, em Mytsyk et al., eds., *Ukraïns'kyi holokost*, vol. 1, 87.

33. "Case History LH57, Mikhail Frenkin, Baku", em U.S. Congress, *Investigation of the Ukrainian Famine, Relatório ao Congresso*, 363.

34. Depoimento de Nicolas Chymych, em U.S. Congress and Commission on the Ukraine Famine, *Investigation of the Ukrainian Famine, 1932-1933: Segundo Relatório Provisório*, encontros e oitivas em testemunhos ou diante da Comissão sobre a Fome Ucraniana, 1987: oitiva, São Francisco, Califórnia, 10 de fevereiro de 1987; oitiva, Phoenix, Arizona, 13 de fevereiro de 1987; oitiva

460 A FOME VERMELHA

e reunião, Washington, D.C., 30 de abril de 1987; oitiva, Filadélfia, Pensilvânia, 5 de junho de 1987 (Washington, D.C.: U.S. G.P.O.: À venda pelo Supt. of Docs. do U.S. G.P.O., 1988), 126-28.

35. Depoimento de Valentin Kochno, em *ibid.*, 18.

36. Dolot, *Execution by Hunger*, 8.

37. Graziosi, "Collectivisation, révoltes paysannes et politiques gouvernementales", 439-40.

38. Ekaterina Olitskaia, "My Reminiscences", em Fitzpatrick e Slezkine, eds., *In the Shadow of Revolution*, 39-40.

39. TsDAZhR Ukrainy 539/7/71 (1929), 139, reproduzido em Stanislav Kul'chyts'kyi et al., *Kolektivizatsiia i holod na Ukraïni, 1929-1933: zbirnyk dokumentiv i materialiv* (Kiev: Naukova Dumka, 1992), 106-07.

40. Lynne Viola explica que o *podkulachnik* era visto como possuidor de essência *kulak*, apesar de não ter nenhuma propriedade (Viola, *Peasant Rebels Under Stalin*, 34).

41. Hindus, *Red Bread*, 45-46.

42. Otto J. Pohl, Eric J. Schmaltz e Ronald J. Vossler, "'In our hearts we felt the sentence of death': Ethnic German Recollections of Mass Violence in the USSR, 1928-48", *Journal of Genocide Research* 11, n° 2 (2009), 325-27 e 343.

43. TsA FSB RF 2/8/40 (1930), 6-17, em Danilov, *Tragediia sovetskoi derevni*, vol. 2, 292-303.

44. GARF 9414/1/1944 (1930), 17-25, em Viola e Danilov, eds., *The War Against the Peasantry*, 240-41.

45. TsA FSB RF 2/8/3 (1930), 2, em Berelovich, *Sovetskaia derevnia glazami VChK-OGPU—NKVD*, vol. 3, 71.

46. Dolot, *Execution by Hunger*, 18-19.

47. RGAE 7446/1/283 (1930), 13-18, em Danilov et al., eds. *Tragediia sovetskoi derevni*, vol. 2, 292-303.

48. Depoimento de Anastasia Shpychka, em L. B. Kovalenko e Volodymyr Maniak, eds., *33-i Holod: narodna knyha-memorial* (Kiev: Radians'kyi Pys'mennyk, 1991), 53.

49. TsA FSB RF 2/8/678 (1930), 163-65, em Danilov et al., eds., *Tragediia ovetskoi derevni*, vol. 2, 141-44.

50. Depoiment de Kylyna Vasylivna Dykun, em Mytsyk et al., eds., *Ukraïns'kyi holokost*, vol. 1, 89.

51. RGAE 7446/1/283 (1930), 13-18, em Danilov et al., eds., *Tragediia sovetskoi derevni*, vol. 2, 198-203.

NOTAS

52. Depoimento de Maria Leshchenko, em Kovalenko and Maniak, eds., *33-i Holod*, 522.

53. RGASPI 17/3/779/ (1930), 18-20, em Danilov et al., eds. *Tragediia sovetskoi derevni*, vol. 2, 303-05.

54. "Case History LH46, anônimo, área de Dnipropetrovs'k", em U.S. Congress, *Investigation of the Ukrainian Famine, Relatório ao Congresso*, 339-41.

55. Depoimento de Olena Davydivna Demchenko, em Kovalenko e Maniak, eds., *33-i Holod*, 505-06.

56. Dolot, *Execution by Hunger*, 25.

57. TsA FSB RF 2/8/40 (1930), 6-17, em Viola e V. P., eds., *The War Against the Peasantry*, 281.

58. Depoimento de Ivan Samsonovych, em Kovalenko e Maniak, eds., *33-i Holod*, 503-04.

59. Depoimento de Mykola Demydovych Fenenko, em Kovalenko e Maniak, eds., *33-i Holod*, 540-42.

60. Noll, *Transformatsiia hromadians'koho suspil'stva*, 124.

61. TsA FSB RF 2/8/823 (1930), 342-51, em Viola e Danilov, eds., *The War Against the Peasantry*, 248.

62. Noll, *Transformatsiia hromadians'koho suspil'stva*, 155.

63. Depoimento de Henrikh Pidvysotsky, em Kovalenko e Maniak, eds., *33-i Holod*, 78.

64. TsDAZhR Ukraïny 27/11/543 (1930), 215.

65. RGAE 7446/1/283 (1930), 13-18, em Danilov et al., eds., *Tragediia sovetskoi derevni*, vol. 2, 198-203.

66. Sheila Fitzpatrick, "The Great Departure: Rural-Urban Migration in the Soviet Union, 1929-1933", em William G. Rosenberg e Lewis H. Siegelbaum, eds., *Social Dimensions of Soviet Industrialization* (Bloomington, IN: Indiana University Press, 1993), 22-25. Na nota de rodapé 56, Fitzpatrick escreve que Rykov observou "que regiões *kulaks* ainda não afetadas pela coletivização total, eles se anteciparam porque mesmo que hoje não houvesse coletivização total em suas áreas, amanhã haveria. *Desiataia Ural'skaia oblastnaia konferentsiia Vsesoiuznoi Kommunisticheskoi Partii (bol'shevikov)* (Sverdlovsk, 1930), Bulletin n° 7, 19.

67. Kuromiya, *Freedom and Terror in the Donbas*, 35-41.

68. "Case History LH38: Oleksandr Honcharenko, Cherkasy oblast", em U.S. Congress, *Investigation of the Ukrainian Famine, Relatório ao Congresso*, 317.

462   A FOME VERMELHA

69. Noll, *Transformatsiia hromadians'koho suspil'stva*, 155-56.

70. TsA FSB RF 2/8/678 (1930), 163-5, em Danilov et al., eds., *Tragediia sovetskoi derevni*, vol. 2, 161-63.

71. N. A. Ivnitskii, *Kollektivizatsiia i raskulachivanie, nachalo 30-kh gg.* (Moscou: Interpraks, 1994), 122-37; também V. N. Zemskov, "Spetsposelentsy (po dokumentakm NKVD-MVD-SSSR)", *Sotsiologicheskie Issledovaniia* 11 (1990), 4.

72. N. A. Morozov, *GULAG v Komi Krae, 1929-1956* (Syktyvkar: Syktyvkarskii Gosudarstvennyi universitet, 1997), 104.

73. RGASPI 17/3/775 (1930), 15-16, em Danilov et al., eds., *Tragediia sovetskoi derevni*, vol. 2, 174-75.

74. Ivnitskii, *Kollektivizatsiia i raskulachivanie*, 122-37; também Zemskov, "Spetsposelentsy (po dokumentakm NKVD-MVD-SSSR)", 4.

75. Anne Applebaum, *Gulag: A History* (Nova York: Doubleday, 2003), 46-50.

76. James Harris, "The Growth of the Gulag: Forced Labor in the Urals Region, 1929-31", *The Russian Review* 56, nº 2 (1997), 265-80.

77. Noll, *Transformatsiia hromadians'koho suspil'stva*, 125.

78. *Ibid.*, 269-71.

79. "Case History LH38: Oleksandr Honcharenko, Cherkasy oblast", em U.S. Congress, *Investigation of the Ukrainian Famine*, Relatório ao Congresso, 325-29.

80. Ver, por exemplo, o depoimento de Vasyl' Pavlovych Nechyporenko e Iakiv Antonovych Dziubyshyn em Mytsyk et al., eds., *Ukraïns'kyi holokost*, vol. 1, 163, e vol. 2, 116; e "Depoimento de Mr. Sviatoslav Karavansky", em U.S. Congress, *Investigation of the Ukrainian Famine, 1932-1933: First Interim Report of Meetings and Hearings of and Before the Commission on the Ukraine Famine*, reunião e oitiva, 8 de outubro de 1988 (Washington, D.C.: U.S. G.P.O., 1987), 79; bem como "Case History LH8", "Case History LH46" e "Case History SW34", todos em U.S. Congress, *Investigation of the Ukrainian Famine*, Relatório ao Congresso, 256, 345 e 386.

81. Oleksandra Bykovets, "Interview with Oleksandra Bykovets" (Sviatoslav Novytskyi, 1º de setembro de 1983), trechos retirados dos arquivos do detentor de direitos autorais, o UCRDC.

82. Depoimento de Larysa Donchuk, em U.S. Congress, *Investigation of the Ukrainian Famine, 1932-1933, segundo relatório*, 138.

83. Olesia Stasiuk, "The Deformation of Ukrainian Folk Culture During the Holodomor Years", trad. Marta Olynyk, *Key Articles on the Holodomor Translated*

NOTAS 463

from Ukrainian into English, Holodomor Research and Education Consortium, 12-13, http://holodomor.ca/translated-articles-on-the-holodomor.

84. Noll, *Transformatsiia hromadians'koho suspil'stva*, 340-87.

85. TsDAHOU 1/20/3108 (1930), 1.

86. Hiroaki Kuromiya, *The Voices of the Dead: Stalin's Great Terror in the 1930s* (New Haven, CT: Yale University Press, 2007), 109.

87. *Ibid.,* 110.

88. Boleslaw Szczesniak, *The Russian Revolution and Religion: A Collection of Documents Concerning the Suppression of Religion by the Communists, 1917-1925* (Notre Dame, IN: University of Notre Dame Press, 1959), 158; Alla Kyrydon, "Ruinuvannia kul'tovykh sporud (1920-1930-ti rr.): porushennia tradytsiinoï rytmolohiï prostoru", em *Ukraïns'kyi Istorychnii Zhurnal* 22, nº 6 (2013), 91-102.

89. McDonald, "A Peasant Rebellion in Stalin's Russia", 125-46.

90. Depoimento de Mykola Ievhenovych Petrenko, em Kovalenko e Maniak, eds., *33-i Holod*, 460.

91. Grigorenko, *Memoirs*, 39.

92. Noll, *Transformatsiia hromadians'koho suspil'stva*, 251-54.

93. Stasiuk, "The Deformation of Ukrainian Folk Culture During the Holodomor Years".

94. Noll, *Transformatsiia hromadians'koho suspil'stva*, 242-50.

95. Lytvyn, *Ekonomichna istoriia Ukraïny*, vol. 2, 231-32, 261.

6. REBELIÃO, 1930

1. Citado em Viola, *Peasant Rebels Under Stalin*, 132.

2. *Ibid.,* 134.

3. RTsKhIDNI 85/1/118 (1930), 1-13, reproduzido em Graziosi, "Collectivisation, révoltes paysannes et politiques gouvernementales", 477.

4. Sholokhov, *Virgin Soil Upturned*, 157.

5. Alec Nove, *An Economic History of the USSR, 1917-1991* (Nova York: Penguin, 1992), 186.

6. RTsKhIDNI 85/1/120 (1930), 1-18, reproduzido em Graziosi, "Collectivisation, révoltes paysannes et politiques gouvernementales", 538.

7. RTsKhIDNI 85/1/118 (1930), 1-13, reproduzido em *ibid.*, 479.

464 **A FOME VERMELHA**

8. TsGANKh SSSR 7446/5/87 (1930), 35-39, em V. P. Danilov e N. A. Ivnitskii, eds., *Dokumenty svidetel'stvuiut: iz istorii derevni nakanune i v khode kollektivizatsii, 1927-1932 gg.* (Moscou: Politizdat, 1989), 305.

9. "Depoimento do Sr. Valentin Kochno", em U.S. Congress, *Investigation of the Ukrainian Famine: Primeiro Relatório Provisório*, 119-20.

10. "Depoimento da Dra. Valentyna Sawchuck de Hamtramck, Michigan", em U.S. Congress, *Investigation of the Ukrainian Famine: Primeiro Relatório Provisório*, 144.

11. TsA FSB RF 2/8/232 (1930), 101, 101a, em Berelovich, *Sovetskaia derevnia glazami VChK-OGPU-NKVD*, vol. 3:1, 220-21.

12. Viola, *Peasant Rebels Under Stalin*, 59-60.

13. Andrea Graziosi, "The Great Famine of 1932-33: Consequences and Implications", *Harvard Ukrainian Studies* 25, nº. 3/4 (outono de 2001), 162.

14. Viola, *Peasant Rebels Under Stalin*, 53.

15. D. D. Goichenko, *Krasnyi apokalipsis: skvoz' raskulachivanie i golodomor: memuary svidetelia* (Kiev: Ababahalamaha, 2013), 29-31.

16. Depoimento de Olena Doroshenko, em O. M. Veselova e O. F. Nikiliev, *Pam'iat' narodu: Henotsyd v Ukraïni holodom 1932-1933 rokiv: svidchennia*, 2 vols. (Kiev: Vydavnychnyi dim "Kalyta", 2009), vol. 1, 408.

17. Viola, *Peasant Rebels Under Stalin*, 55-57.

18. Pohl, "'In Our Hearts We Felt the Sentence of Death'", 336.

19. "Case History SW34: anônimo, Kiev oblast", em U.S. Congress, *Investigation of the Ukrainian Famine, Relatório ao Congresso*, 392.

20. Depoimento de Maria Makukha (Chukut), em *ibid.*, vol. 1, 129.

21. Depoimento de Kateryna Laksha, em *ibid.*, vol. 2, 66-67.

22. *Ibid.*

23. TsA FSB RF 2/8/232 (1930), 72, em Berelovich, *Sovetskaia derevnia glazami VChK-OGPU-NKVD*, vol. 3:1, 219-20.

24. Pasha Angelina, "The Most Important Thing", em Fitzpatrick and Slezkine, *In the Shadow of Revolution*, 310.

25. TsA FSB RF 2/8/23 (1930), 2-13, e 2/8/23 (1930), 45-65, em Berelovich, *Sovetskaia derevnia glazami VChK-OGPU-NKVD*, vol. 3:1, 144-50, 180-89.

26. Iosef Stalin, "Dizzy with Success: Concerning Questions of the Collective Farm Movement", *Pravda*, 2 de março de 1930, reproduzido em*Works*, vol. 12, 197-205.

27. *Ibid.*

NOTAS 465

28. RGASPI 17/3/779 (1930), 18-20, em Danilov, *Tragediia sovetskoi derevni*, vol. 2, 303-05.
29. Viola, *Peasant Rebels Under Stalin*, 3.
30. Dolot, *Execution by Hunger*, 84.
31. Depoimento de Ivan Hazhyman, em Mytsyk, *Ukraïns'kyi holokost*, vol. 3, 113.
32. "Case History LH38: Oleksandr Honcharenko, Cherkasy oblast", em U.S. Congress, *Investigation of the Ukrainian Famine, Relatório ao Congresso*, 325-29.
33. "Depoimento de Mr. Zinovii Turkalo", em U.S. Congress, *Investigation of the Ukrainian Famine: Primeiro Relatório Provisório*, 96.
34. TsA FSB RF 2/8/679 (1930), 23, em Berelovich, *Sovetskaia derevnia glazami VChK-OGPU-NKVD*, vol. 3:1, 420-26.
35. Depoimento de Leonida Fedorivna Tkachuk, em Mytsyk, *Ukraïns'kyi holokost*, vol. 2, 50-51.
36. "Case History LH38: Oleksandr Honcharenko", 325.
37. Pohl, "'In Our Hearts We Felt the Sentence of Death'", 336.
38. TsA FSB RF 2/8/679 (1930), 23, em Berelovich, *Sovetskaia derevnia glazami VChK-OGPU-NKVD*, vol. 3:1, 424.
39. *Ibid.*, 421.
40. Viola, *Peasant Rebels Under Stalin*, 183.
41. TsA FSB RF 2/8/679 (1930), 23, em Berelovich, *Sovetskaia derevnia glazami VChK-OGPU-NKVD*, vol. 3:1, 420-26.
42. "Case History LH57, Mikhail Frenkin, Baku", em U.S. Congress, *Investigation of the Ukrainian Famine, Relatório ao Congresso*, 359-65.
43. Viola, *Peasant Rebels Under Stalin*, 103-05, 135-36.
44. RTsKhIDNI 85/1/118 (1930), 1-13, reproduzido em Graziosi, "Collectivisation, révoltes paysannes et politiques gouvernementales", 474-83.
45. TsDAHOU 1/20/3191 (1930), 37.
46. TsA FSB RF 2/8/232 (1930), 101, 101a, em Berelovich, *Sovetskaia derevnia glazami VChK-OGPU-NKVD*, vol. 3:1, 220-21.
47. TsA FSB RF 2/8/23 (1930), 2-13, em *ibid.*, vol. 3:1, 144-50.
48. TsA FSB RF 2/8/23 (1930), 45-65, em *ibid.*, vol. 3:1, 180-89.
49. Iurii Shapoval, Vadym Zolotar'ov e Volodymyr Prystaiko, *ChK-GPU-NKVD v Ukraïni: osoby, fakty, dokumenty* (Kiev: abril de 1997), 39.
50. TsDAHOU 1/20/3154 (1930), 11.
51. TsA FSB RF 2/8/232 (1930), 115, 115ob, em Berelovich, *Sovetskaia aerevnia glazami VChK-OGPU-NKVD*, vol. 3:1, 221-22; RTsKh-IDNI 85/1/119 (1930),

A FOME VERMELHA

1-2, reproduzido em Graziosi, "Collectivisation, révoltes paysannes et politiques gouvernementales", 549-50.

52. TsDAHOU 1/20/3154 (1930), 11.

53. O material para Pavlohrad vem de Danylenko et al., eds., *Pavlohrads'ke povstannia, 1930: documenty i materialy* (Kiev: Ukrains'kyi Pys'mennyk, 2009).

54. Palij, *The Anarchism of Nestor Makhno*, 46-51.

55. RTsKhIDNI 85/1/120 (1930), 1-18, reproduzido em Graziosi, "Collectivisation, révoltes paysannes et politiques gouvernementales", 537.

56. *Ibid.*, 537-38.

57. RTsKhIDNI 85/1/118 (1930), 43-9, reproduzido em *ibid.*, 577-78.

58. TsA FSB RF 2/8/232 (1930), 115, 115ob, em Berelovich, *Sovetskaia derevnia glazami VChK-OGPU-NKVD*, vol. 3:1, 222.

59. Martin, *Affirmative Action Empire*, 294-95.

60. Shapoval, "The Case of the 'Union for the Liberation of Ukraine'", 178-79.

61. *Ibid.*

7. A COLETIVIZAÇÃO FRACASSA, 1931-32

1. RTsKhIDNI 82/2/139 (1932), 145-51, em Martin, *The Affirmative Action Empire*, 298.

2. R. W. Davies e S. G. Wheatcroft, *The Years of Hunger: Soviet Agriculture, 1931-33* (Londres e Nova York: Palgrave Macmillan, 2009), 1-4.

3. RGASPI 17/2/60 (1931), 89, tipografskii ekz.; KPSS v resoliutsiiakh, Izd. 9-3. T.5.C. 233-34, em Danilov et al., eds., *Tragediia sovetskoi derevni*, vol. 2, 773-74.

4. TsA FSB RF 2/8/328 (1930), 336-45, em *ibid.*, vol. 2, 530-36.

5. TsDAZhR Ukraïny 27/11/104 (1930), 75-80, em Kul'chyts'kyi, *Kole tyvizatsiia i holod na Ukraïni*, 226-30.

6. Esse é o termo de Lynne Viola, usado em *Peasant Rebels Under Stalin*, 205-10.

7. RGAE 7486/37/132 (1930), 59-60, em Danilov et al., eds., *Tragediia sovetskoi derevni*, vol. 2, 467-72.

8. Diana Bojko e Jerzy Bednarek, *Holodomor: The Great Famine in Ukraine 1932-1933*, da série *Poland and Ukraine in the 1930s-1940s: Unknown Documents from the Archives of the Secret Services* (Varsóvia: Institute of National Remembrance, Commission of the Prosecution of Crimes against the Polish Nation, 2009), 70-71.

NOTAS

9. O melhor relato sobre as estatísticas da safra, assim como das controvérsias sobre ela, está em Davies e Wheatcroft, *The Years of Hunger*, 442-47. Ver também, A. V. Bashkin, "Urozhai tridtsatykh ili ukradennye dostizheniia", *Istoricheskie materialy*, acessado em 2017, http://istmat.info/node/21358.

10. *Serhiichuk et al., Ukraïns'kyi khlib na eksport*, 3-4.

11. Elena Osokina, *Zoloto dlia industrializatsii: Torgsin* (Moscou: ROSSPEN, 2009), 17-102.

12. *Serhiichuk et al., Ukraïns'kyi khlib na eksport*, 5-6.

13. *Ibid.*, 7.

14. Sheila Fitzpatrick, "The Boss and His Team: Stalin and the Inner Circle, 1925-.", em Stephen Fortescue, ed., *Russian Politics from Lenin to Putin* (Basingstoke: Palgrave Macmillan, 2010), 62-63.

15. RGASPI 588/1/5388 (1930), 116ob, 121ob, em Kondrashin et al., eds., *Golod v SSSR*, vol. 1:1, 340; RGASPI 588/11/75 (1930), 15, em Danilov et al., eds., *Tragediia sovetskoi derevni*, vol. 2, 577.

16. RGAE 8043/11/12 (1930), 22-22ob, em Kondrashin et al., eds., *Golod v SSSR*, vol. 1:1, 350.

17. RGASPI 17/162/9 (1930), 74, em *ibid.*, vol. 1;1.351.

18. Números de Andrea Graziosi, *L' Unione Sovietica 1914-1991* (Bolonha: Il mulino, 2011), tabela 1.

19. Davies e Wheatcroft, *The Years of Hunger*, 48-78.

20. RGASPI 631/5/54 (1931), 25-45, em Danilov et al. eds., *Tragediia sovetskoi derevni*, vol. 3, 137-40.

21. RGAE 8043/1/7 (1931), 61, em Kondrashin et al., eds., *Golod v SSSR*, vol. 1:1, 405-06.

22. RGASPI 17/167/31 (1931), 105, em *ibid.*

23. RGAE 7486/37/166 (1931), 230-37; RGAE 8043/1/48 (1931), 106-09, 116-30; AP RF 3/40/77 (1931), 186; e vários outros arquivos e documentos reproduzidos em *ibid.*, vol. 1:1, 488-515.

24. RSPI 17/167/29 (1931), 43, em *ibid.*, vol. 1:1, 344.

25. A. V. Bashkin, "Urozhai tridtsatykh ili ukradennye dostizheniia".

26. RGAE 8043/11/17 (1930), 208, em Kondrashin et al., eds., *Golod v SSSR*, vol. 1:1, 230.

27. RGASPI 17/167/28 (1931), 108, em *ibid.*, vol. 1:1, 258.

28. RGASPI 631/5/60 (1931), 32-40, em *ibid.*, vol. 1:1, 536-37.

29. RGASPI 17/2/484 (1931), 43-61, em Danilov et al. eds., *Tragediia sovetskoi derevni*, vol. 3, 198-206.

468 A FOME VERMELHA

30. Bojko e Bednarek, *Holodomor*, 82-89.
31. RGASPI 17/167/32 (1931), 119, em Kondrashin et al., eds., *Golod v SSSR*, vol. 1:1, 536.
32. RGASPI 17/2/484 (1931), 43-61, em Danilov et al. eds., *Tragediia sovetskoi derevni*, vol. 3, 198-206.
33. Davies e Wheatcroft, *The Years of Hunger*, 100-01, citando RGASPI 82/2/137 (1932), 30-94.
34. RGASPI 17/26/42 (1932), 193-96, em Danilov et al. eds., *Tragediia sovetskoi derevni*, vol. 3, 227-30.
35. TsDAHOU 1/20/5362 (1932), 3; e TsDAHOU 1/6/235 (1932), 82, em Pyrih, ed., *Holodomor*, 65-66.
36. Àquele tempo a República Soviética Socialista Autônoma da Moldávia era parte da Ucrânia. Foi criada em 1940, depois que a URSS tomou significativa parcela da Romênia. A antiga República Soviética Socialista Autônoma da Moldávia é agora Transnistria, disputada região da Moldávia.
37. AP RF 3/40/80 (1932), 45-51, em Kondrashin et al. eds., *Golod v SSSR*, vol. 1:2, 158-61.
38. Bojko e Bednarek, *Holodomor*, 108.
39. Kondrashin et al. eds., *Golod v SSSR*, vol. 1:2, 163-65, citando Lozyts'kyi, *Holodomor 1932-1933 rokiv v Ukraïni*, 37-40.
40. Kondrashin et al. eds., *Golod v SSSR*, vol. 1:2, 163-65.
41. *Ibid.*
42. TsA FSB RF 2/10/169 (1932), 1-57, em Berelovich et al., eds., *Sovetskaia derevnia glazami VChK-OGPU-NKVD*, vol. 3:2, 64-91.
43. RGASPI 631/5/74 (1932), 36, em Kondrashin et al., eds., *Golod v SSSR*, vol. 2, 83-84.
44. N. F. Shnaika para Stalin, TsDAHOU 1/20/5254 (1932), 1-16, em Pyrih, ed., *Holodomor*, 133.
45. A. F. Banivs'kyi para Stalin, em *ibid.*, 132.
46. Boiko para Stalin, em *ibid.*, 135.
47. Por exemplo, HDA SBU 13/429/40 (1932), 126-47, em V. M. Danylenko et al., eds., *Holodomor 1932-1933 rokiv v Ukraïni za dokumentamy HDA SBU: anotovanyi dovidnyk* (L'viv: Tsentr Doslidzhen' Vyzvol'noho Rukhu, 2010), 278.
48. RGASPI 17/42/50 (1932), 54, em Kondrashin, et al., eds., *Golod v SSSR*, vol. 1:2, 225.
49. TsDAHOU 1/20/5255 (1932), 52-52sv, em Pyrih, ed., *Holodomor*, 169-70.

NOTAS

50. TsDAHOU 1/16/8 (1932), 203-04, em *ibid.*, 93.

51. Bojko e Bednarek, *Holodomor*, 111-12.

52. Dmytro Zlepko, *Der Ukrainische Hunger-Holocaust: Stalins verschwiegener Völkermord 1932/33 an 7 Millionen ukrainischen Bauern im Spiegel geheimgehaltener Akten des deutschen Auswärtigen Amtes: eine Dokumentation* (Sonnenbühl: Verlag Helmut Wild, 1988), 95-97.

53. TsA FSB RF 2/11/1449 (1932), 144-46, em Danilov et al., eds., *Tragediia sovetskoi derevni*, vol. 3, 361-62.

54. "Dosvid Proskurivshchyny i Koziatynshchyny v borot'bi za tsukrovii buriak", *Visti VUTsVK* (Kharkov, 6 de junho de 1932), citado em Vasyl Marochko e Olga Movchan, *Holodomor 1932-1933 rokiv v Ukraïni: khronika* (Kiev: Kyievo-Mohylians'ka Akademiia, 2008), 87.

55. TsDAHOU 1/20/5255 (1932), 4, em Pyrih, ed., *Holodomor*, 70.

56. TsDAHOU 1/6/8 (1932), 203-04, em *ibid.*, 92-93.

57. Serhiichuk et al., *Ukraïns'kyi khlib na eksport*, 78-81.

58. AP RF 3/61/794 (1932), 1-5, em Kondrashin et al., eds., *Golod v SSSR*, vol. 1:2, 227-79.

59. RGASPI 17/162/12 (1932), 85, em Pyrih, ed., *Holodomor*, 113.

60. RGASPI 17/162/12 (1932), 115, em *ibid.*, 139-40.

61. TsDAHOU 1/16/8 (1932), 236, em *ibid.*, 118.

62. TsDAHOU 1/1/378 (1932), 143-51; TsDAHOU 1/1/381 (1932), 63-68, em S. A. Kokin, Valerii Vasyl'ev e Nicolas Werth, eds., *Partiino Radianske kerivnytstvo USRR pid chas Holodomoru 1932-33 rr.: vozhdi, pratsivnyky, aktyvısty: zbirnyk dokumentiv ta materialiv* (Kiev: Instytut Istoriï Ukraïny NAN Ukraïny, 2013), 58-74.

63. AP RF 3/61/794 (1932), 18, em Kondrashin et al., eds., *Golod v SSSR*, vol. 1:2, 229.

64. RGASPI 558/11/43 (1932), 70, em Marochko e Movchan, *Holodomor 1932-1933 rokiv v Ukraïni*, 72.

65. Terry Martin, "Famine Initiators and Directors: Personal Papers: The 1932-33 Ukrainian Terror: New Documentation on Surveillance and the Thought Process of Stalin", em Isajiw W. Wsevolod, ed., *Famine-Genocide in Ukraine, 1932-33* (Toronto: UCRD, 2003), 107-08.

66. RGASPI 82/2/139 (1932), 162-65, em Pyrih, ed., *Holodomor*, 197-99.

67. *Ibid.*

68. RGASPI 82/2/139 (1932), 144-53, em *ibid.*, 200-05.

A FOME VERMELHA

69. RGASPI 558/11/769 (1932), 40-42, em Kondrashin et al., eds., *Golod v SSSR*. vol. 1:2, 242-43.
70. RGASPI 558/11/769 (1932), 77-78, em *ibid.*, vol. 1:2, 243.
71. RGAPSI 81/3/99 (1932), 62-63, em *ibid.*, vol. 1:2, 244.
72. RGASPI 558/11/740/61 (1932), 174, em Pyrih, ed., *Holodomor*, 207.
73. RGASPI 17/162/12 (1932), 180-81, em *ibid*, 208.
74. TsDAHOU 1/20/5259 (1932), 19, em *ibid.*, 208.
75. Serhiichuk et al., *Ukraïns'kyi khlib na eksport*, 9-10.
76. Depoimento de Mykola Kostyrko, em James E. Mace e Leonid Heretz, *Investigation of the Ukrainian Famine, 1932-1933*. Projeto de história oral da Comissão sobre a Fome Ucraniana, 3 vols. (Washington, D.C.: U.S. G.P.O., 1990), vol. 2, 1.057-80.
77. Bojko e Bednarek, *Holodomor*, 55.
78. Serhiichuk et al., *Ukraïns'kyi khlib na eksport*, 11.
79. Andrea Graziosi, *L'Urss di Lenin e Stalin: storia dell'Unione Sovietica, 1914-1945* (Bolonha: Il mulino, 2007), 334, tabela 8.1.
80. Osokina, *Zoloto dlia industrializatsiï*, 540, tabela 25.
81. RGASPI 558/11/740/41 (1932), em Pyrih, ed., *Holodomor*, 225.
82. Kokin et al., eds., *Partiino-Radianske kerivnytstvo USRR pid chas Holodomoru*, 36-37.
83. *Ibid.*, 38-39.
84. *Ibid.*, 43-44.
85. *Ibid.*, 47
86. *Ibid.*, 52-57.
87. Vasyl'ev, *Politychne kerivnytstvo URSR i SRSR*, 242.
88. Kokin, *Partiino-Radians'ke kerivnytstvo USRR pid chas Holodomoru*, 63-64.
89. RGASPI 558/11/78/16 (1932), em Pyrih, ed., *Holodomor*, 231.
90. TsDAHOU 1/6/236/85 (1932), em *ibid.*
91. RGASPI 17/3/891 (1932), 52-55; RGAPSI 558/11/78 (1932), 16; e RGASPI 558/11/78 (1932), 12, todos em Pyrih, ed., *Holodomor*, 229-32.
92. RGASPI 558/11/78 (1932), 12, em *ibid.*, 232.
93. S3 SSSR 1932 nº 52, str. 312, em Kondrashin et al., eds., *Golod v SSSR*, vol. 1:2, 321-24.
94. RGASPI 81/3/99 (1932), 115-19, em O. V. Khlevniuk et al., eds., *Stalin i Kaganovich: perepiska, 1931-1936 gg.* (Moscou: ROSSPEN, 2001), 244-45; TsDAHOU 1/20/5381 (1932), 11-12, em Pyrih, ed., *Holodomor*, 270.

NOTAS

95. Davies e Wheatcroft, *The Years of Hunger*, 158.
96. Timothy Snyder, *Bloodlands: Europe Between Hitler and Stalin* (Nova York: Basic Books, 2010), 37.
97. RGASPI 81/3/99 (1932), 106-13, em Khlevniuk et al., eds., *Stalin i Kaganovich*, 235-36.
98. RGASPI 81/3/100 (1932), 137-40, em *ibid.*, 240-41.
99. RGASPI 17/3/2014 (1932), 33-34, em *Tragediia sovetskoi derevni*, vol. 3, 453-54.
100. Sergei Maskudov, "Victory over the Peasant", em *Hunger by Design: The Great Ukrainian Famine and Its Soviet Context*, ed. Halyna Hryn (Cambridge, MA: Instituto de Pesquisa Ucraniana de Harvard, 2008), 60-62.
101. Conquest, *The Harvest of Sorrow*, 226.
102. Pidhainy, *The Black Deeds of the Kremlin*, vol. 1, 205.
103. Graziosi, *L'Urss di Lenin e Stalin*, 333; Davies e Wheatcroft, *The Years of Hunger*, 166-68.
104. Applebaum, *Gulag*, 582-83.
105. Susanna Pechora, entrevista com Anne Applebaum, 1999.
106. Martin, "Famine Initiators and Directors", 110.
107. A lista completa, que circulou de novo em novembro, tem dezenas de páginas; Valentyna Borysenko, V. M. Danylenko, Serhij Kokin et al., eds., *Rozsekrechena pam'iat': holodomor 1932-1933 rokiv v Ukraïni v dokumentakh GPU-NKVD* (Kiev: Stylos, 2007), 193-263, citando HDA SBU 16/25/3 (1952), 4-68; Martin, "Famine Initiators and Directors", 111.
108. RTsKhIDNI 82/2/139 (1932), 145-51, trad. e reproduzido em Martin, *The Affirmative Action Empire*, 298.
109. Shapoval, "Vsevolod Balickij, bourreau et victim", 369-99.
110. RTsKhIDNI 82/2/139 (1932), 145-51, trad. e reproduzido em Martin, *The Affirmative Action Empire*, 298 (ênfase no original).

8. DECISÕES PARA A FOME,1932: REQUISIÇÕES, LISTAS NEGRAS E FRONTEIRAS

1. Maxim Gorky, *On the Russian Peasant* (Berlim: I. P. Ladyzhnikov, 1922), 27.
2. Simon Sebag Montefiore, *Stalin: The Court of the Red Tsar* (Nova York: Knopf, 2004), 107-08.
3. Svetlana Allilueva, *Twenty Letters to a Friend (Dvadtsat' Pisem k Drugu)*, trad. Priscilla Johnson McMillan (Nova York: Harper Perennial, Reprint Edition, 2016), 105.

472   A FOME VERMELHA

4. G. A. Tokaev, *Betrayal of an Ideal* (Bloomington, IN: Indiana University Press, 1955), 161.

5. Miklos Kun, *Stalin: An Unknown Portrait* (Budapeste: Central European University Press, 2003), 204; Montefiore, *Stalin*, 86-90.

6. Montefiore, *Stalin*, 90.

7. *Ibid.*, 84.

8. *Ibid.*, 87.

9. Getty e Naumov, *The Road to Terror*, 47.

10. Tucker, *Stalin in Power*, 209-12.

11. Getty e Naumov, *The Road to Terror*, 53-58.

12. Arkadii Vaksberg, *Tsaritsa dokazatel'stv: Vyshinskii i ego zhertvy* (Moscou: Kniga i Biznes, 1992), 68.

13. *Ibid.*, 66-67.

14. *Ibid.*, 69.

15. Ver Getty e Naumov, *The Road to Terror*, e Robert Conquest, *The Great Terror: Stalin's Purge of the Thirties*, ed. rev. (Londres: Macmillan, 1968), entre outros.

16. Martin, *The Affirmative Action Empire*, 299.

17. TsDAHOU 1/6/236 (1932), 8-9, em Pyrih, ed., *Holodomor*, 127.

18. Davies e Wheatcroft, *The Years of Hunger*, 10-11.

19. *Ibid.*, 171.

20. Bashkin, "Urozhai tridtsatykh ili uk radennye dostizheniia".

21. RGASPI 82/2/141/6, em Pyrih, ed., *Holodomor*, 355-56.

22. TsDAHOU 1/6/237/207-16, em *ibid.*, 388-95.

23. RGASPI 81/3/215/1-24; RGASPI 81/3/232/62, em *ibid.*, 496-514.

24. TsDAGO Ukraïny 1/20/5384/23, em *ibid.*, trad. Bandera, 71.

25. TsDAHOU 1/6/237/207-16, em *ibid.*, 388-95.

26. *Ibid.*

27. TsDAHOU 1/20/6339 (1933), 25, em *ibid.*, 569.

28. Kul'chyts'kyi, *Holodomor 1932-1933 rr. iak henotsyd*, 294-305.

29. S3 SSSR 1933 n° 38, str. 228, em Kondrashin et al., eds., *Golod v SSSR*, vol. 3, 54-55.

30. S. V. Kul'chyts'kyi, "Comments at UNAS (National Academy of Sciences) Institute of History of Ukraine Seminar", apresentado no Seminário do Instituto de História da Ucrânia, Kiev, 19 de abril de 2016.

31. Serhiichuk et al., *Ukraïns'kyi khlib na eksport*, 13 e 138.

NOTAS   473

32. Graziosi, *L'Urss di Lenin e Stalin*, 334, tabela 8.1. As exportações de ouro, no fim, cresceriam, quando os desesperados camponeses trocaram ouro por grãos com o Estado.

33. RGAE 413/13/595 (1933), 47-48 do *Elektronnyi arkhiv Ukraïns'koho vyzvol'noho rukhu*, acessado em 2017, http://avr.org.ua/get- PDFasFile.php/arhupa/rgae-413-13-595-0-047.pdf.

34. Heorhii Papakin, *Donbas na "chorni doshtsi", 1932-1933: Naukovo-populiarnyi narys* (Kiev: Instytut Istoriï Ukraïny NAN Ukraïny, 2014), 9-11.

35. Heorhii Papakin, "Blacklists as an Instrument of the Famine-Genocide of 1932-1933 in Ukraine", trad. Marta Olynyk, *Key Articles on the Holodomor Translated from Ukrainian into English*, Holodomor Research and Education Consortium, 2-3, http://holodomor.ca/ translated-articles-on-the-holodomor.

36. "'Chorna Doshka' *Bil'shovyk Poltavshchyny*, 12 Veresnia, 1932", *Ofitsiinyi veb-portal Derzhavnoï Arkhivnoï Sluzhby Ukraïny*, http://www.archives.gov.ua/Archives/Reestr/Foto-Poltava.php.

37. Papakin, "Blacklists as an Instrument of the Famine-Genocide of 1932-1933 in Ukraine", 5-6.

38. Heorhii Papakin, *"Chorna doshka': antyselians'ki represiï, 1932-1933"* (Kiev: Instytut Istoriï Ukraïny NAN Ukraïny, 2013), 336. Os números dos distritos mudaram constantemente nos anos 1930, mas em 1932-33 eram 392, de acordo com a equipe de demografia de Oleg Wolowyna do Instituto de Demografia e Pesquisa Social da Academia Nacional de Ciências da Ucrânia e do Instituto de Pesquisa Ucraniana de Harvard.

39. Institut Demografii Natsional'nogo Issledovatel'skogo Universiteta "Vysshaia Shkola Ekonomiki", "Vsesoiuznaia perepis" naseleniia 1926 goda: Natsional'nyi sostav naseleniia po regionam RSFSR: Severo-Kavkazskii krai/Kubanskii okrug", *Demoskop weekly: elektronnaia versiia biulletenia Naselenie i obshchestvo* 719-20 (6-19 de março de 2017), http://demoscope.ru/weekly/ssp/rus_nac_26.php?reg=862.

40. Papakin, *Donbas na "chorni doshtsi"*, 12.

41. Bondar and Mateev, *Istoricheskaia pamiat' naseleniia Iuga Rossii o golode 1932-1933*, 101-03.

42. *Ibid.*, 61

43. Papakin, *Donbas na "chorni doshtsi"*, 12.

44. Papakin, "Blacklists as an Instrument of the Famine-Genocide of 1932-1933 in Ukraine", 8.

474   A FOME VERMELHA

45. Papakin, "*Chorna doshka*", 335.

46. Papakin, "Blacklists as an Instrument of the Famine-Genocide of 1932-1933 in Ukraine", 11.

47. HDA SBU 13/429/40 (1932), 126-47, em Danylenko et al., eds., *Holodomor 1932-1933 rokiv v Ukraïni za dokumentamy HDA SBU*, 278.

48. TsA FSB RF 2/10/169 (1932), 1-57, em Berelovich et al., eds., *Sovetskaia derevnia glazami VChK-OGPU-NKVD*, 64-91.

49. APRF 3/30/189 (1932), 7-10, em Pyrih, ed., *Holodomor*, 615-16.

50. HDA SBU, *Kolektsiia dokumentiv "Holodomor 1932-1933 rr. v Ukraïni"*, em *ibid.*, 709.

51. "Agenda A, vol. 36, Caso 333/(NY)1582. (entrevistador J. F., Tipo A4) Homem, 29, estudante e trabalhador ucraniamo", 1-8 de julho de 1951, Projeto de Harvard sobre o Sistema Social Soviético, Divisão Eslava, Widener Library, Harvard University, 24.

52. TsDAHOU 1/20/5255 (1932), 16-17, in Pyrih, ed., *Holodomor*, 108-09.

53. TsDAHOU 1/20/5255 (1932), 68-69, em *ibid.*, 253.

54. Depoimento de Olena Davydivna Demchenko, em Kovalenko e Maniak, eds., *33-i Holod*, 506.

55. APRF 3/50/189 (1933), 7-10, em Pyrih, ed., *Holodomor*, 615-16.

56. Depoimento de Ihor Vasyliovoych Buhaievych, em Kovalenko e Maniak, eds., *33-i Holod*, 454-57.

57. Andrea Graziosi, *Lettere da Kharkov. La Carestia in Ucraina e nel Caucaso del Nord nei Rapporti Diplomatici Italiani 1923-33* (Turim: Einaudi, 1991), 144-46, reproduzido em ucraniano em Pyrih, ed., *Holodomor*, 606-07.

58. DATO 176/1/9 (1932), 3-3v, em Bojko e Bednarek, *Holodomor*, 201.

59. *Ibid.*, 203.

60. DATO 231/1/2067 (1932), 324, em *ibid.*, 231.

61. Depoimento de Lydia A., em U.S. Congress and Commission on the Ukraine Famine, *Investigation of the Ukrainian Famine, 1932-1933: Segundo Relatório Provisório*, 139.

62. Depoimento de Ivan Oransky, em *ibid.*, 130.

63. Depoimento de uma mulher anônima, em *ibid.*, 25.

64. TsDAHOU 1/20/6274 (1933), 185-90, em Pyrih, ed., *Holodomor*, 763.

65. TsDAHOU 1/20/5254 (1932), 1-16, em *ibid.*, 134.

66. RGASPI 558/11/45 (1932), 108-09, em Danilov et al., eds., *Tragediia sovetskoi derevni*, vol. 3, 634-35.

NOTAS 475

67. RGASPI 17/3/2030 (1932), 17, e 17/42/72 (1932), 109-11, em *ibid.*, 636-38, 644.
68. RGASPI 17/3/907 (1932), 9; e *Kommunist* (Kharkov, 1º de janeiro de 1933), em Marochko e Movchan, *Holodomor 1932-1933 rokiv v Ukraïni*, 154, 180.
69. Lev Kopelev, *The Education of a True Believer*, trad. Gary Kern (Londres: Wildwood House, 1981), 258.
70. APRF 3/30/189 (1933), 26-27, em Pyrih, ed., *Holodomor*, 636.
71. HDA SBU, *Kolektsiia dokumentiv "Holodomor 1932-1933 rr. v Ukraïni"*, em *ibid.*, 709.
72. Jan Jacek Bruski, "In Search of New Sources: Polish Diplomatic and Intelligence Reports on the Holodomor", *Holodomor and Gorta mór: Histories, Memories and Representations of Famine in Ukraine and Ireland*, eds. Christian Noack, Lindsay Janssen e Vincent Comerford (Londres: Anthem Press, 2014), 223.
73. Mytsyk et al., eds., *Ukraïns'kyi holokost*, vol. 7, 538.
74. Depoimento de Halyna Budantseva, em Kovalenko e Maniak, eds., *33-i Holodd*, 485.
75. Depoimento de Varvara Divert, em U.S. Congress and Commission on the Ukraine Famine, *Investigation of the Ukrainian Famine, 1932-1933: Primeiro Relatório Provisório*, 73-74.
76. Depoimento de Halyna Ivanivna Kyrychenko, em Mytsyk, *Ukraïns'kyi holokost*, vol. 2, 100-01.
77. Depoimento de Mariia Polikarpivna Umans'ka, em Ukrains'kyi Instytut natsional'noï pam'iati and V. Iushchenko, eds., *Natsional'na Knyha pam'iati zhertv Holodomoru 1932-1933 rokiv v Ukraïni* (Kiev: Vydavnytstvo im. Oleny Telihy, 2008), 93.
78. Depoimento de Olena Artemivna Kobylko, em O. M. Veselova e O. F. Nikiliev, *Pam'iat' narodu: Henotsyd v Ukraïni holodom 1932-1933 rokiv: svidchennia*, 2 vols. (Kiev: Vydavnychnyi dim "Kalyta", 2009), vol. 1, 570.
79. Kopelev, *The Education of a True Believer*, 258.

9. DECISÕES PARA A FOME, 1932: FIM DA UCRANIZAÇÃO

1. Citado em Luckyj, *Literary Politics in Soviet Ukraine*, 228.
2. Martin, *The Affirmative Action Empire*, 306.
3. Sarah Cameron, "The Kazakh Famine of 1932-33: Current Research and New Directions", *East/West: Journal of Ukrainian Studies* 3, nº 2 (2016), 117-

476 A FOME VERMELHA

32; Niccolo Piancola, "Sacrificing the Kazakhs: The Stalinist Hierarchy of Consumption and the Great Famine in Kazakhstan of 1931-33", documento apresentado no Centro de Pesquisas Eslavo-Eurasiano, 10-11 de julho de 2014, Hokkaido University, Sapporo, Japan.

4. RGASPI 17/3/9.11/42-44, em Pyrih, ed., *Holodomor*, 475-77.
5. Martin, *The Affirmative Action Empire*, 303, citando RTsKhIDNI 17/3/910 (1932).
6. RGASPI 17/3/911/43, em Pyrih, ed., *Holodomor*, 480.
7. HDA SBU Donetsk 4924f/4-13, em Bojko e Bednarek, *Holodomor*, 207-15.
8. Udod e Lozyts'kyi, *Holodomor 1932-1933 rokiv*, 134.
9. HDA SBU 16/25/3 (1951), 105, em Borysenko, ed., *Rozsekrechena pam'iat'*, 425-26.
10. Martin, *The Affirmative Action Empire*, 346.
11. Vasyl'ev, *Politychne kerivnytstvo URSR i SRSR*, 332-33.
12. HDA SBU 16/25/3 (1932), 109, em Kokin et al., eds., *Partiino-Radians'ke kerivnytstvo USRR pid chas Holodomoru*, 160.
13. HDA SBU 6/—/75165 (1964), 84-85, em *ibid.*, 193-95.
14. DADO 19/1/20 (1932), 69-70, em *ibid.*, 165.
15. HDA SBU 6/—/75165 (1964), 88-90, in *ibid.*, 196-98.
16. *Ibid.*, 196-98; TsDAHOU 1/16/9 (1932), 59-61, em Pyrih, ed., *Holodomor*, 396-97.
17. RGASPI 17/162/14 (1932), 17, em Pyrih, ed., *Holodomor*, 407.
18. HDA SBU 16/25/3 (1932), 69-100, em Danylenko et al., eds., *Holodomor 1932-1933 rokiv v Ukraïni za dokumentamy HDA SBU*, 60-61.
19. HDA SBU 42/9/— (1932), 52-55, em Borysenko, ed., *Rozsekrechena pam'iat'*, 428-29.
20. V. Pryluts'kyi, "Opir molodi politytsi bil'shovyts'koho rezhymu ta represyvni zakhody proty neï v USRR (1928-1936 rr.)", *Z arkhiviv VUChK-GPU-NKVD--KGB* 2/4 (13/15) (2000), 94.
21. HDA SBU 16/25/3 (1951), 111-51, em Borysenko, ed., *Rozsekrechena pam'iat'*, 430-72 (citação exata em 431).
22. *Ibid.*, 430-72 e 520-28; para um exemplo de Makhno, ver 359, para "ativos" e "ex-petliuristas", ver 431-32.
23. HDA SBU 1607 (1932), 10, e HDA SBU 6852 (1932), 8, ambos em Pyrih, ed., *Holodomor*, 539-41.

NOTAS

24. HDA SBU 9/666/- (1933), 56, 58-62, 63, em Borysenko, Danylenko, Kokin, et al., eds., *Rozsekrechena pam'iat'*, 512-16.

25. HDA SBU 9/36 (1933), 36a, em Bojko e Bednarek, *Holodomor*, 266-75.

26. Timothy Snyder, *Bloodlands*, 42.

27. TsDAHOU 1/20/5242 (1932), 5-10, em Kokin, *Partiino-Radians'ke kerivnitstvo USRR pid chas Holodomoru*, 210-29.

28. Plokhy, *Unmaking Imperial Russia*, 268-73.

29. Hennadii Iefymenko e L. Iakubova, "Natsional'ni vidnosyny v radians'kii Ukraïni (1923-1938)", em V. M. Lytvyn et al., eds., *Natsional'ne pytannia v Ukraïni XX—pochatku XXI st.: istorychni narysy* (Kiev: Nika-Tsentr, 2012), 222-23.

30. Martin, *The Affirmative Action Empire*, 348.

31. Hrihorii Kostiuk, *Stalinizm v Ukraïni* (Kiev: Vyd-vo Smoloskyp, 1995), 192-26.

32. *Ibid.*, 192-96.

33. Iurii Shapoval, "Fatal'na Ambivalentnist", *Krytyka: mizhnarodnyi ohliad knyzhok ta idei* (maio de 2015), https://krytyka.com/ua/articles/ fatalna-ambivalentnist.

34. *Ibid.*

35. Pauly, *Breaking the Tongue*, 241-42.

36. *Ibid.*, 258-66.

37. L. D. Iakubova, *Etnichni menshyny v suspil'no-politychnomu ta kul'turnomu zhytti USRR, 20-i—persha polovyna 30-kh rr. XX st.* (Kiev: Instytut Istoriï Ukraïny NAN Ukraïny, 2002), 126-31.

38. S. V. Kul'chyts'kyi, "Holodomor in the Ukrainian Countryside", em *After the Holodomor: The Enduring Impact of the Great Famine on Ukraine*, eds. Andrea Graziosi, Lubomyr Hajda e Halyna Hryn (Cambridge, MA: Instituto de Pesquisa Ucraniana de Harvard, 2013), 9.

39. *Ibid.*

40. Iakubova, *Etnichni menshyny v suspil'no-politychnomu ta kul'turnomu zhytti USRR*, 126-31.

41. H. Koval'chuk, "Dyrektory Vsenarodnoi Biblioteky Ukraïny (20-30-ti rr.)", *Z arkhiviv VUChK GPU NKVD KGB* 2/4 (13/15) (2000), 179-206.

42. O. Rubl'ov e O. V. Iurkova, "Instytut Istoriï Ukraïny NAN Ukraïny: vikhy istorii (1936-2006 rr.)", ed. V. A. Smolii, *Urkaïns'kyi Istorychnyi Zhurnal* 6 (2006), 5-7.

43. Iurii Shapoval, *Ukraïna 20-50 rr.: Storinky nenapysanoï istoriï* (Kiev: Naukova Dumka, 1993), 126-31.

478 A FOME VERMELHA

44. S. A. Tokarev, "Represiï proty vykladachiv Nizhyns'koho Pedahohichnoho Instytutu v 1930-kh rr.", *Z arkhiviv VUChK GPU NKVD KGB* 1/2 (2013), 146-69.
45. Martin, *The Affirmative Action Empire*, 363.
46. Pauly, *Breaking the Tongue*, 332-39.
47. Martin, *The Affirmative Action Empire*, 363.
48. Hanna Skrypnyk, *Etnohrafichni muzeï Ukraïny: Stanovlennia i rozvytok* (Kiev: Naukova Dumka, 1989).
49. Alla Kyrydon, "Ruinuvannia kul'tovykh sporud", 91-102.
50. M. M. Kholostenko, "Arkitekturnaia rekonstruktsiia Kieva", *Arkitektura SSSR* 12 (1934), 19.
51. A. G. Molokin, "Proektirovanie Pravitel'stvennogo Tsentra USSR v Kieve", *Arkitektura SSSR* 9 (1935), 11.
52. Titus D. Hewryk, *Vtracheni arkhitekturni pam'iatky Kyieva* (Nova York-Kiev: Ukrainian Museum, 1991).
53. *Ibid.*
54. Serhii Bilokn, "Masovyi teror iak zasib derzhavnoho upravlinnia v SRSR (1917-1941)", *Dzhereloznavche doslidzhennia* 2 (Drohobych: "Kolo" 2013), 452-90.
55. Ibid., 519-22.
56. Shevelov, *The Ukrainian Language in the First Half of the Twentieth Century*, 154-58.
57. *Ibid.*, 160-67, citado em 167.

10. DECISÕES PARA A FOME, 1932: AS REVISTAS E OS ATIVISTAS

1. Vasilii Grossman, *Everything Flows*, trad. Robert e Elizabeth Chandler (Nova York: New York Review Classic Books, 2009).
2. Boriak, *1933*, 684.
3. *Ibid.*, 685-86.
4. Para centenas de exemplos, ver Valentyna Borysenko, *Svicha pam'iati: Usna istoriia pro henotsyd ukraïntsiv u 1932-1933 rokakh* (Kiev: Stylos, 2007). Também publicado em inglês como *A Candle in Remembrance: An Oral History of the Ukrainian Genocide of 1933-34 (Svicha pam'iati)*, trad. Mark Tarnawsky (Nova York: Ukrainian Women's League of America, 2010). Para este capítulo, usei a versão em ucraniano do livro.
5. Depoimento de Ol'ha Viktorivna Tsymbaliuk, em *ibid.*, 229.

NOTAS

6. Depoimento de Anastasiia Mykolaïvna Pavlenko, em *ibid.*, 130-31.

7. Depoimento de Larysa Fedorivna Venzhyk (*née* Shevchuk), em *ibid.*, 137-38.

8. Depoimento de Mariia Patrivna Bendryk, em *ibid.*, 247.

9. Depoimento de Leonid Iukhymovych Vernydub, em Ukraïns'kyi Instytut natsional'noi pam'iati e Iushchenko, eds., *Natsional'na knyha pam'iati zhertv Holodomoru*, 65.

10. Depoimento de Mariia Myronivna Kozhedub, em Borysenko, *Svicha pam'iati*, 269.

11. Roman Dzwonkowski e Petro Iashchuk, *Głód i represje wobec ludnoisci polskiej na Ukrainie 1932-1947: relacje* (Lublin: Tow. Nauk. Katolickiego Uniwersytetu Lubelskiego, 2004), 160.

12. Depoimento de Petro Kuz'mych Mostovyi, em Kovalenko e Maniak, eds., *33-i Holod*, 495.

13. Depoimento de Hanna Oleksandrivna Maslianchuk, em Borysenko, *Svicha pam'iati*, 91.

14. Depoimento de Paraskeva Vasylivna Kolos, em *ibid.*, 268.

15. Depoimento de Mykola Ivanovych Patrynchuk, em *ibid.*, 114.

16. Depoimento de Valentyn Kochno, em U.S. Congress, *Investigation of the Ukrainian Famine, 1932-1933: Primeiro Relatório Provisório*, 119-20.

17. Depoimento de Hanna Omelianivna Flashkina, em Borysenko, *Svicha pam'iati*, 237.

18. Depoimento de Anastasiia Mykolaïvna Pavlenko, em *ibid.*, 130.

19. Depoimento de Natalia Stepanivna Kuzhel, em *ibid.*, 269.

20. Depoimento de Mykhailo Pavlovych Havrylenko, em *ibid.*, 208.

21. Depoimento de mulher anônoma, em United States Congress and Commission on the Ukraine Famine, *Investigation of the Ukrainian Famine, 1932-1933: Relatório ao Congresso*. Relatório adotado pela Comissão em 19 de abril de 1988, submetido ao Congresso em 22 de abril de 1988 (Washington, D.C.: U.S. G.P.O: À venda no Supt. of Docs., U.S. G.P.O., 1988), 341-42, 346.

22. Depoimento de Mykola Petrovych Khmel'nyk, em Borysenko, *Svicha pam'iati*, 98.

23. Depoimento de Tetiana Tymofiïvno Kotenko, em Veselova e Nikiliev, *Pam'iat' narodu*, vol. 1, 645.

24. Depoimento de Halyna Hryhorivna Kovtun, em Borysenko, *Svicha pam'iati*, 257.

25. Depoimento de Hanna Iakivna Onoda, em A. V. Karas, *Svidchennia ochevydtsiv pro holod 1930-40-kh rr. na Sivershchyni* (Hlukhiv: RVV HDPU, 2008), 49.

480 **A FOME VERMELHA**

26. Lev Kopelev, 'Interview with Lev Kopelev', 1981, Harvest of Despair Series, trechos retirados dos arquivos do detentor dos direitos autorais, UCRDC.
27. Depoimento de Hanna Semenivna Sukhenko, em Borysenko, *Svicha pam'iati*, 149.
28. Depoimento de Ihor Vasyliovych Buhaievych, em Kovalenko e Maniak, eds., *33-i Holodd*, 454-57.
29. Depoimento de Halyna Omel'chenko, em Ukraïns'kyi Instytut natsional'noï pam'iati e Iushchenko, eds., *Natsional'na Knyha pam'iati zhertv Holodomoru*, 87.
30. Depoimento de Mykola Mylov, em Mytsyk et al., eds., *Ukraïns'kyi holokost*, vol. 3, 129-30.
31. RGASPI 81/3/215 (1932), 1-24, em Pyrih, ed., *Holodomor*, 497.
32. Pavlo Ivanovych Sylka, em Kovalenko e Maniak, eds., *33-i Holodd*, 492.
33. Depoimento de Kateryna Stepanivna Tsokol, em *ibid.*, 63.
34. Depoimento de Lidia Vasylivna Poltavets', em Mytsyk et al., eds.,*Ukraïns'kyi holokost*, vol. 2, 215-16.
35. Daria Mattingly, "Idle, Drunk and Good-for-Nothing: The Cultural Memory of Holodomor Rank-and-File Perpetrators", em Anna Wylegała e Małgorzata Głowacka-Grajper, eds., *The Burden of Memory: History, Memory and Identity in Contemporary Ukraine* (Bloomington, IN: Indiana University Press, 2017).
36. Depoimento de Petro Serhiiovych Voitiuk, em Borysenko, *Svicha pam'iati*, 96.
37. Depoimento de Volodymyr Ivanovych Teslia, em Veselova e Nikiliev, *Pam'iat' narodu*, vol. 2, 665-67.
38. Depoimento de uma mulher anônima, em Kovalenko e Maniak, eds., *33-i Holod*, 127.
39. Kopelev, *The Education of a True Believer*, 233.
40. Depoimento de Ivan Leonidovych Prymak, em Mytsyk, *Ukraïns'kyi holokost*, vol. 1, 99.
41. Depoimento de uma mulher anônima, em Ukraïns'kyi Instytut natsional'noï pam'iati and Iushchenko, eds., *Natsional'na knyha pam'iati zhertv Holodomoru*, 66.
42. Pidhainy, ed., *The Black Deeds of the Kremlin*, vol. 1, 201.
43. Depoimento de Ivan J. Danylenko, em U.S. Congress, *Investigation of the Ukrainian Famine, 1932-1933: Primeiro Relatório Provisório*, 77.
44. Depoimento de Hryhorii Antonovych Harashchenko, em Borysenko, *Svicha pam'iati*, 178-79.

NOTAS

481

45. Depoimento de Anna Pylypiuk, em U.S. Congress, *Investigation of the Ukrainian Famine, 1932-1933: Primeiro Relatório Provisório*, 111-12.

46. Kostiantyn Mochul's'kyi, "I Was Eight Years Old", trad. Marta Olynyk para o Holodomor Research and Education Consortium, original disponível em Kostiantyn Mochul's'kyi, "Meni bulo visim lit", *Kryms'ka svitlytsia* 12 (Simferopol', 21 de março de 2003), 6.

47. Depoimento de Anastasiia Kh., em U.S. Congress, *Investigation of the Ukrainian Famine, 1932-1933: Primeiro Relatório Provisório*, 158.

48. Depoimento de Varvara Svyrydivna Moroz, em Karas, *Svidchennia ochevydtsiv pro holod 1930-40-kh rr. na Sivershchyni*, 51.

49. Depoimento de Hnat Fedorovych Myroniuk, em Ukraïns'kyi Instytut natsional'noi pam'iati and Iushchenko, eds., *Natsional'na Knyha pam'iati zhertv Holodomoru*, 64.

50. Depoimento de Ivan Tarasiuk, em Veselova e Nikiliev, *Pam'iat' narodu*, vol. 2, 656.

51. Depoimento de Mykhailo Oleksandrovych Balanovskyi, em *ibid.*, vol. 1, 95-99.

52. Depoimento de Hryhorii Moroz, em Ukraïns'kyi Instytut natsional'noi pam'iati and Iushchenko, eds., *Natsional'na Knyha pam'iati zhertv Holodomoru*, 74-75.

53. Depoimento de Hanna Andriïvna Talanchuk, em Mytsyk et al., eds., *Ukraïns'kyi holokost*, vol. 2, 184.

54. Boriak, *1933*, 682-84.

55. Tamara Demchenko, "Svidchennia pro Holodomor iak dzherelo vyvchennia fenomenu stalins'kykh aktyvistiv", em *Problemy istorii Ukraïny: fakty sudzhennia, poshuky: Mizhvidomchyi zbirnyk naukovykh prats'*, vol. 19, nº 2 (Kiev: Naukova Dumka, 2010), 71-81.

56. Viola, *The Best Sons of the Fatherland*, 206-09.

57. RGASPI 81/3/215 (1932), 1-24, em Pyrih, ed., *Holodomor*, 504-05.

58. Mattingly, "Idle, Drunk, and Good-for-Nothing".

59. Depoimento de Maria N., em U.S. Congress, *Investigation of the Ukrainian Famine, 1932-1933: Primeiro Relatório Provisório*, 152-54.

60. Victor Kravchenko, *I Chose Freedom: The Personal and Political Life of a Soviet Official*, trad. Rhett R. Ludwikowski (Londres: Robert Hale, 1946), 75.

61. *Ibid.*, 92.

62. *Ibid.*, 91.

63. *Ibid.*, 63, 74.

482 A FOME VERMELHA

64. Kopelev, *The Education of a True Believer*, 235.

65. Georges Simenon, "Peuples qui ont faim", em *Mes Apprentissages: Reportages 1931-1946*, ed. Francis Lacassin (Paris: Omnibus, 2001), 903-04.

66. Andrei Platonovich Platonov, *Fourteen Little Red Huts and Other Plays*, trad. Robert Chandler, Jesse Irwin e Susan Larsen (Nova York: Columbia University Press, 2016), 104.

67. Lev Kopelev, entrevista no Centro Canadense de Pesquisa e Documentação Ucranianas.

68. *Ibid.*

69. Mattingly, "Idle, Drunk and Good-for-Nothing".

70. Depoimento de Halyna B., em U.S. Congress, *Investigation of the Ukrainian Famine, 1932-1933: Primeiro Relatório Provisório*, 125.

71. Kopelev, *The Education of a True Believer*, 245.

72. Depoimento de Vasyl' Onufriïenko, em Ukraïns'kyi Instytut natsional'noi pam'iati e Iushchenko, eds., *Natsional'na knyha pam'iati zhertv Holodomoru*, 91.

73. Valerii Vasyl'ev e Iurii I. Shapoval, *Komandyry velykoho holodu: Poïzdky V. Molotova i L. Kahanovycha v Ukraïnu ta Pivnichnyi Kavkaz, 1932-1933 rr.* (Kiev: Geneza, 2001), 317.

74. Depoimento de Mykola Hryhorovych Musiichuk, em Veselova e Nikiliev, *Pam'iat' narodu*, vol. 2, 76.

75. Mattingly, "Idle, Drunk and Good-for-Nothing".

76. Depoimento de Vira Karpivna Kyryrchenko, em Mytsyk et al., eds., *Ukraïns'kyi holokost*, vol. 7, 180.

77. Boriak, *1933*, 185, 229, 387, 605.

78. Noll, *Transformatsiia hromadians'koho suspil'stva*, 170-71.

79. Mattingly, "Idle, Drunk and Good-for-Nothing".

80. Graziosi, "Collectivisation, révoltes paysannes et politiques gouvernementales", 442-43.

81. DAZhO (Zhytomyr) F. R-1520/4828 (1931), 9-16.

82. Depoimento de Maryna Matviïvna Korobs'ka, em Mytsyk et al, eds., *Ukraïns'kyi holokost*, vol. 1, 110.

83. TsDAHOU 1/20/5394 (1932), 3542, em Pyrih, ed., *Holodomor*, 441.

84. RGASPI 17/42/81 (1932), 103-05, em Danilov, *Tragediia sovetskoi derevni*, 640-42.

85. Depoimento de Kateryna Ielyzarivna Iaroshenko, em Veselova e Nikiliev, *Pam'iat' narodu*, vol. 2, 881-82.

NOTAS 483

86. Depoimento de Nataliia Arsentiïvna Talanchuk, em Mytsyk et al., eds., *Ukraïns'kyi holokost*, vol. 3, 61.
87. Depoimento de Pavlo Kostenko, em *ibid.*, vol. 5, 181.
88. Depoimento do padre Tymofii Minenko, em Mytsyk et al., eds., *Ukraïns'kyi holokost*, vol. 3, 145.
89. Mattingly, "Idle, Drunk, and Good-for-Nothing".
90. Depoimento de Vasyl' Vasyl'ovych Bashtanenko, em Mytsyk et al., eds., *Ukraïns'kyi holokost*, vol. 1, 138.
91. TsDAHOU 1/6/238/32-6, em M. M. Starovoitov e V. V. Mykhailychenko, *Holodomor na Luhanshchyni 1932-1933 rr.: Naukovo-dokumental'ne vydannia* (Kiev: Stylos, 2008), 65-68.
92. Plokhy, *Unmaking Imperial Russia*, 269-70.
93. Todo o material do caso Richyts'kyi vem de Kokin et al., eds., *Partiino-Radians'ke kerivnytstvo USRR pid chas Holodomoru*, 289-444, e dos mesmos autores; "Dokumenty orhaniv VKP(b) ta DPU USRR pro nastroï i modeli povedinky partiino—radyans'kykh pratsivnykiv u respublitsi, 1932-33 rr.", *Z arkhiviv VUChK GPU NKVD KGB* 1-2 (40-41) (2013), 392-400.
94. RGASPI 81/3/215 (1932), 1-24, em Pyrih, ed., *Holodomor*, 504-05.
95. S. A. Kokin, Valerii Vasyl'ev e Nicolas Werth, eds., "Dokumenty orhaniv VKP(b) ta DPU USRR pro nastroi i modeloi povedniky partiino-radyanskykh pratsivnykiv u respublitsi, 1932-33 rr", *Z arkhiviv VUChK GPU NKVD KGB* 1-2, nº 40 e 41 (2013), 392.

11. FOME: PRIMAVERA E VERÃO, 1933

1. Depoimento de Maria Hnativna Dziuba, em Mytsyk, *Ukraïns'kyi holokost*, 10 vols. (Kiev: Kyievo-Mohilians'ka Akademiia, 2004), vol. 1, 262.
2. Citado em Conquest, *The Harvest of Sorrow*, 143.
3. Depoimento de Mariia Andronivna Zapasko-Pryimak, em Kovalenko e Maniak, eds., *33-i Holod*, 354-55.
4. Depoimento de Tetiana Pawlichka, em U.S. Congress, *Investigation of the Ukrainian Famine, 1932-1933: Primeiro Relatório Provisório*, 75.
5. Depoimento de Mykola Stepanovych Pud, em Kovalenko e Maniak, eds., *33-i Holod*, 567-68.
6. Depoimento de Hanna Stepanivna Iurchenko em *ibid.*, 536.
7. Ukraïns'kyi Instytut natsional'noi pam'iati e Iushchenko, eds., *Natsional'na knyha pam'iati zhertv Holodomoru*, 115.

A FOME VERMELHA

8. Depoimento de Anastasiia Maksymivna Kucheruk, em Kovalenko e Maniak, eds., *33-i Holod*, 148.

9. Borysenko, *A Candle in Remembrance*, 47.

10. Depoimento de Zadvornyi Volodymyr Fedorovych, em Kovalenko e Maniak, eds., *33-i Holod*, 164.

11. Depoimento de Nadiia Iosypivna Malyshko (*née* Sol'nychenko), em Mytsyk, *Ukraïns'kyi holokost*, vol. 1, 27.

12. Depoimento de Hlafyra Pavlivna Ivanova, em Ukraïns'kyi Instytut natsional'noi pam'iati and Iushchenko, eds., *Natsional'na Knyha pam'iati zhertv Holodomoru*, 97.

13. Depoimento de Anastasiia Maksymivna Kucheruk, em Kovalenko e Maniak, eds., *33-i Holod*, 149.

14. *Ibid.*, 148.

15. Depoimento de Nina Ivanivna Marusyk, em *ibid.*, 157.

16. Pidhainy, ed., *The Black Deeds of the Kremlin*, vol. 1, 303.

17. Depoimento de Volodymyr Pavlovych Slipchenko, em Kovalenko e Maniak, eds., *33-i Holod*, 88.

18. Depoimento de Oleksij Keis, em U.S. Congress and Commission on the Ukraine Famine, *Investigation of the Ukrainian Famine, 1932-1933: Segundo Relatório Provisório*, 22.

19. Depoimento de Hryhorii Fedorovych Sim'ia, em Kovalenko e Maniak, eds., *33-i Holod*, 510-11.

20. Depoimento de Oleksandr Honcharenko, em U.S. Congress and Commission on the Ukraine Famine, *Investigation of the Ukrainian Famine, 1932-1933: Segundo Relatório Provisório*, 333-34.

21. Depoimento de Dmytro Zakharovych Kalenyk, em Kovalenko e Maniak, *33-i Holod*, 31.

22. Pidhainy, ed., *The Black Deeds of the Kremlin*, vol. 1, 305.

23. Depoimento de Petro Kyrylovych Boichuk, em Ukraïns'kyi Instytut natsional'noi pam'iati and Iushchenko, eds., *Natsional'na knyha pam'iati zhertv Holodomoru*, 95.

24. Pitirim Sorokin, *Hunger as a Factor in Human Affairs* (Gainesville, FL: University of Florida Press, 1975), 73.

25. Depoimento de Mykola Ivanovych Opanasenko, em Kovalenko e Maniak, eds., *33-i Holod*, 526.

NOTAS 485

26. Depoimento de Oleksii Iuriiovych Kurinnyi e Oksana Iukhymivna Hryho-renko, em Mytsyk et al., eds., *Ukraïns'kyi holokost*, vol. 2, 200.

27. Do jornal de O. Radchenko, em Pyrih, ed., *Holodomor*, 1.013.

28. Depoimento de Nadiia Dmytrivna Lutsyshyna, em Borysenko, *A Candle in Remembrance*, 88.

29. Depoimento de Iaryna Vasylivna Kaznadzei, em Mytsyk et al., eds., *Ukraïns'kyi holokost*, vol. 6, 160.

30. Depoimento de Anton Tykhonovych Bredun, em Mytsyk et al., eds., *Ukraïns'kyi holokost*, vol. 1, 88.

31. Depoimento de Halyna Spyrydonivna Mashyntseva, em *ibid.*, vol. 1, 117-18.

32. Depoimento de Uliana Fylymonivna Lytvyn, em Kovalenko e Maniak, eds., *33-i Holod*, 98.

33. Dolot, *Execution by Hunger*, 92.

34. Depoimento de Iaryna Petrivna Mytsyk, em Kovalenko e Maniak, eds., *33-i Holod*, 299.

35. Depoimento de Mariia Mykolaiïvna Doronenko (*née* Puntus), em Mytsyk et al., eds., *Ukraïns'kyi holokost*, vol. 1, 27.

36. Athanasius D. McVay e Lubomyr Y. Luciuk, eds., *The Holy See and the Holodomor: Documents from the Secret Vatican Archives on the Great Famine of 1932-33 in Soviet Ukraine* (Toronto: The Kashtan Press, 2011), 5.

37. Dariusz Stola faz essa afirmativa. Citado em Anne Applebaum, *Iron Curtain: The Crushing of Eastern Europe, 1944-1956* (Nova York e Londres: Doubleday e Allen Lane, 2012), 141.

38. Pidhainy, ed., *The Black Deeds of the Kremlin*, vol. 1, 284.

39. Depoimento de Anastasiia Kh., em U.S. Congress, *Investigation of the Ukrainian Famine, 1932-1933: Primeiro Relatório Provisório*, 156-57.

40. *Ibid.*

41. Depoimento de Oleksandra Fedotivna Molchanova, em Mytsyk et al., eds., *Ukraïns'kyi holokost*, vol. 1, 91.

42. N. R. Romanets', "Borot'ba z samosudamy v Ukraïns'komu seli, 1933-1935 rr.", *Naukovi pratsi istorychnoho fakul'tetu Zaporis'koho Natsional'noho Universytetu* XXIX (2010), 186.

43. Depoimento de Ihor Vasyl'ovych Buhaevych, em Kovalenko e Maniak, eds., *33-i Holod*, 455-56.

44. Romanets', "Borot'ba z samosudamy v Ukraïns'komu seli', 186; citando DADO 1520/3/36/(1933), 674 e 1.127, e DAHOU 1/20/6395 (1933), 107.

486   A FOME VERMELHA

45. *Ibid.*, 186-87.
46. Depoimento de Motrona Andriïvna Krasnoshchok, em Mytsyk et al., eds., *Ukraïns'kyi holokost*, vol. 6, 284-85.
47. Ivan Brynza, "I Was Dying amidst Fields of Grain", em *Zlochyn*, ed. Petro Kardash (Melbourne-Kiev: Vyd-vo Fortuna, 2003), trad. Marta Olynyk para o Holodomor Research and Education Consortium.
48. Do jornal de O. Radchenko, em Pyrih, ed., *Holodomor*, 1.125.
49. Depoimento de Motrona Andriïvna Krasnoshchok, em Mytsyk et al., eds., *Ukraïns'kyi holokost*, vol. 6, 284-85.
50. Depoimento de Maksym Petrovych Bozhyk, em Kovalenko e Maniak, eds., *33-i Holod*, 126.
51. TsDAHOU 1/20/6274 (1933), 146-48, em Pyrih, ed., *Holodomor*, 750.
52. Depoimento de Oleksii Semenovych Lytvyns'kyi, em Borysenko, *A Candle in Remembrance*, 148-49.
53. Depoimento de Hanna Oleksandrivna Tsivka, em Mytsyk et al., eds., *Ukraïns'kyi holokost*, vol. 1, 116.
54. Depoimento de Mykola Lavrentiiovych Basha, em Karas, *Svidchennia ochevydtsiv*, 30.
55. Depoimento de Stephen C., em U.S. Congress *Investigation of the Ukrainian Famine, 1932-1933: Primeiro Relatório Provisório*, 126-27.
56. Romanets', "Borot'ba z samosudamy v Ukraïns'komu seli", 188; citando DADO 19/1/1494 (1933), 109.
57. Depoimento de Mykola Ivanovych Opanasenko, em Kovalenko e Maniak, eds., *33-i Holod*, 526.
58. Romanets', "Borot'ba z samosudamy v Ukraïns'komu seli", 189; citando DADO 1520/3/37 (1933), 104.
59. Romanets', "Borot'ba z samosudamy v Ukraïns'komu seli", 190; citando DADO 1520/3/35 (1933), 4, TsDAHOU 1/20/6580 (1934), 107, e TsDAHOU 1/20/6777 (1935), 113.
60. Depoimento de Marfa Pavlivna Honcharuk, em Kovalenko e Maniak, eds., *33-i Holod*, 29.
61. Depoimento de Ol'ha Kocherkevych, em Veselova e Nikiliev, *Pam'iat' narodu*, vol. 1, 651-52.
62. Depoimento de Mykola Romanovych Proskovchenko, em Mytsyk et al., eds., *Ukraïns'kyi holokost*, vol. 3, 128.

NOTAS 487

63. Diário de Oleksandra Radchenko, em Bohdan Klid e Alexander J. Motyl, *The Holodomor Reader: A Sourcebook on the Famine of 1932-33 in Ukraine* (Toronto: Canadian Institute of Ukrainian Studies Press, 2012), 182.

64. Depoimento de Halyna Kyrylivna Budantseva (*née* Piven'), em Kovalenko e Maniak, eds., *33-i Holod*, 485.

65. Petro Hryhorenko, entrevista por Slavko Novytskyi, UCRDC.

66. Grossman, *Everything Flows*, 136.

67. HDA SBU 65/6352/1 (1932), 444-46, em Danylenko et al., eds., *Holodomor 1932-1933 rokiv v Ukraïni za dokumentamy HDA SBU*, 283.

68. TsDAHOU 1/20/6276 (1933), 55-60, em Pyrih, ed., *Holodomor*, 888.

69. Noll, *Transformatsiia hromadians'koho suspil'stva*, 296-300.

70. Depoimento de Kateryna Romanivna Marchenko, em Veselova e Nikiliev, *Pam'iat' narodu*, vol. 2, 11-12.

71. Depoimento de Mariia Ivanivna Korniichuk, em Kovalenko e Maniak, eds., *33-i Holod*, 490.

72. "Agenda A, vol. 36, Caso 333/(NY)1582 (Entrevistador J. F., Tipo A4) Homem, 29, estudante e trabalhador ucraniano", 1 a 8 de julho de 1951, Projeto de Harvard sobre o Sistema Social Soviético, Divisão Eslava, Widener Library, Harvard University, 25.

73. Depoimento de Vasyl' Iosypovych Huzenko, em Karas, *Svidchennia ochevydtsiv*, 54-55.

74. Depoimento de Anna S., in U.S. Congress and Commission on the Ukraine Famine, *Investigation of the Ukrainian Famine, 1932-1933: Segundo Relatório Provisório*, 26-27.

75. Depoimento de Mykola Iakovych Kovtun, em Kovalenko e Maniak, eds., *33-i Holod*, 313.

76. Depoimento de Paraskeva Serhiivna Pidlubna, em Borysenko, *A Candle in Remembrance*, 186.

77. Depoimento de Tetiana Pawlichka, em U.S. Congress, *Investigation of the Ukrainian Famine, 1932-1933: Primeiro Relatório Provisório*, 75-76.

78. Depoimento de M. Barkov, em Veselova e Nikiliev, *Pam'iat' narodu*, vol. 1, 108.

79. Depoimento de Larysa Vasylivna Vasyl'chenko, em Kovalenko e Maniak, eds., *33-i Holod*, 477-78.

80. Depoimento de Oleksandr Honcharenko, em U.S. Congress and Commission on the Ukraine Famine, *Investigation of the Ukrainian Famine, 1932-1933: Segundo Relatório Provisório*, 332-33.

488 A FOME VERMELHA

81. Depoimento de Petro Kuz'mych Mostovyi, em Kovalenko e Maniak, eds., *33-i Holod*, 495.
82. Noll, *Transformatsiia hromadians'koho suspil'stva*, 183.
83. Oleg Bazhan e Vadym Zolotar'ov, "Konveier Smerti v chasy 'Velikoho Teroru' v Ukrayïni: Tekhnologiia rozstriliv, vykonavtsi, misstia pokhovan'", *Kraieznavstvo* 1 (2014), 192.
84. *Ibid.*, 193-94.
85. Depoimento de Varvara Dibert, em U.S. Congress, *Investigation of the Ukrainian Famine, 1932-1933: Primeiro Relatório Provisório*, 73.
86. Depoimento de Leonid A., em *ibid.*, 132-33.
87. Depoimento de uma mulher anônima, em Kovalenko e Maniak, eds., *33-i Holod*, 508.
88. Depoimento de Mykola Iakovych Pishyi, em *ibid.*, 266.
89. Depoimento de Larysa Donchuk, em U.S. Congress and Commission on the Ukraine Famine, *Investigation of the Ukrainian Famine, 1932-1933: Segundo Relatório Provisório*, 138.
90. Depoimento de Oleksandra Mykhailivna Krykun (*née* Reznichenko), em Kovalenko e Maniak, eds., *33-i Holod*, 524.
91. Depoimento de Ivan Pavlovych Vasianovych, em *ibid.*, 551-53.
92. Depoimento de Vira Prokopivna Kadiuk, em *ibid.*, 346.
93. Daria Mattingly, "Oral History Project of the School Students of Tororyshche", 2007, de sua coleção particular.
94. "Agenda A, vol. 36, Caso 333", Projeto de Harvard sobre o Sistema Social Soviético, Divisão Eslava, Widener Library, Harvard University, 25.
95. Depoimento de Liuba Arionivna, em Kovalenko e Maniak, eds., *33-I Holod*, 280.
96. Depoimento de Mariia Ievlampiïvna Petrenko, em Mytsyk et al., eds., *Ukraïns'kyi holokost*, vol. 2, 187.
97. Depoimento de Stephen C., em U.S. Congress *Investigation of the Ukrainian Famine, 1932-1933: Primeiro Relatório Provisório*, 126-27.
98. Depoimento de Denys Mykytovych Lebid', em Kovalenko e Maniak, *eds.*, *-i Holod*, 306.
99. Depoimento de Fedir Dmytrovych Zavads'kyi, em *ibid.*, 268.
100. Ver testemunhos em *ibid.*, 98, 327-29, 335 e 340; e Veselova e Nikiliev, *Pam'iat'* narodu, vol. 1, 401, 427, 454.
101. Depoimento de Anna Pylypiuk, em U.S. Congress *Investigation of the Ukrainian Famine, 1932-1933: Primeiro Relatório Provisório*, 111-12.

NOTAS

102. Essa, de novo, é a carta para Kosior e Kaganovich. TsDAHOU 1/20/6276 (1933), 55-60, em Pyrih, ed., *Holodomor*, 888.

103. Karel Berkhoff, "The Great Famine in Light of the German Invasion and Occupation", em Halyna Hyrn e Lubomyr Hajda, eds., *After the Holodomor: The Enduring Impact of the Great Famine of Ukraine* (Cambridge, MA: Instituto de Pesquisa Ucraniana de Harvard, 2014).

104. TsDAHOU 1/20/6274 (1933), 185-90, em Pyrih, ed., *Holodomor*, 763.

105. Depoimento de Larysa Fedorivna Venzhyk, em Borysenko, *A Candle in Remembrance*, 138-39.

106. Depoimento de Mariia Pavlivna Davydenko, em Karas, *Svidchennia ochevydtsiv*, 9.

107. Depoimento de Iaryna, em Kovalenko e Maniak, eds., *33-i Holod*, 69.

108. Depoimento de Mykola Oleksiiovych Moskalenko, em Karas, *Svidchennia ochevydtsiv*, 56.

109. Andrea Graziosi, *Lysty z Kharkova: Holod v Ukraïni ta na Pivnichnomu Kavkazi v povidomlenniakh italiiskykh dyplomativ 1932-33 roky* (Kharkov: Folio, 2007), 125-27.

110. Nicolas Werth, "Discurso de Abertura da Conferência sobre a *Holodomor*, Instituto de Pesquisa Ucraniana de Harvard, 17-18 de novembro de 2008'" em Halyna Hryn e Lubomyr Hajda, eds., *After the Holodomor*; xxxiv.

111. TsDAHOU 1/20/6275 (1933), 124-31, em Ukraïns'kyi Instytut natsional'noï pam'iati and V. I. Ul'iachenko, eds., *Natsional'na knyha pam'iati zhertv Holodomoru 1932-1933 rokiv v Ukraïni: Kyïvs'ka oblast'* (Bila Tserkva: Bukva, 2008), 1.291.

112. DADO 1520/3/9 (1933), 431, em Ukraïns'kyi Instytut natsional'noi pam'iati e E. I. Borodin et al., eds., *Natsional'na knyha pam'iati zhertv Holodomoru 1932-1933 rokiv v Ukraïni: Dnipropetrovs'ka oblast'* (Dnipropetrovsk: ART-PRES, 2008), 1.111.

113. DADO 710/2/2 (1933), 18-19, em Ukraïns'kyi Instytut natsional'noi pam'iati e T. T. Dmytrenko, eds., *Natsional'na Knyha pam'iati zhertv Holodomoru 1932-1933 rokiv v Ukraïni: Kirovohrads'ka oblast'* (Kirovohrad: TOV "Imeks LTD", 2008), 853-54.

114. Ukraïns'kyi Instytut natsional'noi pam'iati and F. H. Turchenko, eds., *Natsional'na Knyha pam'iati zhertv Holodomoru 1932-1933 rokiv v Ukraïni: Zaporiz'ka oblast'* (Zaporizhzhia: Dyke Pole, 2008), 777.

115. TsDAHOU 1/20/6274 (1933), 146-48, em Pyrih, ed., *Holodomor*, 750-51.

490 A FOME VERMELHA

116. TsDAHOU 1/20/6276 (1933), 39-46, em *ibid.*, 877.
117. Derzhavnyi Arkhiv Donets'koi Oblasti 326/1/130 (1933), 47, em *ibid.*, 822-23.
118. Davies e Wheatcroft, *The Years of Hunger*, 422.
119. TsDAHOU 1/20/6274 (1933), 185-90, em Ukraïns'kyi Instytut natsional'noi pam'iati e Ul'iachenko, eds., *Natsional'na Knyha pam'iati zhertv Holodomoru: Kyïvs'ka oblast'*, 1.287.
120. HDA SBU, 6/75501-fp.
121. Entrevista com Olga Mane, HREC/UCRDC Centro Canadense de Pesquisa e Documentação Ucranianas.
122. TsDAHOU 1/20/6274 (1933), 95-99, em *ibid.*, 1.284.
123. Romanets', "Borot'ba z samosudamy v Ukraïns'komu seli", 190.

12. SOBREVIVÊNCIA: PRIMAVERA E VERÃO, 1933

1. Depoimento de Hryhorii Ivanovych Mazurenko, em Borysenko, *A Candle in Remembrance*, 165.
2. Depoimento de Vira Mykhailivna Tyshchenko, em *ibid.*, 147.
3. Depoimento de Todos Khomovych Hodun, em *ibid.*, 231.
4. Carta de Khoma Riabokon', em D. F. Solovei, *Skazaty pravdu: Try pratsi pro Holodomor 1932-1933 rr.* (Kiev-Poltava: Instytut Istoriï Ukraïny NAN Ukraïny, 2005), 77.
5. Ver, por exemplo, o depoimento de Ivan Oleksiiovych Maksymenko, em Karas, *Svidchennia ochevydtsiv*, 32-33; o depoimento de Mariia Andrivna Oliinyk (*née* Liakhimets'), em Mytsyk et al., eds., *Ukraïns'kyi holokost*, vol. 1, 108-09; os testemunhos de Nadiia Dmytrivna Lutsyshyna e Larysa Fedorivna Shevchuk (*née* Venzhuk), em Borysenko, *A Candle in Remembrance*, 88 e 137-41; o testemunho de Ivan Pavlovych Vasianovych, em Kovalenko e Maniak, eds., *33-i Holod*, 552-53. Ver também, como referência geral, Oleksa Riznykiv, *Ïdlo 33-ho: slovnyk holodomoru* (Odessa: Iurydychna literatura, 2003).
6. Depoimento de Mariia Pavlivna Davydenko, em Karas, *Svidchennia ochevydtsiv*, 10.
7. Ver depoimento de Oleksandra Vasylivna Sykal, em *ibid.*, 35; também os testemunhos de Lida Oleksandrivna Kolomiiets' e Mykola Mykhailovych Ostroverkh, em Borysenko, *A Candle in Remembrance*, 99 e 222.
8. Depoimento de Nadiia Dmytrivna Lutsyshyna, em *ibid.*, 99.

NOTAS 491

9. Depoimento de Mykola Demydovych Fenenko, em Kovalenko e Maniak. eds., *33-i Holod*, 542.

10. Depoimento de Mariia Vasylivna Pykhtina, em Borysenko, *A Candle in Remembrance*, 189.

11. Depoimento de Halyna Spyrydonivna Mashyntseva, em Mytsyk et al., eds., *Ukraïns'kyi holokost*, vol. 1, 117-18.

12. Depoimento de Petro Kuz'mych Mostovyi, em Kovalenko e Maniak, eds., *33-i Holod*, 495.

13. Depoimento de Mariia Semenivna Pata, em Karas, *Svidchennia ochevydtsiv*, 6.

14. Depoimento de Vira Illivna Petukh, em *ibid.*, 52.

15. Depoimento de Nadiia Zakharivna Ovcharuk, em Borysenko, *A Candle in Remembrance*, 103.

16. Depoimento de Kseniia Afanasiïvna Maliar, em Karas, *Svidchennia ochevydtsiv*, 56-57.

17. Depoimento de Oksana Andriïvna Zhyhadno, em Borysenko, *A Candle in Remembrance*, 151.

18. *Ibid.*, 152.

19. TsDAHOU 1/20/6274 (1933), 149-58, em Pyrih, ed., *Holodomor*, 156-59.

20. Depoimento de Kateryna Prokopivna Butko, em Borysenko, *A Candle in Remembrance*, 143.

21. Depoimento de Mykola Hryhorovych Sobrach, em Karas, *Svidchennia ochevydtsiv*, 28-30.

22. Depoimento de Liubov Andriïvna Orliuk, em Borysenko, *A Candle in Remembrance*, 158.

23. Depoimento de Petro Kuz'mych Mostovyi, em Kovalenko e Maniak, eds., *33-i Holod*, 495.

24. Depoimento de Hnat Fedorovych Myroniuk, em Ukraïns'kyi Instytut natsional'noï pam'iati and Iushchenko, *Natsional'na Knyha pam'iati zhertv Holodomoru*, 64.

25. Depoimento de Mariia Semenivna Pata, em Karas, *Svidchennia ochevydtsiv*, 10-11.

26. Depoimento de Sofiia Iakivna Zalyvcha, em Kovalenko and Maniak, eds., *33-i Holod*, 472.

27. Depoimento de Dmytro Dmytruk e Mykola Shvedchenko, em Oksana Kis, "Defying Death: Women's Experience of the Holodomor, 1932-33", *Aspasia* 7 (2013), 54.

492 **A FOME VERMELHA**

28. Depoimento de Anatolii Stepanovych Bakai, em Kovalenko and Maniak, eds., *33-i Holod*, 484-85.

29. Depoimento de Ihor Vasyliovych Buhaievych, em *ibid.*, 454-57.

30. Depoimento de Mariia Terenivna Havrysh, em Borysenko, *A Candle in Remembrance*, 80-81.

31. Arthur Koestler, *The Invisible Writing: An Autobiography* (Nova York: Macmillan, 1954), 55-56.

32. Oleh Wolowyna, Serhii Plokhy, Nataliia Levchuk, Omelian Rudnytskyi, Pavlo Shevchuk e Alla Kovbasiuk, "Regional Variations of 1932-34 Famine Losses in Ukraine", *Canadian Studies in Population* 43, nº 3/4 (2016), 175-202.

33. Marco Carynnyk, Bohdan S. Kordan e Lubomyr Y. Luciuk, eds., *The Foreign Office and the Famine: British Documents on Ukraine and the Great Famine of 1932-1933* (Kingston, Ontario: Limestone Press, 1988), 104-65.

34. *Ibid.*

35. Entrevista com Peter Egides, conduzida por Marco Carynnyk em Toronto, em novembro de 1981. Do Centro Canadense de Pesquisa e Documentação Ucranianas, Toronto.

36. HDA SBU 6/68805-FP, vols. 6 e 8, citado em Bojko e Bednarek, *Holodomor: The Great Famine in Ukraine*, 607.

37. Carynnyk et al., eds., *The Foreign Office and the Famine*, 107.

38. Bojko e Bednarek, *Holodomor*, 608.

39. *Ibid.*, 609.

40. Timothy Snyder, *Black Earth: The Holocaust as History and Warning* (Nova York: Tim Duggan Books, 2015), 249.

41. Petro Shelest, *Spravzhnii sud istorii shche poperedu: Spohady, shchodennyky, dokumenty, materialy*, ed. V. Baran, O. Mandebura, Yu. Shapoval e H. Yudynkova. (Kiev: Heneza, 2004), 64-65.

42. Depoimento de Ielyzaveta Petrivna Radchenko, em Kovalenko e Maniak, eds., *33-i Holod*, 492.

43. Depoimento de Kylyna Vasylivna Dykun, em Mytsyk et al., eds., *Ukraïns'kyi holokost*, vol. 1, 90.

44. Depoimento de Nadiia Iosypivna Malyshko (Sol'nychenko), em *ibid.*, vol. 1, 27.

45. Depoimento de Varvara Stepanivna Horban, em *ibid.*, vol. 1, 29-30.

46. Kis, "Defying Death", 55.

47. Depoimento de Halyna Pavlivna Tymoshchuk, em Borysenko, *A Candle in Remembrance*, 96.

NOTAS 493

48. DAVO 136/3/74 (1933), 4-4, em Ukraïns'kyi Instytut natsional'noi pam'iati e V. P. Latsyba, eds., *Natsional'na knyha pam'iati zhertv Holodomoru 1932-1933 rokiv v Ukraïni: Vinnyts'ka oblast'* (Vinnytsia: DP "DFK", 2008), 1.191.

49. Depoimento de Stepan Kharytonovych Vasiuta, em Kovalenko e Maniak, eds., *33-i Holod*, 465-46.

50. Depoimento de Mariia Ivanivna Korniichuk, em *ibid.*, 489-90.

51. TsDAHOU 1/20/6277 (1933), 233-35, em Pyrih, ed., *Holodomor*, 798-800.

52. TsDAHOU 1/20/6275 (1933), 182-86, em *ibid.*, 833-35.

53. *Ibid.*

54. DAVO 136/3/71 (1933), 127-29, em Ukraïns'kyi Instytut natsional'noi pam'iati and Latsyba, eds., *Natsional'na knyha pam'iati zhertv Holodomoru*, 1.245.

55. DAKhO, 104/1/123 (1933), 2, em Ukraïns'kyi Instytut natsional'noi pam'iati e S. H. Vodotyka, *Natsional'na knyha pam'iati zhertv Holodomoru 1932-1933 rokiv v Ukraïni: Khersons'ka oblast'*, eds. P. Iukhnovs'kyi et al. (Kherson: Vydavnytstvo "Naddniprians'ka pravda", 2008), 527.

56. DAKhO, 116/1/141 (1933), 19-22, em *ibid.*

57. DAKhO P-1962/1/973 (1933), 9, em Pyrih, ed., *Holodomor*, 841-42.

58. Drazhevs'ka Liubov, "Entrevista com Liubov Drazhevska', conduzida em 22 julho de 1983, em Nova York, por Sviatoslav Novytsky, UCRDC.

59. RGASPI 17/162/14 (1932), 17, em Pyrih, ed., *Holodomor*, 412; Graziosi, *Lysty z Kharkova*, 128-30.

60. Osokina, *Zoloto dlia industrializatsiï*, 96.

61. *Ibid.*, 227.

62. Lubomyr Y. Luciuk, *Tell Them We Are Starving: The 1933 Diaries of Gareth Jones* (Kingston, Ontario: Kashtan Press, 2015), 103.

63. Malcolm Muggeridge, *Winter in Moscow* (Boston, MA: Little Brown, 1934), 146.

64. Bulgakov, *The Master and Margarita*, 391-92.

65. Okosina, *Zoloto dlia industrializatsiï*, 250-51, 255, 293.

66. Depoimento de Vira Iosypivna Kapynis, em Mytsyk et al, eds., *Ukraïns'kyi holokost*, vol. 7, 193.

67. Depoimento de Ivan Iakovych Khomenko, em Veselova e Nikiliev, *Pam'iat' narodu*, vol. 2, 746.

68. Depoimento de Nadia Illivna Babenko, em Kovalenko e Maniak, eds., *33-i Holod*, 558-59.

69. Depoimento de Ivan Kyrylovych Klymenko, em Mytsyk et al., eds., *Ukraïns'kyi holokost*, vol. 6, 142-45.

494 **A FOME VERMELHA**

70. Depoimento de Hryhorii Fedorovych Sim'ia, em Kovalenko e Maniak, eds., *33-i Holod*, 510-11.

71. Tetiana Yevsieieva, "The Activities of Ukraine's Union of Militant Atheists during the Period of All-Out Collectivization, 1929-1933", trad. Marta Olynyk, *Key Articles on the Holodomor Translated from Ukrainian into English*, Holodomor Research and Education Consortium, http://holodomor. ca/translated-articles-on-the-holodomor.

72. Osokina, *Zoloto dlia Industrializatsiï*, 151-53.

73. *Ibid.*, 162-63.

74. Diário de Oleksandra Radchenko, em Klid e Motyl, *The Holodomor Reader*, 182.

75. HDA SBU 13/40/— (1932), 167-73, em Bojko e Bednarek, *Holodomor*, 91.

76. Depoimento de Ihor Vasyl'iovych Buhaevych, em Kovalenko e Maniak, eds., *33-i Holod*, 454.

77. Depoimento de Hryhorii Pavlovych Novykov, em *ibid.*, 530.

78. "Agenda A, vol. 32, Caso 91/(NY)1124 (entrevistador M. S., Tipo A4) Mulher, 56, estenógrafa da Grande Rússia", 1 a 3 de junho de 1951, Projeto de Harvard sobre o Sistema Social Soviético, Divisão Eslava, Library, Harvard University, 65.

79. Depoimento de Pavlo Feodosiiovych Chornyi, em Mytsyk et al., eds., *Ukraïns'kyi holokost*, vol. 1, 92.

80. "Agenda A, vol. 36, Caso 333 (NY) 1582 (entrevistador J. F., tipo A4). Homem, 29, estudante e trabalhador ucraniano. Projeto de Harvard sobre o Sistema Social Soviético, Divisão Eslava, Widener Library, Harvard University, 26. Ver para mais, https://iiif.lib.harvard.edu/manifests/view/ drs:5608007$1i.

81. Kis, "Defying Death", 53.

13. RESCALDO

1. Mykola Rudenko, "The Cross", trad. Marco Carynnyk, em Wasyl Hryshko, *The Ukrainian Holocaust of 1933* (Toronto: Bahriany Foundation, 1983), 135-36.

2. O projeto de pesquisa de Oleh Wolowyna sobre as características demográficas e consequências da fome de 1932-33 na União Soviética, especialmente na Ucrânia e Rússia, foi patrocinado pelo Instituto de Demografia e Pesquisa Social da Academia Nacional de Ciências da Ucrânia e pelo Instituto de Pesquisa Ucraniana de Harvard, e financiado pela Fulbright Foundation.

NOTAS

3. A citação é de Oleh Wolowyna, carta para a autora, 29 de abril de 2017.
4. Omelian Rudnytskyi, Nataliia Levchuk, Oleh Wolowyna, Pavlo Shevchuk e Alla Kovbasiuk, "Demography of a Man-Made Human Catastrophe: The Case of Massive Famine in Ukraine, 1932-33", *Canadian Studies in Population* 42, nº 1-2 (2015), 53-80.
5. Wolowyna et al., "Regional Variations of 1932-1934 Famine Losses in Ukraine", 175-202.
6. Rudnytskyi et al., "Demography of a Man-Made Human Catastrophe", 65.
7. Oleh Wolowyna, "Monthly Distribution of 1933 Famine Losses in Ukraine and Russia at the Regional Level", documento não publicado.
8. HDA SBU 13/—/23 (1933), 237-47, em Bojko e Bednarek, *Holodomor*, 495-500.
9. Wolowyna et al., "Regional Variations of 1932-1934 Famine Losses in Ukraine", 187.
10. Serhii Plokhy, "Mapping the Great Famine", *MAPA: Atlas Digital da Ucrânia, Instituto de Pesquisa Ucraniana de Harvard*, 5-7, acessado em 2017, http://gis.huri.harvard.edu/images/pdf/MappingGreatUkrainianFamine.pdf.
11. Wolowyna et al., "Regional Variations of 1932-1934 Famine Losses in Ukraine", 188; Plokhy, "Mapping the Great Famine", 19.
12. Andrea Graziosi, "The Impact of Holodomor Studies on the Understanding of the USSR", em Andrij Makukh e Frank S. Sysyn, eds., *Contextualizing the Holodomor: The Impact of Thirty Years of Ukrainian Famine Studies* (Edmonton, Alberta: Instituto Canadense de Estudos Ucranianos, 2015), 52.
13. Plokhy, "Mapping the Great Famine", 16-19.
14. TsDAHOU 1/20/6278/20, em Pyrih, ed., *Holodomor*, 852.
15. Stanislav V. Kul'chyts'kyi, "Comments at UNAS (Academia Nacional de Ciências) Seminário do Instituto da História da Ucrânia", apresentado no Seminário do Instituto da História da Ucrânia, Kiev, 19 de abril de 2016.
16. RGASPI 17/163/981/229-38, em Danilov et al., eds., *Tragediia sovetskoi derevni*, 952-57.
17. Valerii Vasyl'ev, "Osoblyvosti polityky kerivnytstva VKP(b) u sil's'komu hospodarstvi URSR (Kinets' 1933-1934 rr.)", *Ukraïns'kyi selianyn: pratsi Naukovo-doslidnoho Instytutu Selianstva* 10 (2006): 342-48.
18. H. Iefimenko e L. Iakubova, "Natsional'ni vidnosyny v radians'kii Ukraïni (1923-1938)", em V. M. Lytvyn et al., eds., *Natsional'ne pytannia v Ukraïni XX-pochatku XXI st.: istorychni narysy* (Kiev: Nika-Tsentr, 2012), 209-27.

496 A FOME VERMELHA

19. Stalin, *Works*, vol. 13, 268-370, citado em Klid e Motyl, *The Holodomor Reader*, 265-66.

20. *Ibid.*, 266-68.

21. Vasyl'ev, "Osoblyvosti polityky kerivnytstva VKP(b) u sil's'komu hospodarstvi URSR", 342-48.

22. *Ibid.*, 342-48.

23. Depoimento de Max Harmash, em U.S. Congress and Commission on the Ukraine Famine, *Investigation of the Ukrainian Famine, 1932-1933: Segundo Relatório Provisório*, 44-46.

24. Depoimento de Lidiia A., em *ibid.*, 140-41.

25. H. Iefimenko, "Lykhovisni 30-ti roky na Markivshchyni", em Stanislav V. Kul'chyts'kyi e O. M. Veselova, eds., *Holodhenotsyd 1933 roku v Ukraïni: istoryko-politolohichnyi analiz sotsial'-no-demohrafichnykh ta moral'no--psykholohichnykh naslidkiv: mizhnarodna naukovo-teoretychna konferentsiia, Kiev, 28 lystopada 1998 r.: materialy: Instytut Istoriï Ukraïny (Natsional'na Akademiia Nauk Ukraïny): Asotsiatsiia doslidnykiv holodomoriv v Ukraïni* (Kiev: Vyd-vo M. P. Kots', 2000), 348-56.

26. Nikita Sergeevich Kruschev, *The "Secret" Speech Delivered to the Closed Session of the Twentieth Congress of the Communist Party of the Soviet Union*, ed. Bertrand Russell Peace Foundation (Nottingham: Spokesman Books para a Bertrand Russell Peace Foundation, 1976).

27. H. Iefimenko, "Resettlements and Deportations during the Post-Holodomor Years (1933-1936): A Raion-by-Raion Breakdown", trad. Marta Olynyk, tradução não publicada pelo Holodomor Research and Education Consortium, 16, citando RGAPSI 11/64/39 (1933). O original pode ser encontrado em H. Iefimenko, "Pereselennia ta deportatsiï v postholodomorni roky (1933-1936): poraionnyi zriz", *Problemy Istoriï Ukraïny: fakty sudzhennia, poshuky: Mizhvidomchyi zbirnyk naukovykh prats'* 22 (2013), 136-66.

28. *Ibid.*, 3-4.

29. Daria Mattingly, "Oral History Project of the School Students of Tororyshche", 2007, da coleção particular de Daria Mattingly.

30. TsDAHOU, 1/20/6375/63-64.

31. Iefimenko, "Lykhovisni 30-ti roky na Markivshchyni", 348-56.

32. *Ibid.*

33. Iefimenko, "Resettlements and Deportations during the Post-Holodomor Years", 28-29.

NOTAS 497

34. Andrea Graziosi, "'Lettres de Kharkov': La famine en Ukraine et dans le Caucase du Nord (à travers les rapports des diplomates italiens, 1932-1934)", *Cahiers du monde russe et soviétique* 30, nº 1 (1989), 70.

35. Depoimento de Iakiv Petrovych Pasichnyk, em Borysenko, *A Candle in Remembrance*, 254.

36. RGASPI 81/3/131 (1933), 43-62, em Marochko e Movchan, *Holodomor 1932-1933 rokiv v Ukraïni*, 256.

37. Bohdan Krawchenko, *Social Change and National Consciousness in Twentieth-Century Ukraine* (Edmonton, Alberta: Instituto Canadense de Estudos Ucranianos, 1987), 146.

38. Nikita Kruschev, *Kruschev Remembers*, trad. Strobe Talbott (Boston, MA: Little, Brown, 1970), 108.

39. Krawchenko, *Social Change and National Consciousness in Twentieth-Century Ukraine*, 148. Dos líderes da era da fome, só Petrovskyi sobreviveu, privado de sua propriedade e de seus privilégios, no exílio em Moscou.

40. Kruschev, *Kruschev Remembers*, 108.

41. Essa é a conclusão da tese de doutorado não publicada de Daria Mattingly.

42. Krawchenko, *Social Change and National Consciousness in Twentieth-Century Ukraine*, 174-75.

43. Toda a correspondência Sholokhov-Stalin pode ser encontrada em Iu.G. Murin, ed., *Pisatel' i vozhd': perepiska M.A. Sholokhova s I.V. Stalinym 1931-1951 gody: sbornik dokumentov iz lichnogo arkhiva I.V. Stalina* (Moscou: Raritet, 1997).

44. Stalin, *Works*, vol. 13, 210-12.

14. DISSIMULAÇÃO

1. Petro Drobylko, "The Cursed Thirties", em Pidhainy, ed., *The Black Deeds of the Kremlin*, vol. 1, 278.

2. PA IIP pri TsK Kompartii Ukrainy 1/101/1243 (1933), 159-63, 172, em R. Ia. Pyrih, ed., *Holod 1932-1933 rokiv na Ukraïni: ochyma istorykiv, movoiu dokumentiv* (Kiev: Politvydav Ukraïny, 1990), 441-44; não confundir com *Holodomor 1932-1933* do mesmo autor.

3. APRF 3/40/87/52-64, citado em Kondrashin et al., eds., *Golod v SSSR*, vol. 2, 695-701.

A FOME VERMELHA

4. Depoimento de Mariia Bondarenko, em Kovalenko e Maniak, eds., *33- i Holod*, 90.

5. Depoimento de Serhii Fedotovych Kucheriavyi, em Veselova e Nikiliev, *Pam'iat' narodu*, vol. 1, 720.

6. Depoimento de Vasyl' Patsiuk Babanka, em Kovalenko e Maniak, eds., *33-i Holod*, 104.

7. Depoimento de Iryna Pavlivna N., em Mytsyk et al., eds., *Ukraïns'kyi holokost*, vol. 1, 98.

8. Depoimento de A. Butkovska, em U.S. Congress and Commission on the Ukraine Famine, *Investigation of the Ukrainian Famine, 1932-1933: Segundo Relatório Provisório*, 25.

9. Depoimento de Oleksa Voropai, em Veselova e Nikiliev, *Pam'iat' narodu*, vol. 1, 266.

10. TsDAHOU 1/20/6277 (1933), 105-11, em Pyrih, ed., *Holodomor*, 724-25.

11. *Derzhavnyi Arkhiv Odes'koï Oblasti* P-2009/1/4 (1933), 91-92, com agradecimento a Hennadii Boriak.

12. DAKhO, 3683/2/2 (1933), 52, *on line* em *Holodomor 1932-1933 rr. Kharkovs'ka oblast'*, acessado em 2017, http://www.golodomor.kharkov.ua/docsmod. php?docpage=1&doc=772.

13. Anne Applebaum, "Interview with Professor Hennadii Boriak, Deputy Director, Institute of History of Ukraine, National Academy of Sciences of Ukraine", 25 de fevereiro de 2017.

14. Depoimento de Dmytro Koval'chuk, em Veselova e Nikiliev, *Pam'iat' narodu*, vol. 1, 590; depoimento de Volodymyr Tkachenko, em Kovalenko e Maniak, *33-i Holod*, 532.

15. Depoimento de Stephan Podolian, em Kovalenko e Maniak, eds., *33-i Holod*, 110-11.

16. U.S. Congress and Commission on the Ukraine Famine, *Investigation of the Ukrainian Famine, 1932-1933: Relatório ao Congresso*, 46.

17. Applebaum, "Interview with Andrei Graziosi", fevereiro de 2014.

18. HDA SBU, Odessa —/66/5 (1932), 2.579-2.579v, em Bojko e Bednarek, *Holodomor*, 227.

19. Catherine Merridale, "The 1937 Census and the Limits of Stalinist Rule", *The Historical Journal* 39, nº 1 (1º de março de 1996), 226.

20. *Ibid.*, 230.

21. *Ibid.*, 235-40.

NOTAS

22. A. G. Volkov, "Perepis" naseleniia SSSR 1937 goda: Istoriia i materialy/ Ekspress-informatsiia', *Istoriia Statistiki* 3-5, no. chast' II (1990), 16-18.

23. I. Sautin, "The National Census—a Duty of the Whole People", trad. "Seventeen Moments in Soviet History, an Online Archive of Primary Sources", *Bol'shevik* 23-24 (23 de dezembro de 1938), http://soviethistory.msu.edu/1939-2/the-lost-census/ the-lost-census -texts/duty-of-the-whole- people.

24. Entrevista com Oleh Wolowyna, abril de 2016.

25. Volkov, "Perepis" naseleniia SSSR 1937 goda', 16-18.

26. "Seventeen Moments in Soviet History, an Online Archive of Primary Sources", trad., "The All-Union Census—a Most Important Government Task", *Pravda* (matéria principal), 29 de novembro de 1938, http:// soviethistory.msu.edu/1939-2/the-lost-census/the-lost-census-texts/ duty-of-the whole-people.

27. Mark Tolts, "The Soviet Censuses of 1937 and 1939: Some Problems of Data Evaluation", apresentado na Conferência Internacional sobre a População Soviética nos anos 1920 e 1930, Toronto, 1995, 4.

28. *Ibid.*, 9-10.

29. Stepan Baran, "Z nashoï tragediï za Zbruchem", *Dilo* (Lviv) 21, maio de 1933.

30. Leonard Leshuk, *Days of Famine, Nights of Terror: First-Hand Accounts of Soviet Collectivization 1928-1934* (Washington, D.C.: Europa University Press, 2000), 121.

31. Robert Kusnierz, *Ukraina w Latach Kolektywizacji i Wielkiego Głodu (1929-1933)* (Torún: Grado, 2006), 214-17.

32. Depoimento de Myroslav Prokop, em Mytsyk et al., eds., *Ukraïns'kyi holokost*, vol. 5, 107-10; Kusnierz, *Ukraina w Latach Kolektywizacji*, 215.

33. Kusnierz, *Ukraina w Latach Kolektywizacji*, 220.

34. S. Sipko, "The Winnipeg Free Press and the Winnipeg Tribune: A Report for the Holodomor Research and Education Consortium", dezembro de 2013, extratos dos arquivos do detentor dos direitos autorais: o Centro Canadense de Pesquisa e Documentação Ucranianas, 5.

35. "Policy of Soviet Regime Scored by Ukrainians Here—Responsible for Millions of Deaths from Starvation, It Is Claimed", *Winnipeg Free Press* (8 de setembro de 1933), 5.

36. Kusnierz, *Ukraina w Latach Kolektywizacji*, 221-27.

37. DATO 231/1/2067 (1933), 38-41, em Bojko e Bednarek, *Holodomor*, 504-05.

38. McVay e Luciuk, *The Holy See and the Holodomor*, ix, 5.

500 A FOME VERMELHA

39. "Cardinal Asks Aid in Russian Famine", *The New York Times* (20 de agosto 1933).

40. "Ukrains'kyi Holodomor ochyma avstriitsia", *Radio Svoboda*. Última alteação em 28 de abril de 2017, acessado em 2017. http://www.radiosvoboda. org/a/Holodomor -Ukraine-1933/25177046.html. Algumas das fotos foram publicadas em Dr. Ewald Ammende, *Muss Russland hungern? Menschen- und Völkerschicksale in der Sowjetunion* (Vienna: Braumüller, 1935). O próprio Wienerberger publicou uma autobiografia: *Hart auf Hart [Tempos Duros] 15 Jahre Ingenieur in Sowjetrußland. Ein Tatsachenbericht* (Salzburg: Pustet, 1939).

41. McVay e Luciuk, *The Holy See and the Holodomor*, viii-xiv.

42. Graziosi, "Lettres de Kharkov", 57-61.

43. HDA SBU 13/1611 (1933), 41-44, em Bojko e Bednarek, *Holodomor*, 507.

44. Gustav Hilger e Alfred G. Meyer, *The Incompatible Allies: A Memoir-History of German-Soviet Relations, 1918-1941* (Nova York: Macmillan, 1953), 256.

45. Graziosi, "Lettres de Kharkov", 7.

46. Bruski, "In Search of New Sources", 222-24.

47. Carynnyk et al., eds., *The Foreign Office and the Famine*, 105.

48. *Ibid.*, 135.

49. *Ibid.*, 329, 397.

50. Beatrice Webb e Sidney Webb, *Is Soviet Communism a New Civilisation?* (Londres: *The Left Review*, 1936), 29.

51. Stanley Weintraub, "GBS and the Despots", *The Times Literary Supplement Online* (22 de Agosto de 2011). http://www.the-tls.co.uk/articles/ public/ gbs-and-the-despots.

52. Lyons, *Assignment in Utopia*, 430.

53. Andrei Platonovich Platonov, *Fourteen Little Red Huts and Other Plays*, trad. Robert Chandler, Jesse Irwin e Susan Larsen (Nova York: Columbia University Press, 2016), 92.

54. Etienne Thevenin, "France, Germany and Austria Facing the Famine of 1932-1933 in Ukraine", apresentado no Painel Memorial James Mace, IAUS Congress, Donetsk, Ucrânia (6 de junho de 2005). http://www.colley.co.uk/ garethjones/Ukraine2005/ Etienne% 20Thevein%20%20English%20translation.pdf.

55. TsDAHOU 1/20/6204 (1933), em Marochko e Movchan, *Holodomor 1932-1933 rokiv v Ukraïni*, 257.

NOTAS

56. Citado em Thevenin, "France, Germany and Austria", 8.
57. Alva Christiansen, "American Girls Seized, Expelled from Turkestan", *Chicago Daily Tribune* (23 de janeiro de 1933).
58. Rhea Clyman, "Writer Driven From Russia", *Toronto Evening Telegram* (20 de setembro de 1932).
59. Rhea Clyman, "Children Lived on Grass", *Toronto Evening Telegram* (16 de maio de 1933).
60. Lyons, *Asignment in Utopia*, 573-75.
61. William Henry Chamberlin, "Soviet Taboos", *Foreign Affairs* 13, nº 3 (1935), 431.
62. Walter Duranty, *I Write as I Please* (Nova York: Simon and Schuster, 1935), 304.
63. Amity Shlaes, *The Forgotten Man: A New History of the Great Depression* (Londres: Pimlico, 2009), 47-84, 133.
64. Chamberlin, "Soviet Taboos", 433.
65. Carynnyk et al., eds., *The Foreign Office and the Famine*, 209.
66. Chamberlin, "Soviet Taboos", 432-33.
67. Carynnyk et al., eds., *The Foreign Office and the Famine*, 202-09.
68. Lyons, *Assignment in Utopia*, 574.
69. Detalhes biográficos de Ray Gamache, *Gareth Jones: Eyewitness to History* (Cardiff: Welsh Academic Press, 2013).
70. Lyons, *Assignment in Utopia*, 575.
71. O diário de Jones foi preservado por sua irmã em sua casa no País de Gales, redescoberto por seu sobrinho-neto, Nigel Colley, e publicado como Gareth Jones, *Tell Them We Are Starving: The 1933 Diaries of Gareth Jones* ed. Lubomyr Y. Luciuk (Kingston, Ontario: Kashtan Press, 2015).
72. Gareth Jones, "Soviet Confiscate Part of Workers' Wages", *Daily Express* (5 de abril de 1933), 8.
73. Luciuk, *Tell Them We Are Starving*, 131.
74. *Ibid.*, 184-86.
75. Gareth Jones, "Fate of Thrifty in USSR: Gareth Jones Tells How Communists Seized All Land and Let Peasants Starve", *Los Angeles Examiner* (14 de janeiro de 1935).
76. Luciuk, ed., *Tell Them We Are Starving*, 190.
77. *Ibid.*, 204.
78. Gareth Jones, "Famine Grips Russia, Millions Dying. Idle on Rise, Says Briton", *Chicago Daily News and Evening Post Foreign Service* (29 de março de

502 **A FOME VERMELHA**

1933), 1; Edgar Ansel Mowrer, "Russian Famine Now as Great as Starvation of 1921, Says Secretary of Lloyd George", *Chicago Daily News Foreign Service* (29 de março de 1933), 2; Gamache, *Gareth Jones: Eyewitness to History*, 183.

79. Gareth Jones, "Comunicado à imprensa citado em 'Famine Grips Russia, Millions Dying. Idle on Rise, Says Briton'", *Evening Post Foreign Service* (29 de março de 1933).

80. Nigel Linsan Colley, "'1933 Newspaper Articles'. Gareth Jones—Hero of Ukraine", acessado em 2017, http://www.garethjones.org/overview/ articles1933.htm.

81. Teresa Cherfas, "Reporting Stalin's Famine: Jones and Muggeridge: A Case Study in Forgetting and Rediscovery", *Kritika: Explorations in Russian and Eurasian History* 14, nº 4 (agosto de 2013), 775-804.

82. Lyons, *Assignment in Utopia*, 572, 575-76.

83. Walter Duranty, "Russians Hungry But Not Starving", *The New York Times* (31 de março de 1933).

84. Margaret Siriol Colley, *Gareth Jones: A Manchukuo Incident* (Newark, NJ: N. L. Colley, 2001).

85. Thevenin, "France, Germany and Austria", 9.

86. Carynnyk et al., eds., *The Foreign Office and the Famine*, 329, 397.

87. Snyder, *Bloodlands*, 50.

88. Sally J. Taylor, *Stalin's Apologist: Walter Duranty, the New York Times's Man in Moscow* (Nova York: Oxford University Press, 1990), xx.

89. Aleck Woollcott citado em Taylor, *Stalin's Apologist*, 191.

15. A *HOLODOMOR* NA HISTÓRIA E NA MEMÓRIA

1. http://taras-shevchenko.infolike.net/poem-calamity-again-taras-shevchenko-english-translation-by-john-weir.html. Inicialmente publicado em Taras Shevchenko, *Zibrannia tvoriv*, vol. 2 (Kiev, 2003), 303, trad. John Wier.

2. Olexa Woropay, *The Ninth Circle: In Commemoration of the Victims of the Famine of 1933* (Cambridge, MA: Harvard Ukrainian Studies Fund, 1983), 16.

3. Depoimento de Volodymyr Mykolaiovych Chepur, em Veselova e Nikiliev, *Pam'iat' narodu*, vol. 2, 758.

4. Mytsyk et al. eds., *Ukraïns'kyi holokost*, vol. 4, 374.

5. Depoimento de Havrylo Prokopenko, em Kovalenko e Maniak, eds., *33-i Holod*, 196-97.

NOTAS 503

6. Depoimento de Volodymyr Samoiliuk, em *ibid.*, 95-96.
7. Karel Berkhoff, *Harvest of Despair: Life and Death in Ukraine under Nazi Rule* (Cambridge, MA: Belknap Press, 2004), 20.
8. O. O. Zakharchenko, "Natsysts'ka propahanda pro zlochyny Stalinshhyny naperedodni i na pochatku Druhoï Svitovoï Viiny", *Naukovyi visnyk Mykolaïvs'koho Derzhavnoho Universytetu*, Istorychni nauky 21 (2008), disponível *on line* em http://www.nbuv. gov.ua/old_jrn/Soc_Gum/Nvmdu.
9. Berkhoff, *Harvest of Despair*, 117.
10. Snyder, *Bloodlands*, 179-80.
11. Berkhoff, *Harvest of Despair*, 253.
12. Lizzie Collingham, *The Taste of War: World War II and the Battle for Food* (Nova York: Penguin Press, 2012), 35-37; Snyder, *Bloodlands*, 160-63.
13. Alex J. Kay, "German Economic Plans for the Occupied Soviet Union and their Implementation", em Timothy Snyder e Ray Brandon, eds., *Stalin and Europe: Imitation and Domination, 1928-1953* (Oxford: Oxford University Press, 2014), 171.
14. Snyder, *Bloodlands*, 164.
15. Kay, "German Economic Plans for the Occupied Soviet Union and their Implementation", 176.
16. Berkhoff, *Harvest of Despair*, 165.
17. Kay, "German Economic Plans for the Occupied Soviet Union and their Implementation", 106; Snyder, *Bloodlands*, 174.
18. Woropay, *The Ninth Circle*, 16.
19. Joseph Goebbels, "Communism with the Mask Off", trad. o Partido Nazista, *Nazi and East German Propaganda Online Archive*, última modificação em 13 de setembro de 1935, http://research.calvin.edu/german-propaganda-archive/goebmain.htm; A. I. Kudriachenko, ed., *Holodomor v Ukraïni 1932-1933 rokiv za dokumentamy politychnoho arkhivu Ministerstva Zakordonnykh Sprav Federatyvnoï Respubliky Nimechchyna* (Kiev: Natsional'nyi Instytut Stratehichnykh Doslidzhen', 2008).
20. O. O. Maievs'kyi, "Politychni plakat i karykatura, iak zasoby ideolohichnoï borot'by v Ukraïni 1939-1945 rr." Tese de doutorado, Instytut Istoriï Ukraïny Natsional'na Akademiia Nauk Ukraïny (2016), 277-78.
21. V. Kotorenko, "Rik pratsi v sil's'komu hospodarstvi bez zhydo-bol'shevykiv", *Ukraïnskyi Khliborob* 7 (julho de 1942), 2, citado em O. O. Zakharchenko, "Agrarna polityka Natsystiv na okupovanyii terytorii Ukraïny", *Istoricheskaia Pamiat' (Odessa)* 2 (2000), 45-46.

504 A FOME VERMELHA

22. Oleksandr Dovzhenko, *Ukraïna v ohni: Kinopovist', shchodennyk* (Kiev: Rad. Pys'mennyk, 1990), 200.
23. Berkhoff, "The Great Famine in Light of the German Invasion and Occupation", 168.
24. *Ibid.*, 166.
25. *Ibid.*, 167.
26. Bohdan Klid, "Daily Life under Soviet Rule and the Holodomor in Memoirs and Testimonies of the Late 1940s: Some Preliminary Assessments", apresentado na Conferência Annual de 2015 da Associação Canadense de Eslavistas, Ottawa, Ontario, 26 de maio de 2015, citando S. Sosnovyi's *Nova Ukraïna* (8 de novembro de 1942).
27. Oleksa Veretenchenko, "Somewhere in the Distant Wild North", da série de poemas *1933*, publicada em *Nova Ukraïna* entre 1942 e 1943, traduzida pelo Congresso Canadense-Ucraniano, Filial de Toronto, e disponível em http:// faminegenocide.com/commemoration/ poetry/2003-1933.htm.
28. Berkhoff, 'The Great Famine in Light of the German Invasion and Occupation", 169.
29. *Ibid.*, 171.
30. Svetlana Aleksievich, *U Voiny ne zhenskoe litso* (Moscou: Vremia, 2013), 11.
31. Berkhoff, "The Great Famine in Light of the German Invasion and Occupation", 169.
32. Volodymyr Viatrovych, "Oleksandra Radchenko: Persecuted for her Memory", Stichting Totalitaire Regimes en hun Slachtoffers, projeto da Plataforma da Consciência e Memória Europeias, http://www.sgtrs.nl/data/files/ Radchenko%20Oekraine.pdf.
33. Elena Zubkova, *Russia after the War: Hopes, Illusions and Disappointments, 1945-1957*, trad. Hugh Ragsdale (Londres e Nova York: Routledge, 2015), 40-50; Stephen Wheatcroft, "The Soviet Famine of 1946-47, the Weather and Human Agency in Historical Perspective", *Europe-Asia Studies* 64, n° 6 (agosto de 2012), 987-1.005.
34. Woropay, *The Ninth Circle*, 16-17.
35. *Ibid.*, xviii.
36. "Zum 15 Jahrestag Der Furchtbaren, Durch Das blutdürstige Kommunistische Moskau Organisikhten Hungersnot in der Ukraine", Oseredok Project, Holodomor Research and Education Consortium. Panfletos em ucraniano, inglês e alemão, distribuídos por participantes ucranianos em manifestação de 11 de abril

NOTAS

de 1948 em Hannover, Alemanha, por ocasião do 15º aniversário da fome na Ucrânia em 1932-33. Original datilografado, http://holodomor.ca/oseredok-project.

37. S. Sosnovyi, "Pravda pro velykyi holod na Ukraïni v 1932-1933 rokakh",

38. Klid, "Daily Life under Soviet Rule".

39. *Ibid.*

40. Pidhainy, ed., *The Black Deeds of the Kremlin*, vol. 1, 222-26.

41. *Ibid.*, vol. 1, 243-44.

42. *Ibid.*, vol. 1, 239.

43. Bohdan Klid, "*The Black Deeds of the Kremlin*: Sixty Years Later", *Genocide Studies International* 8 (2014), 224-35.

44. Frank Sysyn, "The Ukrainian Famine of 1932-33: The Role of the Ukrainian Diaspora in Research and Public Discussion", em Levon Chorbajian e George Shirinian, eds., *Studies in Comparative Genocide* (Nova York: St. Martin's Press, 1999), 182-216.

45. Klid, "*The Black Deeds of the Kremlin*: Sixty Years Later", 229.

46. Agora, Centro Canadense de Pesquisa e Documentação Ucranianas: www. ucrdc.org/History.html.

47. Frank Sysyn, "Thirty Years of Research on the Holodomor: A Balance Sheet", em Frank Sysyn e Andrij Makuch, eds., *Contextualizing the Holodomor: The Impact of Thirty Years of Ukrainian Famine Studies* (Toronto: Instituto Canadense de Estudos Ucranianos, 2015), 4.

48. Pierre Rigoulot, *Les Paupières Lourdes: Les Français face au Goulag: Aveuglements et Indignations* (Paris: Editions universitaires, 1991), 1-10.

49. Vladimir Tendryakov, "Konchina", *Moskva* 3 (1968), 37.

50. Michael Browne, ed., *Ferment in the Ukraine: Documents by V. Chornovil, I. Kandyba, L. Lukyanenko, V. Moroz and Others* (Nova York: Praeger Publishers, 1971), 46.

51. *Ibid.*, 9.

52. Iurii Shapoval, "Petro Shelest: 100th Anniversary of the Birth of One of Ukraine's Most Spectacular Political Figures", *Den [O Dia]* (4 de março de 2008), originalmente publicado em russo como "Stoletnii Shelest: 14 fevralia ispolniaetsia 100 let odnomu iz samykh koloritnykh rukovoditelei USSR", *Den* (8 de fevereiro de 2008).

53. *Ethnocide of Ukrainians in the U.S.S.R.: An Underground Journal from Soviet Ukraine*, compilado por Maksym Sahaydak, trad. Olena Saciuk e Bohdan Yasen (Baltimore, MD: Smoloskyp Publishers, 1976).

A FOME VERMELHA

54. John Corry, "TV Reviews: 'Firing Line' Discussion on 'Harvest of Depression'", *The New York Times* (24 de setembro de 1986).
55. Sysyn, "Thirty Years of Research on the Holodomor", 4.
56. *Ibid.*, 7.
57. *Ibid.*, 4.
58. Douglas Tottle, *Fraud, Famine, and Fascism: The Ukrainian Genocide Myth from Hitler to Harvard* (Toronto: Progress Books, 1987), 57, 76-77, 123, 133.
59. Lyudmyla Hrynevych, "Vid zaperechuvannia do vymushenoho vyznannia: pro mekhanizmy vkhodzhennia temy holodu 1932-1933 rr. v ofitsiinyi publichnyi prostir u SRSR ta URSR naprykintsi 1980-kh rr.", *Problemy istorii Ukraïny: fakty sudzhennia, poshuky: Mizhvidomchyi zbirnyk naukovykh prats'* 18 (spetsial'nyi: Holod 1932-33 rokiv-henotsyd ukrains'koho narodu) (2008), 232-44; Tottle, *Fraud, Famine, and Fascism*.
60. Jeff Coplon, "'In Search of a Soviet Holocaust: A 55-Year-Old Famine Feeds the Right", *Village Voice* (12 de janeiro de 1988).
61. Sysyn, "Thirty Years of Research on the Holodomor", 9-10.
62. U.S. Congress and Commission on the Ukraine Famine, *Investigation of the Ukrainian Famine, 1932-1933: Relatório ao Congresso*, v.
63. *Ibid.*, vi-viii.
64. Plokhy, *The Gates of Europe*, 310.
65. "What Chernobyl Did: Not Just a Nuclear Explosion", *The Economist* (27 de abril de 1991), 21-23 (a autora anônima era Anne Applebaum).
66. Plokhy, *The Gates of Europe*, 309-10.
67. Ivan Drach, "Vystup na IX Z'ïsdi Pys'mennykiv Ukrainy", em Oleksandr Lytvyn, ed., *Polityka: Statti, Dopovidi, Vystupy, Interv'iu* (Kiev: Tovarystvo "Ukraïna", 1997), 310.
68. Bohdan Nahaylo, *The Ukrainian Resurgence* (Toronto: University of Toronto Press, 1999), 62-63; ver também "Conversation with Ivan Drach", entrevista por Boriak Hennadiï, 7 de novembro de 2016.
69. David Remnick, *Lenin's Tomb: The Last Days of the Soviet Empire* (Nova York: Random House, 1993), 50.
70. Nahaylo, *The Ukrainian Resurgence*, 89-91.
71. *Ibid.*, 137.
72. Georgiy Kasianov, "Revisiting the Great Famine of 1932-1933: Politics of Memory and Public Consciousness (Ukraine after 1991)", em Michal Kopecek, ed., *Past in the Making: Historical Revisionism in Central Europe after 1989* (Budapeste: Central European University Press, 2007), 197-220.

NOTAS

73. Nahaylo, *The Ukrainian Resurgence*, 249.
74. Marta Kolomayets, "Ukraine's People Recall National Tragedy of Famine-Holocaust", *Ukrainian Weekly* 61, n° 38 (19 de setembro de 1993), 1.
75. Catherine Wanner, *Burden of Dreams: History and Identity in Post-Soviet Ukraine* (University Park, PA: Pennsylvania State University Press, 1998), 154-57.
76. *Ibid.*

EPÍLOGO: A QUESTÃO UCRANIANA REVISTA

1. Raphael Lemkin, "Soviet Genocide in the Ukraine'", palestra não publicada, 1953, Documentos de Raphael Lemkin, Biblioteca Pública de Nova York, Divisão de Manuscritos e Arquivos, Astor, Lenox and Tilden Foundations, Raphael Lemkin ZL-273. Rolo 3. Disponível em https://www.uccla.ca/SOVIET_GENOCIDE_IN_ THE_UKRAINE.pdf.
2. Dois excelentes livros expandiram o conhecimento público de Lemkin. Ver Samantha Power, *A Problem from Hell* (Nova York: Basic Books, 2002), e Philippe Sands, *East West Street: On the Origins of "Genocide" and "Crimes Against Humanity"* (Nova York: Knopf, 2016).
3. Raphael Lemkin, *Totally Unofficial: The Autobiography of Raphael Lemkin* (New Haven, CT e Londres: Yale University Press, 2013), 19-21.
4. Raphael Lemkin, *Axis Rule in Occupied Europe: Laws of Occupation—Analysis of Government—Proposals for Redress* (Washington, D.C.: Carnegie Endowment for International Peace, 1944), 79-95.
5. Agora publicado em Raphael Lemkin, *Lemkin on Genocide*, ed. Steven Leonard Jacobs (Lanham, MD: Lexington Books, 2012).
6. Lemkin, "Soviet Genocide in the Ukraine".
7. Esse é o argumento de Naimark em Norman M. Naimark, *Stalin's Genocides* (Princeton, N.J.: Princeton University Press, 2010).
8. *Ibid.*, 24.
9. Lemkin, "Soviet Genocide in the Ukraine".
10. Georgiy Kasianov, "Holodomor and the Politics of Memory in Ukraine after Independence", em Vincent Comeford, Lindsay Jansen e Christian Noack, eds., *Holodomorand Gorta Mor: Histories, Memories and Representations of Famine in Ukraine and Ireland* (Londres: Anthem Press, 2014), 167-88.

508   A FOME VERMELHA

11. "Ruling in the criminal proceedings over genocide in Ukraine in 1932-1933", *Human Rights in Ukraine*, http://khpg.org/en/index.php?id=1265217823.
12. "Ukraine Commemorates Holodomor", *The Moscow Times* (24 de novembro de 2008).
13. Zenon Zawada, "Eastern Ukrainians Fight to Preserve the Holodomor's Memory", *The Ukrainian Weekly* 67/7 (15 de fevereiro de 2009), 3.
14. Cathy Young, "Remember the Holodomor", *The Weekly Standard* (8 de dezembro de 2008).
15. U.S. Diplomatic Cable, "Candid Discussion with Prince Andrew on the Kyrgyz Economy and the 'Great Game' (29 de outubro de 2008)", *WikiLeaks*, https://wikileaks .org/plusd/cables/08BISHKEK1095_a.html.
16. Ella Maksimova, "Istorik Viktor Kondrashin: 'Ne Rossiia ubivala Ukrainu, Vozhd'—svoi narod'", *Izvestiia* (22 de outubro de 2008).
17. Wolowyna et al., "Regional Variations of 1932-34 Famine Losses in Ukraine", 175-202.
18. De maneira infame, Lenin ficou tão enfurecido com os camponeses de Penza em 1918, que pleiteou para que eles fossem "liquidados sem piedade". E escreveu um famoso telegrama sobre a rebelião de Penza, que encerrava com uma lista de instruções:

    "Enforquem (e assegurem-se que os enforcamentos ocorram bem na frente do povo) não menos do que uma centena de latifundiários, homens ricos, sanguessugas.

    Divulguem seus nomes.

    Tomem todos os seus grãos..."

    Robert W. Service, *Lenin: A Biography* (Londres: Papermac, 2001), 365.
19. V. V. Kondrashin e S. V. Kul'chyts'kyi, "O Samom Glavnom: professor Stanislav Kul'chitskii i ego rossiiskii kollega Viktor Kondrashin: chem byl Golodomor 1932-1933 godov?", *Den'* (Kiev, 3 de junho de 2008).
20. Alexander J. Motyl, "Yanukovych and Stalin's Genocide", *Ukraine's Orange Blues* in *World Affairs Journal Online* (29 de novembro de 2012) http://www.worldaffairsjournal.org/blog/alexander-j-motyl/yanukovych-and--stalin%E2%80%99s-genocide.
21. "Ukrainian Sues Yanukovych over Famine Statement", *Radio Free Europe Radio Liberty*, última modificação em 15 de junho de 2010, Ukrainian_Sues_Yanukovych_Over_Famine_Statement/2072294.html.

NOTAS 509

22. Halya Coynash, "Kremlin's Proxies Purge Memory of Victims of Holodomor and Political Repression", *Human Rights in Ukraine: Information Website of the Kharkov Human Rights Protection Group* (18 de agosto de 2015), http://khpg.org/en/index.php?id=1439816093.

23. Ekaterina Blinova, "Holodomor Hoax: Joseph Stalin's Crime that Never Took Place", *Sputnik News* (9 de agosto de 2015), https://sputniknews.com/politics/201508091025560345; ver também Cathy Young, "Russia Denies Stalin's Killer Famine", *Daily Beast* (31 de outubro de 2015), http://www.thedailybeast.com/articles /2015/10/31/russia-denies-stalin-s-killer- famine.html.

24. Em peculiar sinal dos tempos, newcoldwar.org, um *website* devotado a minimizar "as grandes injustiças cometidas pelo governo instalado em Kiev em fevereiro [2014] contra todo o povo ucraniano" criou um *link* com os escritos de Mark Tauger, acadêmico americano. Tauger argumenta que a fome ucraniana de 1932-33 foi causada pelo mau clima e por doenças nas plantas (para os quais não existem provas), e assim, por definição, não foi um "genocídio". "Archive of Writings of Professor Mark Tauger on the Famine Scourges of the Early Years of the Soviet Union", *The New Cold War: Ukraine and Beyond* (23 de junho de 2015). https://www.newcoldwar.org/archive-of-writings-of-professor-mark-tauger-on-the-famine-scourges-of-the-early-years-of-the-soviet-union.

25. Ievgen Vorobiov, "Why Ukrainians Are Speaking More Ukrainian", *Foreign Policy* (26 de junho de 2015). http://foreignpolicy.com/2015/06/26/why-ukrainians-are-speaking-more-ukrainian.

BIBLIOGRAFIA SELECIONADA

ARQUIVOS

Canadá

UCRDC Ukranian Canadian Research and Documentation Centre (Centro Canadense de Pesquisa e Documentação Ucranianas)

Rússia/União Soviética

Arquivos, alguns não mais em uso, que proporcionaram os documentos citados nas coleções e monografias:

APRF
: Arkhiv Prezidenta Rossiiskoi Federatsii (Arquivo do Presidente da Federação Russa)

GARF
: Gosudarstvennyi arkhiv Rossiiskoi Federatsii (Arquivo Estatal da Federação Russa)

RGAE
: Rossiiskii gosudarstvennyi arkhiv ekonomiki (Arquivo Estatal Russo de Economia)

RGASPI
: Rossiiskii gosudarstvennyi arkhiv sotsial'no-politicheskoi istorii (Arquivo Estatal Russo de História Sociopolítica)

RGVA
: Rossiiskii gosudarstvennyi voennyi arkhiv (Arquivo Estatal Russo Militar)

512   A FOME VERMELHA

RTsKhIDNI   Rossiiskii tsentr khraneniia i izucheniia dokumentov noveishei istorii (Centro Estatal Russo para para Armazenamento e Estudo da História Contemporânea). Esse arquivo está agora incluído no RGASPI.

TsA FSB RF   Tsentral'nyi arkhiv Federal'noi sluzhby bezopasnosti Rossiiskoi Federatsii (Arquivo Central do Serviço de Segurança Federal da Federação Russa)

TsGANKh   Tsentral'nyi gosudarstvennyi arkhiv narodnogo khoziaistva SSSR (Arquivo Estatal Central da Economia Nacional da URSS); antiga denominação do RGAE.

Ucrânia

Arquivos, alguns não mais em uso, que foram usados pela autora, ou que proporcionaram os documentos citados nas coleções e monografias:

DADO   Derzhavnyi arkhiv Dnipropetrovs'koï oblasti (Arquivo Estatal da Província de Dnipropetrovsk)

DADskO   Derzhavnyi arkhiv Donets'koi oblasti (Arquivo Estatal de Província de Donetsk)

DAKhO   Derzhavnyi arkhiv Khersons'koï oblasti (Arquivo Estatal da Província de Kherson)

DATO   Derzhavnyi arkhiv Ternopil's'koï oblasti (Arquivo Estatal da Província de Ternopil)

DAVO   Derzhavnyi arkhiv Vinnyts'koï oblasti (Arquivo Estatal da Província de Vinnytsia)

DAZhO   Derzhavnyi arkhiv Zhytomyrs'koï oblasti (Arquivo Estatal da Província de Zhytomyr)

HDA SBU   Halusevyi derzhavnyi arkhiv Sluzhby Bezpeky Ukraïny (Arquivo Estatal do Serviço de Segurança da Ucrânia)

PA   Arkhiv Instytutu Istoriï Partiï (Arquivo do Instituto de História do Partido); esse arquivo foi renomeado T-DAHOU

TsDAHOU   Tsentral'nyi derzhavnyi arkhiv hromads'kykh ob'ednan' Ukraïny (Arquivo Estatal Central das Organizações Públicas da Ucrânia)

BIBLIOGRAFIA SELECIONADA

TsDAVOU   Tsentral'nyi derzhavnyi arkhiv vyshchykh orhaniv vlady ta upravlinnia (Arquivo Estatal Central dos Corpos Supremos do Poder e do Governo da Ucrânia)

TsDAZhR   Tsentral'nyi derzhavnyi arkhiv Zhovtnevoï Revoliutsiï Ukraïns'koï Radians'koï Sotsialistychnoï Respubliky (Arquivo Estatal Central da Revolução de Outubro, República Socialista Soviética da Ucrânia); esse arquivo foi renomeado para TsDAVOU.

COLEÇÕES DE DOCUMENTOS EDITADOS

Berelovich, Alexis, V. A. e Institut rossiiskoi istorii (Rossiiskaia Akademiia Nauk), eds. *Sovetskaia derevnia glazami VChK-OGPU-NKVD, 1918-1939: dokumenty i aterialy.* 4 vols. Moskva: ROSSPEN, 1998-2012.

Bojko, Diana e Jerzy Bednarek. *Holodomor: The Great Famine in Ukraine 1932-1933*, da série *Poland and Ukraine in the 1930s-1940s: Unknown Documents from the Archives of the Secret Services.* Warsaw: Instituto da Memória Nacional, Comissão de Julgamento dos Crimes contra a Nação Polonesa, 2009.

Borkowski, Jan, ed. *Rok 1920: Wojna Polsko-Radziecka we wspomnieniach i innych dokumentach.* Varsóvia: Pan'stwowy Instytut Wydawniczy, 1990.

Borysenko, Valentyna, V. M. Danylenko, Serhij Kokin, et al., eds., *Rozsekrechena pam'iat': Holodomor 1932-1933 rokiv v Ukraini v dokumentakh GPU-NKVD.* Kiev: Stylos, 2007.

Carynnyk, Marco, Bohdan S. Kordan e Lubomyr Y. Luciuk, eds. *The Foreign Office and the Famine: British Documents on Ukraine and the Great Famine of 1932-1933.* Kingston, Ontario: Limeston Press, 1988.

Colley, Nigel Linsan. "'1933 Newspaper Articles'. Gareth Jones — Hero of Ukraine", acessado em 11 de janeiro de 2017. http://www.garethjones.org /overview/ articles 1933.htm.

Danilov, V., R. Manning e L. Viola, eds. *Tragediia sovetskoi derevni, kollektivizatsiia i raskulachivanie: dokumenty i materialy v 5 tomakh, 1927-1939.* 5 vols. Moscou: Rossiiskaia polit. Entisklopediia, 1999-2006.

_____,e N. A. Ivnitskii, eds. *Dokumenty svidetel'stvuiut: iz istorii derevni nakanune i v khode kollektivizatsii, 1927-1932 gg.* Moscou: Politizdat, 1989.

Danylenko, V. M. et al., eds. *Holodomor 1932-1933 rokiv v Ukraini za dokumentamy HDA SBU: anotovanyi dovidnyk.* L'viv: Tsentr Doslidzhen' Vyzvol'noho Rukhu, 2010.

514   **A FOME VERMELHA**

_____·*Pavlohrads'ke povstannia, 1930: dokumenty i materialy.* Kiev: Ukraïns'kyi Pys'mennyk, 2009.

Graziosi, Andrea. *Lettere da Kharkov. La Carestia in Ucraina e nel Caucaso del Nord nei Rapporti Diplomatici Italiani 1923-33.* Turin: Einaudi, 1991. http://www.ibs.it/ lettere-da-kharkov-carestia-in-libro-vari/e/9788806121822.

_____· "'Lettres de Kharkov': La famine en Ukraine et dans le Caucase du Nord (à travers les rapports des diplomates italiens, 1932-1934)", *Cahiers du monde russe et soviétique* 30, no. 1 (1989). http://www.persee.fr/doc/cmr_0008-0160_1989_num_30_1_2176.

_____·*Lysty z Kharkova: Holod v Ukraini ta na Pivnichnomy Kavkazi v povidomlenniakh italiis'kykh dyplomativ 1932-33 roky.* Kharkov: Folio, 2007.

Khlevniuk, O. V. et al., eds. *Stalin i Kaganovich: perepiska, 1931-1936 gg.* Moscou: ROSSPEN, 2001.

Kokin, S. A., Valerii Vasyl'ev e Nicolas Werth, eds. "Dokumenty orhaniv VKP(b) ta DPU USRR pro nastroï i modeli povedniky partiino-radyans'kykh pratsivnykiv u respublitsi, 1932-33 rr.", *Z arkhiviv VUChK GPU NKVD KGB* 1-2, nº. 40-41 (2013).

_____· *Partiino-Radians'ke kerivnytsvo USRR pid chas Holodomoru 1932-33 rr.: vozhdi, pratsivnyky, aktyvisty: zbirnyk doukementiv ta materialiv.* Kiev: Instytut Istoriï Ukraïny NAN Ukraïny, 2013.

Kondrashin, V. V. et al., eds. *Golod v SSSR: 1929-1934.* Rossiia XX vek. Moscou: Mezhdunarodnyi fond "Demokratiia", 2011.

Kudriachenko, A. I., ed. *Holodomor v Ukraini 1932-1933 rokiv za dokumentamy politychnoho arkhivu ministerstva zakordonnykh sprav Federatyvnoi Respubliky imechchyna.* Kiev: Natsional'nyi Instytut Stratehichnykh Doslidzhen', 2008.

Kul'chyts'kyi, Stanislav, ed. *Kolektyvizatsiia i holod na Ukraini, 1929-1933: zbirnyk dokumentiv i materialiv.* Kiev: Naukova Dumka, 1992.

Kusnierz, Robert. *Pomór w "raju bolszewickim". Głód na Ukrainie w latach 1932-1933 w swietle polskich dokumentów dyplomatycznych i dokumentów wywiadu.* Toruń: Wydawnictwo Adam Marszałek, 2009.

Le Comité Commemoratif Simon Petliura. *Documents sur les Pogroms em Ukraine et l'assassinat de Simon Petliura à Paris.* Paris: Librairie du Trident, 1927.

Lênin, V. I. *Collected Works,* 45 vols. Moscou: Progress Publishers, 1965.

Lozyts'kyi, V. S. *Holodomor 1932-1933 rokiv v Ukraïni: zlochyn vlady — trahediia narodu: dokumenty i materialy.* Kiev: Heneza, 2008.

BIBLIOGRAFIA SELECIONADA

Pyrih, R. Ia., ed. *Holodomor 1932-1933 rokiv v Ukraini: Dokumenty i materialy.* Kiev: Kyievo-Mohylians'ka Akademiia, 2007.

Shapoval, Iurii, Vadym Zolotar'ov e Volodymyr Prystaiko. *ChK-GPU-NKVD v Ukraini: osoby, fakty, dokumenty.* Kiev: Abrys, 1997.

Stalin, Iosef. *Works.* 13 vols. Moscou: Foreign Languages Publishing House, 1954. http://www.marxists.org/reference/archive/stalin/works/1933/01/07.htm.

Szczesniak, Boleslaw. *The Russian Revolution and Religion: A Collection of Documents Concerning the Suppression of Religion by the Communists, 1917-1925.* Notre Dame, IN: University of Notre Dame Press, 1959.

Volkov, A. G. "Perepis' naseleniia SSSR 1937 goda: Istoriia i materialy/Ekspress-informatsiia", *Istoriia Statistiki* 3-5, no. chast' II (1990), 6-63.

COLEÇÕES DE MEMÓRIAS E HISTÓRIA ORAL

Borysenko, Valentyna. *A Candle in Remembrance: An Oral History of the Ukrainian Genocide of 1933-34 (Svicha Pam'iati),* trad. Mark Tarnawsky. Nova York: Liga Feminina Ucraniana da América, 2010.

_____. *Svicha pam'iati: Usna istoriia pro henotsyd ukraïntsiv u 1932-1933 rokakh.* Kiev: Stylos, 2007.

Dolot, Miron. *Execution by Hunger: The Hidden Holocaust.* Nova York: W. W. Norton, 1985.

Duranty, Walter. *I Write as I Please.* Nova York: Simon & Schuster, 1935.

Epp, Heinrich. "The Day the World Ended: Dec. 7, 1919, Steinbach, Russia", trad. D. F. Plett, *Preservings: Newsletter of the Hannover Steinbach Historical Society,* nº 8, parte 2 (junho de 1996), 5-7.

Jones, Gareth. *Tell Them We Are Starving: The 1933 Diaries of Gareth Jones,* ed. Lubomyr Y. Luciuk (Kingston, Ontario: Kashtan Press, 2015).

Karas, A. V. *Svidchennia ochevydtsiv pro holod 1930-40-kh rr. na Sivershchyni.* Hlukhiv: RVV HDPU, 2008.

Kopelev, Lev. *The Education of a True Believer,* trad. Gary Kern. Londres: Wildwood House, 1981.

_____. *To Be Preserved Forever,* trad. Anthony Austin. Nova York: Lippincott, 1977.

Kovalenko, L. B. e Volodymyr Maniak, eds. *33-i Holod: narodna knyha-memorial.* Kiev: Radians'kyi Pys'mennyk, 1991.

Kravchenko, Victor. *I Chose Freedom: The Personal and Political Life of a Soviet Official,* trad. Rhett R. Ludwikowski. Londres: Robert Hale, 1946.

516 A FOME VERMELHA

Lemkin, Raphael. *Totally Unofficial: The Autobiography of Raphael Lemkin*. New Haven, CT e Londres: Yale University Press, 2013.

Leshuk, Leonard. *Days of Famine, Nights of Terror: First-Hand Accounts of Soviet Collectivization 1928-1934*. Washington, D.C.: Europa University Press, 2000.

Lyons, Eugene. *Assignment in Utopia*. Nova York: Harcourt, Brace, 1937.

Mytsyk, Iurii et al., eds. *Ukrains'kyi holokost 1932-1933: svidchennia tykh, khto vyzhyv*. 10 vols. Kiev: Kyievo-Mohylians'ka Akademiia, 2004-14.

Price, M. Philips. *My Reminiscences of the Russian Revolution*. Londres: George Allen & Unwin, 1921.

Projeto de Harvard sobre o Sistema Social Soviético. Online. Fung Library, Harvard University.

Ukraïns'kyi Instytut Natsional'noï Pam'iati, e V. Iushchenko, eds. *Natsional'na knyha pam'iati zhertv Holodomoru 1932-1933 rokiv v Ukraïni*. Kiev: Vydavnytstvo "Oleny Telihy", 2008.

_____, e E. I. Borodin et al., eds. *Natsional'na knyha pam'iati zhertv Holodomoru 1932-1933 rokiv v Ukraïni: Dnipropetrovs'ka oblast'*. Dnipropetrovsk: ART-PRES, 2008.

_____, e T. T. Dmytrenko, eds. *Natsional'na knyha pam'iati zhertv Holodomoru 1932-1933 rokiv v Ukraïni: Kirovohrads'ka oblast'*. Kirovohrad: TOV "Imeks LTD", 2008.

_____, e V. P. Latsyba, eds. *Natsional'na knyha pam'iati zhertv Holodomoru 1932-1933 rokiv v Ukraïni: Vinnyts'ka oblast'*. Vinnytsia: DP "DFK", 2008.

_____, e F. H. Turchenko, eds. *Natsional'na knyha pam'iati zhertv Holodomoru 1932-1933 rokiv v Ukraïni: Zaporiz'ka oblast'*. Zaporizhzhia: Dyke Pole, 2008.

_____, e V. I. Ul'iachenko, eds. *Natsional'na knyha pam'iati zhertv Holodomoru 1932-1933 rokiv v Ukraïni: Kyïvs'ka oblast'*. Bila Tserkva: Bukva, 2008.

_____, e S. H. Vodotyka. *Natsional'na knyha pam'iati zhertv Holodomoru 1932-1933 rokiv v Ukraïni: Khersons'ka oblast'*, eds. I. P. Iukhnovs'kyi et al. Kherson: Vydavnytstvo "Naddniprians'ka pravda", 2008.

United States Congress, and Commission on the Ukraine Famine. *Investigation of the Ukrainian Famine, 1932-1933: Relatório ao Congresso*. Adotado pela Comissão em 19 de abril de 1988, submetido ao Congresso em 22 de abril de 1988. Washington, D.C.: U.S. G.P.O.: à venda no Supt. of Docs., U.S. G.P.O., 1988.

_____. *Investigation of the Ukrainian Famine, 1932-1933: Primeiro Relatório Provisório*. Reuniões e oitivas do e ante a Comissão da Fome Ucraniana realizadas em 1986: reunião organizacional, Washington, D.C., 23 de abril de 1986:

BIBLIOGRAFIA SELECIONADA

reuniões e oitivas, Washington, D.C., 8 de outubro de 1986: oitiva, Glen Spey, Nova York, 26 de outubro de 1986: oitiva, Chicago, Illinois, 7 de novembro de 1986: oitiva, Warren, Michigan, 24 de novembro de 1986. Washington, D.C.: U.S. G.P.O.: à venda no Supt. of Docs., U.S. G.P.O., 1987.

_____. *Investigation of the Ukrainian Famine, 1932-1933: Segundo Relatório Provisório*. Reuniões e oitivas de e ante a Comissão da Fome Ucraniana realizadas em 1987: oitiva, São Francisco, Califórnia, 10 de fevereiro de 1987; oitiva, Phoenix, Arizona, 13 de fevereiro de 1987; oitiva e reunião, Washington, D.C., 30 de abril de 1987; oitiva, Filadélfia, Pensilvânia, 5 de junho de 1987. Washington, D.C.: U.S. G.P.O.: à venda no Supt. of Docs., U.S. G.P.O., 1988.

_____, James E. Mace, e Leonid Heretz. *Investigation of the Ukrainian Famine, 1932-1933*. Projeto de História Oral da Comissão da Fome Ucraniana. Washington, D.C.: U.S. G.P.O., 1990.

Veselova, O. M., e O. F. Nikiliev. *Pam'iat' narodu: Henotsyd v Ukraini holodom 1932-1933 rokiv: svidchennia*. 2 vols. Kiev: Vydavnychyi dim "Kalyta", 2009.

Woropay, Olexa. *The Ninth Circle: In Commemoration of the Victims of the Famine of 1933*. Cambridge, MA: Fundo de Estudos Ucranianos de Harvard, 1983.

FONTES SECUNDÁRIAS SELECIONADAS

Adams, Arthur E. *Bolsheviks in the Ukraine: The Second Campaign, 1918-1919*. New Haven, CT: Yale University Press, 1963.

Applebaum, Anne. *Gulag: A History*. Nova York: Doubleday, 2003.

Arshinov, Peter. *The History of the Makhnovist Movement (1918-1921)*, trad. Fredy e Lorraine Perlman. Londres: Freedom Press, 1974.

Ball, Alan M. *Russia's Last Capitalists: The Nepmen, 1921-29*. Berkeley, CA: University of California Press, 1987.

Berkhoff, Karel. "The Great Famine in Light of the German Invasion and Occupation", em *After the Holodomor: The Enduring Impact of the Great Famine of Ukraine*, eds. Andrea Graziosi, Lubomyr Hajda, e Halyna Hryn. Cambridge, MA: Instituto de Pesquisa Ucraiana de Harvard, 2014.

_____. *Harvest of Despair: Life and Death in Ukraine under Nazi Rule*. Cambridge, MA: Belknap Press, 2004.

Bilenky, Serhiy. *Romantic Nationalism in Eastern Europe: Russian, Polish and Ukrainian Political Imaginations*. Stanford, CA: Stanford University Press, 2012.

518 A FOME VERMELHA

Bondar, N. I. e O. V. Mateev. *Istoricheskaia pamiat' naseleniia iuga Rossii o golode 1932-33: materialy nauchno-prakticheskoi konferentsii.* Krasnodar: Isd-vo Traditsiia, 2009.

Boriak, Hennadi. "Sources and Resources on the Famine in Ukraine's Archival System", *Harvard Ukrainian Studies* 27, n° 2004-2005 (2008), 117-47.

Boriak, Tetiana. *1933: "'I choho vy shche zhyvi?"* Kiev: Clio, NAN Ukraïny, 016.

Borys, Jurij. *The Sovietization of Ukraine 1917-1923: The Communist Doctrine and Practice of National Self-Determination.* Edmonton, Alberta: Instituto Canadense de Estudos Ucranianos, 1980.

Bulgakov, Mikhail. *White Guard*, trad. Marian Schwartz. New Haven, CT: Yale University Press, 2008.

Carr, E. H. e R. W. Davies. *A History of Soviet Russia: Foundations of a Planned Economy, 1926-1929.* 4 vols. Londres: Macmillan, 1978.

Chamberlin, William Henry. "Soviet Taboos", *Foreign Affairs* 13, n° 3 (1935), 431-40.

Cherfas, Teresa. "Reporting Stalin's Famine: Jones and Muggeridge: A Case Study in Forgetting and Rediscovery", *Kritika: Explorations in Russian and Eurasian History* 14, n° 4 (agosto de 2013), 775-804.

Colley, Margaret Siriol. *Gareth Jones: A Manchukuo Incident.* Newark, NJ: N. L. Colley, 2001.

Collingham, Lizzie. *The Taste of War: WWII and the Battle for Food.* Nova York: Penguin Press, 2012.

Comeford, Vincent, Lindsay Jansen e Christian Noack, eds. *Holodomor and Gorta Mor: Histories, Memories and Representations of Famine in Ukraine and Ireland.* Londres: Anthem Press, 2014.

Conquest, Robert. *The Great Terror: Stalin's Purge of the Thirties*, ed. rev. Londres: Macmillan, 1968.

_____. *The Harvest of Sorrow: Soviet Collectivization and the Terror-Famine.* Nova York: Oxford University Press, 1986.

Danylenko, Vasyl', ed. *Ukraïns'ka intelihentsiia i vlada: zvedenniia sekretnooho viddilu DPU USRR 1927-1929 rr.* Kiev: Tempora, 2012.

Davies, R. W. *The Socialist Offensive: The Collectivization of Agriculture 1929-30.* Londres: Macmillan, 1980.

_____, e S. G. Wheatcroft. *The Years of Hunger: Soviet Agriculture, 1931-1933.* Londres e Nova York: Palgrave Macmillan, 2009.

Duranty, Walter. "Russians Hungry But Not Starving", *The New York Times*, 31 de março de 1933.

BIBLIOGRAFIA SELECIONADA

Figes, Orlando. *Peasant Russia, Civil War: The Volga Countryside in Revolution, 1917-1921*. Oxford: Clarendon Press, 1989.

————. *A People's Tragedy: The Russian Revolution, 1891-1924*. Londres: Pimlico, 1997.

————. *The Whisperers: Private Life in Stalin's Russia*. Nova York: Metropolitan Books, 2007.

Fisher, H. H. *The Famine in Soviet Russia, 1919-1923: The Operations of the American Relief Administration*. Nova York: Macmillan, 1927.

Fitzpatrick, Sheila. *Education and Social Mobility in the Soviet Union, 1921-1934*. Cambridge: Cambridge University Press, 1979, 2002.

————. "The Great Departure: Rural-Urban Migration in the Soviet Union, 1929-1933", em *Social Dimensions of Soviet Industrialization*, eds. William G. Rosenberg e Lewis H. Siegelbaum. Bloomington, IN: Indiana University Press, 1993.

Gamache, Ray. *Gareth Jones: Eyewitness to History*. Cardiff: Welsh Academic Press, 2013.

Gergel, Nahum. "The Pogroms in Ukraine in 1918-1921", *YIVO Annual of Jewish Social Science* 6 (1951).

Getty, J. Arch e Oleg V. Naumov. *The Road to Terror: Stalin and the Self-Destruction of the Bolsheviks, 1932-1939*. New Haven, CT: Yale University Press, 2002.

Graziosi, Andrea. *A New, Peculiar State: Explorations in Soviet History*. Westport, CT: Praeger, 2000.

————. *Bol'sheviki i krest'iane na Ukraine, 1918-1919 gody: Ocherk o bol'shevizmakh, natsional-sotsializmakh i krest'ianskikh dvizheniiakh*. Moscou, AIRO-XX, 1997.

————. "Collectivisation, révoltes paysannes et politiques gouvernementales (à travers les rapports du GPU d'Ukraine de février—mars 1930)", *Cahiers du monde russe* 35, nº 3 (julho-setembro de 1994), http://www.persee.fr/doc/cmr_0008-0160_1989_num _30_1_2176.

————. *Stalinism, Collectivization and the Great Famine*, em *Holodomor Series*. Cambridge, MA: Fundo de Estudos Ucranianos, 2009.

————. "The Great Famine of 1932-1933: Consequences and Implications", *Harvard Ukrainian Studies* 25, nº 3/4 (outono de 2001), 157-65.

————. "The Soviet 1931-1933 Famines and the Ukrainian Holodomor: Is a New Interpretation Possible, and What Would Its Consequences Be?', *Harvard Ukrainian Studies* 27, nº 1/4 (2004-2005), 7-115.

————. *L'Unione Sovietica 1914-1991*. Bolonha: Il mulino, 2011.

520   **A FOME VERMELHA**

_____. *L'Urss di Lenin e Stalin: storia dell'Unione Sovietica, 1914-1945*. Bolonha: Il mulino, 2007.

Grossman, Vasilii. *Everything Flows*, trad. Robert e Elizabeth Chandler. Nova York: New York Review Classic Books, 2009.

Heifetz, Elias. *The Slaughter of the Jews in the Ukraine in 1919*. Nova York: Thomas Seltzer, 1921.

Hindus, Maurice. *Red Bread: Collectivization in a Russian Village*. Bloomington, IN: Indiana University Press, 1988.

Hosking, Geoffrey A. *Russia: People and Empire, 1552-1917*. Cambridge, MA: Harvard University Press, 1997.

Hryn, Halyna e Lubomyr Hajda, eds. *After the Holodomor: The Enduring Impact of the Great Famine of Ukraine*. Cambridge, MA: Instituto Canadense de Estudos Ucranianos, 2013.

Hrynevych, Liudmyla. *Holod 1928-1929 rr. u radiansikii Ukraini*. Kiev: Instytut Istorii Ukraïny NAN Ukraïny, 2013.

_____. "The Price of Stalin's 'Revolution from Above': Anticipation of War among the Ukrainian Peasantry", trad. Marta Olynyk. *Key Articles on the Holodomor Translated from Ukrainian into English*, Holodomor Research and Education Consortium. http://holodomor.ca/translated-articles-on-the-holodomor.

_____. "Vid zaperechuvannia do vymushenoho vyznannia: pro mekhanizmy vkhodzhennia temy holodu 1932-1933 rr. v ofitsiinyi publichnyi prostir u SRSR ta URSR naprykintsi 1980-kh rr", *Problemy istorii Ukraïny: fakty sudzhennia, poshuky: Mizhvidomchyi zbirnyk naukovykh prats'* 18 (spetsial'nyi vypusk: Holod 1932-1933 rokiv-henotsyd ukraïns'koho narodu) (2008), 232-34.

Hunczak, Taras, ed. *The Ukraine, 1917-1921: A Study in Revolution*. Cambridge, MA: Distribuído pela Harvard University Press para o Instituto Canadense de Estudos Ucranianos, 1977.

Iakubova, L. D. *Etnichni menshyny v suspil' no-politychnomu ta kul'turnomu zhytti USRR, 20-i — persha polovyna 30-kh rr. XX ct.* Kiev: Instytut Istorii Ukraïny NAN Ukraïny, 2006.

Iefimenko, H. "Lykhovisni 30-ti roky na Markivshchyni', in *Holod-henotsyd 1933 roku v Ukraïni: istoryko-politolohichnyi analiz sotsial'-no-demohrafichnykh ta moral'no-psykholohichnykh naslidkiv: mizhnarodna naukovo-teoretychna konferentsiia, Kyiv, 28 lystopada 1998 r.: materialy: Instytut Istorii Ukraïny (Natsional'na Akademiia Nauk Ukraïny): Asotsiatsiia doslidnykiv holodomoriv v Ukraïni.*, ed. Stanislav Vladyslavovych. Kul'chyts'kyi e O. M. Veselova. Kiev: Vyd-vo M.P. Kots', 2000.

BIBLIOGRAFIA SELECIONADA

————. "Pereselennia ta deportatsii v postholodomorni roky (1933-1936): poraionnyi zriz", *Problemy istorii Ukraïny: fakty, sudzhennia, poshuky: Mizhvidomchyi zbirnyk naukovykh prats'* 22 (2013), 136-66.

————,e L. Iakubova. "Natsional'ni vidnosyny v radians'kii Ukraïni (1923-1938)", em *Natsional'ne pytannia v Ukraïni XX-pochatku XXI st.: istorychni narysy*, eds. V. M. Lytvyn et al. Kiev: Nika-Tsentr, 2012.

Ivnitskii, N. A. *Kollektivizatsiia i raskulachivanie, nachalo 30-kh gg.* Moscou: Interpraks, 1994.

Jones, Gareth. "Famine Grips Russia, Millions Dying, Idle on Rise, Says Briton", *Chicago Daily News and Evening Post Foreign Service*, 29 de março de 1933.

————. "Fate of Thrifty in USSR: Gareth Jones Tells How Communists Seized All Land and Let Peasants Starve", *Los Angeles Examiner*, 14 de janeiro de 1935.

————.Comunicado à imprensa. Citado em "Famine Grips Russia, Millions Dying, Idle on Rise, Says Briton", *Evening Post Foreign Service*, 29 de março de 1933.

————. "Soviet Confiscate Part of Workers' Wages", *Daily Express*, 5 de abril de 1933.

Kasianov, Georgiy. "Holodomor and the Politics of Memory in Ukraine after Independence", em *Holodomor and Gorta Mor: Histories, Memories and Representations of Famine in Ukraine and Ireland*, eds. Vincent Comeford, Lindsay Jansen e Christian Noack, 167-88. Londres: Anthem Press, 2014.

————. "Revisiting the Great Famine of 1932-1933: Politics of Memory and Public Consciousness (Ukraine after 1991)", em *Past in the Making: Historical Revisionism in Central Europe after 1989*, ed. Michal Kopecek, 197-220. Budapeste: Central European University Press, 2007.

Khlevniuk, Oleg V. *Stalin: New Biography of a Dictator*, trad. Nora Seligman Favorov. New Haven, CT: Yale University Press, 2015.

Klid, Bohdan. "Daily Life Under Soviet Rule and the Holodomor in Memoirs and Testimonies of the Late 1940s: Some Preliminary Assessments", apresentado na Conferência Anual de 2015 da Associação Canadense de Eslavistas, Ottawa, Ontario, 26 de maio de 2015.

————. "The Black Deeds of the Kremlin: Sixty Years Later", *Genocide Studies International* 8 (2014), 224-35.

Kondrashin, Viktor, *Golod 1932-1933 godov. Tragediia rossiyskoi derevni*, Moscou: ROSSPEN, 2008

————,e S. V. Kul'chyts'kyi. "O Samom Glavnom: professor Stanislav Kul'chitskii i ego rossiiskii kollega Viktor Kondrashin: chem byl Golodomor 1932-1933 godov?" *Den*, Kiev, 3 de junho de 2008.

522   **A FOME VERMELHA**

Kotkin, Stephen. *Stalin: Paradoxes of Power*, vol. 1. Nova York: Penguin Press, 2014.

Kubanin, M. *Makhnovshchina: Krest'ianskoe dvizhenie v stepnoi Ukraine v gody grazhdanskoi voiny*. Leningrado: Priboi, 1927.

Kul'chyts'kyi, Stanislav V. "Comments at UNAS (National Academy of Sciences) Institute of History of Ukraine Seminar", apresentado no Seminário do Instituto de História Ucraniana, Kiev, 19 de abril de 2016.

_____. *Holodomor 1932-1933 rr. iak henotsyd: trudnoshchi usvidomlennia*. Kiev: Nash chas, 2008.

_____. *Chervony vyklyk. Istoriia komunismu v Ukraiini vid joho narodzhennia do zahybel*, vols. 1-3. Kiev: Temporada, 2013-2017.

_____. "Holodomor in the Ukrainian Countryside", em *After the Holodomor: The Enduring Impact of the Great Famine on Ukraine*, eds. Andrea Graziosi, Lubomyr Hajda e Halyna Hryn. Cambridge, MA: Instituto Canadense de Estudos Ucranianos, 2013.

_____. "Holodomor u pratsiakh ukraïns'kykh radians'kykh istorykiv 1956-1987 rr", *Istoriia v suchasnii shkoli: naukovo-metodychnyi zhurnal*, no. 10 (146) (2013), 29-31.

_____. *Narysy povsiakdennoho zhyttia radians'koi Ukrainy v dobu NEPu (1921-1928 rr.) Kolektyvna monohrafiia v 2-kh chastynakh*. 2 vols. Kiev: Instytut Istorii Ukraïny NAN Ukraïny, 2010.

_____, e O. M. Movchan. *Nevidomi storinky holodu 1921-1923 rr. V Ukraini*. Kiev: Instytut Istorii Ukraïny NAN Ukraïny, 1993.

Kuromiya, Hiroaki. *Freedom and Terror in the Donbas: A Ukrainian-Russian Borderland, 1870s-1990s*. Cambridge: Cambridge University Press, 1998.

Kyrydon, Alla. "Ruinuvannia kul'tovykh sporud (1920-1930-ti rr.): porushennia traditsiinoï rytmolohiï prostrou", *Ukrains'kyi Istorichnyi Zhurnal* 22, nº 6 (2013), 91-102.

Kyrylenko, Vitalii Petrovych. "Holod 1921-1923 rokiv u pivdennii Ukraïni", dissertação, Mykolaivs'kyi Natsional'nyi Universytet imeni V. O. Sukhomlyns'koho, 2015.

Lemkin, Raphael. *Axis Rule in Occupied Europe: Laws of Occupation — Analysis of Government — Proposals for Redress*. Washington, D.C.: Carnegie Endowment for International Peace, 1944.

_____. *Lemkin on Genocide*, ed. Steven Leonard Jacobs, Lanham, MD: Lexington Books, 2012.

BIBLIOGRAFIA SELECIONADA

———. "Soviet Genocide in the Ukrained", palestra não publicada, 1953, Documentos de Raphael Lemkin, Biblioteca Pública de Nova York, Divisão de Manuscritos e Arquivos, Astor, Lenox and Tilden Foundations, Raphael Lemkin ZL-273. Rolo 3. Disponível em https://www.uccla.ca/SOVIET_GENOCIDE_IN_THE_UKRAINE.pdf.

Lytvyn. eds. *Ukraina: Politychna Istoriia XX pochatok-XXI stolittia*. Kiev: Parlaments'ke vydavnytstvo, 2007.

Mace, James. *Communism and the Dilemmas of National Liberation: National Communism in Soviet Ukraine, 1918-1933*. Cambridge, MA: Instituto Canadense de Estudos Ucranianos, 1983.

Magocsi, Paul Robert. *A History of Ukraine: The Land and its Peoples*, 2ª ed. Toronto: University of Toronto Press, 2010.

Marochko, Vasyl', e Olha Movchan. *Holodomor 1932-1933 rokiv v Ukraïni: khronika*. Kiev: Kyievo-Mohylians'ka Akademiia, 2008.

Marples, David. *Holodomor: Causes of the Famine of 1932-1933 in Ukraine*. Saskatoon, Saskatchewan: Heritage Press, 2011.

Martin, Terry. "Famine Initiators and Directors: Personal Papers: The 1932-33 Ukrainian Terror: New Documentation on Surveillance and the Thought Process of Stalin", em *Famine-Genocide in Ukraine, 1932-33*, ed. Isajiw W. Wsevolod. Toronto: Centro Candense de Pesquisa Ucraniana, 2003.

———. *The Affirmative Action Empire: Nations and Nationalism in the Soviet Union, 1923-1939*. Ithaca, NY: Cornell University Press, 2001.

Maskudov, Sergei. "Victory over the Peasantry", em *Hunger by Design: The Great Ukrainian Famine and its Soviet Context*, ed. Halyna Hryn. Cambridge, MA: Instituto de Harvard de Estudos Ucranianos, 2008.

Mattingly, D. "Idle, Drunk and Good-for-Nothing: Cultural Memory of the Holodomor Rank-and-File Perpetrators", em *The Burden of Memory: History, Memory and Identity in Contemporary Ukraine*, eds. Anna Wyłegała e Małgorzata Głowacka-Grajper. Bloomington, IN: Indiana University Press, 2017.

Medvedev, Roy Aleksandrovich. *Let History Judge: The Origins and Consequences of Stalinism*, publicado pela primeira vez em 1969, ed. rev. e amp., trad. George Shriver. Oxford: Oxford University Press, 1989.

Merridale, Catherine. *Night of Stone: Death and Memory in Twentieth-Century Russia*. Nova York: Viking, 2001.

———. "The 1937 Census and the Limits of Stalinist Rule", *The Historical Journal* 39, nº 1 (1º de março de 1996).

524 **A FOME VERMELHA**

Montefiore, Simon Sebag. *Stalin: The Court of the Red Tsar.* Nova York: Knopf, 2004.

―――. *The Romanovs.* Londres: Weidenfeld e Nicolson, 2016.

Motyl, Alexander. *The Turn to the Right: The Ideological Origins and Development of Ukrainian Nationalism, 1919-1929.* Nova York: Columbia University Press, 1980.

Naimark, Norman M. *Stalin's Genocides.* Princeton, N.J.: Princeton University Press, 2010.

Noll, Vil'iam. *Transformatsiia hromadians'koho suspil'stva: Usna istoriia ukraïns'koï selans'koï kul'tury, 1920-30 rokiv.* Kiev: Rodovid, 1999.

Osokina, Elena Aleksandrovna. *Zoloto dlia industrializatsii: Torgsin.* Moscou: ROSSPEN, 2009.

―――. *Our Daily Bread: Socialist Distribution and the Art of Survival in Stalin's Russia, 1927-1941,* trad. Kate Transchel e Greta Bucher. Londres e Nova York: Routledge, 2005.

Palij, Michael. *The Anarchism of Nestor Makhno, 1918-1921: An Aspect of the Ukrainian Revolution.* Seattle, WA: University of Washington Press, 1976.

Papakin, Heorhii V. *"Chorna doshka": antyselians'ki represii, 1932-1933.* Kiev: Instytut Istoriï Ukraïny NAN Ukraïny, 2013.

―――. "Blacklists as an Instrument of the Famine-Genocide of 1932-1933 in Ukraine", trad. Marta Olynyk. *Key Articles on the Holodomor Translated from Ukrainian into English,* Holodomor Research and Education Consortium. http://holodomor.ca/ translated-articles-on-the-holodomor.

―――. *Donbas na "chornii doshtsi", 1932-1933: Naukovo-populiarnyi narys.* Kiev: Instytut Istoriï Ukraïny NAN Ukraïny, 2014.

Pasternak, Boris. *Doutor Jivago,* trad. Richard Pevear e Larissa Volokhonsky. Nova York: Pantheon Books, 2010.

Patenaude, Bertrand. *The Big Show in Bololand: The American Relief Expedition to Soviet Russia in the Famine of 1921.* Stanford, CA: Stanford University Press, 2002.

Pauly, Matthew D. *Breaking the Tongue: Language, Education, and Power in Soviet Ukraine, 1923-1924.* Toronto: University of Toronto Press, 2014.

Pidhainy, S. O., ed. *The Black Deeds of the Kremlin: A White Book,* 2 vols. Toronto: Basilian Press, 1953.

Pipes, Richard. *Russia under the Bolshevik Regime.* Nova York: Vintage Books, 1995.

―――, ed. *The Unknown Lenin: From the Secret Archive.* New Haven, CT: Yale University Press, 1999.

BIBLIOGRAFIA SELECIONADA

Platonov, Andrei Platonovich. *Fourteen Little Red Huts and Other Plays*, trad. Robert Chandler, Jesse Irwin e Susan Larsen. Nova York: Columbia University Press, 2016.

Plokhy, Serhii. "Mapping the Great Famine", *MAPA: Digital Atlas of Ukraine, Harvard Ukrainian Research Institute*, acessado em 23 de abril de 2017. http://gs.huri.harvard. edu/images/pdf/MappingGreatUkrainianFamine.pdf.

_____· *The Gates of Europe: A History of Ukraine*. Nova York: Basic Books, 2015.

_____· *Unmaking Imperial Russia: Mykhailo Hrushevsky and the Writing of Ukrainian History*. Toronto: University of Toronto Press, 2005. http://www.deslibris.ca/ID/ 418634.

Pohl, Otto J., Eric J. Schmaltz e Ronald J. Vossler. "'In Our Hearts We Felt the Sentence of Death': Ethnic German Recollections of Mass Violence in the USSR, 1928-48", *Journal of Genocide Research* 11, nº 2 (2009), 325-27.

Power, Samantha. *A Problem from Hell*. Nova York: Basic Books, 2002.

Prymak, Thomas M. *Mykhailo Hrushevsky: The Politics of National Culture*. Toronto: University of Toronto Press, 1987.

Rigoulot, Pierre. *Les Paupières Lourdes: Les Français face au Goulag: Aveuglements et Indignations*. Paris: Éditions universitaires, 1991.

Riznykiv, Oleksa. *Ídlo 33-ho: slovnyk holodomoru*. Odessa: Iurydychna literatura, 2003.

Romanets', N. R. "Borot'ba z samosudamy v Ukraïns'komu seli, 1933-1935 rr", *Naukovi pratsi istorychnoho fakul'tetu Zaporiz'koho Natsional'noho Universytetu*, XXIX (2010), 186-91.

Rubl'ov, Oleksandr Serhiiovych e Oleksandr Petrovych Reient. *Ukrains'ki vyzvol'ni zmahannia 1917-1921 rr.* Kiev: Al'ternativy, 1999.

Sands, Philippe. *East West Street: On the Origins of "Genocide" and "Crimes Against Humanity"*. Nova York: Knopf, 2016.

Serhiichuk, Volodymyr et al. *Ukrains'kyi khlib na eksport, 1932-1933*. Kiev: PP Serhiichuk M.I., 2006.

_____· *Pohromy v Ukraini 1914-1920: vid shtuchnykh stereotypiv do hirkoï pravdy, prykhovuvanoï v radians'kykh arkhivakh*. Kiev: Vyd-vo im. O. Telihy, 1998.

Service, Robert W. *Lenin: A Biography*. Londres: Papermac, 2001.

Shapoval, Iurii (Yuri). "Fatal'na Ambivalentnist", *Krytyka: mizhnarodnyi ohliad knyzhok ta idei* (maio de 2015). https://krytyka.com/ua/articles/fatalna--ambivalentnist.

———. "Petro Shelest: 100th Anniversary of the Birth of One of Ukraine's Most Spectacular Political Figures", *Den* (4 de março de 2008).

———. "Stoletnii Shelest: 14 fevralia ispolniaetsia 100 let odnomu iz samykh koloritnykh rukovoditelei USSR", *Den* (8 de fevereiro de 2008).

———. "The Case of the 'Union for the Liberation of Ukraine': A Prelude to the Holodomor", *Holodomor Studies* 2, nº 2 (verão-outono de 2010).

———. "The Mechanisms of the Informational Activity of the GPU-NKVD", *Cahiers du monde russe* 22 (2001), 207-30.

———. "The Symon Petliura Whom We Still Do Not Understand", *Den* 18, última alteração em 6 de junho de 2006, acessado em 20 de abril de 2017. http://www.ukemonde.com /petlyura/petlyura_notunder.html.

———. *Ukraïna 20-50 rr.: Storinky nenapysanoï istoriï*. Kiev: Naukova Dumka, 1993.

———. "Vsevolod Balickij, bourreau et victime", *Cahiers du monde russe* 44, nº 2/3 (2003), 369-99.

———. "Zhittia ta smert" Mikoly Khvyl'ovoho: u svitli rozsekrechenykh dokumentiv HPU', *Z arkhiviv VUChK, HPU, NKVD, KHB* 2, nº 30/31 (2008), 316-17.

Shevelov, George Y. *The Ukrainian Language in the First Half of the Twentieth Century, 1900-1941: Its State and Status*. Cambridge, MA: Instituto Canadense de Estudos Ucranianos, 1989.

Shkandrij, Myroslav e Olga Bertelsen. "The Soviet Regime's National Operations in Ukraine, 1929-1934", *Canadian Slavonic Papers* 55, nº 3/4 (setembro-dezembro de 2013), 160-83.

Shlikhter, Aleksandr. "Bor'ba za khleb na Ukraine v 1919 godu", *Litopys revoliutsiï: Zhurnal istoriï KP(b)U ta Zhovtnevoï revoliutsiï na Ukraïni* 2, nº 29 (1928).

Sholokhov, Mikhail. *Virgin Soil Upturned*, trad. Stephen Garry. Londres: W. & J. Mackay, 1977.

Sipko, S. "A Report for the Holodomor Research and Education Consortium", s/ ed., 2013.

Smolii, V. A. et al. "*Ukrainizatsiia*" *1920-1930-kh rokiv: peredumovy, zdobutky, uroky*. Kiev: Instytut Istoriï Ukraïny NAN Ukraïny, 2003.

Snyder, Timothy. *Black Earth: The Holocaust as History and Warning*. Nova York: Tim Duggan Books, 2015.

———. *Bloodlands: Europe Between Hitler and Stalin*. Nova York: Basic Books, 2010.

———. *Sketches from a Secret War: A Polish Artist's Mission to Liberate Soviet Ukraine*. New Haven, CT: Yale University Press, 2005.

BIBLIOGRAFIA SELECIONADA

_____,e Ray Brandon. *Stalin and Europe: Imitation and Domination, 1928-1953.* Oxford: Oxford University Press, 2014.

Sosnovyi, S. "Pravda pro velykyi holod na Ukraïni v 1932-1933 rokakh", *Ukrains'ki visti* (7 de fevereiro de 1948).

Subtelny, Orest. *Ukraine: A History.* Toronto: University of Toronto Press, 1988.

Sysyn, Frank. "The Ukrainian Famine of 1932-33: The Role of the Ukrainian Diaspora in Research and Public Discussion", *Studies in Comparative Genocide*, eds. Levon Chorbajian e George Shirinian. Nova York: St. Martin's Press, 1999.

_____. "Thirty Years of Research on the Holodomor: A Balance Sheet", *Contextualizing the Holodomor: The Impact of Thirty Years of Ukrainian Famine Studies*, eds. Frank Sysyn e Andrij Makuch. Toronto: Instituto Canadense de Estudos Ucranianos, 2015.

Taylor, Sally J. *Stalin's Apologist: Walter Duranty, the New York Times's Man in Moscow.* Nova York: Oxford University Press, 1990.

Thevenin, Etienne. "France, Germany and Austria Facing the Famine of 1932-1933 in Ukraine', apresentado no Painel James Mace Memorial, Congresso da IAUS, Donetsk, Ucrânia, 6 de junho de 2005.

Tottle, Douglas. *Fraud, Famine, and Fascism: The Ukrainian Genocide Myth from Hitler to Harvard.* Toronto: Progress Books, 1987.

Tucker, Robert C. *Stalin in Power: The Revolution from Above, 1928-1941.* Nova York: W. W. Norton, 1992.

Vasyl'ev, Valerii. "Osoblyvosti polityky kerivnytstva VKP(b) u sil's'komu hospodarstvi URSR (Kinets' 1933-1934 rr.)", *Ukrains'kyi selianyn: pratsi Naukovo-doslidnoho Instytutu Selianstva* 10 (2006), 342-48.

_____·*Politychne kerivnytstvo URSR i SRSR: Dynamika vidnosyn tsentr-subtsentr vlady 1917-1938.* Kiev: Instytut Istoriï Ukraïny NAN Ukraïny, 2014.

_____,e Iurii I. Shapoval. *Komandyry velykoho holodu: Poizdky V. Molotova i L. Kahanovycha v Ukraïnu ta Pivnichnyi Kavkaz, 1932-1933 rr.* Kiev: Heneza, 2001.

Viola, Lynne. *Peasant Rebels Under Stalin: Collectivization and the Culture of Peasant Resistance.* Oxford: Oxford University Press, 1996.

_____· *The Best Sons of the Fatherland: Workers in the Vanguard of Soviet Collectivization.* Nova York: Oxford University Press, 1987.

_____,e V. P. Danilov, eds. *The War Against the Peasantry, 1927-1930: The Tragedy of the Soviet Countryside*, trad. Steven Shabad. New Haven, CT: Yale University Press, 2005.

Wolowyna, Oleh, Serhii Plokhy, Nataliia Levchuk, Omelian Rudnytskyi, Pavlo Shevchuk e Alla Kovbasiuk. "Regional Variations of 1932-34 Famine Losses in Ukraine", *Canadian Studies in Population* 43, nº 3/4 (2016), 175-202.

Yevsieieva, Tetiana. "The Activities of Ukraine's Union of Militant Atheists during the Period of All-Out Collectivization, 1929-1933", trad. Marta Olynyk. *Key Articles on the Holodomor Translated from Ukrainian into English*, Holodomor Research and Education Consortium. http://holodomor.ca/translated-articles-on-the-holodomor.

CRÉDITOS DAS IMAGENS

Foi feito o máximo esforço para entrar em contato com os detentores de direitos autorais. Os editores ficariam satisfeitos em corrigir, nas futuras edições, quaisquer erros ou omissões. Os números correspondem às fotos do encarte.

TsDKFFA Ukraïny im. H. S. Pshenychnoho: 12, 16,17, 18, 19, 20, 21.

TsDKFFA Ukraïny im. H. S. Pshenychnoho: 13, 14, 15, 24, 25. Previamente publicadas em Ukraïns'kyi Instytut Natsional'noï Pam'iati, e V. Yushchenko, eds. *Natsional'na knyha pam'iati zhertv Holodomoru 1932-1933 rokiv v Ukraïni*. Kiev: Vydavnytstvo im. Oleny Telihy, 2008.

TsDKFFA Ukraïny im. H. S. Pshenychnoho: 22, 23. Previamente publicadas em Serhii Kokin, Valerii Vasyl'ev e Nicolas Werth, eds. "Dokumenty orhaniv VKP(b) ta DPU USRR pro nastroï i modeli povedinky partiino-radians'kykh pratsivnykiv u respublitsi, 1932—33 rr.," *Z arkhiviv VUChK GPU NKVD KGB* 1-2, nº 40-41 (2013).

Diözesanarchive, Viena: 26, 27, 28, 29, 30, 31, 32, 33, 34, 35, 36, 37, 38, 45. Com a permissão de Samara Pearce, da família de Alexander Wienerberger.

HDA SBU: 39, 40. Previamente publicadas em Valentyna Borysenko, ed. *Rozsekrechena pam'iat': Holodomor 1932-1933 rokiv v Ukraïni v dokumentakh GPU-NKVD*. Kiev: Stylos, 2007.

530 A FOME VERMELHA

British Library, London: 42. © British LibrarymBoard/Bridgeman Images. Como na foto 44, as colunas das originais foram alinhadas para a apresentação na página.

O Mapa 4 foi adaptado do MAPA: Programa do Atlas Digital da Ucrânia no Instituto de Pesquisa Ucraniana, Harvard University.

ÍNDICE

A

Academia de Ciências da Ucrânia, 46, 111, 113, 136, 137, 140, 144, 271, 274, 276, 369, 417

Afeganistão, invasão soviética do (1979), 408-409

Agência Americana de Assistência (ARA), 60, 99-101, 102-103, 105

Agricultura, Academia Ucraniana de Ciências Agrícolas, 274; colheita da primavera de1931, 214; duas safras anuais, 32; escassez de mão de obra pós-fome, 352-354, 355-357, 365; exportação de grãos, 22, 101, 212-214, 226, 230, 247, 374; programa de reassentamento pós-fome, 354-358; região da "terra negra", 32; safra de 1924, 246; safra de 1933 e, 348-349, 350, 364-365; de 1928-29, 149; seca de 1946, 402; seca de 1920-21, 97; seca de 1931, 215; Sociedade Agrícola de Toda a Ucrânia, 217; tradição comunitária russa nas fazendas, 66-68, 186; *Ver também* fazendas

coletivas (*kolkhoz*); coletivização; requisição de grãos; campesinato; campesinato ucraniano

Aleksievich, Svetlana, 400

Alemanha nazista, 359, 372, 373-374, 375, 382, 386, 388; antissemitismo, 397-398; colaboração de alguns ucranianos com a, 406, 412; conhecimento da fome de 1932-33, 396; e os prisioneiros de guerra soviéticos, 394; invasão da União Soviética por Hitler, 393-394; invasão de Varsóvia, 423; ocupação da Ucrânia pela, 359, 393-401, 406, 412; opinião sobre os eslavos da, 393, 396; "Plano da Fome" nazista, 394-395; propaganda da fome durante a ocupação, 396-398; trabalhos forçados na Ucrânia, 394, 402

Alemanha, 223, 354, 357, 373; e a fome de 1932-33, 347; exportação de grãos para a, 213; vitória eleitoral de Hitler em janeiro de 1933, 372, 375, 382; e o Exército Negro de Makhno, 76-77;

532   A FOME VERMELHA

e a farsa judicial de Shakhty, 138-140; emergência como nação, 34, 43; Tratado de Brest-Litovsk (1918), 45, 46; e o regime de Skoropadsky, 46, 76, 78; Primeira Guerra Mundial, 45-46, 47-48, 56, 70-71; *Ver também* Alemanha nazista

Alexander I, tsar, 37

Alexander II, tsar, 36, 38

alimentação; Comissariado do Abastecimento de, 61-63; e o Governo Provisório, 61-62; escambo cidade--campo, 62; escassez russa na 1ª G. M., 59-60, 61; racionamento nos anos 1920 na, 123; recuperação na fome de 1921-23, 122; Stalin toma "medidas extraordinárias" para a, 125-126, 130, 131-132, 149-150; vínculos com o poder, 60-61, 64

Alliluyeva, Kira, 240-241

Alliluyeva, Nadejda Sergeevna (esposa de Stalin), 239-240, 243

Alliluyeva, Svetlana (filha de Stalin), 240

Andrew, príncipe do Reino Unido, 428

Angelina, Pasha, 164, 192

Antonenko, Borys, 142

Antonov-Ovsienko, Volodymyr, 58, 72

Arbuzynka, na província de Mykolaiv, 296-299

Arkhangelsk, região de, 170, 177

Armênia, 43, 52, 423, 428

arquitetura, 39, 112, 276-277

Arshinov, Piotr, 76

arte, 23, 35, 43, 132, 277, Academia Ucraniana de Belas-Artes, 43; modernista, 112-113, 133

Ásia Central, Estados da, 52, 176-177, 205, 263

Askatin, Oleksandr, 369

Astor, Nancy, 376

Avdiienko, Mykhailo, 369

Axis Rule (Mando do Eixo) (1944), 423-424

Azerbaijão, 428

B

Babel, Isaac, 82

Babenko, Nadiia, 340

Babi Yar, ravina da matança (1941), 401

Backe, Herbert, 394

Bakai, Anatolii, 329

Balanovskyi, Mykhailo, 287

Balkar, povo, 354

Balytsky, Vsevolod, 268-269; comanda a *Cheka* ucraniana, 118, 135-138, 140, 187, 226, 237, 253; crença na limpeza política pela violência, 118; e a "limpeza" de Dzerzhinsky, 118-119; e a fome de 1932-33, 226, 252, 264, 320; e a rebelião dos camponeses de 1919, 118; e a rebelião dos camponeses de 1930, 186, 195, 198, 199-200, 201, 202-203, 205-206; e a reconstrução socialista de Kiev, 276; e os expurgos do período 1926-28, 137-138; exila Hrushevsky (1931), 270-271; expurgo do Partido Comunista da Ucrânia, 266-269, 293; histórico e vida pregressa de, 117-118; invenção do SVU, 139, 206; lealdade a Moscou, 135; sobre as conspirações estrangeiras, 151, 268-269; transferido de volta para a Ucrânia, 237, 265

ÍNDICE

bandura (instrumento musical), 115, 181

Barbar, Arkadii, 142

Barthou, Jean-Louis, 388

Basha, Mykola, 310

Bashkiria, 205

Basmachi, movimento guerrilheiro, 205

Batumi, Georgia, 254

Bazhan, Mykola, 272

BBC, 408

Belinsky, Vissarion, 31

Bendryk, Maria, 280

Biblioteca Nacional Ucraniana, 46, 274

Bielorrússia, 94, 117, 168, 170, 177, 250, 253-254, 355, 394; e a *Rus Kievana*, 30, 33; minoria na Ucrânia, 359

Bila Tserkva, na província de Kiev, 191

Bilenky, Serhiy, 31

Bilorus, Hanna, 322

Błażejewska, Maria, 254-255

Bohdanivka, no distrito de Pavlohrad, 202-203

Boichuk, Mykhailo, 133

Boichuk, Petro, 304

bolcheviques, 95-96, 100-101, 104, 106; conselho revolucionário ucraniano, 58; *coup d'état* de outubro de 1917, 50, 54; desdém pela ideia de um Estado, 50, 52, 107-108; e a Revolução Ucraniana, 53, 54; e ao antissemitismo, 86, 88; e Hryhoriev, 78-80; e Makhno, 76-78; e o estado centralizado, 108; emergência de alimentos (1918-19), 60-73; guerra civil como divisor de águas, 53; líderes criados no Império Russo, 50, 107-108; primeira ocupação da Ucrânia (fevereiro de 1918) 46, 56, 57-58, 76; seguidores na Ucrânia (1917), 50, 55, 56; segunda ocupação da Ucrânia (1919), 58, 66-73; suspeita dos intelectuais ucranianos, 54, 134, 135, 136, 137-144; terceira ocupação da Ucrânia (1920), 107-109; trégua com Piłsudski, 91, 93; vínculo entre alimentos e poder, 59-61, 62-64

Bondarenko, Mariia, 364

Borotbyst (grupo), 44, 71, 73, 109-110, 113, 136

Brynza, Ivan, 309

Buckley, William, 409

Budantseva, Halyna, 312

Budyonny, Semyon, 240

Buhaievych, Ihor, 283, 329

Bukharin, Nikolai, 108, 123, 130, 132, 158, 240, 241

Bulgakov, Mikhail, 47, 49, 75; *O mestre e Margarida*, 339; *A guarda branca* (1926), 47

Bulgária, 45, 58, 402; minoria na Ucrânia, 359

C

Cairns, Andrew, 330, 331-332, 374

campesinato ucraniano, vida nos vilarejos nos anos 1920, 155-156; cultura na era do comunismo nacional, 112-113; escapadas das fazendas coletivas, 252-258; nos exércitos da 1ª G. M., 44; forçado a estudar em russo, 37; e a liderança de Hryhoriev, 78-79; *kulaks*, 69-70, 80, 83-

84, 95-96, 147, 164-165, 175-176, 294; regime menos duro (a partir de maio de 1933), 349-350, 352; liderança de Makhno, 75-78, 82, 86, 93, 104, 201, 348; desloca-se para as cidades (1932-33), 254-256, 260; e a propaganda nazista da fome, 396-398; exército camponês de Petliura, 47-48, 81, 93, 148, 201; comitês de camponeses pobres (*komnezamy*), 68-69, 70, 82, 83, 95-96, 102, 153, 165, 287, 291-292, 293; rebelião do, 26; rebelião (1919), 76, 81-92, 104, 109, 118, 147, 149, 189, 205, 238, 248; rebelião (1930), 186, 192, 195-205, 248, 400; rejeição às fazendas comunitárias no período de 1919, 66, 186; resistência à coletivização, 150, 163, 168, 170-171, 186-192, 195-205, 211; sistema de classes de Shlikhter, 67-70, 71, 95, 164; como socialista e não bolchevique, 91-92; propaganda soviética para denegrir o, 290-291, 296, 307, 361-362, 422, 433-434 ; "Exército Trabalhista Ucraniano", 94-95; visão da Ucrânia urbana, 34; bem-vindo pelas tropas nazistas, 393; relatórios/apelos pelo OGPU (1928), 146-150, 151-152; onda de revoltas no início dos anos 1900, 39; discurso e linguagem, 30-31, 35, 45, 114; *Borotbysty* (partido da ala esquerda), 44, 71, 73, 109-110, 112, 136; e o mando de Skoropadsky, 46-47, 78; opinião de Stalin sobre, 52-53, 55, 144-145;

e o nacionalismo romântico, 35-36; e o movimento nacional, 35-36, campesinato, armazenamento de grãos devido aos baixos preços, 122, 125-126; *bedniaks* (camponeses pobres), 68, 126, 165; categorias bolcheviques para o, 68-69; comitês dos camponeses pobres na Rússia, 68-69; e a crise dos grãos de 1927-28, 124-129, 130-131; e a posse de uma vaca, 167, 172-173, 188, 194, 281, 328, 333; escambo campo--cidade, 62-63; expropriação pela taxação, 173, 210, 283-284; falta de incentivo para produzir mais grãos, 96, 127, 128-129, 210-211; na teoria marxista, 51; opinião de Lenin sobre, 51, 64, 105, 107; opinião de Stalin sobre, 52-53, 55-56, 144-145, 361-362; rebelião de Antonov, 105; rebelião de Tambov (1921), 77, 105; rebelião do (1930), 186, 192, 195-205; rebeliões durante a fome de 1921-23, 106; resistência à coletivização, 149-150, 163, 168, 170-171, !86-192, 194-205, 211; revoltas das mulheres (*babski bunty*), 196-197, 211; sai das fazendas coletivas para as cidades, 174-175, 211, 255-257, 259-260; Stalin advoga a exploração do, 131-132; taxa sobre a safra, 246-247, 348-349; tradição comunitária nas fazendas russas, 66, 68, 186; vítimas da lei de 7 de agosto, 2341-235, 246, 285, 308-309; *Ver também* campesinato ucraniano

ÍNDICE

Canadá; Associação Ucraniana de Vítimas do Terror Comunista Russo, 404; Centro Ucraniano Cultural e Educacional, Winnipeg, 404; Comitê de Pesquisa sobre a Fome Ucraniana, Toronto, 406, 409; Holodomor Research and Education Consortium, 26; diáspora ucraniana no, 98-99, 371, 403-404, 405, 407, 409; giro de Rhea Clyman pela URSS, 377-378, 380; Instituto Canadense de Estudos Ucranianos, Alberta, 405

Cardiff Western Mail, 385

Cárpatos, montanhas, 29

Cáucaso, 117, 221, 342, 364, 393

Cazaquistão, 25, 32, 205, 214, 219, 221, 263, 357, 429; e a fome de 1932-33, 261-262; "sedentarização" dos nômades, 262

censo (1937), 24, 344, 367-369, 413

Centro de Fazendas Coletivas, 162, 171

Chamberlin, William Henry, 379, 380, 386, 387

chechenos, 36, 205, 354

Chepur, Volodymyr, 391

Cherkasy, cidade, 29

Cherkasy, província, 126, 162, 179, 280, 286, 287, 317, 328

Cherniavsky, Stepan, 218

Chernihiv, província, 69, 83, 172, 281, 284, 311, 329, 366; Instituto Pedagógico Nizhyn, 275; taxa de mortes pela fome na, 347

Chernobyl, desastre nuclear em (1986), 413-414

Chicago Daily News, 385

Chicherin, Georgii, 58

China, 123

Chornovil, Vyacheslav, 416

Chornyi, Pavlo, 341

Chubar, Vlas, 227, 228-231, 265, 283, 293, 358

Clube Ucraniano, 43

Clyman, Rhea, 377-379

coletivização, 22; aceleração depois da fome, 352; artigo "Zonzo com o sucesso" (2 de março de1930), 192-195, 204, 209; ataque à religião por parte da, 178-179, 181-183, 185-186, 190, 313-314; ataque aos rituais dos vilarejos por parte da, 179, 181, 313-314; atos de coragem e generosidade na, 174-175; bodes expiatórios pelo fracasso da, 193-195, 316-218, 263-264; brigadas de requisições, 70-71, 157-163, 164-166, 170-171, 172-174, 186, 188, 195-196; brutalidade durante a, 172-173, 174, 186, 192-193; campanha de propaganda, 129, 173, 175; colaboradores locais (os ativos), 164-166, 172, 173, 179; como política pessoal de Stalin, 128-129, 130-131, 157, 163, 193-194, 215-217, 224-226; como segunda revolução, 185-186; deportações durante a, 167, 170, 176-178; deskulakização, 22, 72, 88, 164-165, 166-173, 174-178, 186, 209, 294, 354; destruição das estruturas ética e social na, 178, 181-184, 210, 305-306, 313-314; e a "Plataforma de Ryutin", 241-243;

536   **A FOME VERMELHA**

e a nova elite rural, 165-166; e o Exército Vermelho, 173-174; e os "elementos criminosos", 165; e os expurgos no Partido Comunista da Ucrânia, 153; e Sholokhov, 360-361; estatísticas oficiais sobre os grãos na (1930), 212; levantes e confiscos de grãos, 188-189; marchas para a fronteira polonesa (1930), 191; matança do gado, 187, 188; metas expandidas (julho/dezembro de 1930), 209; os "Vinte e Cinco Mil", 158-162, 163-164, 195, 217, 288; papel do OGPU na, 145-146, 147, 149-151, 162, 163, 165-166, 174-175, 187, 189, 191-193, 197-205, 211, 242; perda das tradições musicais, 180-181; quedas na produção depois da, 211, 214-216; resistência e oposição à, 148-151, 162-163, 169, 170, 186-192, 195-205, 211, 240, 251; resistência pelas canções e poesia, 190-191; reuniões do Comitê Central (1928), 130-131; revoltas das mulheres (*babski bunty*), 196-198, 211; supostamente voluntária e espontânea, 157, 161, 194

Collier, Laurence, 375, 388

comemoração *ver* comemoração e influência dos testemunhos

Comitê Conjunto Judeu de Distribuição (JDC), 99, 102, 103

comunidade judaica, antissemitismo de Hryhoriev, 79, 86; antissemitismo nazista, 397, 398; antissemitismo russo, 35, 84-85, 103; antissemitismo ucraniano, 137, 146, 195, 409; cemitérios em Kiev, 276; Babi Yar, ravina da matança (1941), 401; de bolcheviques ucranianos, 50; e a linguagem, 34, 37, 359; e a polícia política da Ucrânia, 117; e a Rada Central, 44; e soldados do Diretório, 86, 89; fome, 329, 347, 398; Holocausto na Ucrânia, 393, 401; Holocausto, 333, 418, 423, 425; massacres do período de 1918-20, 85-88, 101-102, 103; pogroms de 1905, 1949 e de 1932-33; pogroms durante o levante de Khmelnytsky, 35; "Protocolos dos Sábios do Sião", 85; restrições à propriedade de terras, 169

Comunidade Polaco-Lituana, 30, 33, 35

comunismo; "Comunismo de Guerra", 61, 62-65, 94-95, 121, 130; "comunismo nacional" na Ucrânia, 109-116, 134-135, 271-272; conceito de "comunismo nacional", 57; e centralização estatal, 108; e os visitantes estrangeiros de esquerda, 375-377; internacionalismo do, 52; *Ver também* bolcheviques

Conferência de Paz de Versalhes (1919), 39

Conquest, Robert, *The Harvest of Sorrow* (1986), 25, 409, 410, 412

cossacos, 33, 71-72, 104, 114, 205; de Kuban, 71, 114, 249-250, 263; Zaporozhian, 33, 35, 71

Crimeia, 91, 103, 354, 393; anexação russa da, 26, 430, 434

Cruz Vermelha Internacional, 99

Cruz Vermelha, 99, 103

ÍNDICE

cultura ucraniana, Academia Ucraniana de Belas-Artes, 43; supressão bolchevique da, 66, 357, 416, 421-422; rejeição intelectual ao stalinismo, 407; suspeita de Kaganovich da, 134-135, 272; modernismo em Kharkov,112; Prosvita na Galícia, 38, 115, 371; expurgo entre os historiadores e curadores de artes, 23, 277; expurgo dos comunistas nacionais, 270-273; expurgo nas instituições ligadas à (1932-33), 23, 270-275, 277-278, 416, 421-422, 432; renascimento na era comunista nacional, 111-116, 132-133, 134-135, 270-271; reconstrução socialista de Kiev, 276-272; e o retorno de Hrushevsky (1924), 111; nostalgia e lenda românticas, 30, 31, 35-36, 115, 180-182; mais distinta pelo fim da Idade Média, 30, 33; importância da vida rural/campesinato, 35-36; russificação da, 24, 37-38, 354-359, 432-433; *Ver também* arte; literatura; música

Curzon, Lord, 213

D

Dagestão, 205

Daily Express, 385

Davydenko, Mariia, 319

Debaltseve, cidade, 251

"Degelo de Kruschev", 266, 407

Denikin, Anton, 80, 82, 85, 86, 90, 93

"Discurso Secreto" de Kruschev (1956), 354-355, 407 Dnieper, rio, 29, 32, 35, 377

Dnipropetrovsk, cidade (Katerynoslav), 29, 80-81, 224, 335

Dnipropetrovsk, província (Katerynoslav); fome de (1921-23), 97-98, 106; fome de (1932-33), 223, 284-285, 295, 296, 303, 308, 310-311, 321, 333, 352-353, 366, 392-393; requisições de grão na, 269-270, 284-285, 294; resistência à coletivização na, 191, 194-199, 201-204; taxas de mortalidade pela fome (1932-33), 346, 347-348

Dolgorukov, príncipe Ivan, 31

Dolot, Miron, 155-156, 157, 158, 162, 166-167, 170, 194-195, 306

Don, província, 55, 71-72

Donbas, região, 39, 138, 176, 178, 248, 259, 269, 329, 330, 357, 358

Donetsk, cidade, 29, 38, 50, 55, 65, 255, 275, 381

Donetsk, província, 164, 251, 276, 321, 347-348, 353-354

Doronenko, Mariia, 306

Drach, Ivan, 415, 417-418

Drazhevska, Liubov, 337-338

Drobylko, Petro, 363

Dudnyk, Ivan, 321

Duranty, Walter, 363, 379-381, 386-387, 388-389, 409

Dzerzhinsky, Felix, 93, 118

E

economia soviética 1927-28; caos pós--2ª G. M., 401-402; "Comunismo de Guerra", 61, 62-65, 95, 121, 130; crises de alimentos, 122-123, 124-

128, 130-132, 138; "especuladores" de grãos, 63, 122, 124, 126; Europa Central ocupada, 402; exportações de grãos durante as fomes, 22, 101, 212-215, 226, 230, 247, 374; expurgos entre os intelectuais ucranianos, 137-144; fontes de moedas fortes, 100, 213-214, 338-341; legado da guerra civil, 54; "Nova Política Econômica" (NEP), 106-107, 108, 121-122, 123, 126, 139; primeiro Plano Quinquenal (1928), 129-130, 176, 178, 213; "quadros vermelhos" e "quadros negros", 247-248; regulamentações pesadas nos anos 1920, 121-123; "resistência de cada dia" dos operários, 211; *Ver também* grão ucraniano

Egides, Peter, 331

Ekaterinovka, vilarejo do norte do Cáucaso, 188

Epp, Heinrich, 81, 82-83

escolas, 43, 50, 52, 81, 114-116; baixa ucranização nas, 115-116; e a língua ucraniana, 35, 36, 65-66, 114-115, 116, 140; expurgo do sistema de Skrypnyk, 271, 273-274; expurgo dos professores (1932-33), 273-274

Estados Bálticos, 43, 393

Estados Unidos da América (EUA), "Brains Trust" de Roosevelt, 380; Comissão do Congresso para a fome de 1932-33, 412-413, 416-417; conhecimento da fome nos, 370-371, 385; diáspora ucraniana, 405, 406, 409-410; e a assistência para a fome de 1921-23, 60, 99-105; Fundo para Estudos Ucranianos, Nova York, 406; opinião sobre a Ucrânia moldada pela política doméstica, 410; Roosevelt reconhece a URSS (1933), 388

Exército Negro (makhnovistas), 76, 82, 86, 93, 104, 118, 201-202, 348

Exército Vermelho, 46, 70, 86-87, 148, 169, 192, 200, 230, 364; descontentamento na Ucrânia e o (1928), 151-152; e a coletivização forçada 173-174, 204; e a dissimulação da fome, 364; e a escapada de Stalin de Tsaritsyn, 64-65; e a rebelião de Kronstadt, 105; e a Segunda Guerra Mundial, 178, 395, 398, 402, 423; e os destacamentos de requisição de grãos, 56, 64, 69, 73, 220-221; guerra híbrida na Ucrânia, 58; Guerra Polonesa-Soviética (1919-21), 90-91, 238; matança dos cossacos do Don, 72; na Ucrânia em 1919, 58, 77-80, 81-82, 118; na Ucrânia em 1921, 94; ocupação da Ucrânia em 1920, 109; ocupação de Kiev (fevereiro de 1918), 55-56; ocupação de Kiev (janeiro de 1919), 58

Exércitos Brancos do antigo regime, 46, 51, 71, atrocidades antissemitas perpetradas pelos, 85-86; e a campanha polonesa-ucraniana (1920), 90-91, 238; e a ideia de conspirações do OGPU, 268-271; na Ucrânia de 1919, 81, 83, 90-91, 118, 238

ÍNDICE

F

Farsa judicial de Shakhty (1928), 138-140, 217

fazenda coletivas (*kolkhoz*) na Ucrânia de 1919, 66, 94, 129; beneficiárias dos roubos em massa, 171; coerção Stalin/Molotov (1931-32), 218-220; como "segunda servidão", 92, 189, 211, 260; descoletivização com a chegada nazista, 393, 395; e a ideologia comunista, 128-129, 130-132; e a propriedade comunitária, 158; édito sobre o roubo de propriedade pública (7 de agosto de 1932), 233-235, 246, 285, 308-309; escapadas das, 175-176, 191, 211, 252-258; especialistas agrícolas como bodes expiatórios, 216-218; Estações de Máquinas e Tratores, 129, 157, 216, 218, 250; falta de sentimento de "responsabilidade" nas, 216-217; geram falta de incentivo para trabalhar 183, 211; grupos internos antissoviéticos nas, 266-268, 269, 275-274; listas negras, 247-250; maquinaria em más condições, 215; métodos ruins de trabalho nas, 215, 216, 231; narrativas de "sabotagem" nas, 217-218; níveis dos roubos nas, 211, 232-235; penalidades em comida, 246, 251; rejeição espiritual nas, 190; requisição de grãos em 1931, 215-216, 217, 218-220; sentenças de mortes em virtude das metas de grãos, 266-267

Fergana, região da Ásia Central, 205

fome (1921-23), 97-98; ajuda americana, 60, 99-101, 102-104, 105; apelo internacional por ajuda, 99-100, 364; assistência de igreja/padres, 182; coleta militarizada de grãos durante a, 101-102, 104, 106; confisco de grãos de 1920, 95-97; e a hierarquia religiosa ucraniana, 104-105; estatística das mortes, 105-106; exportação de grãos durante a, 101; no sul da Ucrânia, 97, 102, 104, 105; taxas de mortalidades regionais, 346-347; tentativas soviéticas de ajuda, 99, 100, 364

fome (1928-29), 150-151, 186

fome (1932-33), 24; 1928-29 como "ensaio final", 150-151; ápice da (primavera de 1933), 343-344, 345, 349; artigo de Sosnovyi (1942), 398-399, 402, 403, 404; atestados/registros das mortes, 24, 345-346, 365-367; atitudes com os mortos/cadáveres, 313-317; atos aleatórios de generosidade, 329, 334; bloqueio das informações sobre a, 222, 231-232, 316, 320; camponeses correm para as cidades durante as, 255-258, 259-260; canibalismo durante a, 313, 318-319, 333; Comissão dos EUA sobre a, 413, 417; como política na Ucrânia, 348-349, 398, 402-403, 404, 421-422; como se não tivesse existido no mundo oficial soviético, 24, 344-345, 365-370, 375-389, 405; comunidade minoritária germânica e a, 346, 370-371, 374; confisco de alimentos durante a, 22-23,

26; conhecimento estrangeiro da, 370-375, 377-385; Holodomor Research and Education Consortium, Toronto, 26; contranarrativa russa atual, 427-428; cota de confisco de grãos em1932, 220, 223-225, 228, 231, 236, 244, 245, 249-252, 399; cotas das listas negras, 248-252, 264, 283, 422, 429; crianças vítimas, 302, 303-304, 307, 310-312, 314, 318-323, 328, 334-338, 346; cupões de alimentos/cartões de racionamento nas cidades, 330-331; debate sobre o "genocídio" da, 23, 422-423, 424-425, 426, 430-431; decisões de Stalin sobre a Ucrânia (outono de 1932), 22, 23, 243-247, 249-252, 258-259, 261-278, 280-300; decretos secretos (14, 15 de dezembro de1932), 261, 262-264, 360; denegação soviética organizada, 24-25, 364-370, 375-389, 404; destino dos mortos, 314, 315, 316-318, 367; destruição soviética de registros e arquivos, 24, 366; dissimulação oficial doméstica, 24, 344-345, 364-369, 405, 412; dissimulação oficial no exterior, 370-371, 374-389, 404-405, 413-414; e a posse de uma vaca, 281, 289, 308, 328, 333; e o entourage de Stalin, 239-240; e os comunistas ucranianos, 224-225, 227-232, 237, 243, 245-246, 247-248, 417-418 e os visitantes estrangeiros de esquerda, 375-377; e política/ diplomacia internacionais durante a, 387-389; e Sholokhov, 360-362;

efeitos psicológicos e morais da, 304-305, 315-323; escapadas através das fronteiras, 252-255; esforços para alívio, 223, 243, 335-336, 349; estatísticas das mortes/número de mortos, 24, 345-349, 353, 398, 428; exportação de alimentos não cereais durante a, 247; exportação de grãos durante a, 22, 230, 247, 374; falsificação do censo, 367-370, 412; fechamento das fronteiras durante a, 22, 244, 258-259, 288, 329, 429; giro de Gareth Jones pela Ucrânia, 381-388; guarda dos campos e dos depósitos de grãos durante a, 285-286, 287-288; legado continuado da, 432-434, 435; literatura dos "dissidentes" sobre a, 408-409; livro de Tottle qualificado como engodo/mito, 411-412, 431; lojas Torgsin de moeda forte durante a, 338-340; mós quebradas por militantes na, 286; o livro *O Nono Círculo* de Woropay, 402; o processo da inanição/prostração, 301-302, 303-305, 312-313; os correspondentes estrangeiros em Moscou e a, 377-379, 380-382, 386-388; os orfanatos durante, 334, 335-337; penalidades em alimentos e batatas em 1932, 246; política da *glasnost* de Gorbachev, 44-415, 416; proibição de viagens e bloqueio de estradas durante a, 258, 259, 329, 381, 413, 422; propaganda soviética culpando o nacionalismo, 350-352; propaganda soviética culpando os campo-

ÍNDICE

neses, 291, 297, 307, 361-362, 422, 434; publicidade admitida e relembrada da, 416-419; reações de Stalin à (1932), 226-227, 229, 230-231, 232, 243-247; registros alterados de mortes na Ucrânia, 345; retorno russo pós-soviético à negativa, 431; roubo durante a, 308-309; silêncio de Kruschev sobre a, 407; sinais de alerta sobre a, 21, 210, 221; sobrevivência na, 326-342; solicitações a Stalin, 21-22, 222-223, 257, 363-364; taxas regionais de mortalidade, 347-348; teorias de conspiração do OGPU para explicá-la, 264-270; vandalismo nos cemitérios durante a, 340; vida nas cidades durante a, 255-256, 307-308, 330-333, 336-337; vigia, 310-311; *Ver também* revistas, extraordinárias (1932-33)

fome (1946-7), 347, 402

França, 123, 388, 402

France, Anatole, 375

Frunze, Mikhail, 94

G

Galícia, 30, 34, 38-39, 42, 44, 49, 399-400

genocídio, definição da ONU de, 425; criação do termo por Lemkin, 23, 423-425; debate sobre a fome ucraniana, 22-23, 422, 424, 425, 429-431; e os Julgamentos de Nuremberg, 425; uso russo da palavra durante as invasões de 2014, 430

Geórgia, 36, 43, 52, 54, 56, 254

Getty, J. Arch, 410

glasnost, política da, 414-415, 416

Goebbels, Joseph, 396

Gogol, Nikolai, 29, 274, 385

Gorbachev, Mikhail, 189, 414, 416

Göring, Hermann, 395

Gorky, Maxim, 99

Governo Provisório (1917), 52, 54, 61

Gradenigo, Sergio, 320, 350, 373

Grande Terror (1937-38), 117, 178, 199, 278, 316 comunistas ucranianos como alvos específicos, 358 estatísticos como vítimas, 369 origens no período 1932/33, 206, 243, 274

grão ucraniano; comércio no Báltico no fim da Idade Média, 32; como prioridade bolchevique, 54, 56, 59, 61, 66-73, 88, 101-102; cotas de grãos das listas negras, 248-252, 264, 283, 422, 429; crise de 1927-28, 122-123, 124-132, 138; dependência da Rússia do, 50, 56, 59, 66-73; duas safras por ano, 32; e Lenin, 56, 59, 60-61, 67, 88, 96, 101-102, 105, 106; "especuladores", 62, 122, 125-126; estoques e excedentes, 63, 69, 72, 88, 97, 150; falta de incentivo à produção de, 96, 126-127, 128, 211; "medidas extraordinárias" de Lenin, (1918), 64; métodos tradicionais de venda, 63, 67, 92, 108-109; o mercado sob a Nova Política Econômica (NEP), 106, 108, 121-122; "roubado de volta" pelos camponeses, 188-189, 191, 195, 196, 211; *Ver também* requisição de grãos

Graziosi, Andrea, 25, 26, 348

Grossman, Vasily, 259, 279, 313

542 A FOME VERMELHA

grupos étnicos e nacionais, 190, 359; deportações na 2ª G.M., 354; e o censo de 1939, 369-370; e os *kulaks*, 169; minoria menonita, 76-77, 81, 82; *Ver também* minoria germânica

guerra civil 51, 53-54, 89-90, 96, 101, 147, 237; campanha conjunta polonesa-ucraniana (1920), 90-91, 147, 237; e as listas negras, 248-249; e os cossacos, 71-72; escassez de alimentos (1918), 70; fim da, 93-95

Guerra Fria, 403, 405-406, 410-411

Gulag (sistema de trabalhos forçados), 170, 177-178, 210, 235, 322, 349, 378, 401, 403; importante expansão do (1937-39), 369; literatura "dissidente" sobre, 407

H

Harmash, Max, 352-353

Harvest of Despair (Safra do Desespero, documentário, 1985), 409, 412

Havryliuk, Matvii, 96, 165, 294

Heinz II, Jack, 382

Hencke, Andor, 346

Heródoto, 32

Herriot, Édouard, 376-377, 380, 388

Hilger, Gustav, 373

Himmler, Heinrich, 395

Hindus, Maurice, 127, 160, 168

História da Ucrânia pré-1917, 30-31, 33-39

História oral e memórias, 25, 162, 179, 279-280, 287, 302-303, 305-306, 391-392, 396, 401

Hitchens, Christopher, 409, 412

Hitler, Adolf, 30, 372, 375, 382, 393, 394, 395

Holanda, 213

Holocausto, 307, 333, 359, 393, 418, 425

Holodomor, 23

Honcharenko, Oleksandr, 162, 176, 179, 315

Hoover, Herbert, 99-100, 101

Horban, Varvara, 334

Horodyshche, do distrito de Voroshilov, 251, 285

Hosking, Geoffrey, 410

Hrebinky, 344

Hrushevsky, Mykhailo, 42, 46, 50, 55, 106, 117, 135, 137, 275; "farsas judiciais", exílio e morte, 271, 296; deixa a Ucrânia, 49; retorna à Ucrânia (1924), 110-111

Hryhorenko, Petro, 114-115, 182-183, 312

Hryhoriev, *Otaman* Matvii, 75, 78-80, 86

Hrynevych, Lyudmyla, 25, 151

Hughes, John, 38, 381

Huliaipole, província, 76, 77, 104

I

Ialovyi, Mykhailo, 273

Iaroshenko, Kateryna, 295

Igreja Católica; Grega, 34, 371; Romana, 31, 34, 371-372

Igreja Ortodoxa; e o julgamento do SVU (1929), 141, 275-276; Independente da Ucrânia, 104-105, 111-112, 140, 275; repressão soviética à, 178-179, 181-182, 186, 189-190, 275-276, 313-314, 340; russa, 31, 34, 104

ÍNDICE

iídiche, 34

Império Austro-Húngaro, 30, 34, 38, 39, 44, 46

inanição/prostração humana, processo da, 301-302, 303-306, 312-313

indústria do carvão, 38, 50, 176, 177

indústria do gás, 213

indústria soviética; comércio madeireiro, 212; cupões de alimentos/cartões de racionamento nas cidades, 330; e a exploração dos camponeses, 131-132; e a Nova Política Econômica (NEP), 121-122; ética e competição nos locais de trabalho, 129; "Grande Reviravolta" ou "Grande Revolução", 130; indústrias metalúrgicas e de máquinas-ferramentas, 214; *kulaks* na força de trabalho, 175-178, 255; maquinaria industrial, 100; necessidade de matérias-primas, 130; primeiro Plano Quinquenal (1928), 129-130, 176, 178, 213; russificação da Ucrânia pós-2ª G. M., 359; vastos projetos de sistemas *Gulag*, 235

inguche, povo, 354

Innitzer, cardeal, 372

Instituto da Linguagem Científica da Ucrânia, 152

Instituto de Empreendimento Americano, 410

Instituto de História do Partido, União Soviética, 411, 415, 417

instituto pedagógico, Nizhyn, 273-274

Instituto Ucraniano de Pesquisa de Harvard, 25, 26, 405, 406, 409, 410

Itália; consulados na Ucrânia, 230, 254, 256-257, 319-320, 338, 357, 371, 373; emergência como nação, 34, 43; exportação de grãos para, 213, 214; Tratado de Não Agressão com a URSS (1933), 373

Iugoslávia, 402

Ivanisov, Semen, 126-127,128

Ivanova, Hlafyra, 303

J

Jackson, Robert, 425

Japão, 124, 211, 367, 388

Jones, Gareth, 339, 381-382

Jovens Escoteiros (organização juvenil comunista), 161

Julgamentos de Nuremberg, 425

K

Kaganovich, Lazar, 151, 197, 239, 272, 358; convicção póstuma sobre o genocídio (2010), 426; e a ucranização, 134, 136; e as brigadas de coletas de grãos, 283, 288, 299-300; e as requisições de grãos de 1932, 245-246, 249, 283, 288, 299-300; e Stalin, 134, 135, 226, 227, 229, 230, 232, 233-234, 237, 243, 245; informado sobre incidentes de canibalismo, 313, 322; na Ucrânia com Molotov (julho de 1932), 230-231; no norte do Cáucaso (outono de 1932), 243; nomeado chefe do Partido Comunista da Ucrânia, 134-135

Kalinichenko, Volodymyr, 427

Kalinin, Mikhail, 145

calmuco, povo, 354

544 **A FOME VERMELHA**

Kamianets-Podilskyi, província, 191, 218

carachai, povo, 354

Kazan, cidade, 100

Kharkov, cidade, 56, 94, 180, 357; bloqueio nazista de, 396; capital mudada para (1921), 55, 94; capturas de Exército Branco (verão de 1919), 80, 83; cultura na era comunista nacional, 112-114; e a fome de 1932-33, 222-223, 240-241, 252-253, 307, 316, 320, 330, 331, 336-337, 383; farsa judicial do SVU na Casa da Ópera de (1929), 140-143, 206, 273, 275-276; localização geográfica, 29; passaportes especiais, 258; "Plano da Fome" nazista para 394-395; "Slovo" Budynok em, 272-273

Kharkov, província, 198, 276, 366; e a fome de 1932-33, 222-223, 224, 231, 252-254, 270, 286, 321-322, 326, 333, 336-337; taxas de mortalidade pela fome (1932-33), 346, 347-349

Kh-ko, I., 404

Khmelnytsky, Bohdan, 31, 33, 35

Khmelnytskyi, província, 85, 303

Kholodnyi, Hryhorii, 152

Khotyn, vila, 30

Khrystiuk, Pavlo, 65

Khvylovyi, Mykola, 133, 135, 137-138, 273, 416

Kiev, cidade, 37; anarquia do período de 1919, 80-81; arquivos na, 24-25; atitude bolchevique para com, 51; Babi Yar, ravina da matança (1941), 401; batalha contra os exércitos de Hitler, 30; bloqueio nazista de, 395-396; bolcheviques expelidos de (agosto de 1919), 73, 89-90; captura polonesa-ucraniana da (1920), 90, 148; Casa da Ópera de, 271, 357; cemitério Lukianivske, 316; comemorações do 60° aniversário, 418-419; Denikin conquista (agosto de 1919), 89-90; Desfile de Primeiro de Maio em (1986), 414; dissidentes nos anos 1960/70, 407-408; e a fome de 1932-33, 255, 256, 258, 259-260, 316-317, 330-331; e a língua ucraniana, 38, 48-49, 65, 114, 140, 408; e a violência antissemítica (1918-20), 84-85; governo do Diretório, 48, 57-58, 79; literatura e arte em, 43, 49, 277; localização geográfica, 29; lojas Torgsin de moedas fortes, 338-339, 340; marchas e comícios em (1° de abril de 1917), 41-42, 110; Memorial da *Holodomor* em, 430; ocupação bolchevique de (fevereiro de 1918), 55-56; passaportes especiais, 258; "Plano da Fome" nazista para, 394-395; protestos na Praça Maidan (2014), 26, 430, 435; Rada Central em, 42, 43, 44-46, 54-55, 57, 71, 86, 89; reconstrução da arquitetura socialista de, 276; Revolução Laranja (2004), 426; segunda ocupação bolchevique (1919), 65-72, 79

Kiev, província, 191, 215; e a violência antissemítica (1918-20), 85-86, 87-88; e a fome de 1932-3, 222-225, 229, 231, 281-282, 285-286, 295-296, 302,

ÍNDICE

311, 318-320, 322, 328; taxas de mortalidade pela morte na (1932-33), 345, 347, 348

Kirovohrad, província, 280, 294

Klymenko, Ivan, 340

Kobylko, Olena, 260

kobzar (menestrel itinerante), 180-181

Kobzar, Ivan, 297, 299

Koestler, Arthur, 329

Komsomol (Juventude Comunista), 115, 180, 196, 202, 204, 264, 286, 316; e as brigadas de coleta, 161-162, 165, 166, 172, 174, 187-188, 199; e as brigadas de militante revistadores, 287, 292, 294; e os expurgos de 1932-33, 266

Kondrashin, Viktor, 428-429

Kopelev, Lev, 159, 163, 260, 290, 291-292, 294

Korobska, Maryna, 294

Kosarev, Borys, 112

Kosior, Stanislav, 206, 216-217, 219, 228, 229, 243, 249, 267; cartas a Stalin, 225, 226, 350, 363, 367; convicção póstuma sobre o genocídio (2010), 426; encontro com Stalin (outono de 1933), 350; nomeado chefe do Partido Comunista da Ucrânia, 134; prisão e morte de, 265, 358; Stalin critica, 226-227, 230-231

Kosnicki, Stanislaw, 374

Kostyrko, Mykola, 230

Koval, Maria, 221

Kozhedub, Mariia, 281

Kozubovskyi, Fedir, 277

Krasnodar, região, 346

Kraval, Ivan, 368

Kravchenko, Viktor, 289-290

Kravchuk, Leonid, 418

Kremenchuk, província, 180, 199, 200

Krupoderentsi, vilarejo, 288

Kruschev, Nikita, 278, 358

Krylenko, Nikolai, 139

Kryvyi Rih, 50, 55, 103, 203-205

Kuban, distrito do norte do Cáucaso, 71, 114, 133-134, 249-250, 262, 263

kulaks, camponeses temerosos de se tornarem, 126-129, 146, 187; "coletivos *kulaks*", 211; como "beneficiários da ucranização", 263; como bodes-expiatórios dos bolcheviques, 51-52, 68-69, 80, 88, 160, 163; conflito com os membros do *komnezam*, 68-69, 83-84; crise dos grãos, 123-126, 127-129; deportações em massa de, 177-178, 186, 210, 354; e a "deskulakização" de 1927-28, 22, 72, 88, 164-179, 186, 209, 294, 354; e os pequenos grupos étnicos, 168-170; entrada na força de trabalho industrial, 175-176, 265; enviados ao *Gulag*, 170, 177-178, 210; expropriação pela taxação, 171-173; "liquidação como classe", dos 2099, 266-267; na Ucrânia, 68-69, 79-80, 82-84, 95-97, 146-147, 163-165, 176, 293-294; *odkulachniki* (subkulaks), 168; Rhea Clyman sobre os, 378; significado do termo, 68, 167-181; Stalin sobre, 128-129; uso anterior da palavra, 80

Kulchytsky, Stanislav, 246, 429

Kursk, 90, 401

546 A FOME VERMELHA

Kviring, Emmanuel, 134
Kyrychenko, Halyna, 259
Kyrychenko, Vira, 293

L
Laval, Pierre, 388
Lebed, Dmytro, 107
Lebid, Denys, 317
Leib-Rabynovych, Symon, 87
Lemkin, Raphael, 23, 421-424, 426
Lemyk, Mykola, 371
Lenin; *coup d'état* de outubro de 1917, 50; cria a polícia secreta (*Cheka*, OGPU), 64; culpa "especuladores" pela escassez de alimentos, 50; e a fome de 1921-23, 100-102; e a primeira ocupação da Ucrânia (1918), 46, 56-58; e a terceira ocupação da Ucrânia (1920), 109; e as propriedades da Igreja, 105; e as regiões não russas, 52, 58, 100-102, 106-108; e o Terror Vermelho, 63; e os comitês de camponeses pobres, 68-69; e os grãos da Ucrânia 56-59, 60-61, 66-67, 88, 96-97, 101-102, 104, 106; guerra híbrida na Ucrânia, 58-59; "medidas extraordinárias" de (1918), 63-64; mau estado de saúde de, 105; morte de (1924), 123; "Nova Política Econômica" (NEP), 106-108, 121-122, 123, 126, 139; opiniões sobre nacionalismo de, 43, 52; opiniões sobre o campesinato de, 51, 63, 105, 107
Leningrado, 253
Letônia, 57, 117, 213
língua polonesa, 30, 33-34, 35

língua russa, 30, 31, 33-34, 35, 37, 107, 359; batalhas linguísticas atuais, 433; como condição para mais alto status social, 37, 116, 274-275, 359; e a indústria ucraniana, 38; e o mando do Diretório, 48
língua ucraniana, alfabeto cirílico, 34; atuais batalhas linguísticas, 433; comissão ortográfica da (1925), 113-114, 136-138, 272; como língua "contrarrevolucionária, 108; dicionários e ortografias, 45, 113, 137, 277; divisão rural-urbana, 30-31, 34-35; e a "russificação" pós-fome, 24, 359; e a baixa ucranização, 114-115, 134; e a cultura antibolchevique, 35; e as regras do Diretório, 48-49; e sob o mando de Skoropadsky, 46; e os acadêmicos russos do século XIX, 31-32; e os burocratas ucranianos soviéticos, 116-117; empréstimos do polonês e do russo, 113; escolas, 114, 115, 132, 140; muda para "mais próxima" do russo, 277-278; na era nacional comunista, 109, 111-115, 132-134, 271-272; Nicolau II permite o uso da, 39; porta-vozes na Rússia, 113, 133-134, 248; raízes eslavas da, 38; renascimento no período revolucionário da, 45; "ruteno", 31; supressão bolchevique da, 55, 58, 65, 107-108, 416-417, 433-434; supressão da Rússia imperial da, 37, 38, 43; supressão soviética da (1932-33), 24, 271, 275, 277-278; variações regionais da, 33-34

ÍNDICE

literatura; ciclo de poemas *1933*, 399; "dissidentes" em, 408; expurgo no período de 1932-33 em, 23-24, 272-274, 277-278; grupo Hart em Kharkov, 112, 132; literatura em, 23, 29, 35-36, 43, 132-133, 274; organização Pluh, 112, 132; União dos Escritores Ucranianos, 415; "Slovo" Budynok em Kharkov, 272-273; suspeita de Kaganovich sobre, 134-135, 272; VAPLITE, 133, 137

Lituânia, 30, 35, 57, 341

Litvinov, Maksim, 60, 213, 385, 388

Liubomyrenko, Bohdan, 400

Lloyd George, David, 382, 385

London Evening Standard, 385

London Review of Books, 410

Lozova, Kharkov, província, 252

Lutsyshyna, Nadiia, 326

Lviv, cidade, 30, 39, 113, 139, 370, 371, 407, 422-423

Lyons, Eugene, 122, 139, 150, 381, 386-388

Lypkivskyi, Vasyl, 112

Lytvyn, Uliana, 305

Lytvynskyi, Oleksii, 310

M

Mace, James, 406, 409, 413, 418

Mackenzie, F.A., 98

Maisky, Ivan, 382, 386

Makhno, Nestor, 75-79, 80-82, 87, 93, 104, 201, 348

Malaysian Airlines, voo 17 (2014), 431

Malyshko, Nadia, 303, 333

Manchester Guardian, 386

Mane, Olga, 322

Mantsev, Vasilii, 103

Mar Branco, canal do, 177

Marchenko, Kateryna, 314

Mariupol, província, 126, 197, 307

Martin, Terry, 26, 236

Marx, Karl, 51, 52, 296

Maslianchuk, Hanna, 281

Matushevskyi, Borys, 141

Matviienko (guerreiro makariv), 87-88

Mazepa, Ivan, 33

Medvedev, Dmitry, 427, 430

Medvedev, Roy, *Deixem a História Julgar* (1969), 407

Melitopol, distrito, 231, 355

memória, comemoração e influência dos testemunhos, 25, 344-345, 391-392, 395-405, 428-436; campanha soviética contra a memória da diáspora (anos 1980), 410-413; cerimônia de comemoração (2008), 427; comemorações do 60° aniversário da fome, 417-419; como unificadoras da memória nacional para os ucranianos, 426; destruição russa dos monumentos (2015), 431; Instituto da Memória Nacional, 426, 430; lembranças durante a ocupação nazista, 395-401; lembranças na Ucrânia nos anos 1980, 413-417; Livro da Memória, 426; memória e diáspora pós-guerra, 402-410, 412-413; memorial da fome em, 344; monumentos, 343-344, 430, 431

Memorial, capítulo ucraniano do, 416

menonita, minoria, 76, 81, 82

548 A FOME VERMELHA

mídia ucraniana, 38, 65, 114, 134

mídia; corpo de correspondentes estrangeiros em Moscou, 377-382, 386-388; giro de Gareth Jones pela Ucrânia (1933), 381-388; ucraniana, 38, 64-65, 114-115, 132-135

Mikoyan, Anastas, 128, 214, 215, 218

minoria germânica, 37, 82-83, 147, 190, 223, 274; alemães do Volga, 341, 346, 354; definida como *kulaks*, 169; e a coletivização, 196; e a fome de 1932-33, 347, 370-371, 373-374; e as lojas Torgsin, 340; e o reassentamento pós-fome, 356-358

minoria grega, 359

Misha, o Jap, 82

Missão Nansen, 99, 103

Molotov, Vyacheslav, 215, 218-219, 226-229, 239, 355; chefe do secretariado da Partido Comunista, 105; convicção póstuma sobre o genocídio (2010), 426; e a fome de 1932-33, 228-233, 243-245, 249-251, 257; viagem à Ucrânia (inverno de 1928), 128, 152

Moroz, Hryhorii, 287

Moscou, 25, 33-34, 62, 63, 64

Moskalenko, Mykola, 319

Mostovyi, Petro, 315, 328

movimento nacional ucraniano, como ameaça ao projeto soviético pós-1921, 91-92; Congresso Nacional de Toda a Ucrânia (19 de abril de 1917), 43; culpado por todos os "erros" na política rural, 350-352; desabrochar no século XIX, 35-37;

desarticulado (fim de 1919), 49-50; desdém bolchevique pelo, 50-52, 107-109; e a ucranização nas áreas russas, 132-135, 248-249, 270-271; e as taxas de mortalidades pela fome (1932-33), 348-349; e os movimentos semelhantes no Ocidente, 36; emergente "sociedade civil", 36; erradicado pela fome de 1932-33, 23, 24, 244, 372-373; expurgo dos intelectuais (1932-33), 22-23, 271-275, 277-278, 432, 436; expurgo nas instituições ligadas ao (1932-33), 22-23, 263, 270-275, 276-278, 416-417, 423, 432; expurgo soviético dos "contrarrevolucionários", 136-144; forte sabor "camponês" do, 35-37, 53; farsa judicial dos intelectuais do SVU (1929), 140-143, 206-207, 273, 275-276; liderança de Petliura, 47-49, 58, 76, 81, 86, 140, 147, 202; manifestações e comícios em Kiev (1º de abril de 1917), 41-42, 110; nas regiões sob mando austríaco, 38; operação de Stalin contra (1927), 137-144; opinião de Stalin sobre, 52-57; papel dos historiadores e intelectuais no, 42-43, 110-116, 134-136; perseguição nos anos 1960/70 do, 407-408; renascimento (1991), 24-27, 418, 434-436; renascimento na era do comunismo nacional, 108-116, 134-136, 270; renascimento no "Degelo de Kruschev", 407; russificação, 24, 37-38, 433; sobrevivência e renascimento do, 435-436; sovieti-

ÍNDICE

zação, 23-24, 109, 136, 402, 425, 426; supostos elos com o fascismo, 411, 412, 430-431; supressão bolchevique do, 55-56, 65-67; supressão pela Rússia imperial do, 36-38, 107-108

meshketianos, povo, 354

Muggeridge, Malcolm, 339, 386, 387, 411

Muraviev, general Mikhail, 55

música folclórica, 115, 180-181

música, 180-181, 357; e a coletivização, 178-182, 190-191; folclórica, 115, 179-181

Musiichuk, Mykola, 292

Mussolini, Benito, 373-374

Mykolaiv, cidade e província, 48, 97, 102, 176, 293, 296-298

Mylov, Mykola, 283

Myrhorod, da província de Poltava, 290

Myronenko, Ivan, 221

Mytsyk, Iaryna, 306

N

Nações Unidas (ONU), 425, 426

Nagorno-Karabakh, região, 428

Naimark, Norman, 425

Narbut, Heorhii, 43

Nesterenko, Mykhailo, 266

New York Evening Post, 385

Nicolau II, tsar, 39, 84

Nizhyn, Chernihiv, província, 274

Noll, William, 162

norte de Krai, região, 170

norte do Cáucaso, 128, 138, 150, 209, 215, 243, 269, 380; cossacos de Kuban nas listas negras, 249; distrito de Kuban, 71, 114, 133-134, 294,
262, 263; e a fome de 1921-22, 97; e a fome de 1932-33, 21, 346, 360-362, 368, 371, 374, 412-413; e a língua ucraniana, 114, 133-134, 262, 263; fechamento da fronteira (1933), 258; resistência à coletivização, 188, 200, 205, 210

Novooleksandrivka, vilarejo do sul da Ucrânia, 174, 321

Nyzhnyk, Iosyp, 69

O

Odessa, cidade, 146, 357; anarquia no período de 1919, 82; batalha contra os exércitos de Hitler, 30; capturada por Petliura (1918), 48; como cidade russófona, 116, 275; cônsules estrangeiros em, 211, 299-231, 367, 374; e a fome de 1921-22, 101-103; e a fome de 1932-33, 229-230, 247, 253-255, 257, 290-291; e a resistência à coletivização, 211; exportação de grão durante a fome a partir de, 229-231, 247; localização geográfica, 29; passaportes especiais, 258

Odessa, província de, 55, 97, 205, 366; ataque à religião na, 179; e a fome de 1932-33, 221, 224, 226, 229, 268, 312; taxas de mortalidade pela fome (1932-33), 347

Oliinyk, Borys, 416

Oliinyk, Ivan, 218

Olitskaia, Ekaterina, 167

Omelchenko, Halyna, 283

Opanasenko, Mykola, 311

Ordzhonikidze, Sergo, 56, 65, 165

550 A FOME VERMELHA

Orel, cidade, 90
Organização de Segurança e Cooperação na Europa, 426
"Organização Militar Ucraniana" (fictícia), 296
Orikhiv, vilarejo, 265-266
Ovchareno, Petro, 268

P

Partido Comunista da Ucrânia; abordagens de Stalin para a fome, 225-229, 175-77; apelos a Stalin, na era pós-2ª G. M., 22, 359-360; bode-expiatório para o fracasso da coletivização, 216, 263; bodes-expiatórios do OGPU no, 152-153; culpa Stalin pela fome (1991), 417; desconfiança bolchevique do, 54; e a definição de *kulak*, 167-168; e a fome de 1921-23, 99, 100-105; e a fome de 1928-29, 149-151; e a fome de 1932-33, 224, 226-232, 236-238, 242-244, 247-248, 334-337, 364-366, 417; e a hierarquia religiosa ucraniana, 104-105; e a língua ucraniana, 65-66, 107, 116-117; e a rebelião de 1930, 205-206; e a requisição de grãos de 1932, 219, 220, 224-227, 262-263; e a requisição de grãos de 1933, 350; e a semeadura/safra de 1931, 214-216, 217-219, 220-211; e a ucranização, 109-116, 134-135; e as equipes de revistas com militantes, 287-301; e as listas negras, 247-249, 250-252, 264-265, 283; e o desastre de Chernobyl (1986) 415; e o retorno de Hrushevsky (1924), 110-111; expurgos de massa de (1932-33), 22-23, 263, 265-270, 294, 357-358, 432, 435-436; expurgos do Grande Terror no, 358-359; expurgos no (1928), 153; Kruschev lidera o, 278, 358, 407; oposição ao 1932-33; papel de Moscou no, 94, 134-135; relatório do OGPU para Stalin (agosto de 1932), 236-238; requisição de grãos dentro do, 224, 236-238, 264-237; sentenças de morte quanto às metas de grãos, 267; Stalin suspeita do, 56, 194, 226-228, 232, 236-238, 242-243, 264-266, 357, 366

Partido Comunista Ucraniano (nacional comunista), 296-297
Partido Menchevique, 109, 117
Partido Nacional Democrático da Ucrânia, 38, 42
Partido Socialista Revolucionário da Ucrânia, 44, 71
Pasternak, Boris, *Doutor Jivago*, 61
Patrynchuk, Mykola, 281
Pavlenko, Anastasiia, 280
Pavlenko, Mykhailo, 277
Pavlohrad, distrito de Dnipropetrovsk, 201-204, 226, 335
Pavlychka, Tetiana, 302
Pechora, Susannah, 235
Penkivka, Vinnytsia, 321
Petliura, Symon, 47-49, 76-79, 81, 86, 93, 202; assassinato de (Paris, 1926), 89, 148; demonizaçao soviética de, 89, 140-141, 147-149, 171, 267; e Piłsudski, 90-91, 137, 148

ÍNDICE

Petrogrado, 54, 56, 63

Petrovskyi, Hryhorii, 224, 227-229, 231, 242, 265

Piatakov, Heorhii, 50, 58

Pidhainy, Semen, 403, 404

Pidkui-Mukha, Iukhym, 218

Pidvysotsky, Henrikh, 175

Piłsudski, Marshal Józef, 90, 93, 124, 137, 148

Pio XI, papa, 371-372

Pipes, Richard, 40, 49, 81

Platonov, Andrey, *Fourteen Little Red Huts (Quatorze pequenas cabanas vermelhas)* (1933), 291, 376

Podólia, 34, 37, 217-218

Podolian, Stepan, 366

Polícia política *ver* polícia secreta, soviética (Che-Ka ou *Cheka,* depois GPU, OGPU, NKVD, KGB)

polícia secreta, soviética (Che-Ka ou *Cheka,* depois GPU, OGPU, NKVD, KGB), 130, 135-144, 145-153, 222, 223, 316, 357; "conspirações" do UNT, UVO e ONU, 143; "conspirações" internacionais, 200, 206, 268-270; "conspirações" ligadas às rebeliões passadas, 205, 267-269; campanha na Ucrânia (1919), 65, 70, 118-119; campanha na Ucrânia (1921), 93; Departamento da Polícia Secreta (SPV) na Ucrânia, 144; "descossaquisação" na província do Don, 72; documentação de arquivo das rebeliões de 1930, 199, 204-206, 422; e a "deskulakização", 169-171, 177, 186; e a coletivização forçada,

145, 147, 149-151, 161-163, 165-166, 175, 186, 189, 192, 196-205, 211, 242; e a conspiração cidade-campo, 147-150, 205-207, 217; e a crise de alimentos de 1927-28, 122-126, 138-139; e histórias de canibalismo, 320-323; e o giro de Gareth Jones pela Ucrânia, 381-382; e o *Gulag,* 177-178; e os camponeses escapando da fome, 252-254; fecha a fronteira da Ucrânia (1933), 258; farsa judicial de Shakhty (1928), 138-140, 217; farsa judicial do SVU (1929), 139-144, 206, 273-274, 277; farsa judicial dos agrônomos de Podolian (1931), 218; Lenin cria, 33-64; "limpeza" de Tsaritsyn (1918), 65; monitoramento dos "intelectuais ucranianos", 136, 137-139, 271-273; mudanças de nomes, 119; paranoia de Moscou sobre a Ucrânia, 207; primeiros julgamentos de socialistas ucranianos, 119; rede de espiões na Europa, 123; rede de espiões no Extremo Oriente, 123-124; relatório de Derybas e Austin (1928), 147-149; relatório ucraniano para Stalin (agosto de 1932), 236-238; repressões e expurgos pela (1932-33), 23, 263-278; *Ver também* Balytsky, Vsevolod

polícia, política *ver* polícia secreta, soviética (*Che-Ka* ou *Cheka, depois* GPU, OGPU, NKVD, KGB)

Polônia; antissemitismo no exército, 86; conhecimento da fome na, 370, 371, 374, 388; cônsul em Kiev, 223;

552 A FOME VERMELHA

coup d'état de Piłsudski (1926), 124, 137; e a Ucrânia pré-1917, 30-34; e o julgamento do SVU (1929), 141; e o pensamento de conspiração do OGPU, 199, 206-207, 269, 270, 357; emergência como nação, 43; escapadas durante a fome para (1932-33), 254; escolas em língua ucraniana na, 114; Guerra Polonesa-Soviética (1919-21), 90-92, 237-238; Guerra Polonesa-Ucraniana (1918-19), 39-40; invasão nazista de Varsóvia, 423; marcha para a fronteira da (1930), 191; nostalgia pela "perda" das terras ucranianas, 31; ocupação soviética pós-2ª G. M, 402; Pacto de Não Agressão com a URSS (1932), 270, 388; partições da (fim dos anos 1700), 33; poloneses não são alvos específicos em 1932-33, 347; rede de espiões do OGPU na, 123; rumores de invasão pela, 146; sob Piłsudski, 91, 124, 148; territórios na Ucrânia Ocidental, 39, 113, 133, 143

Poltava, cidade, 29, 81, 189, 357, 404

Poltava, província; ataque à religião na, 179, 275-276; e a fome de 1932-33, 283, 286, 290, 294, 325-326, 327-329, 333, 334, 341, 398; e Alexander Shlikhter, 67-68; e as brigadas da coletivização, 173, 179; na era antes da coletivização, 156; vilarejos da lista negra na, 248-249

Postyshev, Pavlo, 265, 271-272, 276, 350, 351, 358, 426

Pototsky, Pavlo, 277

Pravda, 99, 235; artigo "Zonzo com o sucesso" (2 de março de 1930), 193-195, 204, 216

Price, Morgan Philips, 59-60, 63

Primeira Guerra Mundial, 43-44, 56-57, 96, 117; ataque turco contra os armênios, 423; escassez de alimentos na Rússia, 59-61

Prokopenko, Havrylo, 392

Proskovchenko, Mykola, 312

Proskuriv (hoje Khmelnytskyi), 85

Prosvita (sociedade cultural na Galícia), 38, 115, 371

"Protocolos dos Sábios do Sião", 85

Putin, Vladimir, 430

Pykal, Tymofii, 268

R

Radchenko, Oleksandra, 312, 341, 391-392, 401

Rádio Liberdade (*Radio Liberty*), 408, 411

Rakovsky, Christian, 58, 60-61, 65, 80, 101, 103, 107

Rashkova Sloboda, da província de Chernihiv, 311

Reagan, Ronald, 408

Rebelião dos marinheiros de Kronstadt (1920), 77, 105

Redens, Stanislav, 237, 240

Reed, John, 375

Reingold, Josef, 72, 192

Reino Unido, 123, 213, 374-375, 385, 388

religião; ataques do Estado contra, 179, 182-183, 185-186, 190, 275-276, 314, 340-341; desarticulado o tradicio-

ÍNDICE

nal ciclo dos camponeses, 179, 313-314; função social das igrejas, 182; minoria católica na Ucrânia, 190; práticas de cultos e mágicas, 190 *Ver também* Igreja Ortodoxa

República Autônoma da Moldávia, 220, 297, 347

requisição de grãos; coleta mandatória de 1918-23 (*prodrazvyorstka*), 56, 61, 65-66, 67-75, 88, 95-97, 101-102, 104, 105, 160-161, 165; confisco de 1932-33, 220-221, 223-225, 262-263, 428; confisco de 1931, 215-219; cota de 1932, 220, 224-225, 228, 230-232, 236, 243-246, 248-252, 399; cota de 1933, 350; dilatação do prazo em 1923, 106, 108, 122; durante a coletivização, 161-163, 173-174, 188-189, 203-204, 210-211; e os níveis inferiores do partido, 153, 216, 224, 242, 262-265; fracasso atribuído à ucranização, 261-263, 270, 429; Lenin toma "medidas extraordinárias" (1918), 63-66; oposição de Bukharin à, 108; resistência à, 144, 146-147, 149-151, 152-153, 186-187, 188, 203-204, 211, 245-246, 295; retorno das "medidas extraordinárias" (1928), 125-126, 130, 145, 149-150, 152, 153, 186-187; sentenças de mortes por falhas na, 267; *Ver também* revistas, extraordinárias (1932-33)

revistas extraordinárias (1932-33), 22, 25, 244, 279-280, 399, 404, 421, 422, 434; ataques contra membros das brigadas, 295; demandas de dinheiro, 283; e atos de humanidade, 292; fato de estar vivo como suspeita, 286-287; fome como motivação, 294; informantes e espiões para as, 283, 297; instrumentos/equipamentos usados nas, 280; Kondrashin sobre, 428; natureza e composição das brigadas, 22, 287-288, 296-300; prêmios pela descoberta de grãos, 294; retirada do gado, 281, 360; táticas/estratégias empregadas nas, 282-283; uso da violência/crueldade, 284-286, 297-300

Revolução de Maidan (2014), 26, 430, 435

Revolução Laranja (2004), 426

Revolução Ucraniana (1917-21), 24, 41-43, atrocidades e banhos de sangue no período de 1919, 82-84; bolcheviques ucranianos, 50; declaração de independência (26 de janeiro de 1918), 40, 45; desestabilização bolchevique da, 55; e o Comunismo de Guerra, 61, 62, 95; mando de Skoropadsky, 46-48, 78; mando do Diretório na, 47-49, 58-59, 79, 86, 89, 93; opinião bolchevique sobre, 53-54; Rada Central em Kiev, 42-46, 54-57, 71, 86, 89, 140; reconhecimento diplomático da Europa (1918), 45; Terceira Universal da Rada Central, 45, 54-55

Richytskyi, Andrii, 296-300

Rigoulot, Pierre, 406

Romênia, 402

Roosevelt, F.D. presidente, 371, 380, 388

Rostov, 56

Rudenko, Mykola, "A Cruz" (1976), 343

Rukh (partido político independente), 418

Rus Kievana (Estado medieval), 30, 33, 50

Rússia Imperial, 30, 31, 34, 36-37, 108; colapso da (1917), 39; conflito Polonês-Russo (anos 1600), 33-34; e a *Rus Kievana*, 30, 33; emancipação dos servos (1861), 36; escassez de alimentos na 1ª G. M., 59-61; exército na 1ª G. M., 44; generalizado antissemitismo na 35, 84-85; modernização no período pré-Primeira Guerra Mundial, 39; *okhrana* (polícia secreta imperial), 85; rebelião de Mazepa contra a, 33; revolução de fevereiro de 1917, 39, 59-60, 117; revolução de 1905, 39

Rússia na era soviética; a "Rússia" sem ser Estado soberano, 427; agenda russa na Ucrânia, 55-58, 61, 68, 70, 101-103, 404; chauvinismo em relação à Ucrânia, 107-108, 359, 406; Comitê da Fome de Todos os Russos, 99, 101; comitês de camponeses pobres na (*komnezamy*), 69-70; composição da polícia secreta, 119; composição das brigadas da coletivização, 160-163; e a composição das equipes de revistas, 287, 288; e a composição do Exército Vermelho, 91, 94; e a política de russificação, 24, 271, 275-278, 354-360, 404, 433; e a arte e cultura ucranianas, 132-

133; escambo campo-cidade na, 62; estatísticas sobre mortes para a fome de 1932-33, 345-347; fechada a fronteira com a Ucrânia (1933), 258; fome de 1921-23, 101-103, 105; influxo de ucranianos devido à fome (1932), 252-253; Kondrashin sobre a fome na, 428; listas negras restritas aos produtores de grãos, 250; porta-vozes ucranianos na, 113-114, 133, 248; programa de reassentamentos, 354-358; tradição fazendeira comunitária na, 67, 68, 186; *Ver também*, províncias russas do norte do Cáucaso e do Volga

Rússia, pós-soviética; anexação da Crimeia (2014), 26, 430, 434; apoio de Yanukovych, 26, 429-430; campanha de intimidação pela, 427, 430, 435; contranarrativa da fome na, 428; e a campanha de Yushchenko, 426-428; elites, 206; hostilidade aguda em relação à Ucrânia, 38; invasão da Ucrânia Oriental pela (2014), 26, 431-435; propaganda do FSB, 434; receio de uma Ucrânia estável, 435; retorno da denegação total, 431

Rússia pós-soviética, anexação da Crimeia (2014), 26, 430, 434; campanha de intimidação pela, 427, 430, 435; aguda hostilidade à Ucrânia, 38; apoio de Yanukovych, 26, 430; contranarrativa da fome pela, 427-428; e a campanha de, 426-428; elites, 207; invasão da Ucrânia Oriental

ÍNDICE

pela (2014), 27, 430-434; propaganda do FSB, 434; retorno à total denegação, 431; temor de uma Ucrânia estável, 435

Ryazan, província, próxima de Moscou, 182

S

Salisbury, Harrison, 409

Sambros, Heorhii, 331-332

Saratov, porto no Volga, 98, 101

Saratov, região, 101, 346

Scheffer, Paul, 122, 384

Schwartzbard, Sholom, 89

Sebastopol, 30

Segunda Guerra Mundial, batalhas na Ucrânia, 30; batalhas por Kursk, Stalingrado, Berlim, 401; campos de triagem para os deportados que voltavam, 401; canibalismo durante a, 394; como foco para a história e memória soviéticas, 401; invasão de Hitler da União Soviética, 393-394; invasão nazista de Varsóvia, 423; ocupação nazista da Ucrânia, 359, 393-401, 406, 412; "Plano da Fome" nazista, 395; política de Stalin da "terra arrasada", 395; propaganda nazista sobre a fome durante a, 396-398

Shaw, George Bernard, 376

Shcherbytskyi, Volodymyr, 414, 417

Shelest, Petro, 333, 408

Shepetivka, distrito, 199

Shevchenko, Taras, 35, 42, 115, 116, 140, 296, 408 "Calamidade de Novo"

(1859), 391 "Zapovit" ("Testamento"), 1845), 29, 35

Shevchuk, Larysa, 280

Shevelov, George, 278

Shlikhter, Alexander, 67-73, 80, 95, 164

Sholokhov, Mikhail, 360-362, *Virgin Soil Upturned*, 127, 160, 187

Shopin, Kyrylo, 202

Shostakovich, Dmitry, 180

Shulhyn, Oleksandr, 45

Shumskyi, Oleksandr, 109, 113, 134-138, 270, 273

Sibéria, 21, 150, 205, 214, 219 deportações dos *kulaks* para, 176-179

Simbirsk, província russa, 101

Simenon, Georges, 290

Simia, Hryhorii, 304, 340

Sindicato dos Arquitetos da URSS, 276

Skoropadsky, Pavlo, 46-47, 76, 78

Skrypnyk, Mykola, 23, 57, 102-104, 109, 113, 114, 138, 231, 277, 416; expurgo no Comissariado da Educação, 271-275; renúncia e suicídio, 272, 273

Skypyan-Basylevych, Maria, 266

Slipchenko, Volodymyr, 304

Slyniuk, Dmytro, 293

Snizhne, na Ucrânia Oriental, 431

Snyder, Timothy, 26, 333

Sobolivka, vilarejo, 220

Sokyrko, Mariia, 311

Soljenitsyn, Alexander, 159, 407, 416

Solovetsky, arquipélago campo de prisioneiros, 177, 322-323, 403

Solovieva, Antonina, 161, 163

Sorokin, Pitirim, 304

Sosnovyi, S., 398-399, 402, 403, 404

Sova, G., 404

Stalin, Iosef, advoga exploração dos camponeses, 131-132; artigo "Zonzo com o sucesso" (2 de março de 1930), 192-195, 199, 204; coerção na coleta de grãos de 1931-32, 218-220; coletivização como política pessoal de, 129-132, 157, 163, 192-195, 216, 224-225; comissário do povo das Nacionalidades, 54-57; como responsável pela fome, 21-22, 243-247, 259, 361-362, 400-403, 416, 422, 426, 428-429; convicção póstuma sobre o genocídio (2010), 426; decisões que afetaram a Ucrânia (outono de 1932), 22, 26, 244-247, 248-252, 257-260, 261-278, 279-300; declara guerra contra os traidores no partido (novembro de 1932), 265; e a crise dos grãos de 1927-28, 123-131, 138; e a polonesa Ucrânia Ocidental, 113, 133; e a Ucrânia no período revolucionário, 53-58; e as estatísticas do censo, 367-370; e as exportações de grãos, 214, 215, 226, 230, 247; e o Comunismo de Guerra, 62, 95, 130; e o reassentamento do campesinato, 355; e Sholokhov, 360-362; édito sobre roubo de propriedade pública (7 de agosto de 1932), 234-236, 246, 287, 308-309; entrevistas com a imprensa estrangeira, 379-381; "Grande Reviravolta" ou "Grande Revolução", 130, 214; histórico de, 50-51, 54; "limpeza" de Tsaritsyn (1918), 65, 67; "medidas extraordinárias" de (1927-28), 125, 129-132, 151; morte de (1953), 407; "O Marxismo e a Questão Nacional" (1913), 52; operação contra os intelectuais ucranianos (1927), 137-144; opinião sobre o nacionalismo, 52-55, 144, 350-351; ordem sobre a semeadura de 1931, 213-215; paranoia contra os médicos de, 142; política da "terra arrasada" de, 395; questão nacional como questão camponesa, 52-53, 144; reações às escassezes de alimentos (1932), 226, 228-230, 231, 232, 242-247; receio de inquietações na Ucrânia, 24, 145, 227, 236-237, 434-435; relatório do OGPU para (agosto de 1932), 236-238; rivalidade com Trotski, 64, 123; sobre "conspirações" estrangeiras (1927), 124; suicídio da esposa Nadya (1932), 240, 243; suspeita do Partido Comunista da Ucrânia, 56-57, 194, 227-229, 230-231, 236-237, 242-244, 264-266, 358-359, 366; suspeita dos intelectuais ucranianos, 43, 135, 138-144; teorias de conspirações para explicar a fome, 264-270, 361; viagem à Sibéria (1928), 128, 130, 152, 156, 163 e a "Plataforma de Ryutin", 241-242

Stalingrado (Tsaritsyn), 65, 80, 101, 401

Stari Babany, vilarejo da província de Cherkasy, 286

Stavropol, província do norte do Cáucaso, 97

Strang, William, 380-381

ÍNDICE

Sukhenko, Hanna, 283

Sumy, 176, 191, 287, 319

Sumy, vila, 174, 253

Svatove, vila, 262

Sysyn, Frank, 410

T

Tarasivka, vilarejo, 221

tatarsta, povo, 205

Tavriia, província, 55

Tchecoslováquia, 39, 110, 402

teatro, 38, 65, 112, 134, 274

Tendriakov, Vladimir, 407

teoria marxista, 52, 270-271, 362, 374; e a coletivização, 129, 131, 158, 234; e o campesinato, 68, 131; ucranização e a Nova Política Econômica (NEP), 106-107

Terekhov, Roman, 231, 366

Terras Negras Centrais, província, 169, 170, 189, 216, 263, 269

Terror Vermelho (1918), 63, 125

testemunhos e influências dos, *ver* memória, comemorações e influência dos testemunhos

The Black Deeds of the Kremlin (ed. Pidhainy), 404, 406

The New York Times, 363, 379, 381, 387, 409

The New Yorker, 389

The Times Literary Supplement, 410

Toporyshche, vilarejo, 294

Torgsin, lojas só de moedas fortes, 212, 338-342, 382

Tottle, Douglas, *Fraud, Famine and Fascism: The Ukrainian Genocide Myth from Hitler to Harvard* (1987), 411-412, 417, 431

Tratado de Brest-Litovsk (1918), 45, 46, 55

Trotski, Leon, 34, 41, 91-92, 94; e o campesinato, 65, 68, 75, 76, 77; rivalidade com Stalin, 64, 123

Tsaritsyn (Stalingrado), 64, 80, 101, 401

Tsivka, Hanna, 310

Tsymbaliuk, Olha, 280

Tulchyn, distrito, 200, 204

turcos, 30

Turkalo, Kost, 143

Turquia, 30, 45, 123, 213, 423

Tymoshchuk, Halyna, 334

Tymoshivka, vilarejo da província de Cherkasy, 286

U

Ucrânia; brasão de armas, notas bancárias e selos da, 43; como Estado soberano, 26, 417-419, 426-436; conselho revolucionário ucraniano, 58; continuada paranoia de Moscou quanto à, 207; cotas de "deskulakização", 168-171; decisões de Stalin que afetaram a (outono de 1932), 22, 26, 243-252, 258-260, 261-278, 279-300; declara independência (1991), 24, 418, 436; deportações para a Alemanha nazista, 394-395, 402; economia não funciona no período de 1921, 94; escolas criadas no período stalinista, 26; "esquerda" antissoviética nos anos 1920, 92; estatísticas de mortes na fome de

1932-33, 344-349, 353-354, 428-429; êxodo em massa da (1931-32), 252-258; expurgo de professores (1932-33), 272-275; fechamento da fronteira (1933), 22, 244, 257-259, 288, 328, 429; fim da ucranização (1932), 244, 261-264, 270-278; Guerra Polonesa-Ucraniana (1918-19), 39; hino nacional da, 421, 436; identidade nacional, 30-31, 32-33, 34, 36, 39, 115, 116, 270, 349, 405-406, 408, 431-432; industrialização no século XIX, 38; invasão russa da Ucrânia Oriental (2014), 26, 431-435; migração russa pós-2ª G. M. para a, 359; Molotov visita a (1928), 128, 153; ocupação nazista da, 359, 393-401, 406, 407; "Plano da Fome" nazista, 394; política soviética de ucranização (1923), 106-116, 132-135, 136, 429; primeira ocupação bolchevique (1918), 46, 55-58, 76; primeiro ataque soviético contra a (janeiro de 1918), 46; primeiros sinais da fome (1932), 21, 209-210, 220-224; programa de reassentamento pós-fome, 354-357; receio de Stalin quanto a perturbações na, 24, 145, 226-227, 237, 434-435; região da estepe no sudeste da, 150; Revolução de Maidan (2014), 26, 430, 433; Revolução Laranja (2004), 426; russificação da, 24, 37-38, 271-272, 275-278, 354-360, 404, 432-433; segunda ocupação bolchevique da (1919), 58, 65-72; significado da palavra, 30; sistema de passaporte interno (a partir de 1932), 257-260; sovietização da, 23-24, 109-110, 136-137, 402-403, 424-426; status pós-2ª G. M., 406-408; terceira ocupação bolchevique da (1920), 109

Uman, cidade, 223

Umanska, Mariia, 259

Umanskii, Konstantin, 379, 382, 386

União Soviética; 19ª Conferência de Toda a União do Partido Comunista (1988), 416; colapso da, 24; como estrita política de Estado por meados dos anos 1920, 116; culto à ciência e à máquina, 129; e a crise internacional do início dos anos 1930, 374-375; e o retorno de Hrushevsky (1924), 111; histórias de "dissidentes" do stalinismo, 407; invasão do Afeganistão (1979), 408; Missão Americana de Alívio para a União Soviética (1921-22), 60, 99-105; ocupação pós-2ª G. M. da Europa Central pela, 402; "Plano da Fome" nazista, 395; política da *glasnost* de Gorbachev, 414-417; política da sovietização, 23-24, 109, 136, 262, 402, 424-426; política de "atração dos indígenas" (*korenizatsiia*) (1923), 106, 108-115, 132-135, 429; política externa, 123-124; primeiro ataque à Ucrânia (janeiro de 1918), 46; Stalin e Trotski, luta pelo poder na, 64, 65, 123; transferência em massa de populações, 354-355

Universidade de Kharkov, 289

ÍNDICE 559

Urais, 97, 161, 175, 178, 205, 219, 269, 329

Uralsk, província russa, 101

V

Velychko, Spyrydon, 297

Velyka Lepetykha, vila, 336

Velyke Ustia, da província de Chernihiv, 69, 83

Venzhyk, Larysa, 318-319

Vernydub, Leonid, 280

Village Voice, 411

Vinnytsia, cidade, 217, 223, 336

Vinnytsia, província, 205, 222, 224, 257, 281, 284, 292, 310, 311, 329, ataque contra a religião na, 276; documentos e registros destruídos, 366; e Richytskyi, 296-300; incidentes de canibalismo na, 318-319, 321-323; membros do SVU "descobertos" em, 206; orfanatos em, 336; taxas de mortalidade pela fome de (1932-33), 347

Viola, Lynne, 194-195

Virun, Stepan, 408

Volga, províncias russas do, 200, 214, 219, 221, 346, e a fome de 1921-22, 97-98, 100, 102; e a fome de 1932-33, 21, 221, 233, 258, 262, 341, 346, 367, 381, 428; minorias germânicas nas, 341, 346, 354; província do médio Volga, 189, 209; província do Volga Central, 169, 233; província do baixo Volga, 209, 258

Volhynia, província, 34, 399

Voltaire, 33

Volyn, distrito, 37, 205

Voronezh, província, 190

Voroshilov, Klement, 65, 240

Voznesensk, sul da Ucrânia, 288, 299

Vynnychenko, Volodymyr, 43

Vyoshenskaya Vstanitsa, norte do Cáucaso, 360-361

Vyshnia, Ostap, 272

W

Webb, Beatrice e Sidney, 375-376

Wienerberger, Alexander, 372

Woropay, Olexa, *O Nono Círculo*, 402

Woźniak, Leon, 254

Wrangel, general Piotr, 91, 269

Y

Yagoda, Genrikh, 125, 163, 169, 206, 258, 269

Yakovlev, Yakov, 355

Yanukovych, Viktor, 26, 430

Yefremov, Serhii, 47, 140, 142

Yushchenko, Viktor, 426-427, 428, 429

Z

Zalyvcha, Sofiia, 328

Zaporizhia, província, 76, 79, 97

Zatonskyi, Volodymyr, 58, 108, 109, 299

Zerr, Antonius, 190

Zhyhadno, Oksana, 327

Zhytomyr, província, 284, 317, 366

Zinoviev, Grigorii, 107

Zolotoverkha, Elida, 392

Zynovïvskyi, distrito, 221, 222

Este livro foi composto na tipografia
Minion Pro em corpo 11/15, e impresso
em papel off-white no Sistema Cameron da
Divisão Gráfica da Distribuidora Record.